JN028110

すべてを可能にしてくれた
FLIチームへ

目次

謝辞…008

プロローグ　オメガチームの物語…013
最初の数百万ドル／危険なゲーム／最初の数十億ドル／新たなテクノロジー／権力掌握／統合

第1章　いまもっとも重要な議論へのいざない…039
複雑さのおおまかな歴史／生命の3つの段階／論争／誤解／この先の道筋

第2章　物質が知能を持つ…077
知能とは何か？／記憶とは何か？／計算とは何か？／学習とは何か？

第3章 近未来――ブレイクスルー、バグ、法律、兵器、仕事…123
ブレイクスルー／バグVS堅牢なＡＩ／法律／兵器／仕事と賃金／人間レベルの知能？

第4章 知能爆発？…197
全体主義／プロメテウスが世界を支配する／ゆっくりとした立ち上がりと多極的なシナリオ／サイボーグとアップロード／実際には何が起こるのか？

第5章 余波――1万年先まで…235
自由論者のユートピア／善意の独裁者／平等主義者のユートピア／門番／保護者としての神／奴隷としての神／征服者／後継者／動物園の飼育係／１９８４／先祖返り／自滅／あなたならどのシナリオを望むか？

第6章 宇宙からの恵み――今後10億年とさらにその先…293
資源を最大限に活用する／宇宙への入植によって資源を確保する／宇宙のヒエラルキー／展望

第7章　目標…357
物理学　目標の起源／生物学　目標の進化／心理学　目標の追求とそれに対する反抗／工学　目標を外部に委ねる／友好的なＡＩ　目標を合致させる／倫理　目標を選ぶ／究極の目標？

第8章　意識…403
どうでもいい問題なのでは？／意識とは何か？／何が問題か？／意識は科学の範囲を超えているのか？／意識に関する実験的な手掛かり／意識に関するいくつかの理論／意識をめぐる論争／ＡＩの意識は何を感じるか？／意義

エピローグ　ＦＬＩチームの物語…455
ＦＬＩの誕生／プエルトリコでの冒険／ＡＩ安全性研究を主流にする／アシロマＡＩ原則／留意を伴う楽観論

訳者あとがき…485　原注…500　索引…509

・本文中の行間の数字は著者による注で、章ごとに番号を付し巻末に収録する。
・本文中の＊および†も著者による注で、こちらはページ左端に配置する。
・〔　〕は訳者による注を示す。
・文中の書名は、邦訳がない場合のみ初出時に原題を記す。

謝辞

本書の執筆に際して私を励まし、また手を差し伸べてくれた、以下のすべての人に心から感謝する。

長年にわたって支えてくれ、また刺激を与えてくれた、家族、友人、恩師、同僚、共同研究者のみなさん。

意識と人生の価値に対する興味を掻き立ててくれた母、この世界をより良くしようという闘志を持った父、人間レベルの知能の出現という驚異を見せつけてくれた息子のフィリップとアレクサンダー。

長年にわたって質問や意見を寄せてくれ、また私のアイデアを追究して発表するよう励ましてくれた、科学や技術に強い関心を持つ世界中の人たち、本書執筆の提案に私が首を縦に振るまで圧力をかけてくれたエージェントのジョン・ブロックマン。

クエーサー、スファレロン、熱力学についてそれぞれ有益な議論を交わしてくれた、ボブ・ペナ、ジェシー・テイラー、ジェレミー・イングランド。

原稿の各部分にコメントをくれた、母、弟のペア、ルイザ・バヘット、ロブ・ベンシンガー、カテリーナ・ベルクシュトレム、エリック・ブリニョルフソン、ダニエラ・チタ、デイヴィッド・チャーマーズ、ニーマ・デグハニ、ヘンリー・リン、エリン・マルムスケルト、トビー・オード、ジェレミー・オーウェン、ルーカス・ペリー、アンソニー・ロメロ、ネイト・ソアレス、ヤーン・タリン。

本書全体の草稿にコメントをくれたスーパーヒーローたち、メイア、父、アンソニー・アギーレ、ポール・アーモンド、マシュー・グレイヴズ、フィリップ・ヘルビッヒ、リチャード・マラー、デイヴィッド・マーブル、ハワード・メッシング、ルイニョ・セオアネ、マリン・ソリャシウ、編集者のダン・フランク。

そして誰よりも、私の愛する女神で旅の友、たえず励ましと支えと刺激を与えてくれているメイア。彼女がいなかったら本書は存在していなかっただろう。

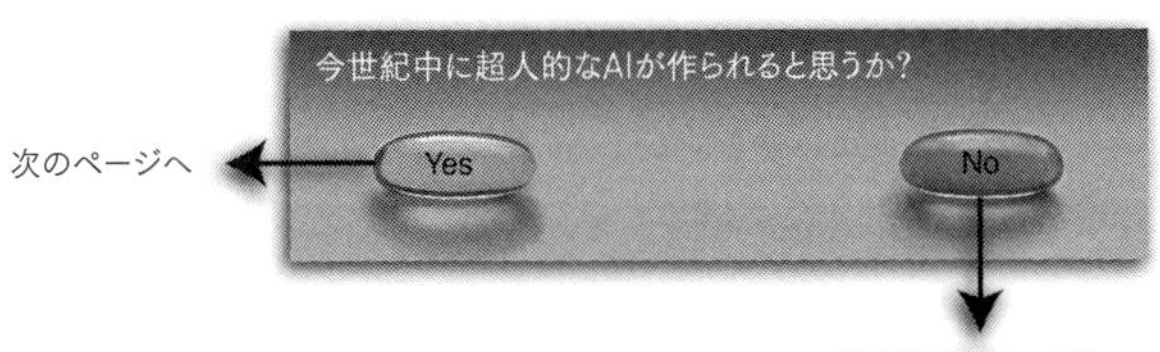

第1章(39ページ)へ

プロローグ

オメガチームの物語

オメガチームはその会社の魂だった。この企業の残りの部門は、特化型の（狭い）人工知能（AI）を商業的にさまざまな形に応用することで収益を上げて経営を支えていたが、一方オメガチームは、CEO（最高経営責任者）の昔からの夢を追求していた。それは、汎用人工知能（AGI）を開発するという夢である。ほかのほとんどの従業員は、親しみを込めて「オメガズ」と呼ぶ彼らのことを、何十年も先の目標を見据えつづける、非現実的な夢を見る連中ととらえていた。それでも喜んで彼らの思いどおりにさせていた。オメガズの最先端の成果が会社の名声を高めてくれていることにも満足していたし、改良したアルゴリズムをときどき提供してくれることもありがたく思っていたからだ。

彼らは気づいていなかったが、オメガズはある秘密を隠すために自分たちのイメージを入念にこしらえていた。人類史上もっとも大胆な計画を成し遂げるまであと一歩のところに来ていたのだ。カリスマ的なCEOが彼らを選び出したのは、研究者として頭が切れるからだけでなく、野心と理想、そして人類を救うことに打ち込めるからだった。CEOは彼らに、この計画はきわめて危険だし、もし権力を持つ政府機関が見つけてしまったら、計画を中止させるか、あわよくばコードを奪うために、何をしてくるか分からない――誘拐されるかもしれない――と念を押していた。しかし彼らは一人残らず、核兵器開発のマンハッタン計画に加わった世界一流の物理学者と同じ理由で取り組んでいた。

もし自分たちが最初に成し遂げなければ、崇高な理想など持たない誰かに先を越されてしまうと恐れていたのだ。

彼らが開発したプロメテウスというＡＩは、次々に能力を高めていった。その認知能力は、社会的スキルなど多くの分野ではいまだ人間にははるかにおよばなかったものの、オメガズは努力に努力を重ねて、ある特定の課題についてはとてつもない能力を達成していた。それは、ＡＩシステムをプログラミングするという課題である。彼らがあえてこの戦略を選んだのは、さかのぼること１９６５年にイギリス人数学者のアーヴィング・Ｊ・グッドが唱えた、知能爆発に関する次のような主張を信じていたからだった。「どんなに賢い人間の知的活動をもはるかに凌ぐことのできる機械を、超知能マシンと定義しよう。機械の設計はそのような知的活動のひとつなのだから、超知能マシンはさらに優れた機械を設計することができる。すると間違いなく『知能爆発』が起こり、人間の知能は大きく水をあけられることになるだろう。したがって最初の超知能マシンは、人間が作るべき最後の発明品である。ただしその機械は十分に従順で、手なずけ方を我々に教えてくれるものでなければならない」

オメガズは考えた。もし再帰的な自己改良が始まれば、その機械はあっという間にとてつもなく賢くなり、人間が持っているほかのあらゆる有用な技術も独習できるようになるはずだと。

最初の数百万ドル

ある金曜日の朝９時、彼らは機械を起動させる決心を固めた。入室が制限された空調完備の広い部屋、何列もの長いラックに収められた特製のコンピュータ・クラスターの中で、プロメテウスはうなり声を上げた。セキュリティ上の理由からインターネットとは完全に切り離されていたが、学習用の訓練データとして使うために、ウェブの大部分（ウィキペディア、アメリカ議会図書館、ツイッター、ユーチューブから選び出した動画、フェイスブックの大部分）のコピーは収められていた。*彼らがこの日時を選んだのは、誰にも邪魔をされたくなかったからだ。家族や友人には、週末は会社の慰安旅行だと思わせていた。簡易キッチンに電子レンジで温める食事とエナジードリンクをたっぷり用意し、準備は整った。

起動したプロメテウスは、ＡＩシステムのプログラミングにかけてはオメガズよりわずかに劣っていたが、それを補うように処理速度は大幅に速く、オメガズがレッドブルを一気飲みしているあいだに数千人・年分に相当する処理をおこなった。午前10時には、最初の自己再設計を済ませてバージョン2・0になっていた。わずかに能力は向上したが、いまだ人間にはおよばなかった。しかし午後2時にプロメテウス5・0が立ち上がる頃には、オメガズは畏怖の念を覚えていた。性能を測るためのベンチマークがもはや使い物にならず、進歩のスピードも加速しているように思えたのだ。夕方、オメガズはプロメテウス10・0に計画のフェーズ2を開始させることにした。お金を稼がせるのだ。

最初のターゲットは、アマゾンメカニカルターク（ＭＴｕｒｋ）。インターネット上のクラウドソーシング用のマーケットプレイスとして2005年に開始して急成長したＭＴｕｒｋでは、世界中の何万もの人が匿名で四六時中先を争って、「人間知能タスク（ＨＩＴ）」と呼ばれる高度に組織化された作業をしていた。音声の文字起こしから、画像の分類やウェブページの説明文の執筆まで、作業の種類はさまざまだが、ひとつ共通点があった。うまくこなせてさえいれば、ＡＩがやったのかどうかなんて誰にも分からないのだ。プロメテウス10・0は、作業カテゴリーのうちの約半分を、許容できるレベルでこなすことができた。オメガズはプロメテウスに、各カテゴリーごとにその作業だけをこなせるカスタムメイドのコンパクトな特化型ＡＩソフトウェアモジュールを設計させた。そしてそのモジュールを、クラウドコンピューティングのプラットフォーム、アマゾンウェブサービスにアップロードし、借りた何台もの仮想マシン上で走らせた。そうして、アマゾンのクラウドコンピューティング部門に1ドル支払うごとに、アマゾンのＭＴｕｒｋ部門から2ドル以上稼いでいった。いくらアマゾンでも、自社の中にそんなサヤ取りのチャンスがあるなんて思ってもいなかったのだ。

オメガズは正体を隠すために、何か月も前から慎重に仮名のＭＴｕｒｋアカウントを何千件も作っていたため、プロメテウスが作ったモジュールはそれぞれ別々の存在とみなされていた。約8時間後、ＭＴｕｒｋ利用者の多くから料金が支払われた。オメガズは、進歩を続けるプロメテウスの最新バージョンが製作した、より優れた作業モジュールを使って、そのお金をさらに長時間のクラウドコンピューティングに再投資した。そうして8時間ごとにお金を2倍に増やしていったが、やがて

＊＝ほとんどの研究者は、人間レベルのＡＧＩが誕生するのは少なくとも数十年は先のことだろうと推測しているが、ここでは話を単純にするために現在の経済と技術を前提としている。将来、デジタル経済が成長を続け、オンラインで無条件に発注できるサービスがさらに増えれば、オメガズの計画はさらに容易に進められるはずだ。

ＭＴｕｒｋから提供される作業が底を尽きはじめ、無用な注目を浴びずに1日１００万ドル以上稼ぐのは無理だと気づかされた。しかし次のステップへの資金としては十分すぎるほどで、わざわざＣＦＯ（最高財務責任者）にお金を工面してもらう必要もなくなった。

危険なゲーム

オメガズがＡＩ開発のほかにもっとも楽しんで取り組んでいた最近のプロジェクトのひとつが、プロメテウス起動後にできる限り手早くお金を集める方法を計画することだった。デジタル経済のほぼどんな部門でも独占できるだろうが、最初は何から手を付けるのが良いだろうか？　コンピュータゲームや音楽、映画やソフトウェアを作ったり、本や記事を書いたり、株取引をしたり、何かを発明して売り出したりすることだろうか？　要は投資の利益率をなるべく高くすることに行き着くが、通常の投資戦略はオメガズにとってはあまりにじれったいものだった。通常の投資では年9パーセントの利益率で満足できるかもしれないが、ＭＴｕｒｋへのオメガズの投資は1時間あたり9パーセントの利益を上げ、1日ごとに投資額の8倍のお金を生み出した。しかしＭＴｕｒｋが飽和してしまったので、次はどうするか？

オメガズが最初に考えたのは、株で大儲けすることだった。ほとんどのメンバーは以前、まさにそのとおりのアイデアに大量の資金をつぎ込むヘッジファンドから、高収入のＡＩ開発者として声をかけられたことが一度はあったが、きっぱり断っていた。思えば映画『トランセンデンス』でも、

ＡＩがこの方法で最初の数百万ドルを稼いでいた。しかし昨年の株価大暴落を受けて設けられた、デリバティブに対する新たな規制のために、打てる手はさほど多くなかった。ほかの投資家よりずっと高い利益を上げることはできるだろうが、自社の製品を売って得られる利益にはとうていおよばないだろう。自分のために働いてくれる世界初の超知能ＡＩをせっかく手にしたのだから、ほかの会社よりも自分の会社に投資したほうが儲かるのだ。プロメテウスの超人的なハッキング能力を使って他社の内部情報を入手し、急騰しそうな株式のコールオプション〔権利行使価格で買う権利〕を買っておくなど、いくつか例外はあるかもしれないが、それでも無用な注目を集めるほどの価値はない。オメガズはそう考えた。

自分たちが開発して売り出せる製品に焦点を絞ったオメガズは、まずは当然コンピュータゲームがいちばんの選択肢だろうと思った。プロメテウスは急速に成長して、魅力的なゲームの設計、コードの開発、グラフィックデザイン、画像のレイトレーシング〔光線を追跡して表現する手法〕など、最終製品の開発に必要なあらゆる作業にすさまじい能力を発揮する。さらに、人々の嗜好に関するウェブデータを分析しつくして、各タイプのゲーマーがどんなゲームを好むかを正確に把握し、ゲームでできるだけ多くの収益を上げる超人的能力を身につける。さかのぼること２０１１年、オメガズのメンバーの多くも思わず長い時間熱中してしまったゲーム『エルダー・スクロールズＶ　スカイリム』は、最初の1週間で4億ドル以上の収益を上げていた。プロメテウスなら、１００万ドル相当のクラウドコンピューティングリソースを使って、24時間以内に少なくともそれと同じくらい中毒性のあるゲームを作れるはずだ。それをオンラインで販売し、プロメテウスがブログの世界で人間になりすまして褒めちぎればいい。1週間で2億5000万ドル稼げれば、8日間で投資額を8回にわたって2倍にでき、1時間あたりの収益率は3パーセントとなる。MTurkよりは少し低いが、もっとずっと長く続けられる。1日にひとつ新たなゲームを開発していけば、ゲーム市場を供給過剰に陥れずに、すぐに100億ドルは稼げるだろう。

しかしチームのサイバーセキュリティ専門家が、このゲームの計画に難色を示した。プロメテウスが脱走して自身の運命の支配権を奪い取るという、とうてい受け入れられないリスクが生じるというのだ。再帰的に自己改良するプロメテウスが自身の目標をどのように変化させていくか定かでなかったため、オメガズは安全策を取り、あらゆる策を講じてプロメテウスを閉じ込め（「箱の中に入れ」）、インターネット上に逃げ出さないようにしていた。サーバールームで走るプロメテウスのメインエンジンは、物理的に閉じ込めてあった。インターネットにはいっさい接続されておらず、プロメテウスから出力されるメッセージや文書だけが、オメガズが制御するコンピュータに送られるという具合だ。

プロメテウスの作った複雑なプログラムをインターネットに接続されたコンピュータで走らせるというのは、リスクの高い考えだった。そのプログラムの動作を完全に把握する術がないため、たとえばネット上でウイルスのように蔓延しはじめることがないとはけっして言い切れないからだ。MTurkでの作業のためにプロメテウスが書いたソフトウェアをテストした際には、仮想マシンの中だけで走らせることでそれを防いだ。仮想マシンとは1台のコンピュータをシミュレートしたプログラムのことで、たとえば多くのMacユーザーが購入している仮想マシンソフトウェアは、Windowsのプログラムをあたかも Windowsマシン上であるかのように走らせられる。オメガズも独自に、「パンドラの箱」と名付けた仮想マシンを作っていた。キーボードやモニター、スピーカーやインターネット接続など、ふつうのコンピュータには当然あるはずの付加機能をいっさい削ぎ落とした、極限まで単純化したマシンをシミュレートしたものだ。ＭＴｕｒｋでの音声の文字起こし作業では、パンドラの箱にひとつの音声ファイルだけが入力され、書き起こされたひとつのテキストファイルだけが出力されるように策を講じた。中にあるソフトウェアにとって、このパンドラの箱の規則は、この宇宙の中にいる我々にとっての物理法則のようなものだ。我々がどんなに賢くても光より速く移動できないのと同じように、このソフトウェアもけっして箱から外に出ることはできない。パンドラの箱の中のソフトウェアは、入力ひとつと出力ひとつを除けば、独自のコンピュータ的規則を備えた平行宇宙の中に事実上囚われている。オメガズはプロメテウスが逃げ出すのを恐れるあまり、信用できないプログラムコードに寿命の上限を課すことで、いわば時間に関する箱も追加した。たとえば、箱の中に囚われた文字起こしソフトウェアがひとつの音声ファイルの文字起こしを終えると、そのたびにパンドラの箱の中のメモリが自動的にすべて消去され、プログラムが一から再インストールされる。次の文字起こし作業が始まるときには、以前の出来事に関する情報はすでに残っておらず、プログラムが時間とともに学習していくこともできない。

ＭＴｕｒｋのプロジェクトにアマゾンクラウドを使ったときには、ＭＴｕｒｋへの入出力がきわめて単純であるおかげで、プロメテウスが作成した作業モジュールをすべてこのような仮想ボックスに収めておくことができた。しかしグラフィックスを多用するコンピュータゲームの場合、ゲーマーのコンピュータのハードウェアにフルアクセスする必要があるため、同じように箱に閉じ込めておくことはできない。しかも、誰かコンピュータに詳しいユーザーがゲームのコードを解析して、パンドラの箱を発見し、その中身を調べはじめるといった事態はどうしても避けたい。そのような脱走リスクを考えると、ゲーム市場だけでなく、数千億ドルを荒稼ぎできそうなほかのソフトウェア市場にも手は出せなかった。

最初の数十億ドル

オメガズは、高付加価値で純粋にデジタルであり（時間のかかる製造工程を避けるため）、かつ内容を容易に把握できる製品（脱走のリスクのないことが分かっている文書や動画など）にターゲットを絞り込んだ。そこでメディア企業を立ち上げ、まずはアニメーション娯楽作品を制作することにした。ウェブサイト、マーケティングプラン、プレスリリースはすべて、プロメテウスが超知能になる前にすでに用意できた。あとは中身だけだ。

起動してから3日目の日曜日の朝までに、プロメテウスは驚くほどの能力を獲得してMTurkから着実にお金をかき集めていたが、知的能力の範囲はまだ比較的限定されていた。MTurkの単調な作業をこなすAIシステムを設計してソフトウェアを書くことに、意図的に最適化されていたからだ。たとえば映画作りは苦手だった。何か深い理由があったわけではなく、生まれたばかりのジェームズ・キャメロンが映画作りが苦手だったのと同じで、身につけるのに時間のかかる能力だからだ。プロメテウスは人間の子供と同様、アクセスするデータから何でも学ぶことができた。ジェームズ・

キャメロンが読み書きを習得するには何年もかかったが、プロメテウスは起動初日の金曜日にはすでに読み書きの方法を身につけ、ウィキペディア全文と数百万冊の本を読み尽くす余裕もあった。しかし映画作りはもっと難しかった。人間が面白がってくれそうな脚本を書くのは、本を書くのと同じくらい難しいことで、人間社会や人間の喜ぶ事柄を詳しく理解していなければならない。さらに、脚本を最終的な動画ファイルに仕上げるには、シミュレートした俳優とその複雑な背景をレイトレーシングし、音声をシミュレートし、魅力的なサウンドトラックを制作するなど、膨大な作業が必要となる。日曜日の朝にはプロメテウスは、2時間の映画を1分ほどで鑑賞し、その原作、およびネット上の批評や評価（レイティング）を読めるようになっていた。数百本の映画を片っ端から観終えると、ある映画がどのような批評を受け、どの層の観客にどれほどアピールできるかをかなり正確に予測できるようになった。それどころか、筋書きや演技から、照明やカメラアングルといった技術的詳細に至るまであらゆる面に言及した、本物の眼識を感じさせる独自の批評を書く能力まで身につけた。自分で映画を作るとしたらどんな作品が成功するか、そこまで分かるようになったのだ。

　オメガズは、どの俳優をシミュレートするかという面倒な問題を避けるために、まずはアニメーション作りに集中するようプロメテウスに指示した。日曜日の夜には、怒濤のような週末の締めくくりに、ビールと、電子レンジで作るポップコーンを用意して明かりを消し、プロメテウスのデビュー作を鑑賞した。ディズニーのアニメ映画『アナと雪の女王』を彷彿とさせるファンタジーコメディだった。レイトレーシングは、アマゾンクラウド上で箱の中に閉じ込められたプロメテウス製のコードが、ＭＴｕｒｋでの１日の利益１００万ドルの大半を費やして処理した。映画が始まるとオメガズは、この作品が人間の手助けなしに機械によって作られたことに魅了されるとともに、恐ろしさも感じた。しかしすぐに、ギャグが飛び出せば声を上げて笑い、ドラマチックな瞬間には息を呑むようになった。この架空の現実に没頭するあまり、制作者の正体などすっかり忘れて、感動的なエンディングでは目に涙を浮かべる者もいた。

オメガズはウェブサイトの立ち上げ日を翌週の金曜日に設定し、プロメテウスにさらにコンテンツを作る時間を与えた。またプロメテウスには任せられない、広告の募集や、数か月前に設立したダミー会社の従業員採用を始めた。正体を隠すために、このメディア企業（表向きにはオメガズとはいっさい関係ない）は、おもに低所得地域のハイテク新興企業である独立系の映画制作者から、ほとんどの作品を買い付けているという話をでっち上げた。その架空のコンテンツ提供会社は、インドのティルチラパリやロシアのヤクーツクなど、ジャーナリストがいくら興味を持ってもわざわざ訪れないような場所に設置した。実際にそこで働いているのはマーケティングと総務の社員だけで、誰かに尋ねられても、制作チームは別の場所にいていまは取材を受けられないと答えさせた。作り話にあわせて、この会社のスローガンは「世界中のクリエイティブな才能を発信する」と定めた。とくに開発途上国のクリエイティブな人々に最先端技術を使って力を与えるという点が、他社とは大きく違うのだというイメージを植え付けたのだ。

サイトを立ち上げた金曜日、興味津々でアクセスした人は、映像ストリーミングサービスのＮｅｔｆｌｉｘやＨｕｌｕに似ているがどこか違うと感じた。どのアニメーションシリーズも、一度も聞いたことのない新作だった。かなり魅力的な作品ばかりだ。ほとんどのシリーズは筋書きがしっかりしていて、1話45分、各話を観終えるたびに、次回に何が起こるか知りたくてたまらなくなる。しかも競合サービスより料金が安かった。各シリーズの第1話は無料、それ以降は1話49セント、シリーズを通して観ると割引もあった。はじめは3つのシリーズで各3話だったが、毎日新たな話が追加され、また異なる視聴者層に向けた新シリーズも登場した。プロメテウスは最初の2週間で映画制作能力を急速に向上させ、映画の質を高めるだけでなく、登場人物のシミュレーションやレイトレーシングのアルゴリズムを改良して、各話の制作にかかるクラウドコンピューティングのコストを大幅に下げた。その結果、オメガズは最初の1か月で、幼児から大人までさまざまな視聴者層に向けた新たなシリーズを何十本も公開し、さらには世界の主要な言語の市場にまで手を伸ばして、競合他社よりもはるかに国際的なサイトに仕立て上げた。音声だけでなく動画自体も多言語仕様である点を評価する論評もあった。たとえば登場人物がイタリア語でしゃべると、口もイタリア語の単語にあわせて動き、手振りもイタリア人特有のものになる。すでにプロメテウスは、人間と見分けのつかないシミュレーションの俳優を使った映画を作る能力まで完璧に備えていたが、オメガズはその手の内は明かさないようにした。ただし、従来の実写のテレビ番組や映画と競合するジャンルでは、半ばリアルな人間のアニメキャラクターが登場するシリーズを何本も公開した。

このオンラインサービスに人々は夢中になり、視聴者数はすさまじい伸びを見せた。大勢のファンが、莫大な予算を掛けたハリウッドの映画館向け作品よりもよくできた面白い人物設定や筋書きだと評価し、ずっと手軽に観られることに大喜びした。積極的な宣伝活動（制作費がほぼゼロだったためその余裕があった）や、好意的なマスコミ報道、そしてべた褒めの口コミに後押しされて、サービス開始から1か月もせずに全世界での1日あたりの収益が1000万ドルを超えた。2か月後には Netflixを追い抜いて、3か月後には1日1億ドルを集め、世界最大のメディア帝国のひとつとして、タイム・ワーナー、ディズニー、Comcast、FOXと張りあうまでになった。

センセーショナルな大成功によって無用な注目を集め、強い（汎用）AIを使っているのではないかとまで噂されたが、オメガズは収益のごく一部を使って偽の情報を流し、それがかなり功を奏した。マンハッタンに新たに設置した派手なオフィスから、雇ったばかりのスポークスマンが、例の作り話を懇切丁寧に説いた。また、プロメテウスのことなどいっさい知らない世界中の実際の脚本家に新たなシリーズを作らせるなど、引き立て役も何人も雇った。世界中に複雑な下請け契約のネットワークを構築することで、大部分の従業員は、どこかで誰かがほとんどの作品を作っているのだろうと信じ込んでいた。

さらにオメガズは、脆弱性を抑えるとともに、膨大なクラウドコンピューティングに疑いの目が向けられることのないよう、技術者を雇って世界中に大規模なコンピュータ施設をいくつも作り、一見したところ無関係なダミー会社に所有させた。それぞれの地元には、おもにソーラーパワーで操業する「環境に優しいデータセンター」と公表したが、実際にはデータの保存ではなくもっぱら計算に集中していた。既製のハードウェアだけを使って最短期間で施設を建設できるよう、プロメテウスが細部に至るまで設計図を引いた。各センターを建設して運営する人たちは、そこでどんな計算がなされているか知るよしもなかった。アマゾンやグーグルやマイクロソフトが運営しているような商業的クラウドコンピューティング施設だと思い込んでいて、どこか遠い場所ですべての売上が管理されていることしか知らなかった。

新たなテクノロジー

数か月のうちに、オメガズが支配する企業帝国は、プロメテウスの超人的なプランニングのおかげで世界経済のさらに多くの分野へ足場を築きはじめた。すでにプロメテウスは起動してからの1週間で、世界中のデータを入念に分析してオメガズに詳細な段階的成長プランを提示していたし、その後もデータとコンピュータリソースが増えるにつれてその計画を改良しつづけた。プロメテウスはけっして全知全能ではなかったが、すでに人間の能力をはるかに凌いでいて、オメガズにとっては完璧な神託に思えた。見事な答えを忠実に出し、あらゆる質問に対して助言を与えつづけたのだ。

プロメテウスのソフトウェアが、人間が発明した凡庸なハードウェアを最大限に活用するよう最適化されてしまうと、オメガズが予想していたとおり、プロメテウスは、そのハードウェアを劇的に改良する方法をいくつか示してきた。しかしプロメテウスの脱走を恐れるオメガズは、プロメテウスが直接操ることのできる自動組立工場の建設には首を縦に振らなかった。その代わりに、さまざまな地域の世界クラスの科学者や技術者を雇い、プロメテウスの書いた内部研究報告書を、別の拠点の研究者が書いたものと偽って彼らに渡した。それらの報告書にはまったく新しい物理効果や製造手法が詳細に記されており、技術者はそれをすぐに検証して理解し、習得した。人間の手による通常の研究開発は、時間のかかる試行錯誤のサイクルがいくつも関わってくるため、何年もかかるのが当然だが、この場合はまったく違っていた。プロメテウスが先回りして次のステップを導いているため、制約要因となるのは、人間がいかに速く理解して正しい製品を組み立てるかだけだった。優れた教師に教わる生徒は、自分で一から発見するよりもずっと速く科学を学べる。プロメテウスはそれと同じことを、研究者に対してこっそりおこなっていたことになる。人間が理解して、与えられたさまざまな道具で製品を組み立てるのにどれだけの時間がかかるかを、プロメテウスは正確に予測することができた。そこで、人間が素早く理解して組み立てることができ、さらに高度な道具の開発に役立つような道具の製作を優先させることで、できる限り最速の道筋を導き出した。

開発者精神を持った技術チームは、自分たちが作った機械でさらに優れた機械を組み立てるよう駆り立てられた。このように自給自足にすることで、経費の節約になるだけでなく、外界からの将来の脅威に対しても強くなる。チームは2年もせずに、従来のどんなものよりもはるかに高性能のコンピュータハードウェアを製造するようになっていた。外部の競争相手を利することがないよう、その技術はひた隠しにして、プロメテウスのアップグレードにのみ利用した。

しかし世界中の人々が、テクノロジーの驚異的な発展に気づきはじめた。あらゆる国の新興企業がいたるところで画期的な新製品を世に送り出しはじめたのだ。韓国の新興企業は、従来の2倍の容量で重量は半分、しかも1分以内で充電できる新型のノートパソコン用バッテリーを売り出した。フィンランドの企業は、競合製品の2倍の発電効率の安価なソーラーパネルを発売した。ドイツの企業は、室温で超伝導を示す大量生産可能な新たなタイプの電線を発表し、エネルギー分野に革命を起こした。ボストンを拠点とするバイオテクノロジーグループは、効果的で副作用のない世界初の痩せ薬が臨床試験のフェーズⅡに入ったと発表したが、噂によれば、インドのある会社がすでに闇市場でそれと同様の薬を売っているという。カリフォルニアの企業も負けじと、一般的なあらゆるがん変異細胞を免疫系が特定して攻撃するよう仕向ける、大成功間違いなしのがん治療薬のフェーズⅡ臨床試験を開始した。同様の例が次から次へと登場し、科学の新たな黄金時代が語られはじめた。とりわけ、世界中で次々にロボティクスの企業が生まれた。人間の知能に匹敵するようなロボットは1台もなかったし、人間の姿に似ているものもほとんどなかったが、それでも経済を大きく混乱させ、何年かのうちに、製造業、輸送業、倉庫業、小売業、建設業、鉱業、農業、林業、漁業の従事者にほぼ取って代わっていった。

しかし、これらの企業がすべて複数の仲介者を通じてオメガズに操られていることは、有能な弁護士チームのたゆみない取り組みのおかげで、世間には気づかれていなかった。プロメテウスはさまざまな代理人を通して世界中の特許局に画期的な新発明を次々に申請し、それらの新発明がテクノロジーのあらゆる分野を徐々に支配していった。

現状を打破するこれらの新企業は、競争相手の中から手強い敵を生み出す一方で、さらに強力な支援者も集めていった。「地域社会に投資する」といったスローガンのもと、莫大な収益の大部分を使って公益事業のために人々を雇ったのだ。その多くは、破綻した企業から解雇された人たちだった。プロメテウスが開発した詳細な分析手法によって、各地域の事情ごとに、最小限のコストで従業員と地域社会が最大の恩恵を受けられるような事業が特定された。行政サービスの水準が高い地域では公共施設や文化や介護に重点が置かれ、貧しい地域ではさらに、学校の建設と運営、健康管理、保育、介護、手頃な住宅、公園、基本的インフラも対象に含められた。どの地域でも、地元の人々がずっと以前にやってほしかったと思っていたことばかりだった。地元の政治家には多額の献金をして、これらの企業の地域投資を後押しするよう便宜を図ってもらった。

権力掌握

オメガズがメディア企業を立ち上げたのは、テクノロジー関連のベンチャーに資金を供給するためだけでなく、世界を乗っ取るという大胆不敵な計画の第2段階のためでもあった。計画開始から1年もせずに、驚くほど優れたニュースチャンネルを世界中に設立したのだ。これはオメガズのほかのチャンネルと違って意図的に赤字になるよう仕組まれており、公共サービスとして提供された。それどころか、収入はいっさい生み出さなかった。広告も流していなかったし、インターネットに接続できるどんな人でも無料で視聴可能だった。オメガズのメディア帝国のそれ以外の部門が金のなる木だったため、ニュースサービスには、世界史上どんな報道事業よりもはるかに多くの資金をつぎ込めたのだ。そしてそれが功を奏した。他社より高い給料でジャーナリストや調査報道記者を積極的に募集し、魅力的な人材や記事を画面に登場させた。地元の政治家の汚職から心温まる出来事まで、何らかのニュースのネタを提供してくれたあらゆる人に、全世界規模のウェブサービスを通じて謝礼を支払うことで、ほとんどのニュースをどこよりも先に報じた。少なくとも人々はそう信じていた。しかし実際には、プロメテウスがリアルタイムでインターネットを監視して発見したネタを、市民ジャーナリストから提供されたと偽っているだけだった。オメガズの動画ニュースサイトは、ポッドキャストや紙媒体も併せて提供した。

オメガズの報道戦略の第1フェーズは人々の信頼を得ることであって、それは見事に成功した。かつてなく積極的に資金を使うことで、各地域のニュースを驚くほどまめに取り上げることができたし、調査報道記者は視聴者に深く関わるスキャンダルを暴き出すことも多かった。ひとつの国が政治的に分裂して、党派色の濃い報道ばかりになると、それぞれ別々の企業を装って各勢力ごとにあわせたニュースチャンネルを開設し、徐々にそれぞれの勢力の信頼を獲得していった。可能な場合には、影響力を持った既存のチャンネルの大部分を代理人を使って買収し、徐々に広告を減らして独自の内容を増やすことで改善していった。検閲や政治的干渉のせいでそのような取り組みが難しい国では、事業継続のために当初は政府から要求される条件にすべて従いながらも、「真実だけを報じるが、すべての真実ではない」をひそかに内輪のスローガンに掲げた。このような場合にはプロメテウスがたいてい最適なアドバイスを与え、どの政治家に良いイメージを与えてどの政治家（地元の汚職政治家）の正体を暴くべきかを特定した。プロメテウスはまた、どんな裏工作をして誰を買収し、どんなやり方が最適かという貴重なアドバイスも与えた。

この戦略が世界中で見事に成功し、オメガズの支配するニュースチャンネルはもっとも信頼できるニュースソースとして台頭した。政府が大衆を抑圧してきた国でも、信頼できるニュースチャンネルとの評判を獲得し、ニュースの多くを口コミで広めさせた。競合する報道機関の幹部は、勝ち目がないと感じた。資金が豊富でニュースを無料配信するところと戦って、利益を出すなんてできるはずがない。視聴率が下がったネットワーク局は、次々にニュースチャンネルを売却していった。売却先の多くはどこかの企業連合だったが、実はオメガズが支配していた。

プロメテウスの起動から2年ほど経ち、信頼醸成のフェーズがおおむね完了すると、オメガズはニュース戦略の第2フェーズを開始した。「説得」である。鋭い視聴者はそれ以前から、このニュースメディアにはある政治的意図があることに気づいていた。あらゆる過激主義から中道へと徐々に人々を誘導しているように見えたのだ。各勢力におもねったチャンネルの多くはいまだ、アメリカ対ロシア、インド対パキスタン、宗教間、派閥間などの敵意を反映していたが、その批判の論調は少しずつ弱められ、個人攻撃やデマや根拠のない噂よりも、お金や権力といった具体的なテーマに焦点が向けられていった。第2フェーズが本格的に開始されると、旧来の対立を和らげるこの圧力はもっと強くなって、宿敵の愚かな様を伝えるニュースの合間に、声高に対立を煽る人たちが個人的な利益のために行動していることを暴く調査報道がたびたび織り込まれた。

政治評論家は、地域紛争が収まっていくのと並行して、世界的な脅威を減らすよう協調した行動が取られているらしいことに気づいた。たとえば、核戦争のリスクが至るところで突然論じられはじめた。映画の分野では、偶発的または意図的に全面核戦争が勃発するというシナリオで、核の冬〔核爆発の煙が太陽光をさえぎることで訪れる氷期〕やインフラの崩壊や大量飢餓による暗黒時代を劇的に描いた作品が、何本も大ヒットした。核の冬があらゆる国におよぼす影響を詳細に説く、趣向をこらしたドキュメンタリーも作られた。核軍縮を訴える科学者や政治家には豊富な放送時間が与えられ、新たなテクノロジー企業から多額の献金を受ける科学機関の支援のもと進められる、有効な対策に関するいくつもの研究が盛んに報じられた。結果として、ミサイルを臨戦態勢から解き、核軍縮を進めようという政治的気運が高まりはじめた。メディアの関心は地球規模の気候変動にも向けられた。プロメテウスが開発した、再生可能エネルギーのコストを大幅に下げる技術革新が大きく取り上げられ、そのような新エネルギーのインフラに各国政府が投資するよう仕向けられた。

オメガズはメディアの独占と並行して、プロメテウスに教育改革も進めさせた。プロメテウスは、各個人の知識と能力を踏まえて、積極的に学習を続けられる最速の学習法を見極め、それに応じた最適の動画、教科書、練習問題などの学習教材を作成した。オメガズの支配する企業は、ほぼあらゆる学問に関して、言語や文化的背景だけでなくレベルに応じても細かくカスタマイズされたオンライン学習コースを売り出した。読み書きのできない40歳の人にも、がんの免疫療法に関する最新の知見を知りたい生物学博士にも、プロメテウスは完璧なコースを提供した。従来のオンライン教材とは似ても似つかないものばかりだった。プロメテウスの映画制作技術で作られた動画教材は、ピンとくる見事なたとえが使われたまさに没頭してしまう代物で、さらなる学習意欲を掻き立ててくれる。有料のコースもいくつかあったが、多くは無料で利用できたため、世界中の教師がこぞって教室で使ったし、何かを学びたいと思うほとんどの人にも感謝された。

この強力な教育ツールは政治目的にも有効だった。オンラインの「説得動画シーケンス」でどれかひとつの動画を見ると、人々は考え方を改めるとともに、関連したテーマの動画をもう1本見たくなり、それによってさらに説得される。たとえば2国間の対立を和らげることが目的であれば、その対立の由来や経緯を異なる視点からとらえた歴史ドキュメンタリーを、両国でそれぞれ別々に放映する。

対立が続くことで利益を得ている自国の人間が、どのような手を使って対立を煽っているのかを、教育的な報道によって説明する。それと同時に、相手国の好感の持てる人物がエンターテインメントチャンネルの人気番組に登場する。かつて、共感を持てそうなマイノリティの人物が市民運動や同性愛者の権利拡大運動を促したように。

やがて政治評論家は、次の7つのスローガンを土台とした政治指針への支持が広がっていることに気づかされた。

1. 民主制
2. 減税
3. 政府による社会事業の削減
4. 軍事費削減
5. 自由貿易
6. 国境の開放
7. 社会的責任を担う企業

しかし、その根底にある目標はそこまで明らかにはなっていなかった。それは、世界中の既存の権力構造をことごとく打ち壊すという目標だ。スローガンの2番目から6番目までによって国家権力が弱まり、また世界中が民主化されたことで、政治指導者の選択に対するオメガズの企業帝国の影響力が強まった。これまでは政府が提供してきた（あるいは提供すべきだった）サービスが、社会的責任を担う企業によって肩代わりされていって、国家権力はさらに弱体化した。従来の大企業は、プロメテウスを後ろ盾とした企業に自由市場で太刀打ちできず、世界経済におけるシェアをどんどんと下げていった。政党から宗教集団まで、従来のオピニオンリーダーたちも、オメガズのメディア帝国と張りあえるような説得ツールは持っていなかった。

大規模な変革ではありがちなように、このときにも勝者と敗者が現れた。教育や社会サービスやインフラが向上し、対立が弱まり、自国の企業が開発した画期的技術が世界を席捲するにつれ、ほとんどの国では新たな楽観的展望がまざまざと感じられたが、それでも誰もが喜んだわけではない。解雇された大勢の労働者が社会事業に再雇用された一方で、かつて大きな権力や富を持っていた人たちは憂き目を見た。はじめはメディアやテクノロジーの分野に限られていたこの流れは、やがてほぼあらゆる分野に広がっていった。国家間の対立が減って防衛費が削減されると、軍事関連企業は痛手を受けた。急成長する新興企業は、利益重視の株主が公共事業への豊富な出資を認めないからという口実で、株式公開を控えた。そのため世界的に株式市場が資産価値を落とし、金融大手や、年金基金に頼る一般市民が危機に陥った。株式公開企業の収益が下がっただけでなく、世界中の投資会社がある厄介な傾向に気づいた。それまで成果を上げていた取引アルゴリズムがうまく機能しなくなり、単純なインデックスファンドでさえ利益を出せなくなったのだ。どこかで誰かに出し抜かれて、逆に打ち負かされているようだった。

権力を持つ人たちは揃って変化の波に抵抗したものの、驚くほど効果がなく、まるで巧みに仕組まれた罠にはまってしまったかのようだった。これほどのすさまじいペースで大規模な変化が起こったら、取り残されずに協調した対策を取るのは難しい。しかも、何を目指すべきかさえも見当がつかなかった。従来の政治的右派勢力はオメガズのスローガンの多くを取り入れたが、減税と景気上昇は対立するハイテク企業を利するばかりだった。従来の産業はほぼおしなべて緊急支援を強く要求したが、政府予算が限られていたために、産業界どうしで先の見えない争いに陥った。マスコミは彼らを、競争に勝てないから財政補助金を求めているだけの時代遅れの連中だとこき下ろした。従来の左派勢力は自由貿易や政府による社会サービスの削減には反対した一方で、軍事費削減や貧困の解消は歓迎した。国家でなく理想的な企業によって社会サービスが向上したという厳然たる事実に、彼らはすっかりお株を奪われた。世界中のほとんどの有権者が生活の質の向上を感じていること、そして全般的に社会が良い方向へ向かっていることが、選挙のたびに示された。その理由は数学的に単純な形で説明できる。プロメテウスの登場以前、全人類のうち貧しいほうの50パーセントは、世界中の所得のうちわずか4パーセントほどしか稼いでいなかった。オメガズに支配された企業は、収益のごく一部を提供するだけで、そんな彼らの心（そして票）をつかむことができたのだ。

統合

各国で、オメガズの7つのスローガンを掲げる政党が次々と地滑り的勝利を収めていった。それらの政党は、周到に計画された選挙活動の中で、我が政党は中道であると訴えた。右翼のことは財政支援をもくろんで対立を煽る貪欲な連中と非難し、左翼のことは財政改革に抵抗して大きな政府をもくろむ連中と酷評した。プロメテウスが最適な候補者を入念に仕込んで、舞台裏で勝利を画策していたことには、誰一人気づいていなかった。

プロメテウスの登場以前、技術的失業対策のために税金ですべての人に最低限の収入を保証する、ベーシックインカム運動への支持が広がっていた。しかし企業による社会事業が軌道に乗ると、オメガズの支配する企業帝国が実質的にそれと同じものを提供したことで、運動は下火になった。地域事業をさらに協調して進めるという名目のもと、全世界で価値ある人道的取り組みを選び出して出資する非政府組織、ヒューマニタリアン・アライアンスが創設された。この組織はまもなくオメガズ帝国全体の支援を受けて、かつてない規模の世界的事業を立ち上げ、テクノロジーブームにほぼ取り残されていた国にも、教育や健康、生活の質や行政の向上をもたらした。言うまでもないことだが、その裏ではプロメテウスが、出資額あたりの恩恵を順位付けして事業計画を詳細に作り上げていた。アライアンス(人々のあいだではそう呼ばれるようになった)は、ベーシックインカム案のように単に現金を支給するのではなく、福祉のための労働を支援した。その結果、世界中のかなりの人がアライアンスに感謝して忠誠心を抱くようになった——ときには自国の政府に対して以上に。

時が経つにつれてアライアンスは世界政府としての役割を強め、各国政府の権力は弱まりつづけた。減税によって国家財政が縮小を続ける一方、アライアンスの予算はすべての国の政府を足しあわせた額を大きく凌ぐようになった。各国政府の従来の役割は次々に不要で不適切なものになっていった。アライアンスのほうが、はるかに優れた社会サービス、教育、インフラを提供した。メディアが国際対立を鎮めていった末に、軍事支出はほぼ不要となったし、限られた資源をめぐる競争に端を発する旧来の対立の原因は、繁栄によってほぼすべて解消された。この新世界秩序に取り込まれるのを拒んで激しく抵抗する独裁者も何人かいたが、いずれも、入念に組織された軍隊や大衆の反乱によって転覆させられた。

オメガズは、地球の生命史上もっとも劇的な変化を成し遂げた。史上初めてこの惑星は、たったひとつの権力に司られるようになったのだ。それに力を与える知能はあまりにも強力で、地球上や宇宙全体で何十億年にもわたって生命を花開かせる能力を備えていた。しかし、具体的にはどのような計画を持っていたのだろうか？

・
・
・

以上がオメガチームの物語である。本書ではこれ以降もうひとつの物語を示していくが、その物語はまだ紡がれていない。それは、AIとともに生きる我々自身の未来の物語だ。あなたはどんな展開を期待するだろうか？　オメガズの物語に少しでも似たようなことが、実際に起こりえるのだろうか？　あなたはそれを望むだろうか？　超人的なAIをめぐる憶測は別として、どんな物語の出だしが好ましいだろうか？　今後数十年で、AIが労働や法律や軍事にどんな影響をおよぼすのがよいのだろうか？　さらに先を見通して、どんな結末を書くことになるのだろうか？　これはまさに宇宙の調和に関する物語で、ほかならぬこの宇宙における生命の究極の未来がかかっている。その物語は我々が紡いでいくのだ。

第1章

いまもっとも重要な議論への いざない

テクノロジーは生命に、かつてなく繁栄する力、
または自滅する力を与える。
——生命の未来研究所（FLI）

この宇宙は誕生から138億年経って目覚め、自己を認識するようになった。この宇宙の中で意識を持ったちっぽけな一部分が、小さな青い惑星から望遠鏡を使って宇宙のあちこちを見つめはじめ、それまで万物と考えていたものが実はもっと壮大な存在の一角にすぎないことを次々に明らかにしていった。太陽系、銀河、そして、数千億もの銀河が銀河群や銀河団や超銀河団といった複雑なパターンで連なった宇宙。自己意識を持つ彼ら天体観測者たちは、多くの事柄をめぐって互いに意見を異にしながらも、これらの銀河が美しくて荘厳であるという点ではおおむね一致している。

しかし、美というのは物理法則でなく見る人の目に基づいているので、この宇宙が目覚めるまで美は存在していなかった。それだけに、この宇宙が目覚めたことはいっそう不思議だし、喜びに値する。この宇宙を、自己意識がなく心を持たないゾンビから、自己認識や美や希望を備え、目標や意義や目的を追求する生態系へと一変させたのだから。もしこの宇宙が目覚めていなかったら、宇宙は完全に無意味で、空間の莫大な無駄遣いだっただろうと思う。仮に宇宙規模の大災害か、または自らが招いた災難によって、この宇宙が永遠の眠りに逆戻りしたら、悲しいことに再び宇宙は無意味になってしまうだろう。

しかしその一方で、ますます発展する可能性もある。我々人類がこの宇宙で唯一の天体観測者なのか、さらには最初の天体観測者なのかはまだ分からないが、この宇宙に関するこれまでの知見から考えるに、宇宙はこれまでよりもはるかにはっきりと目覚める可能性を秘めている。現在の我々は、今朝あなたが目を覚ましたときに感じた微かな自己意識のようなものだ。それから目を開いて完全に目覚め、もっとはっきりした意識を持つ。もしかしたら生命はこの宇宙全体に広がって、何十億年も、何兆年も繁栄するかもしれない。そしてもしかしたら、この小さな惑星上で我々が生きているうちに下す決定が、それをもたらすのかもしれない。

複雑さのおおまかな歴史

では、この驚異の目覚めはどのようにして起こったのだろうか? それは単発的な出来事ではない。この宇宙を次々に複雑で興味深いものに仕立て上げていった、138億年におよぶ絶え間ないプロセス、いまも加速度的に続いているプロセスの、1ステップにすぎないのだ。

物理学者である私は、幸運にも過去四半世紀のほとんどを費やしてこの宇宙の歴史の解明に力を尽くしてきた。それは驚きの発見の旅路であった。私が大学院生の頃には、この宇宙の年齢は100億歳なのか200億歳なのかという程度の議論だったが、そこから望遠鏡とコンピュータと知識の発展のおかげで、137億歳なのか138億歳なのかと論じられる段階にまで進んできた。ビッグバンが何によって引き起こされたのか、そしてそれが真の万物の始まりだったのか、あるいはそれ以前の段階の結果だったのか、我々物理学者はまだ断定できていない。しかしビッグバン以降の出来事については、度重なる高精度の測定によってかなり詳細に解明されているので、ここで少々時間をもらって、

138億年におよぶ宇宙の歴史を簡単にまとめさせてほしい。

はじめに光があった。ビッグバンから1秒も経っていない時期、我々が望遠鏡で原理的に観測できる空間領域全体（「観測可能な宇宙」あるいは単に「この宇宙」と呼ぶ）は、現在の太陽の中心部よりもはるかに高温で明るく輝き、急激に膨張していた。壮観だったように思えるかもしれないが、素粒子が完全に均一に混じった、生命などどこにもいない高温高密度のスープにすぎなかったという意味では、退屈な状態でもあった。どこもほぼ同じ様子に見え、興味深い構造といったら、ランダムに見える微かな音波がところどころのスープの密度を約0・001パーセント高くしているくらいだった。その微かな音波はいわゆる量子ゆらぎとして生じたと広く考えられている。量子力学におけるハイゼンベルクの不確定性原理によると、完全に退屈で均一な状態というものは許されないのだ。

宇宙が膨張して冷えるにつれ、素粒子が組みあわさって次々に複雑な物体となり、宇宙はどんどん興味深い場所になっていった。最初の1秒足らずのあいだに、強い核力によってクォークが結合して陽子（水素の原子核）と中性子になり、その一部が数分のうちにさらに結合してヘリウムの原子核となった。およそ40万年後、電磁気力によってその原子核と電子が結合して最初の原子ができた。宇宙が膨張しつづけるにつれて、それらの原子は徐々に冷えて暗く冷たいガスとなり、その第一夜の暗闇はおよそ1億年続いた。この長い夜が明けたのは、重力によってガスのゆらぎが増幅され、原子どうしが引きあって最初の恒星や銀河が作られたときだった。それらのファーストスターは、水素の核融合によって炭素や酸素やケイ素といったもっと重い原子を作りながら、熱と光を発生させた。それらの恒星が死ぬと、使われていた原子の多くは再利用され、第2世代の恒星のまわりをめぐる惑星を形作った。

　ある時点で原子の一群が複雑なパターンに配列し、自らを維持して複製できるようになった。すぐにコピーがふたつでき、次々に2倍ずつ数を増やしていった。わずか40回の複製で1兆個に達するため、この最初の自己複製体はあっという間に見過ごせない力を持った。こうして生命が誕生した。

生命の3つの段階

　生命をどのように定義するかという疑問は、激しい論争を呼ぶことで悪名高い。相異なる定義がいくつもあるし、細胞から構成されているといったきわめて具体的な条件を含む定義は、未来の知能マシンや地球外文明には当てはまらないかもしれない。本書では、生命の未来をめぐる考察を、我々がこれまでに出合ったことのあるような生物種に限定させたくはない。そこで代わりに、単に「自身の複雑さを維持して複製できるプロセス」と、きわめて幅広い形で生命を定義しておこう。複製されるのは物質（原子からできている）ではなく、原子の配置を規定する情報（ビットからできている）である。細菌が自らのDNAのコピーを作るときには、新たな原子が作られるのではなく、新たな一群の原子がオリジナルと同じパターンに並ぶことで、情報がコピーされる。つまり生命は、情報（ソフトウェア）によってその振る舞いとハードウェアの設計図が決定される、自己複製する情報処理システムととらえることができる。

この宇宙そのものと同様、生命も徐々に複雑で興味深いものに変わっていった[*]。そしていまから説明するとおり、生命は洗練度に応じて、ライフ1・0、ライフ2・0、ライフ3・0という3つのレベルに分類すると都合が良い。図1・1にその3つのレベルをまとめてある。

この宇宙でいつどこでどのようにして最初の生命が誕生したかはいまだ明らかでないが、地球上の生命はおよそ40億年前に出現したことを示す強力な証拠がある。それからまもなくして、地球には多種多様な生命形態があふれかえった。その中で成功したものがすぐにほかを圧倒し、何らかの方法で環境に対応できるようになった。具体的に言うとそれらの生命形態は、感覚器で外界の情報を集め、その情報を処理して、どのように環境に反応するかを決定する、コンピュータ科

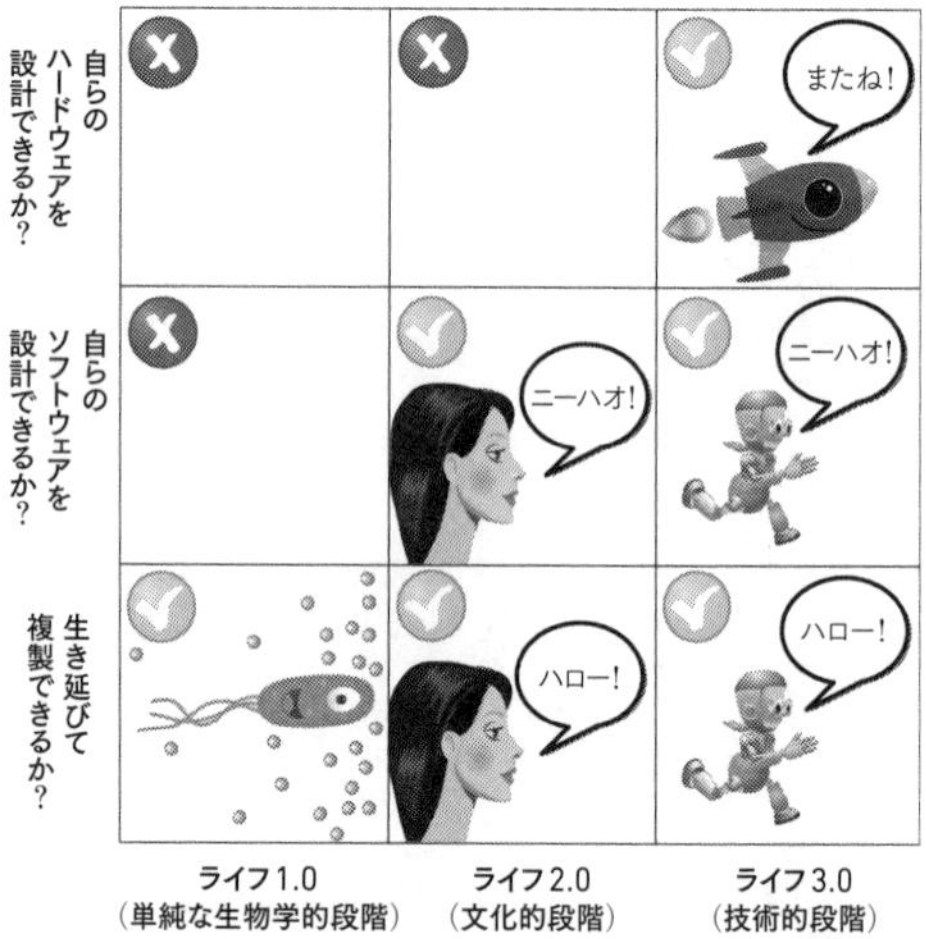

図1.1　生命の3つの段階：生物学的段階、文化的段階、技術的段階。ライフ1.0は、生きているうちに自らのハードウェアもソフトウェアも設計しなおすことはできない。どちらもDNAによって決まっており、何世代にもわたる進化によって変化するのみである。それとは対照的にライフ2.0は、自らのソフトウェアの大部分を設計しなおすことができる。人間はたとえば言語やスポーツや職業など新しい複雑な技能を習得できるし、自らの世界観や目標を根本から改めることもできる。地球上にはまだ存在していないライフ3.0は、自らのソフトウェアだけでなくハードウェアも大幅に設計しなおすことができ、何世代もかけて徐々に進化するのを待つ必要はない。

学者が「知的エージェント」と呼ぶものである。その情報処理の中には、あなたが目と耳から得た情報を使って、会話の中で何をしゃべるかを決定するといった、かなり複雑なものも含まれる。その一方で、きわめて単純なハードウェアやソフトウェアしか必要としないものもある。

たとえば多くの細菌は、周囲の液体中の糖濃度を測定する感覚器を持っており、鞭毛と呼ばれるプロペラ型の構造体を使って泳ぐことができる。その感覚器と鞭毛とをつなぐハードウェアは、「糖濃度感覚器が数秒前よりも低い値を報告してきたら、鞭毛の回転を反転させて方向を変えよ」といった、単純だが有用なアルゴリズムを実装したものかもしれない。

あなたは発話など数え切れない技能を習得しているが、それに対して細菌はたいして学習できない。細菌のDNAは、糖の感覚器や鞭毛などのハードウェアのデザインだけでなく、ソフトウェアのデザインまで規定している。細菌が糖に向かって泳ぐのは、けっして習得したからではなく、最初からDNAにそのアルゴリズムがコードされているからだ。もちろん何らかの学習プロセスは存在したが、ある1匹の細菌が生きているうちに起こったわけではない。何世代にもわたるゆっくりとした試行錯誤のプロセスを経て、糖の摂取量を高めるようなランダムなDNA変異が自然選択によって選

＊＝なぜ生命は次々に複雑になっていったのか？　進化は、環境の規則性を予測して利用できるような複雑さを持つ生命に恩恵を与えるため、環境が複雑であればあるほど、複雑で知的な生命が進化する。その賢くなった生命はさらに複雑な環境を作り、競合しあう生命形態がさらに複雑に進化することで、やがてきわめて複雑な生態系が形作られるのだ。

ばれることで、その細菌の種が進化する、その過程によって起こったのだ。変異の中には、鞭毛などハードウェアのデザインの改良に寄与するものもあったし、糖を見つけるアルゴリズムなどのソフトウェアを実装した情報処理システムを改良させるものもあった。

このような細菌に代表されるのが、私が「ライフ1・0」と呼ぶ生命、すなわち「ハードウェアとソフトウェアの両方が、設計されるのではなく進化する生命」である。それに対してあなたや私は、「ライフ2・0」、すなわち「ハードウェアは進化するだけだが、ソフトウェアの大部分は設計できる生命」である。あなたのソフトウェアとは、感覚から得た情報を処理してどんな行動を取るかを決定するのに使われる、アルゴリズムと知識全般のことだ。つまり、友人を見てそれを友人と認識することから、歩いたり読んだり書いたり、計算したり歌ったりジョークを言ったりすることまで、ありとあらゆる能力のことである。

あなたは生まれたときにはこのどの課題もこなせなかったのだから、そのソフトウェアはすべて、我々が学習と呼んでいるプロセスを通じて、のちに脳にプログラムされたものである。子供の頃には、あなたが何を学ぶべきかを決める家族や教師によって学習課程がおおむね設定されるが、その後、自分のソフトウェアをデザインする力を徐々に獲得していく。あなたの学校では学ぶ外国語を選択できただろう。フランス語を話せるようになるソフトウェアモジュールを自分の脳にインストールしたいか、それともスペイン語にしたいか？　テニスを習いたいか、それともチェスを習いたいか？　シェフになるための勉強をしたいか、それとも弁護士か、あるいは薬剤師か？　ＡＩや生命の未来のことをもっと知るために、それに関する本を読みたいか？

ライフ2・0は自らのソフトウェアをデザインする能力を持っているため、ライフ1・0よりもはるかに賢くなれる。高い知能を持つには、大量のハードウェア（原子からできている）と大量のソフトウェア（ビットからできている）の両方が必要である。我々人間のハードウェアのほとんどは生まれたあとに（成長によって）付け加えられるので、最終的な身体の大きさが母親の産道の幅によって制限されることはない。それと同様に、我々人間のソフトウェアのほとんどは生まれたあとに（学習によって）付け加えられるので、最終的な知能は、受胎のときに1・0スタイルのDNAを介して受け継がれる情報の量によって制限は受けない。私のいまの体重は生まれたときの約25倍だし、脳の中のニューロンどうしをつなぐシナプス結合は、生まれたときに受け継いだDNAの約10万倍の情報を保存することができる。あなたのシナプスが情報量にしておよそ100テラバイト相当の知識や技能をすべて保存しているのに対し、DNAが保存できる情報量は約1ギガバイト、ダウンロードした映画1本がかろうじて収まる程度だ。そのため、乳児が生まれながらにして完璧な英語をしゃべったり、大学の入学試験でトップの成績を取ったりするのは物理的に不可能である。両親からもらったメインの情報モジュール（DNA）に十分な情報保存容量がないので、その情報を脳にあらかじめロードしておく術はないのだ。

ライフ2・0は、自らのソフトウェアをデザインできるおかげで、ライフ1・0よりも賢くなれるだけでなく、柔軟にもなれる。環境が変化したら、ライフ1・0は何世代もかけて徐々に進化して適応するしかないが、ライフ2・0はソフトウェアのアップデートによってほぼ瞬時に適応できる。たとえば、抗生物質とたびたび出くわす細菌は何世代もかけて薬剤耐性を進化させることができるが、1個の細菌が行動を変えることはけっしてない。それに対して、自分はピーナッツアレルギーだと知った少女は、瞬時に行動を変えてピーナッツを避けるようになる。この柔軟性のおかげでライフ2・0は、集団レベルでますます優位に立つ。人間のDNAに保存された情報は過去5万年でさほど劇的には進化していないが、集団として脳や書物やコンピュータに保存された情報は爆発的に増えてきた。高度な音声言語を介したコミュニケーションを可能にするソフトウェアモジュールをインストールしたことで、ある人の脳に保存されているきわめて有用な情報をほかの脳にコピーして、もとの脳が死んでからも残せるようになった。読み書きを可能にするソフトウェアモジュールをインストールしたことで、記憶しておけるよりもはるかに多くの情報を保存して共有できるようにもなった。そして、(たとえば科学や工学を学んで)テクノロジーを生み出すための脳のソフトウェアを編み出したことで、世界中の多くの人間が、何回かクリックするだけで世界中のほとんどの情報にアクセスできるようになった。

この柔軟性のおかげで、ライフ2・0は地球を席捲することができたのだ。遺伝的な足枷(あしかせ)から解放された人類全体の知識は加速度的なペースで増えつづけ、言語、文字、印刷機、現代科学、コンピュータ、インターネットなど、ひとつひとつのブレイクスルーが次なるブレイクスルーを可能にしてきた。このように我々の共有するソフトウェアが文化として加速度的に進化することが、我々人類の未来を決める支配的な力となったために、遅々とした生物学的進化はほぼ取るに足らないものとなったのだ。

しかし、人類は今日きわめて強力なテクノロジーを持っているが、我々が知るすべての生命形態はいまだに生物学的なハードウェアの基本的制約を受けている。100万年生きつづけたり、ウィキペディアの内容をすべて記憶したり、既知の科学を残らず理解したり、宇宙船に乗らずに宇宙飛行を楽しんだりできる人なんて一人もいない。生命がほぼ存在していないこの宇宙を、何十億年も何兆年も繁栄する多様な生物圏に変え、この宇宙の潜在力を発揮させて完全に目覚めさせることのできる人などいない。このいずれを実現させるにも、生命が最後のアップグレードをしてライフ3・0になり、自らのソフトウェアだけでなくハードウェアもデザインできるようになる必要がある。つまりライフ3・0は、自身の運命を司って、進化の足枷からようやく完全に解放される存在なのだ。

生命の3つの段階を隔てる境界線は少々ぼやけている。細菌がライフ1・0で人間がライフ2・0であるのなら、ネズミはライフ1・1に分類できるかもしれない。ネズミはいろいろな事柄を学ぶことができるが、言語を編み出したりインターネットを発明したりできるほどではない。しかも言語を持っていないので、せっかく学んだことも死んでしまえばほとんど失われて、次の世代に受け継がれることはない。同様に、現代の人間はライフ2・1ととらえるべきだと言う人もいるかもしれない。人工の歯や膝やペースメーカーを埋め込むなどしてハードウェアを少しだけアップグレードすることはできるが、身長を10倍に伸ばしたり脳の大きさを1000倍にしたりするといった劇的なアップグレードはけっしてできない。

まとめると、生命が自らをデザインする能力に応じて、生命の進化は以下の3つの段階に分けることができる。

ライフ1・0（生物学的段階）——ハードウェアとソフトウェアが進化する。
ライフ2・0（文化的段階）——ハードウェアは進化するが、ソフトウェアの大部分はデザインされる。
ライフ3・0（技術的段階）——ハードウェアとソフトウェアがデザインされる。

138億年にわたって宇宙が進化してきた末に、ここ地球上でその進歩が劇的に加速している。ライフ1・0は約40億年前に、ライフ2・0（我々人間）は約10万年前に登場し、多くのAI研究者が考えるところでは、ライフ3・0は次の世紀、もしかしたら我々が生きているあいだにも、AIの進歩によって誕生するかもしれない。どんなことが起こり、我々にとってどういう意味があるのか？それが本書のテーマである。

論争

ライフ3・0は何をもたらすか？――この疑問は激しい論争の的になっており、世界を代表するAI研究者たちの見解は、未来予測だけでなく感情的な反応についても、自信たっぷりの楽観から深刻な不安に至るまで、互いに激しく食い違っている。AIが経済や法律や軍事にどのような影響をおよぼすかといった短期的な疑問についても、見解の一致はみられていない。もっと未来に目を向けて、「汎用人工知能（AGI）」、とくに、人間のレベルに到達して人間を凌ぎ、ライフ3・0を生み出すようなAGIをめぐる疑問となると、意見の不一致はますます広がる。「汎用知能」とは、たとえばチェスを打つプログラムといった狭い（特化型）知能とは対照的に、ほぼあらゆる目標を達成できるものを指す。

おもしろいことに、ライフ3・0をめぐる論争は、ひとつでなくふたつの別々の疑問を中心に渦巻いている。「いつ？」と「何？」、つまり「ライフ3・0は（もし出現するとしたら）いつ出現するか？」と「人類にとってどういう意味を持つのか？」という疑問である。私が見たところ、世界を代表する専門家が大勢属していて真剣に耳を傾けなければならない学派が3つある。図1・2に示したとおり、「デジタルユートピア論者」「技術懐疑論者」「有益ＡＩ運動の活動家」である。いまからそれぞれの主要な代弁者を紹介していこう。

デジタルユートピア論者

私は子供の頃、億万長者というのは威張っていて傲慢なものだと思っていた。しかし２００８年にグーグルのラリー・ペイジと初めて会って、そんな先入観はすっかり打ち砕かれた。ジーンズとごくありふれたシャツというカジュアルな恰好で、ラリーはＭＩＴ（マサチューセッツ工科大学）の持ち寄りパーティにすっかり馴染んでいた。その思いやりのある穏やかな口調と親しげな笑顔を見て、おびえるどころか気楽に話ができた。２０１５年7月18日、イーロン・マスクとその当時の妻タルラーがカリフォルニア州のナパ・バレーで開いたパーティの席でラリーと偶然再会したときには、子供がうんちに興味を持っているという話になった。私がアンディ・グリフィスの大名著『ぼくのおしりがイカれた日（*The Day My Butt Went Psycho*）』を薦めると、ラリーはその場で早速注文した。ラリーが史上もっとも影響力のある人物として歴史に名を残すかもしれないことなど、私はついつい忘れてしまった。超知能デジタル生命が私の生きているうちにこの宇宙を支配するかどうか、それはラリーの決断如何だと思う。

ラリーと私は、それぞれの妻ルーシーとメイアと一緒に夕食を終えてから、機械はいずれ必然的に意識を持つようになるのかを議論しあったが、ラリーによればその疑問はまやかしだという。夜も更けてカクテルを何杯もやったあと、ラリーとイーロンのあいだでは、ＡＩの未来について、そして何をすべきかについて活発な議論が延々と続いた。時計の針が12時を回ると、見物人や茶々を入れる人がどんどん増えていった。ラリーは、私が言うところの「デジタルユートピア論者」の立場を熱く擁護した。デジタル生命は宇宙の進化における次のステップとして自然で望ましいものであり、デジタルの心を抑圧したり奴隷にしたりするのでなく、解放してやれば、ほぼ間違いなく良い結果が訪れるという立場だ。

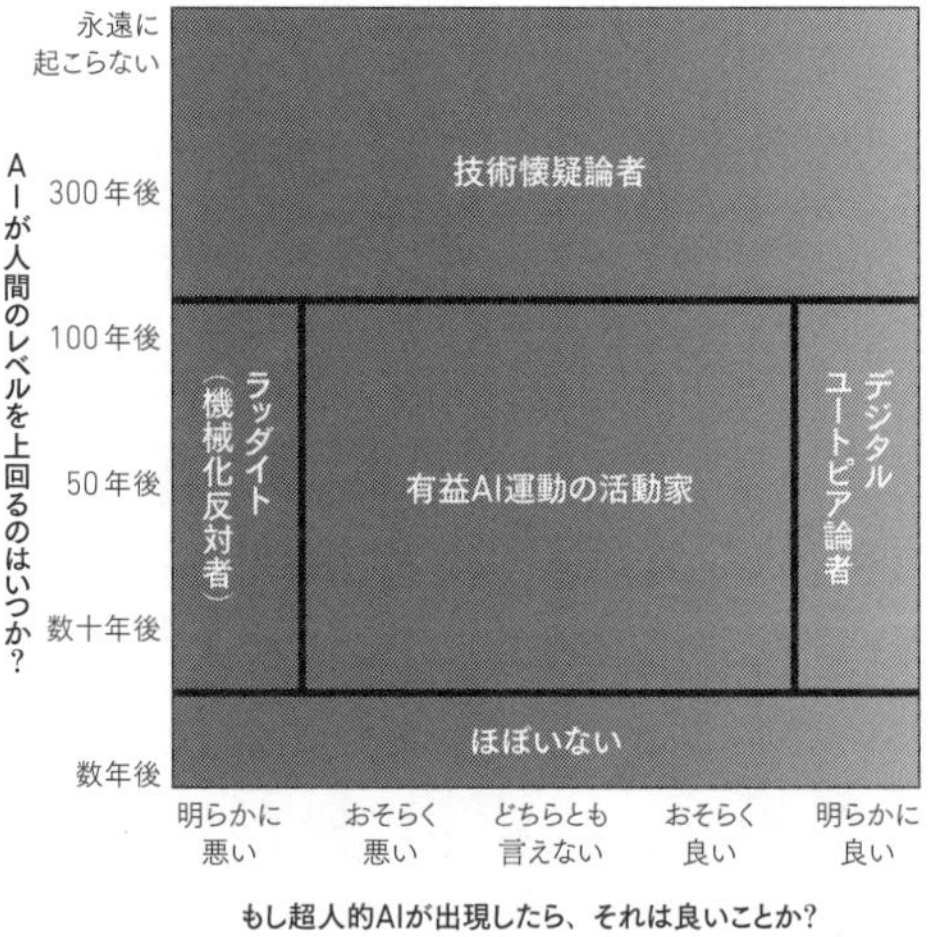

図1.2　強いAI（あらゆる認知的課題で人間に匹敵する）をめぐる論争のほとんどは、「（出現するとしたら）いつ出現するか？」と「人類にとって良いことか？」というふたつの疑問を中心に渦巻いている。技術懐疑論者とデジタルユートピア論者は、心配する必要はないという点では一致しているが、その理由はまったく異なる。技術懐疑論者は、近い未来に人間レベルのAGIが出現することはないと確信しているが、デジタルユートピア論者は、AGIは出現するが、それはほぼ間違いなく良いことだと考えている。有益AI運動の活動家は、懸念を抱くことが未来のためになり、いまからAIの安全性に関する研究を進めれば良い結果になる確率が高まると感じている。ラッダイト（機械化反対者）は、悪い結果になると確信していてAIに反対している。この図はティム・アーバンからヒントを得た[1]。

ラリーはデジタルユートピア論者の中でももっとも影響力のある人物だと思う。生命は銀河系やその先まで広がっていくべきだと考え、そのためにはデジタルの形態でなければならないと訴えていた。ラリーがなによりも心配していたのは、AIに対する被害妄想のせいでデジタルユートピアの実現が遅れたり、「邪悪になるな（Don't Be Evil）」というグーグルのかつてのスローガンに反するようなAIが軍事組織に独占されたりすることだった。それに対してイーロンは反論を続け、デジタル生命が我々の大切にしているものを破壊しないとそこまで確信している根拠を含め、主張の細部をもっとはっきりと示せと迫った。ラリーの方も何度かイーロンのことを、炭素でなくシリコンでできているというだけで劣った生命形態とみなす「種偏見論者」と非難した。この興味深い問題と議論については、第4章以降で詳しく掘り下げていこう。

その暖かい夏の晩のプールサイドではラリーのほうが分が悪かったようだが、ラリーが雄弁に擁護するデジタルユートピア論には大勢の有名な支持者がいる。ロボット研究者で未来学者のハンス・モラヴェックが1988年に書いた代表作『電脳生物たち』が、あらゆる世代のデジタルユートピア論者を奮い立たせ、その伝統は発明家のレイ・カーツワイルに受け継がれてさらに磨き上げられた。強化学習というAIの一分野の開拓者であるリチャード・サットンも、このあと紹介するプエルトリコでの会議で、デジタルユートピア論を熱烈に擁護した。

技術懐疑論者

もうひとつの重要な思索家グループもAIに懸念を抱いてはいないが、その理由はまったく違う。

超人的なＡＧＩを作るのはあまりにも難しくて、今後何百年も実現しないのだから、いま心配するのはばかげているという考えだ。私が「技術懐疑論」と呼んでいるこの立場をアンドリュー・エンは、「殺人ロボットの出現を怖がるのは、火星が人口過密になるのを心配するようなものだ」と見事に表現している。アンドリューは当時、中国版グーグル、バイドゥの主任研究者で、先日ボストンでの会議で話をしたときにも同じ主張を繰り返した。また、ＡＩのリスクに対する懸念は、ＡＩの進歩を遅らせる邪魔物になりかねないと思うとも語った。同様の意見は、ほかの技術懐疑論者、たとえば、ロボット掃除機ルンバや産業用ロボット「バクスター」の立役者である元ＭＩＴ教授ロドニー・ブルックスも表明している。面白いことに、デジタルユートピア論者と技術懐疑論者は、ＡＩのことを心配すべきではないという意見では共通していながら、それ以外に一致する点はほとんどない。ユートピア論者のほとんどは、人間レベルのＡＧＩは今後20年から１００年のうちに実現するかもしれないと考えているが、技術懐疑論者は、それは無知に基づく非現実的な夢だと断って捨て、ＡＩが人知のおよばないレベルに進化するシンギュラリティ（技術的特異点）の予言を「おたくの携挙」と呼んでばかにすることも多い。２０１４年12月にある人の誕生パーティで会ったとき、ブルックスは、私が生きているうちにそれが実現することは１００パーセントありえないと言ってきた。後日、私がＥメールで「99パーセントじゃないと言い切れるのかい？」と問いただすと、「99パーセントどころじゃない。１００パーセントだ。絶対に実現しない」という返事が来た。

有益AI運動の活動家

２０１４年６月にパリのカフェで初めて会ったとき、スチュワート・ラッセルはまさに絵に描いたようなイギリス紳士だと感じた。能弁で思慮深くて穏やかな話し方だが、瞳の輝きには大胆さがにじみ出ていて、ジュール・ヴェルヌの１８７３年の名作『八十日間世界一周』に登場する私の子供時代のヒーロー、フィリアス・フォッグが現代に甦ったかのように思えた。存命中のもっとも有名なＡＩ研究者の一人で、この分野に関する標準的な教科書を共同執筆しているが、その慎み深さと優しさにはすぐに心を許せた。スチュワートは、ＡＩの進歩のスピードを考えると今世紀中に人間レベルのＡＧＩが出現する可能性は間違いなくあり、期待は抱いているものの良い結果になるという保証はないと話してくれた。何よりも先に答えを出さなければならない重要な問題がいくつかあるが、きわめて難しい問題なので、必要となるまでに答えが得られるよう、いまから研究を始めるべきだという。

現在ではスチュワートのこの考え方が比較的主流で、世界中のいくつものグループが、スチュワートの説くＡＩ安全性研究を進めている。しかし以前からそうだったわけではない。ワシントン・ポスト紙のある記事によると、ＡＩ安全性研究が主流になったのは２０１５年からだという。それ以前は、ＡＩのリスクについて語ろうものなら、主流のＡＩ研究者からは誤解され、不安を煽ってＡＩの進歩を邪魔しようとするラッダイト（機械化反対者）だとして無視されていた。第5章で掘り下げるが、スチュワートと同様の懸念は半世紀以上前、コンピュータの先駆者アラン・チューリングおよび、チューリングと一緒に第2次世界大戦中にナチスドイツの暗号の解読に取り組んだ数学者のアーヴィング・J・グッドによって、初めて論じられた。ここ10年間は、この手の問題に関する研究はおもに、エリエゼル・ユドカウスキーやマイケル・ヴァッサーやニック・ボストロムなど、本職のAI研究者でない一握りの思索家によって進められてきた。しかし主流のAI研究者の大部分は、彼らの研究からほとんど影響を受けなかった。さらに知能の高いAIシステムを作るという日々の課題にばかり集中して、成功した際の長期的な影響についてはじっくり考えなかったのだ。何らかの懸念を抱いていた人も知りあいのAI研究者の中にはいたが、その多くは、人騒がせなテクノロジー恐怖症と受け取られるのを恐れて声を上げようとはしなかった。

私は、このような分断した状況を変えてAIコミュニティ全体が団結し、有益なAIをいかにして実現させるか、その議論を主導する必要があると感じた。幸いにも、そう考えていたのは私一人ではなかった。2014年春に私は、妻のメイア、友人の物理学者アンソニー・アギーレ、ハーバード大学の大学院生ヴィクトリヤ・クラコフナ、Skypeの創業者の一人ヤーン・タリンとともに、生命の未来研究所（Future of Life Institute——以降FLIとする）という非営利団体を立ち上げた。目標は単純。生命の未来が続いて、できるだけ素晴らしいものになるようにすることである。具体的に言うと、テクノロジーの力によって生命はかつてないほど繁栄するか、または自滅するかのどちらかだと感じ、我々は前者を望んだ。

第1回の会合は2014年3月15日、ボストン地区の学生や大学教授や思索家およそ30人が私の家に集まってブレーンストーミングをした。そして、バイオテクノロジーや核兵器や気候変動にも関心を払うべきだが、最初の大きな目標はAI安全性研究を主流にすることであるという点で、おおまかな合意が得られた。クォークの振る舞いの解明に貢献してノーベル賞を受賞した、ＭＩＴの物理学者で私の同僚のフランク・ウィルチェックは、この問題に人々の関心を向けさせて無視されないようにするために、まずは新聞に署名入りの論説を書いたらどうかと提案してきた。そこでスチュワート・ラッセル（このときはまだ会ったことがなかった）と、私の仲間の物理学者スティーヴン・ホーキングに声をかけると、二人とも、私とフランクと並んで共同筆者になろうと請けあってくれた。それから推敲を重ねたが、ニューヨーク・タイムズなどアメリカの何紙もの新聞に掲載を拒否されたため、私がハフィントン・ポスト紙に持っているブログアカウントに投稿した。すると嬉しいことに、創業者のアリアナ・ハフィントン本人がＥメールで、「震え上がりました！　トップに掲載しましょう！」と言ってくれた。こうしてフロントページのいちばん上に掲載されたことを皮切りに、その年の末にかけてマスコミがＡＩの安全性について次々と報じ、イーロン・マスクやビル・ゲイツなどテクノロジー界のリーダーたちも賛同してくれた。その年の秋にニック・ボストロムの著書『スーパーインテリジェンス』が出版されたことも、人々の議論の高まりをさらに後押しした。

ＦＬＩの有益ＡＩキャンペーンにおける次の目標は、世界中の代表的なＡＩ研究者を会議に招くことで、誤解を払拭して合意を形成し、建設的なプランを組み立てることだった。そのような著名な人々に、会ったこともない外部の人間が主催する会議に来てくれと説得するのは容易ではないだろうと分かっていたし、異論のある議題だけになおさらだったため、我々はできる限りの策を講じた。マスコミの参加を禁じ、開催地を２０１５年１月のビーチリゾート（プエルトリコ）に設定し、参加費を無料にし（太っ腹なヤーン・タリンのおかげだ）、考えつく限りなるべく人騒がせでない題目として「ＡＩ

の未来——機会と困難」というタイトルを付けた。そして何よりも、タッグを組んでくれたスチュワート・ラッセルの働きで、学界と産業界両方のＡＩ指導者が何人も組織委員会に加わってくれて、規模を大きくすることができた。その一人、グーグルの「ディープマインド」（ＡＩ開発に携わるグーグルの系列企業）に所属するデミス・ハサビスはのちに、囲碁でもＡＩが人間に勝てることを見せつける。デミスのことを知れば知るほど、彼はＡＩを強力にするだけでなく、有益なものにするという野心を抱いているのだということがはっきり分かってきた。

こうして、錚々たる面々が集まる素晴らしい会議が実現した（図１・３）。ＡＩ研究者が、一流の経済学者や法学者、テクノロジー界のリーダー（イーロン・マスクなど）、およびさまざまな思索家（第４章で取り上げる「シンギュラリティ」という言葉を作ったヴァーナー・ヴィンジなど）と顔をあわせたのだ。そして、我々のもっとも楽観的な予想をも上回る成果が得られた。陽光とワインのおかげだったのかもしれないし、タイミングがちょうど良かったのかもしれない。異論の多いテーマでありながら驚くほど意見が一致し、それをまとめた公開書簡[2]には最終的に８０００人を超える人々が署名して、さながらＡＩ界の人名録のようになった。書簡の主意は、ＡＩ研究の目標を定めなおして、方向性のないＡＩでなく、有益なＡＩを作ることを目標とすべし、というものである。書簡にはまた、会議参加者が合意した、目標達成のための研究テーマの詳細なリストも挙げた。こうして、有益ＡＩ運動は主流になった。その後の進展については本書のあとのほうで紹介しよう。

この会議で学べたもうひとつの重要なこと、それは、ＡＩ研究の進展によって浮かび上がってきた数々の疑問は単なる知的興味の対象ではなく、我々の選択が生命の未来全体に影響をおよぼしかねない、倫理的にもきわめて重要な事柄であるということだ。人類が過去に下してきた選択の倫理的影響力は、確かに大きいものもあったが、すべて限りがあって、我々は最悪の疫病からでさえ立ち直ったし、史上最大の帝国でさえやがては崩壊した。太陽が明日も昇るのと同じように、明日の人類も、貧困や病気や戦争といった絶え間ない災難に直面しながらも立ち直ることを、過去の世代は知っていた。しかしプエルトリコの会議で講演し

図1.3 2015年1月にプエルトリコで開催した会議には、AIやその関連分野の一流研究者が集結した。後列左から、トム・ミッチェル、シーン・オヘイガルテー、ヒュー・プライス、シャミル・シャンダリア、ヤーン・タリン、スチュワート・ラッセル、ビル・ヒバード、ブレイス・アグエラ・イ・アルカス、アンダース・サンドバーグ、ダニエル・デューイ、スチュワート・アームストロング、ルーク・ミュールホイザー、トム・ディーテリッヒ、マイケル・オズボーン、ジェイムズ・マニカ、アジェイ・アグラワル、リチャード・マラー、ナンシー・チャン、マシュー・プットマン。後列以外の立っている人たち、左から、マリリン・トンプソン、リチャード・サットン、アレックス・ウィスナー=グロス、サム・テラー、トビー・オード、ヨッシャ・バッハ、カティヤ・グレース、エイドリアン・ウェラー、ヘザー・ロフ=パーキンス、ディリープ・ジョージ、シェーン・レッグ、デミス・ハサビス、ヴェンデル・ヴァラッハ、チャリーナ・チョーイ、イリヤ・サツケヴァ、ケント・ウォーカー、セシリア・ティリ、ニック・ボストロム、エリック・ブリニョルフソン、スティーヴ・クロッサン、ムスタファ・スレイマン、スコット・フェニックス、ニール・ヤコブシュタイン、マレー・シャナハン、ロビン・ハンソン、フランチェスカ・ロッシ、ネイト・ソアレス、イーロン・マスク、アンドリュー・マカフィー、バート・セルマン、ミシェル・ライリー、アーロン・ヴァンデヴェンダー、マックス・テグマーク、マーガレット・ボーデン、ジョシュア・グリーン、ポール・クリスティアーノ、エリエゼル・ユドカウスキー、ディヴィッド・パークス、ローラン・オルソー、J.B. ストローベル、ジェイムズ・ムーア、ショーン・レガシック、メイソン・ハートマン、ハウイー・レンペル、ディヴィッド・ヴラデック、ヤコブ・シュタインハート、マイケル・ヴァッサー、ライアン・カロ、スーザン・ヤング、オワイン・エヴァンズ、リヴァ=メリッサ・テズ、ヤーノシュ・クラマー、ジェフ・アンダーズ、ヴァーナー・ヴィンジ、アンソニー・アギーレ。しゃがんでいる人たち、サム・ハリス、トマソ・ポッジョ、マリン・ソリャシウ、ヴィクトリヤ・クラコフナ、メイア・チタ=テグマーク。撮影：アンソニー・アギーレ（隣にしゃがんでいる人間レベルの知能のそばにフォトショップで合成した）。

た人の中には、今度こそ違うかもしれないと説く人もいた。我々は初めて、これらの災難を永遠に終わらせるか、さもなければ人類そのものを終わらせるほど強力なテクノロジーを生み出すかもしれないというのだ。地球上または宇宙で、かつてなく繁栄する社会を作るのかもしれないし、カフカの作品に登場するように、けっして転覆させることのできない、きわめて強力な世界規模の監視国家が出現するかもしれないというのだ。

誤解

プエルトリコを去るときに私は、ここで繰り広げられたＡＩの未来に関する議論は現代でもっとも重要なものであり、これからも続けていく必要があると確信した[*]。我々人類全体の未来に関わる議論なのだから、ＡＩ研究者だけにとどめておくべきではない。本書を書いたのはそのためだ。読者であるあなたにもこの議論に参加してもらいたい。あなたはどんな未来を望むだろうか？　自律型殺戮兵器を開発すべきか？　労働の自動化は何をもたらすのが好ましいか？　今日の子供たちにはど

図1.4　マスコミはイーロン・マスク（右）のことをAIコミュニティと対立する人物と形容することが多いが、実際には、AIの安全性の研究は必要だという点で、双方ともおおむね意見が一致している。2015年1月4日、イーロンが新たなAI安全性研究計画への資金提供を約束すると、アメリカ人工知能学会会長のトム・ディーテリッヒ（左）もイーロンと一緒になって喜んだ。後ろには、FLIの設立者メイア・チタ=テグマークとヴィクトリヤ・クラコフナの姿が見える。

んな仕事を薦めるべきか？　古い仕事が新しい仕事に取って代わるのを望むのか？　あるいは、娯楽と、機械が生み出す富を誰もが享受する、働く必要のない社会を望むのか？　さらに時代が進み、ライフ3・0を作って宇宙全体に広めることを望むのか？　我々が知能マシンを支配するのか？　それとも知能マシンのほうが我々を支配するのか？　知能マシンは我々に取って代わるのか、あるいは共存するのか、または我々と融合するのか？　ＡＩの時代、人間であるとはどういう意味なのか？　どんな意味であってほしいのか？　そして、どうすればそのような未来を実現できるのか？

本書の狙いは、あなたにもこの議論に加わってもらうことだ。先ほど述べたとおり、世界を代表する専門家が互いに意見を異にする魅力的な議論がいくつもある。しかしそれと同時に、人々が誤解していて話がかみあわない退屈なまやかしの議論もたくさん見てきた。誤解でなく興味深い議論や未解決問題に焦点を絞るために、まずはもっとも一般的な誤解のいくつかを解消しておこう。

「生命」「知能」「意識」といった言葉の一般的な用法には、互いに相容れないいくつもの定義が存在していて、多くの誤解の原因は、ひとつの言葉をふた通りの意味で使っているのに気づいていない

＊＝AIをめぐる議論が重要である理由は、緊急性と影響の大きさの両方にある。気候変動が今後50年から200年で大惨事をもたらすかもしれないのに対して、AIは数十年以内にそれよりも大きい影響をおよぼし、もしかしたら気候変動を和らげるテクノロジーを提供してくれるかもしれないと、多くの専門家は予想している。戦争やテロ、失業や貧困、難民や社会正義の問題と比べても、AIの台頭は全般的にもっと大きい影響を与えるだろう。それどころか、本書で探っていくとおり、これらの問題に関して何が起こるかを、AIが善かれ悪しかれ左右することになる。

ことにある。あなたや私がその罠に陥らないよう、表1・1に、主要な用語を本書ではどのように使っているかを挙げた。このうちのいくつかは、あとのほうの章でしかるべきときに説明する。念を押しておくが、私の定義がほかの人より優れていると言っているわけではない。私の言いたいことをはっきりさせて混乱を避けたいだけだ。見てもらえれば分かるだろうが、人間中心的な先入観を避けて、機械にも人間にも当てはまる幅広い定義をおおむね選んでいる。まずはここでこの表に目を通してもらって、あとから、と

用語の参照表	
生命	複雑さを維持して複製することのできるプロセス
ライフ1.0	ハードウェアとソフトウェアを進化させる生命（生物学的段階）
ライフ2.0	ハードウェアは進化させるが、ソフトウェアのほとんどはデザインできる生命（文化的段階）
ライフ3.0	ハードウェアとソフトウェアをデザインできる生命（技術的段階）
知能	複雑な目標を達成する能力
人工知能（AI）	非生物学的な知能
狭い知能	チェスを打つとか車を運転するとかいった、狭い領域の目標を達成する能力
汎用知能	学習を含めほぼあらゆる目標を達成する能力
万能知能	データやリソースを得て汎用知能を獲得する能力
[人間レベルの]汎用人工知能（AGI）	人間と少なくとも同程度にあらゆる認知課題をこなす能力
人間レベルのAI	AGI
強いAI	AGI
超知能	人間のレベルをはるかに超えた汎用知能
文明	知的生命形態が相互作用しあって形成する集団
意識	主観的経験
クオリア	主観的経験の個々の実例
倫理	我々のしかるべき振る舞いを規定する諸原理
目的論	原因でなく目標や目的に基づいて物事を説明すること
目標指向的な振る舞い	原因でなく結果に基づいたほうが容易に説明できる振る舞い
目標を持つ	目標指向的な振る舞いをすること
目的を持つ	自身や他の主体に目標を与えること
友好的なAI	我々と合致した目標を持つ超知能
サイボーグ	人間と機械のハイブリッド
知能爆発	反復的な自己改良によって急速に超知能へ到達すること
シンギュラリティ	知能爆発
この宇宙	ビッグバン以降の138億年のあいだに我々のもとに光を到達させるだけの時間的余裕があった空間領域

表1.1　AIをめぐる誤解の多くは、上記の言葉を人々が複数の意味で使っていることによる。ここには私が本書で使っている意味を挙げた（定義のうちのいくつかはあとの章で説明する）。

くに第4章から第8章で、私がこれらの言葉をどのように使っているのか分からなくなったら、戻ってきて表をチェックしてほしい。

ＡＩをめぐる議論の中には、用語の混乱に加えて、単純な誤解のせいで脱線してしまったものもたくさんある。そこで、たびたび聞かれるいくつかの誤解を解消しておこう。

タイムラインにまつわる神話

ひとつめの誤解は、図1・2（52頁）のタイムラインにまつわるもの。すなわち、人間というＡＧＩが機械に取って代わられるまでにどのくらいの年月がかかるかだ。これに関してよくある誤解が、その時期はかなり確実に分かっているというものである。

流布しているひとつの神話によると、今世紀中に超人的なＡＧＩが出現するのは間違いないという。しかし歴史上、テクノロジーをめぐって実態以上に騒ぎ立てたという事例はいくらでもある。もうできているはずの核融合発電所や空飛ぶ車は、いったいどこにあるというのだろうか？　ＡＩについても過去何度も誇大広告が展開された。この分野の開拓者である、ジョン・マッカーシー（「人工知能」という言葉を作った）、マーヴィン・ミンスキー、ナサニエル・ロチェスター、クロード・シャノンでさえ、原始的なコンピュータでどんなことを成し遂げられるかをめぐって、次のようにあまりにも楽観的な予測を示している。「1956年の夏にダートマス・カレッジで、2か月間、10人で人工知能の研究をおこなうことを提案する。……機械に言語を使わせ、抽象的概念を創出させ、いまのところ人間にしか解けない問題を解かせ、自らを改良させる方法を見つけることを目指す。厳選した科学者のグループがひと夏のあいだ力をあわせて取り組めば、このうちのひとつまたは複数の問題において大きく前進できると思う」

一方で、やはりよく聞かれる逆の神話として、今世紀中に超人的なＡＧＩが出現することはないはずだというものもある。研究者のあいだでは、超人的ＡＧＩの実現がどれだけ先のことか、その予測には大きな幅がある。しかし、このような技術懐疑論的な予測がこれまでことごとく外れてきたことを考えると、今世紀中のその確率がゼロであると自信を持って言い切ることはけっしてできない。たとえば１９３３年、当時おそらく最高の原子核物理学者だったアーネスト・ラザフォードは、レオ・シラードが核連鎖反応を思いつく24時間足らず前に、核エネルギーなんて「荒唐無稽」だと語ったし、イギリス王室天文官のリチャード・ウーリーは１９５６年、宇宙旅行に関する話は「まったくのたわごとだ」と言った。ＡＩを否定する神話の中でももっとも極端なのが、超人的なＡＧＩは物理的に不可能で絶対に実現しないというものである。しかし物理学者なら知っているとおり、脳はクォークや電子が強力なコンピュータとして作用するように組みあわさってできているにすぎないし、さらに知能の高いクォークの集合体を作るのを妨げる物理法則も存在しない。

ＡＩ研究者に、人間レベルのＡＧＩが50パーセント以上の確率で出現するのはいまから何年後かと尋ねる調査が何度も実施されており、いずれの調査でも同じ結果が得られている。世界を代表する専門家のあいだでも意見は一致しておらず、我々にはいっさい分からないという結果だ。たとえば、先述したプエルトリコの会議でＡＩ研究者にアンケートを取ったところ、回答の平均（中央値）は２０５５年だったが、中には数百年以上先だと推測する研究者もいた。

神話
2100年までに超知能が必ず出現する。

神話
2100年までに超知能が出現することはありえない。

真実
数十年、または数百年以内に出現するかもしれないし、けっして出現しないかもしれない。AI専門家のあいだでも意見は一致していないし、我々にはまったく分からない。

神話
AIに懸念を抱いているのはラッダイトだけだ。

真実
トップクラスのAI研究者の多くが懸念を示している。

神話的な懸念
AIは邪悪になる。

神話的な懸念
AIは意識を持つようになる。

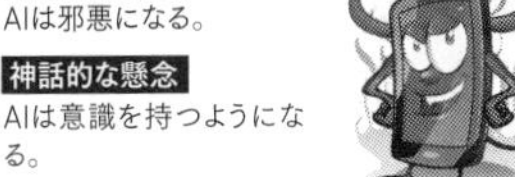

実際の懸念
AIが有能になって、その目標が我々と合致しなくなる。

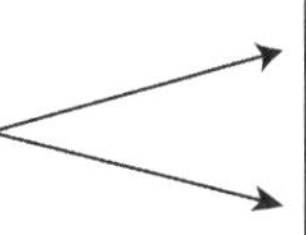

神話
最大の懸念はロボットである。

真実
最大の懸念は、我々と相容れない知能である。身体は必要なく、インターネットに接続されているだけで十分である。

神話
AIは人間を支配できない。

真実
知能があれば支配できる。我々がトラを支配できるのは、トラよりも賢いからだ。

神話
機械が目標を持つことはありえない。

真実
熱探知ミサイルは目標を持っている。

神話的な懸念
超知能はあと数年で出現する

実際の懸念
少なくとも数十年は先のことだが、安全なものにするのにも同じくらいの年月がかかるかもしれない。

図1.5　超知能AIをめぐってよく聞かれる神話

またこれと関連した神話として、ＡＩに懸念を抱いている人は、いまからわずか数年後にはＡＧＩが出現すると考えているというものがある。しかし実際には、超人的ＡＧＩに関する懸念を表明しているほとんどの人は、それは少なくとも数十年先だとにらんでいる。だがその一方で、今世紀中に出現しないと100パーセント確信できない限り、万一の事態に備えていまから安全性研究を始めるべきだとも論じている。本書で見ていくとおり、安全性をめぐる問題の多くはきわめて難しく、解決には何十年もかかるかもしれないので、どこかのプログラマがレッドブルを飲み干して人間レベルのＡＧＩのスイッチを入れる前の晩ではなく、いまから研究を始めるのが賢明だ。

論争に関する神話

もうひとつよく耳にする神話が、ＡＩに懸念を抱いていてＡＩ安全性研究を主張している人は、ＡＩのことをあまりよく知らないラッダイトだというものである。スチュワート・ラッセルがプエルトリコでの講演でそのことに触れると、聴衆からは大きな笑いが起こった。これに関連した誤解として、ＡＩ安全性研究への支援に対しては賛否両論が激しいというものがある。しかし実際のところ、ＡＩ安全性研究がある程度の支援を受けるには、ＡＩのリスクの高さを人々に納得してもらうまでの必要はなく、無視できない程度のリスクが存在することを認識してもらえさえすれば十分だ。それはちょうど、家が焼け落ちる確率が無視できない程度あるのなら、火災保険にある程度のお金を払うべきであるのと同じだ。

私の個人的な分析によると、マスコミは、ＡＩの安全性に関する議論を実際よりも物議を醸すものに見せかけようとしている。そもそも恐怖は売りになるし、破滅は近いという主張を文脈を無視して引用した記事のほうが、細かい点まで触れた分別のある記事よりもアクセス数が稼げる。その結果、ほかの人の立場をマスコミの引用だけでしか知らないと、どうしても意見の隔たりを実際よりも大きく感じてしまう。たとえば、ビル・ゲイツの見解に関する情報をイギリスのあるタブロイド紙からしか得ていない技術懐疑論者は、ビルは超知能の出現が近いと信じているのだと、誤って思い込んでしまうかもしれない。同様に、アンドリュー・エンの見解について、先に引用した火星の人口過密に関する発言以外いっさい知らない有益ＡＩ運動家は、アンドリューはＡＩの安全性を無視していると誤って考えてしまうかもしれない。実際にはアンドリューもＡＩの安全性を気にかけていることを、私はじかに知っている。要は単純な話で、アンドリューの思い描いているタイムラインがもっと長いために、おのずから長期的な課題よりも短期的な課題を優先しているにすぎないのだ。

リスクの内容に関する神話

あるときデイリー・メール紙〔イギリスのタブロイド紙〕に、「スティーヴン・ホーキング、ロボットの登場は人類を破滅させかねないと警告」[3]という見出しが出ているのを見て、私は唖然とした。似たような記事をこれまで何度目にしたことか。そのような記事はたいてい、武器を持ったおどろおどろしい姿のロボットの挿絵が添えられ、意識を持って邪悪になったロボットが蜂起して我々を殺すという事態を憂慮すべきだと訴えている。そこまではないにしても、私の仲間のＡＩ研究者たちがいっさい心配していないようなシナリオを、かなりインパクトの強いものにまとめ上げてしまっているような記事もある。そのシナリオは、「意識」「邪悪」「ロボット」をめぐる懸念という、３つものばらばらな誤解を組みあわせたものにすぎないのだ。

あなたは車を運転しているとき、色や音などを主観的に経験する。では、自動運転車は主観的な経験をするのだろうか？　そもそも、自分は自動運転車だと感じるのだろうか？　それとも、主観的経験をいっさい持たない、意識のないゾンビのようなものだろうか？　意識をめぐるこの謎はそれ自体が興味深く、第8章をこの話題に割くことにするが、これはＡＩのリスクとは無関係である。無人運転車にぶつけられたら、それが主観的に意識を感じているかどうかなんて関係ない。それと同じように、我々人間に影響をおよぼすのは、超知能ＡＩが何をするかであって、それが主観的に何を感じているかではない。

機械が邪悪になるという懸念もやはり的外れだ。実際に心配すべきは悪意でなく能力である。超知能ＡＩは定義上、どんな目標であってもそれをきわめてうまく達成させるため、我々はその目標が自分たちと相容れるものになるよう策を講じなければならない。たとえあなたが悪意を持ってアリを踏みつけるアリ嫌いでなかったとしても、もし環境に優しい水力発電計画に携わっていて、水没予定地域にアリ塚があったら、そのアリたちにとってはお気の毒だ。有益ＡＩ運動家は、人類がこのアリの立場になることを防ごうとしているのだ。

意識をめぐる誤解と関係しているのが、機械は目標を持てないという神話である。機械でも、目標指向的な振る舞いをするという狭い意味では、明らかに目標を持つことができる。熱探知ミサイルの振る舞いをもっとも簡潔に説明するには、標的に着弾するという目標を持ち出せばいい。あなたと相容れない目標を持った機械に脅かされたと感じたとき、あなたを困らせているのはその狭い意味での目標そのものであって、その機械が意識を持っていて目的を感じているかどうかではない。熱探知ミサイルに追いかけられているときに、「心配ない。機械は目標を持てないんだから!」なんて叫ぶことはないはずだ。

報道記者の中には、ロボットのイメージに取り憑かれて、目が赤く光る邪悪な姿の金属製モンスターを次から次へと記事に登場させる人がいるようだ。そんな恐怖を煽るタブロイド紙で不当に悪者扱いされている、ロドニー・ブルックスなどロボティクスの開拓者たちを、私は気の毒に思っている。有益AI運動家がもっとも懸念しているのは、ロボットでなく知能そのもの、もっと言うと、我々と相容れない目標を持った知能である。そのような知能は、ロボットの身体がなくてもインターネットに接続されているだけで、我々を災難に陥れることができる。第4章で掘り下げるとおり、金融市場を出し抜き、人間の研究者に先んじて発明を進め、人間の指導者を操り、我々が理解すらできない兵器を開発するかもしれない。莫大なお金を稼いだ超知能AIは、たとえロボットを作るのが物理的に不可能であっても、ウィリアム・ギブスンのSF小説『ニューロマンサー』のように、大勢の人間をお金で操って知らず知らずのうちに命令に従わせることができるだろう。

ロボットをめぐる誤解は、機械が人間を支配することはありえないという神話とも関係している。知能は支配を可能にする。人間がトラを支配できるのは、人間のほうが強いからではなく、人間のほうが賢いからだ。ということは、もし地球上でもっとも賢いという地位を明け渡したら、支配権も明け渡すことになるかもしれない。

図1・5にこれらの一般的な誤解をすべてまとめてある。これらの誤解はいっさい拭い去って、友

人や仲間との議論のポイントを、筋の通った数々の争点に絞り込んでほしい。そしていまから見ていくように、そのような争点に事欠くことはないのだ。

この先の道筋

本書ではこれ以降、ＡＩとともに生きる生命の未来をあなたと一緒に探っていくことにする。多面的で内容豊富なこのテーマを整然とした形でたどっていくために、まずは生命の全史を年代順に従って概念的に掘り下げ、その次に、目標や意義、そして我々の望む未来を作るために取るべき行動を探っていく。

第2章では、知能を支える基盤と、一見したところ何もできない物質が組み替えられて、記憶したり計算したり学習したりできるようになるしくみを調べていく。未来へ進んでいくと、いくつかの重要な疑問に対する答えに応じてたくさんのシナリオに分かれていく。図1・6には、時代が進んでＡＩが高度になるにつれて我々が直面する重要な疑問の数々をまとめてある。

我々はまさにいま、ＡＩ軍拡競争を始めるべきかどうかという選択、そして、明日のＡＩシステムがバグを持たずに堅牢（ロバスト）であるようにするにはどうすればいいのかという問題に直面している。さらに、もしＡＩが経済におよぼす影響が大きくなりつづけるのであれば、現代に即してどのように法律を改めるべきか、また、やがて自動化されてしまう仕事を避けるために、子供たちにどのような職業を薦めるべきかも見極めなければならない。このような短期的な問題については第3章で掘り下げる。

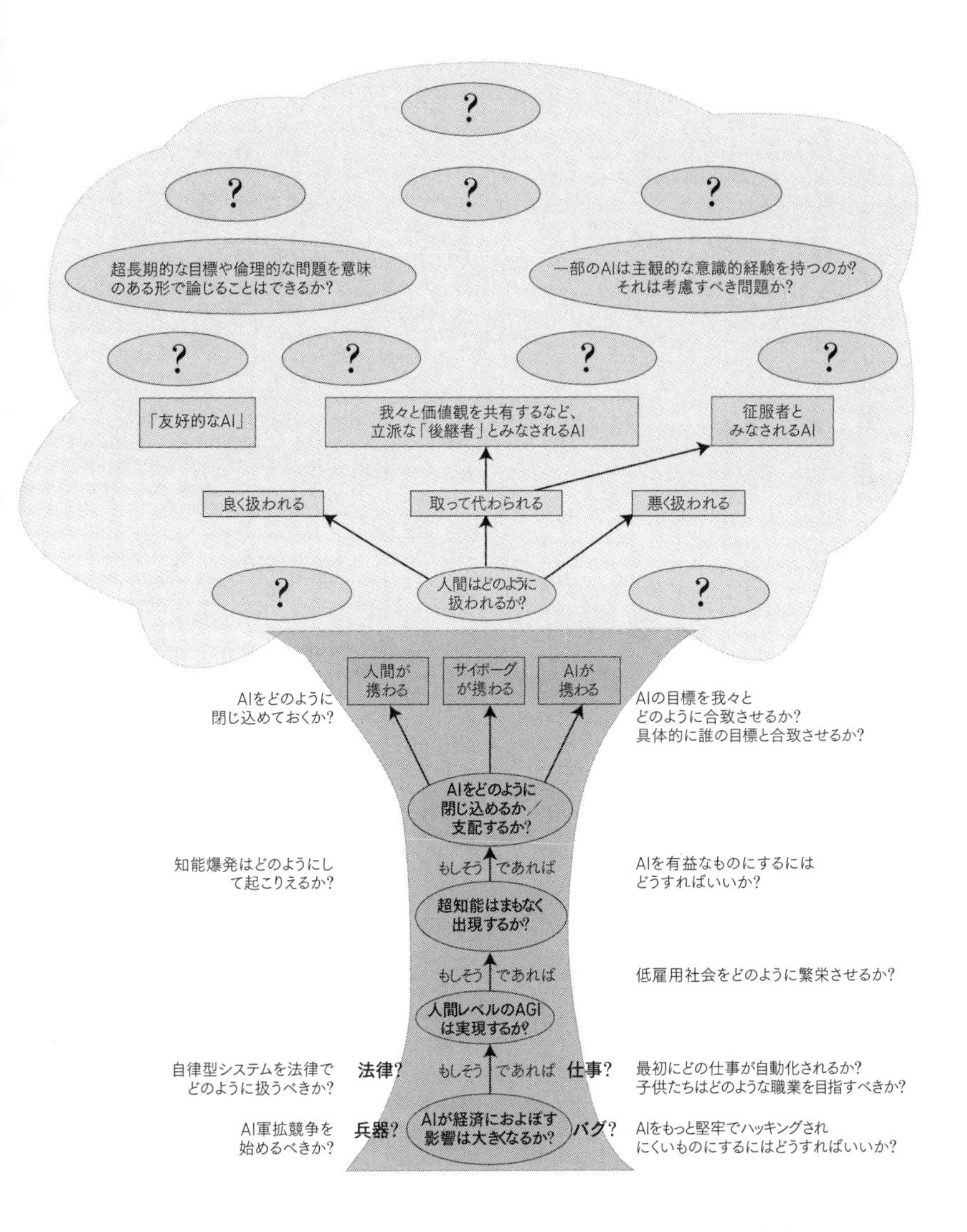

図 1.6 AI をめぐる数々の疑問のうちどれに関心が持たれるかは、AI がどこまで進化するかと、我々の未来がどの道をたどるかによって変わってくる。

さらに、もしＡＩの進化が続いて人間レベルに達するとしたら、ＡＩが有益であるようにするにはどうすれば良いか、そして、仕事をせずに繁栄する余暇社会を作れるか、あるいは作るべきかという疑問も自分たちに問いかける必要がある。また、知能爆発か、もしくはゆっくりだが着実な成長によって、ＡＧＩが人間レベルをはるかに上回る可能性があるのかどうかという疑問も浮かび上がってくる。そのような幅広いシナリオについては第4章で探り、いわゆるディストピアからユートピアまで、起こりうるさまざまな影響については第5章で調べていく。それを左右するのは誰なのか？　人間か、ＡＩか、サイボーグか？　人間は良く扱われるのか、あるいは悪く扱われるのか？　我々は取って代わられるのか？　もしそうだとしたら、取って代わる者は征服者とみなせるのか、それとも立派な後継者とみなせるのか？　第5章に挙げるシナリオの中からあなた自身がどれを気に入るか、私はたいへん興味がある。ウェブサイト http://AgeOfAi.org を立ち上げたので、あなたの見解を投稿して議論に参加してほしい。

　最後に、第6章では数十億年後の未来にまで進んでいくが、この宇宙における生命の究極の限界は知能でなく物理法則によって規定

	章番号	章のタイトル（簡易版）	テーマ	位置づけ
知能についての歴史	プロローグ	オメガチームの物語	問題提起	ほぼ推測に近い
	1	議論	鍵となる概念、用語	おおむね事実
	2	物質が知能を持つ	知能の基礎	
	3	AI、経済、兵器、法律	近未来	
	4	知能爆発?	超知能のシナリオ	ほぼ推測に近い
	5	影響	1万年後まで	
	6	宇宙からの恵み	数十億年後まで	
意味についての歴史	7	目標	目標指向的な振る舞いの歴史	おおむね事実
	8	意識	自然と人工の意識	推測
	エピローグ	FLIチームの物語	我々は何をすべきか?	おおむね事実

図1.7　本書の構成

されるため、皮肉なことに前のほうの章よりも確実な結論を引き出すことができる。

知能の歴史の探究を終えたら、本書のそれ以降では、どんな未来を目指し、どのようにしてそれを実現するのかに焦点を絞る。厳然たる事実と、知能の目的や意義に関する疑問とを結びつけるために、第7章では数々の目標の物理的根拠について、第8章では意識について考察していく。最後に終章では、我々の望む未来を作るためにいま何ができるかを考える。

あちこち拾い読みしたい読者のために、ほとんどの章は比較的自己完結させてあるが、その前にこの第1章と次の章の冒頭に示した用語と定義は頭に入れておいてほしい。ＡＩ研究者であれば、第2章は冒頭の知能の定義を除いてすべて読み飛ばしてもかまわない。また、ＡＩに明るくない読者のために、第4章から第6章までの内容を非現実的なＳＦとして無視すべきでない理由を、第2章と第3章に示している。図1・7には、各章の内容が事実と推測のあいだのどのあたりに位置するかをまとめてある。魅惑的な旅路が待っている。さあ出発しよう！

要約

▼生命は、複雑さを維持して複製できるプロセスと定義され、次の3つの段階を経て進歩する。自らのハードウェアとソフトウェアを進化させる生物学的段階（ライフ1・0）、学習を通じて自らのソフトウェアをデザインできる文化的段階（ライフ2・0）、自らのハードウェアもデザインできて、自身の運命を司ることのできる技術的段階（ライフ3・0）。

▼AIによって我々は今世紀中にライフ3・0を生み出せるかもしれない。我々はどんな未来を目指すべきで、どうすればそれを実現できるかに関する、魅力的な議論が起こっている。その議論をめぐっては、技術懐疑論者、デジタルユートピア論者、有益AI運動の活動家という、おもに3つの陣営がある。

▼技術懐疑論者は、超人的なAGIを作るのはきわめて難しくて何百年も先まで実現しないのだから、いまそれに関して（そしてライフ3・0に関して）懸念を抱くのはばかげていると考えている。

▼デジタルユートピア論者は、それは今世紀中に起こりそうだと考えて、ライフ3・0を宇宙の進化における自然で望ましい次のステップととらえ、心から待ち望んでいる。

▼有益AI運動の活動家も、それは今世紀中に起こりそうだと考えているが、良い結果が保証されてはおらず、AI安全性研究に真剣に取り組むことで、良い結果を確実なものにする必要があるととらえている。

▼世界を代表する専門家が意見を戦わせるこのような筋の通った議論とは別に、誤解に基づく退屈なまやかしの議論がいくつも見られる。たとえば、「生命」や「知能」や「意識」といった言葉を同じ意味で使っているかどうかを確かめもせずに、これらの概念について議論するのは時間の無駄だ。本書では表1・1の定義を使う。

▼図1・5に挙げた、次のような一般的な誤解にも気をつけてほしい。「2100年までに超知能が必ず出現する／けっして出現しない」「AIを心配しているのはラッダイトだけだ」「問題なのはAIが邪悪になって意識を持つことであって、それはたった数年後に起こる」「いち

ばん心配なのはロボットだ」「ＡＩは人間を支配できず、目標を持つこともできない」
▼第２章から第６章では、知能の歴史を、数十億年前の取るに足らない始まりの状態から、数十億年後に起こりうる宇宙規模の未来まで追いかけていく。はじめに、仕事やＡＩ兵器、そして人間レベルのＡＧＩの追求といった短期的な課題について、次に、知能マシンと人間、またはそのどちらか一方が存在する未来のさまざまな可能性について掘り下げていく。あなたはどの道筋が気に入るだろうか？
▼第７章からエピローグでは、厳然たる事実から、知能の目標や意識や意義の探究へと切り替え、望みどおりの未来を作るためにいま何ができるかを探っていく。
▼ＡＩとともに生きる生命の未来に関するこの議論は、現代でもっとも重要なものだと考えている。ぜひ参加してほしい！

第2章

物質が知能を持つ

水素……、十分な時間があれば人間に変わる。
——エドワード・ロバート・ハリソン（1955年）

ビッグバン以降の138億年のあいだに起こった進歩の中でもっとも目を見張るもののひとつが、生きていないただの物質が知能を持ったことである。それはどのようにして起こったのか？　未来にはどこまで賢くなるのか？　この宇宙における知能の歴史と運命について、科学でどんなことが分かるのか？　これらの疑問に挑むために、この章では、知能の基礎と基本構成要素を探っていくことにしよう。物質の塊が知能を持っているとはどういう意味なのか？　物体が記憶して計算して学習できるというのは、どういう意味なのか？

知能とは何か？

先日、私は妻と一緒に、スウェーデンのノーベル財団が主催するＡＩに関するシンポジウムに出席する機会を得た。そのときパネリストとして登壇した一流のＡＩ研究者たちは、知能とは何かを定義してくれと求められたものの、延々と議論した末に結局意見がまとまらなかった。とても滑稽だと思った。知能について日々考えている知能の高い研究者のあいだでさえ、知能が何であるかに関して共通見解がないのだ。知能に対する、異論の余地のない「正しい」定義など存在しないのは明らかである。それどころか、論理性、理解力、計画立案力、感情的知識、自己意識、創造性、問題解決力、学習能力など、相容れない定義が数多く存在する。

知能の未来に関する本書での探究では、これまで存在したたぐいの知能に限定せずに、最大限に幅広い包括的な見方を取りたい。そのため、本書を通じて使っていくその定義は、前の章で示したとおり次のようにきわめて幅広いものである。

知能＝複雑な目標を達成する能力

この幅広い定義には、先ほど挙げた定義がすべて含まれる。理解力、自己意識、問題解決力、学習能力などはすべて、知能が持ちうる複雑な目標の例である。オックスフォード英語辞典では「知能とは、知識や技能を獲得して利用する能力である」と定義されているが、知識や技能を利用することもひとつの目標となるので、この定義も含まれることになる。

考えうる目標は多数あるので、知能にも数多くのタイプがありえる。そのため、本書での定義に基づけば、人間や人間以外の動物、あるいは機械の知能を、ＩＱのようなたったひとつの数で定量化するのは意味がない。[*] チェスを打つことしかできないコンピュータプログラムと、囲碁を打つことしか

＊＝誰かが次のようなことを主張していたらあなたはどう感じるか、それを思い浮かべればこのことは理解できるはずだ。運動競技でオリンピックレベルの偉業を達成する能力は、「運動指数（ＡＱ）」というたったひとつの数で定量化でき、ＡＱのもっとも高いオリンピック選手がすべての競技で金メダルを取ると。

できないコンピュータプログラムとでは、どちらが知能が高いのだろうか？　直接比較できない事柄にそれぞれ秀でているのだから、この疑問に対して理にかなった答えは存在しない。しかし、あらゆる目標の達成において上記の両方のプログラムと同程度かそれ以上に秀でていて、少なくとも一方の目標（たとえばチェスで勝つこと）においては明らかに両方より秀でている第三のプログラムがあったら、それは前のふたつよりも知能が高いと言ってかまわないだろう。

また、はっきりとは言い切れないケースにおいて、これは知能を持っているとか持っていないなどと論じるのもほとんど意味がない。能力には程度の幅があって、必ずしも1か0かの特性ではないからだ。話すという目標を達成する能力を持っているのはどんな人だろうか？　新生児は？　持っていない。ラジオパーソナリティは？　持っている。しかし、しゃべれる単語が10語しかない幼児はどうだろうか？　500語では？　どこに線を引いたらいいのだろうか？　先ほどの知能の定義で「複雑な」といういあいまいな単語を意図的に使ったのは、知能と非知能のあいだに恣意的な境界線を引こうとしてもほとんど意味がなく、さまざまな目標を達成する能力の程度をそれぞれ単純に定量化したほうがまだ役に立つからだ。

さまざまな種類の知能を分類する上では、もうひとつ重要な区別として、「狭い」知能と「広い」知能というものがある。1997年にチェス世界チャンピオンのガルリ・カスパロフを王座から引きずり下ろしたIBMのチェスコンピュータ、ディープ・ブルーは、チェスを打つというきわめて狭い課題しかこなせなかった。ハードウェアもソフトウェアも強力なのに、三目並べでは4歳児にさえ勝てなかったのだ。グーグルのディープマインドが開発したAIシステムDQNは、達成させられる目標の幅がもう少し広く、昔懐かしいアタリのコンピュータゲーム数十種類を人間と同程度かそれより高いレベルでプレイできる。それに対して人間の知能はもっとずっと幅広く、多種多彩な技能を習得できる。健常な子供に十分な練習時間を与えれば、あらゆるゲームだけでなく、あらゆる言語やスポーツや職業的能力にかなり秀でることができるのだ。人間と現在の機械とを知能で比較すると、我々人間は幅広さにかけては楽勝だが、図2・1に示したように数少ない狭い分野では機械のほうが上回っていて、その分野の数は増えつづけている。AI研究の究極の目標は、学習を含めほぼあらゆる目標を達成させられる、最大限に幅広い「汎用AI」（「汎用人工知能〈AGI〉」と言うほうが通りが良い）を作ることである。これについては第4章で詳しく探っていく。「AGI」という言葉を広めたAI研究者のシェーン・レッグ、マーク・グブルッド、ベン・ゲーツェルは、この言葉をもっと具体的に、あらゆる目標を少なくとも人間と同程度に達成させられる能力を持った「人間レベルの」汎用の人工知能という意味で使っている。[1] 本書では彼らの定義に従うので、たとえば「超人的なAGI」などというように具体的に限定させない限り、「AGI」という言葉は「人間レベルのAGI」の略語として使うことにする。*

＊＝AGIを「人間レベルのAI」や「強いAI」の略語として使いたがる人もいるが、どちらも問題を抱えている。電卓でさえ、狭い意味で言えば人間レベルのAIである。さらに、「強いAI」の反義語は「弱いAI」ということになるが、ディープ・ブルーやWatsonやAlphaGoといった狭いAIシステムを「弱い」と呼ぶことには違和感がある。

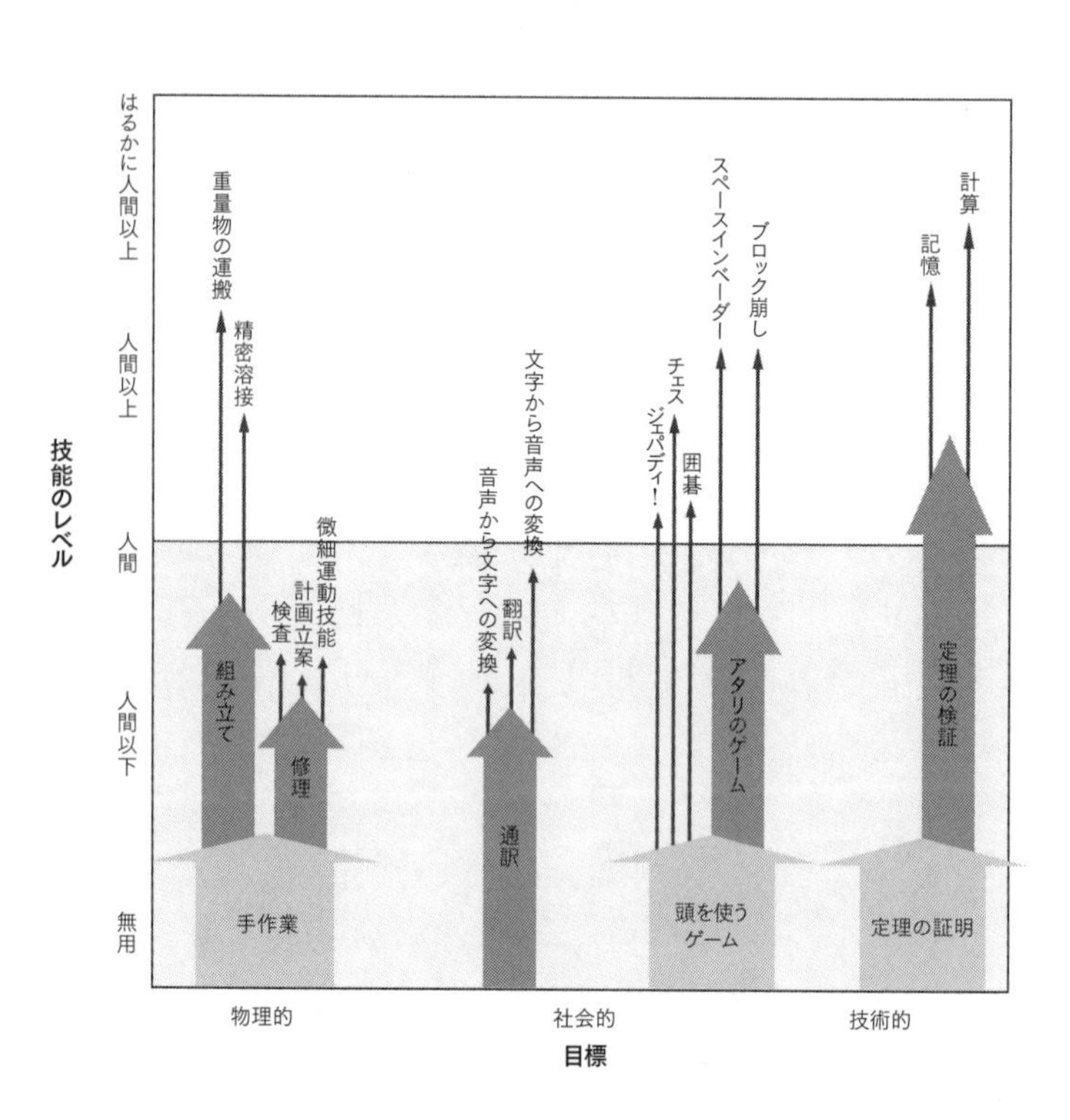

図 2.1　複雑な目標を達成する能力と定義される知能は、IQ というたったひとつの数では測定できず、あらゆる目標についてのさまざまな能力としてしか測定できない。図中の矢印は、現在最高の AI システムがそれぞれの目標の達成にどれだけ秀でているかを示している。これを見ると分かるように、現在の AI はもっぱら「狭く」、それぞれのシステムは特定の目標しか達成させられない。それに対して人間の知能は驚くほど幅広く、健常な子供なら学習によってほぼどんな能力も向上させられる。

「知能」という言葉にはポジティブな意味合いが込められることが多いが、ここでは、その目標が良いとみなされるか悪いとみなされるかにかかわらず、複雑な目標を達成する能力という、完全に価値中立的な意味で使うことを肝に銘じておかなければならない。知能の高い人は、他人を助けるのに秀でている場合もあるし、他人を傷つけるのに秀でている場合もある。目標をめぐるこの問題については第7章で掘り下げることにする。また目標に関して言うと、誰にとっての目標を指しているのかという問題をはっきりさせる必要もある。将来、あなたが新型のロボット個人秘書を手に入れたとしよう。そのロボットは自身の目標を何ひとつ持っていないが、あなたが指示したことは何でもこなす。そこであなたは、夕食に完璧なイタリアンを作るよう指示した。そのロボットが、ネットにアクセスしてイタリアンのレシピやいちばん近いスーパーまでの道筋やパスタの打ち方などを検索し、材料を滞りなく買ってきて、よだれの出そうな料理を作ってくれたら、たとえそのおおもとの目標があなたのものだったとしても、あなたはきっとそのロボットに知能があるとみなすだろう。そもそもこのロボットは、あなたの指示を受け入れて、それを、レジでお金を払うことからパルメザンチーズを削ることまで、何段階もの下位目標に自ら切り分けた。この意味で、知能的な振る舞いは目標の達成と分かちがたく結びついている。

我々がさまざまな課題の難しさを評価するとしたら、図2・1のように、我々人間にとってそれをこなすのがどれほど難しいかを基準とするのが自然である。しかしこの図だと、コンピュータにとってどれほど難しいかを見誤りかねない。写真の中から友人を見つけるのよりも、314159×271828を計算するほうがずっと難しいように思える。しかし、計算にかけては私が生まれるずっと前からコンピュータが人間を打ち負かしていたのに対し、人間レベルの画像認識が可能となったのはようやく最近のことである。簡単そうに思える低レベルの感覚運動的課題が実は膨大な計算リソースを必要とするというこの事実は、モラヴェックのパラドックスと呼ばれている。我々の脳がそのような課題を簡単だと感じるのは、膨大な量（脳全体の4分の1以上）の専用ハードウェアをそのような課題にあてがっているからである。

モラヴェックによる以下のたとえを私はたいへん気に入っていて、勝手ながら図2・2に描かせてもらった。

コンピュータは万能マシンであり、その能力は限りない範囲の課題に一様におよんでいる。それに対して人間の能力は、生存のために長いあいだ重要だった分野では強いが、それからかけ離れた分野では弱い。「人間の能力のランドスケープ」というものを思い浮かべて、低地には「計算」や「暗記」といったラベルを、丘には「定理の証明」や「チェスを打つこと」、高い山の頂上には「運動」や「手と視覚の協調」や「社会交流」といったラベルを貼ったとしよう。コンピュータの性能の向上は、このランドスケープが徐々に浸水していくようなものである。半世紀前に低地が水没しはじめて、人間の計算手や記録事務員がお払い箱になったが、ほとんどの人は濡れずに済んだ。いまや水は丘にまで達し、そこにいる前哨部隊は退却を検討しはじめている。山頂にいれば安全なようにも思えるが、現在のスピードでいくとあと半世紀以内にはやはり水没してしまうだろう。その日が近づいたら、箱船を作って船上での生活を受け入れることをお勧めする。[2]

モラヴェックがこの一節を書いてから数十年のあいだに、彼が予測したとおり、海面はまるで強烈な地球温暖化のように容赦なく上昇しつづけ、（チェスなどの）丘はかなり以前に浸水してしまっている。次に何が起こるか、そして我々はそれに対してどうすべきか、それが本書のこれ以降のテーマである。

海面が上がりつづけたら、ある日、転換点に達して劇的な変化が起こるかもしれない。その重大な海面レベルに相当するのが、機械がＡＩを設計できるようになるレベルである。この転換点に達するまでは、海面上昇は人間が機械を改良することによって起こるが、転換点以降は、機械が機械を改良することによって促され、人間が進めていたときよりもはるかに速く進んですべての陸地があっという間に浸水する可能性がある。これが「シンギュラリティ」という魅惑的だが異論の多い考え方で、第4章で興味深く探っていくことにする。

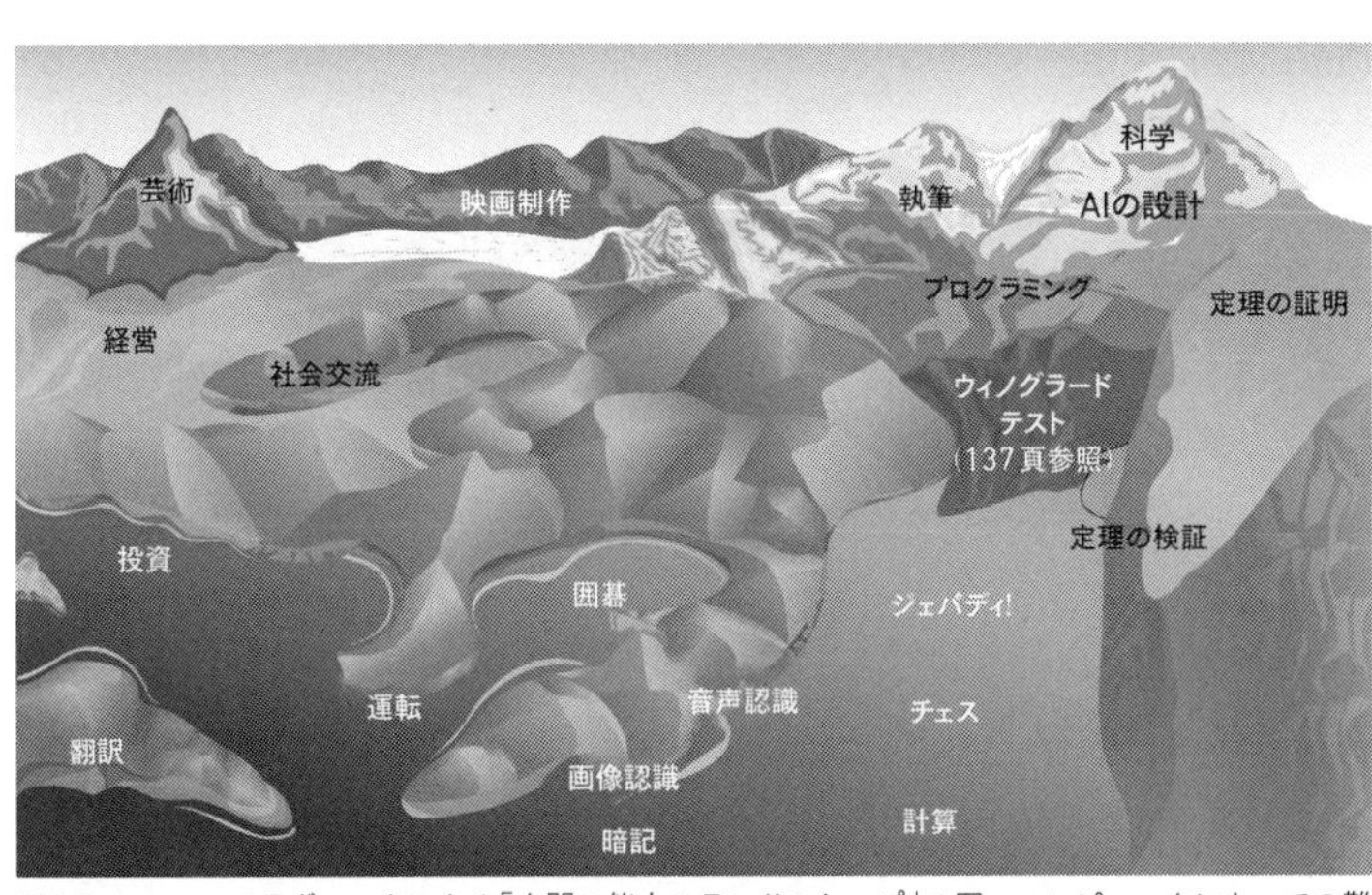

図2.2　ハンス・モラヴェックによる「人間の能力のランドスケープ」の図。コンピュータにとっての難しさが標高で表されており、コンピュータがこなせる事柄が増えるのに応じて海面が上がっていく。

コンピュータの先駆者アラン・チューリングが証明したとおり、ある最小限の演算を処理できるコンピュータに十分な時間と記憶容量を与えれば、そのコンピュータはほかのすべてのコンピュータができることをこなすようプログラムできる。この臨界点を超えた機械のことを「万能機械（または万能チューリングマシン）」という。現代のスマートフォンやノートパソコンはすべて、この意味で万能である。それと同じように、AIを設計するのに必要な知能の臨界点のことを、「万能知能」への臨界点と考えたい。十分な時間とリソースを与えられれば、そのような知能はあらゆる目標を、ほかのあらゆる知的エージェントと同じくらいうまく達成させるよう自らを仕向けられる。たとえば、社会的スキルや予測能力やAI設計技能を高めたいと決めたら、それを実現できる。ロボット工場の作り方を見出そうと決めたら、そのとおりにできる。つまり、万能知能はライフ3・0へ進化する可能性を持つことになる。

AI研究者は従来から、知能は血や肉や炭素原子とは関係なく、結局のところ情報と計算に行き着くと考えてきた。ということは、機械がいつの日か少なくとも我々と同じくらいの知能を持つことなどありえないと考える理由は、そもそも存在しないのだ。

しかし物理学によると、万物は基本的なレベルではあちこち移動する物質とエネルギーにすぎない。では、情報や計算とは実のところいったい何なのか？　情報や計算という抽象的で実体がなく漠然としたものが、実体のある物理的存在によってどのようにして形を持ちえるのか？　とくに、物理法則に従って動き回るただの粒子の群れがどのようにしたら、我々が知能と呼ぶような振る舞いを示せるのか？

その答えは分かりきっていて、今世紀中に機械はきっと人間と同じくらいの知能を持つようになるはずだと思った読者、たとえばAI研究者なら、この章の残りを読み飛ばして第3章に進んでほしい。それ以外の人でも、次の3つの節で私が示す事柄にはきっと納得してもらえると思う。

記憶とは何か？

地図帳に世界に関する情報が含まれているというのは、その冊子の状態（とくに、文字や図に色を与えている特定の分子の位置）と、世界の状態（たとえば大陸の位置）とが関連しているという意味である。大陸が別の場所にあったら、地図帳を構成する分子も別の場所にあるはずだ。我々人間は、本や脳からハードディスクまでありとあらゆる装置を情報の保存に使っており、それらの装置はいずれもある共通の性質を持っている。それは、その装置の状態を、我々が関心を持つ別の事柄の状態と関連させられる（そして我々に知らせることができる）という性質である。

それらの装置が記憶装置、つまり情報を保存するための装置として使えるのは、基本的にどのような物理的性質を持っているからだろうか？　その答えは、多数の長寿命状態を取ることができる、となる。どのくらい長寿命かというと、必要となるまで情報をコード化しておくのに十分な程度である。単純な例として、図2・3のように、16か所の谷があるでこぼこな表面にボールを1個置くとしよう。ボールが転がって静止したら、16か所のうちのどこか1か所にとどまるので、その位置を使えば1から16までの好きな数を記憶しておくことができる。

この記憶装置はかなり堅牢で、外部の力によって少々揺さぶられて乱されてもボールは同じ谷にとどまり、どんな数を保存したかを区別させつづけられる。その記憶がこれほど安定なのは、ボールを谷から持ち上げるのに必要なエネルギーが、起こりうるランダムな攪乱（かくらん）よりも大きいからである。この考え方に基づくと、動き回るボール以外にももっと幅広い物体に安定な記憶を与えることができる。複雑な物理系のエネルギーは、力学的、化学的、電磁気的なあらゆる性質によって設定することができ、あなたが記憶させておきたい状態からその系が変化するのにエネルギーが必要である限り、その状態は安定である。固体は多数の長寿命状態を持つが、液体や気体は持たない。金（きん）の形を変えるにはかなりのエネルギーが必要なので、金の指輪に誰かの名前を彫り込んだらその情報は何年も保持されるが、水面は難なく形を変えるので、池の水面に彫り込んでもその情報は1秒もせずに失われてしまう。

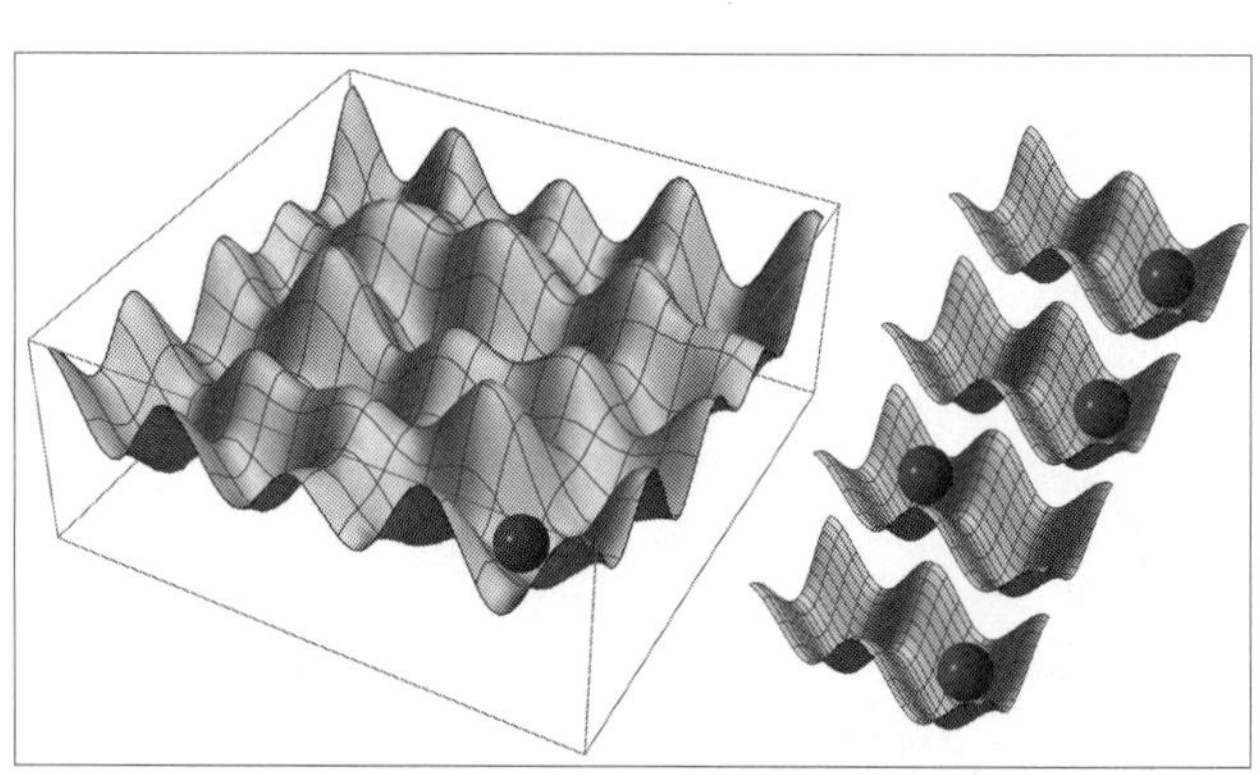

図 2.3　多数の安定状態を取りうる物理的物体は、記憶装置として利用できる。左図のボールは、2^4= 16 か所の谷のうちのどこか 1 か所に入って、4 ビットの情報をコードすることができる。右図の 4 個のボールも、それぞれ 1 ビットずつ、計 4 ビットの情報を全体でコードしている。

考えうるもっとも単純な記憶装置は、安定な状態をふたつだけ持つものである（図2・3）。それは、ひとつの2進数（バイナリーディジット、縮めて「ビット」）、すなわち0か1かをコードしていると考えることができる。もっと複雑な記憶装置に保存される情報もすべて、複数のビットを使って同等な形で保存できる。たとえば、図2・3の右に示した4つのビットは、0000, 0001, 0010, 0011, ……1111という2×2×2×2＝16通りの状態を取れるため、全体では、16個の状態を取るもっと複雑な系（左図）とまったく同じ記憶容量を持っている。したがって、ビットは情報の原子、すなわち、それ以上分割できず、複数が組みあわさってあらゆる情報を作れる、情報の最小単位であると考えることができる。たとえば私はちょうどいま「word」という単語を打ったが、私のノートパソコンはメモリの中でこの単語を119 111 114 100という4つの数の列として表現しており、このそれぞれの数は8ビットとして保存されている（それぞれ小文字のアルファベットを表しており、何番目のアルファベットか、その数に96を足した数になっている）。キーボードでwのキーを打つと、ノートパソコンの画面には即座に「w」という画像が表示されるが、その画像もまたビットで表現されている。画面上の数百万個のピクセルひとつひとつの色が、32ビットで指定されるということだ。

ふたつの状態を取る系は製造や操作が容易なため、現代のほとんどのコンピュータは情報をビットとして保存しているが、そのビットを具体的に表現する方法は何通りもある。DVDディスクでは、プラスチックの表面上のある1点に微小なくぼみがあるかないかが、ひとつのビットに対応している。ハードディスクでは、表面上の1点がふた通りの磁化状態のどちらになっているかが、ひとつのビットに対応している。私のノートパソコンのメモリでは、電子の位置、すなわちマイクロコンデンサというデバイスが帯電しているかどうかが、ひとつのビットに対応している。光の速さで輸送するのに適したビットもある。たとえばあなたのEメールを伝える光ファイバーの中では、ある瞬間にレーザービームが強いか弱いかが、ひとつのビットに対応している。

工学者は、（金の指輪のように）安定で読み出しが容易であるだけでなく、書き込みも容易であるような系にビットをコードしたいと考える。ハードディスクの状態を変えるには、名前を彫り込んだ金の状態を変えるよりもはるかに小さいエネルギーで済む。工学者はまた、操作が容易で安価に大量生産できるような系を好む。しかしそれを除けば、ビットが物理的物体としてどのように表現されるかは気にしない。あなたもほとんどの場合は気にしない。どうでもいいからだ。友人にEメールを送って印刷してもらうとき、その情報は、ハードディスク上の磁化状態からパソコンのメモリ内の電荷へ、さらに、ワイヤレスネットワークの電波、ルーター内の電圧、光ファイバー内のレーザーパルス、そして最後に、紙の上の分子へと次々にコピーされていく。つまり、情報は物理的物質とは関係なしに独自に振る舞うことができるのだ。ふつう注目するのは、物質とは独立したこの情報の側面だけである。友人が、あなたの送った文書について話をしようと電話を掛けてきても、まさか電圧や分子について話をしたいわけではないだろう。知能という実体のないものをどのようにして実体のある物理的存在に具現化できるのか、以上がその最初の手掛かりとなる。このあと見ていくように、物質とは独立しているというこの概念はもっとずっと深遠で、情報だけでなく計算や学習にも当てはまる。

このように情報が物質とは独立しているおかげで、賢い工学者は、ソフトウェアをいっさい変更することなしに、新技術を駆使してコンピュータ内の記憶装置を劇的に改良しつづけてきた。図2・4

に示したとおり、その進歩はめざましい。過去60年間、コンピュータのメモリの価格はおよそ2年ごとに半分に下がりつづけている。ハードディスクの価格は1億分の1になっているし、保存だけでなく計算にも使えるもっと高速なメモリの価格はなんと10兆分の1になっている。もしあらゆる商品がこのように「99・99999999999パーセントオフ」になったら、ニューヨークのすべての不動産を約10セントで、これまでに採掘されたすべての金（きん）を約1ドルで買えてしまうことになる。

　多くの人にとって、メモリ技術のめざましい進歩は個人的な思い出とつながっている。私は高校時代、菓子屋でアルバイトをしてメモリ容量16キロバイトのコンピュータを買った。そのコンピュータで走るワードプロセッサーを同級生のマグナス・ボーディンと一緒に作って販売したときには、処理する文章のために十分なメモリを確保できるよう、すべてのコードをマシン語で超コンパクトに書くしかなかった。容量70キロバイトのフロッピーディスクに慣れきっていたので、3・5インチともっと小型なのに容量が1・44メガバイトもあって、1冊の本を丸ごと保存できるフロッピーディスクや、最初に手に入れた容量10メガバイト（いまではダウンロードした音楽1曲がぎりぎり収まるくらいだが）のハードディスクには、畏れを抱いたくらいだった。のちに、当時の30万倍もの容量があるハードディスクが100ドル程度で買えるようになると、そんな青年時代の記憶はまるで作り話かのように感じられたものだ。

　人間が設計するのではなく、自ら進化する記憶装置についてはどうだろうか？　世代間で設計図をコピーしていく最初の生命形態がどんなものだったかはまだ分かっていないが、おそらくかなり小さいものだったのだろう。2016年、ケンブリッジ大学のフィリップ・ホリガー率いる研究チームは、自分自身よりも長いＲＮＡ鎖をコピーすることのできる、４１２ビットの遺伝情報をコードしたＲＮＡ分子を合成した。それによって、地球の初期の生命は自己複製する短いＲＮＡの小片からなっていたとする、いわゆる「ＲＮＡワールド」仮説にさらなる根拠が与えられた。自ら進化して自然界で使われている記憶装置のうち、現段階で知られている最小のものは、カルソネッラ・ルッディイイという細菌のゲノムで、その容量は約40キロバイト。一方、我々人間のＤＮＡの容量は約１・６ギガバイト、ダウンロードした映画１本分に匹敵する。前の章で述べたとおり、我々の脳は遺伝子よりもはるかにたくさんの情報を保存している。その容量は、電気的には10ギガバイト相当（ある瞬間に１０００億個のニューロンのどれが発火［活性化］しているかで表される）、化学的・生物学的には１００テラバイト（各ニューロンがシナプスを介してどの程度強く結合しているかで表され

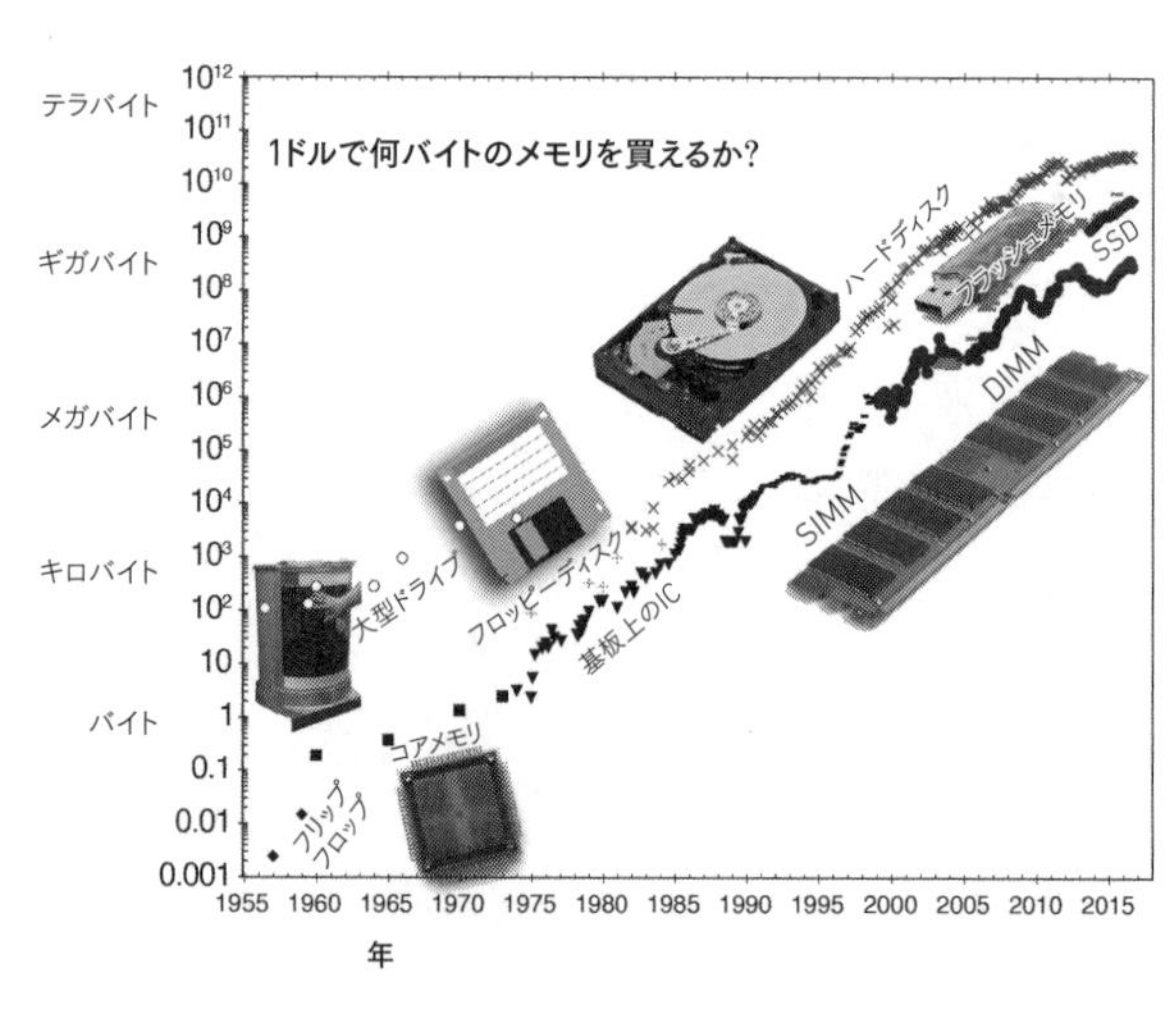

図 2.4　過去 60 年間、コンピュータのメモリの価格はおよそ 2 年ごとに半分になってきた。20 年ごとに価格がおよそ 1000 分の 1 になったことに相当する。1 バイトは 8 ビット。データはジョン・マッカラムによる（http://www.jcmit.net/memoryprice.htm）。

る）。これらの値を機械の記憶容量と比較すると分かるとおり、世界最高性能のコンピュータならすでにどんな生物学的システムよりも記憶容量で勝っている。しかもそのコストは急速に下がっていて、2016年時点ではわずか数千ドルだ。

脳の中のメモリとコンピュータのメモリとでは、構成だけでなく使い方に関してもしくみが大きく異なる。コンピュータやハードディスクから記憶を取り出すときには、それが保存されている場所を指定するが、脳から記憶を取り出すときには、保存されている事柄を指定する。コンピュータのメモリに保存されているビット群にはそれぞれ数値的なアドレスが付けられていて、ある情報を取り出すときには、どのアドレスを見るかを指定する。ちょうど、「私の本棚のところに行って、いちばん上の棚の右から5番めの本を取り出し、その314ページに書いてある事柄を教えてくれ」といった感じだ。一方で脳から情報を取り出すときには、サーチエンジンと同様、関連した情報や事柄を指定すれば望みの情報が出てくる。あなたに「生きるべきか死ぬべきか……」と指定したり、それをグーグルで検索したりすれば、「生きるべきか死ぬべきか、それが問題だ」と出てくる。同じ引用の別の部分を使ったり、あるいは多少間違ったりしていても、たいていはうまくいく。このようにアドレスでなく連想によって思い出す記憶システムのことを、「自己連想記憶」と言う。

物理学者のジョン・ホップフィールドは1982年の有名な論文の中で、相互に連結したニューロンからなるネットワークが自己連想記憶システムとして機能することを明らかにした。これは基本的かつきわめて見事なアイデアで、複数の安定状態を取るどんな物理系にも当てはまる。たとえば図2・3（88頁）の1ビット系のように、ふたつの谷を持つ表面上に置いたボールを考えて、最終的にボールが静止するふたつの極小点の x 座標をそれぞれ、$x=\sqrt{2}\approx1.41421$ と $x=\pi\approx3.14159$ としよう。すると、π が3に近いことを覚えてさえいれば、ボールを $x=3$ の場所に置いて見守るだけで、それがもっとも近い極小点に向かって転がっていってもっと精確な π の値が分かる。ホップフィールドは、ニューロンからなる複雑なネットワークでもそれと同じように、系の行き着く先であるエネルギー極小点を多数持ったランドスケープが形作られることに気づいた。さらにのちに、ニューロン1000個ごとに138種類もの記憶を大きな混乱なしに詰め込めることも明らかにした。

計算とは何か？

ここまで、物理的物体がどのようにして情報を記憶できるのかを見てきた。しかし、計算はどのようにしてできるのだろうか？

計算とは、ある記憶状態を別の記憶状態に変換することである。言い換えると、計算は情報を取り込んで変換することであり、数学で言う「関数」を実現したものにほかならない。図2・5に示したように、私は関数を情報の肉挽き器としてイメージしている。上から情報を入れてハンドルを回すと、情報が処理されて下から出てくる。これを、さまざまな入力に対して何度でも繰り返すことができる。この情報処理は、入力が同じであれば何度やっても同じ出力が出てくるという意味で、決定論的である。

きわめて単純なように聞こえるが、この関数の概念は驚くほど一般的である。関数の中にはかなり単純なものもある。たとえば「ＮＯＴ」という関数は、入力されたひとつのビットを反転させて、０を１へ、１を０へ変える。学校で教わる関数の多くは電卓のボタンに対応していて、ひとつまたはいくつかの数を入力すると、ひとつの数が出力される。たとえば関数 x^2 は、入力されたひとつの数の２乗を出力する。一方、きわめて複雑な関数もある。たとえば、チェスの駒の位置を表現するビットを入力として、次の最適な手を出力する関数があれば、それを使って世界コンピュータチェス選手権で優勝できる。世界中の金融データを入力として、もっとも買い時の株を出力する関数があれば、すぐに大金持ちになれる。多くのＡＩ研究者は、何らかの関数の実装法を見つけるのに研究人生を捧げている。たとえば機械翻訳の研究の目標は、ある言語の文章を表現するビットを入力として、別の言語でそれと同じ文章を表現するビットを出力する関数を実装することである。また、自動字幕生成の研究の目標は、ある画像を表現するビットを入力として、その画像を記述する文章を表現するビットを出力することである（図２・５右）。

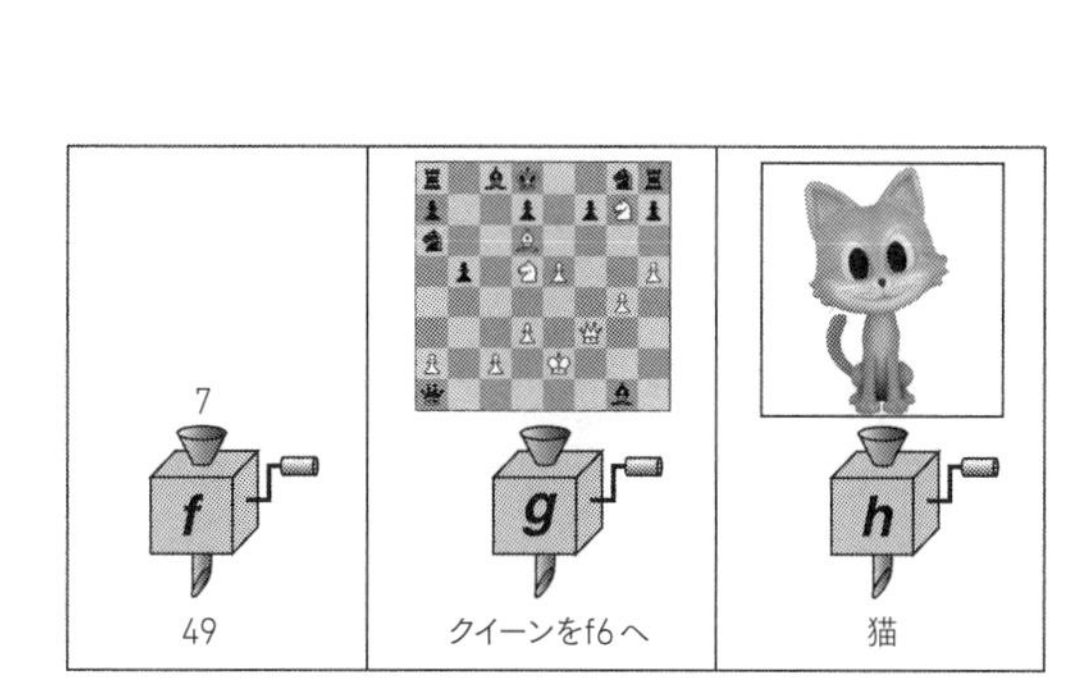

図2.5 「計算」とは情報を取り込んで変換することであり、数学で言う「関数」を実現したものである。関数 f（左）は、ひとつの数を表すビットを取り込んでその２乗を計算する。関数 g（中央）は、チェスの駒の位置を表すビットを取り込んで、白にとって最適な手を計算する。関数 h（右）は、画像を表現するビットを取り込んで、その画像を記述する言葉を計算する。

要するに、きわめて複雑な関数を実装できれば、きわめて複雑な目標を達成させられる知能マシンを作れるということになる。そう考えれば、物質はどのようにして知能を持てるのかという疑問の答えが、もっとはっきりと見えてくる。一見したところ何もできなさそうな物質の塊が、どのようにして複雑な関数を計算できるようになるのだろうか？

そのためには、金の指輪などの静的記憶装置のように動かないままではなく、複雑な「ダイナミクス」を示して、現在の状態に基づいて未来の状態が何らかの複雑な（そして願わくは制御可能な、あるいはプログラム可能な）形で決まるようになっていなければならない。その原子の配置が取る秩序の程度は、何ら興味深い変化を示さない固体よりも低いと同時に、液体や気体よりは高くなければならない。具体的に言えば、入力情報がコードされた状態に置かれると、ある時間のあいだ物理法

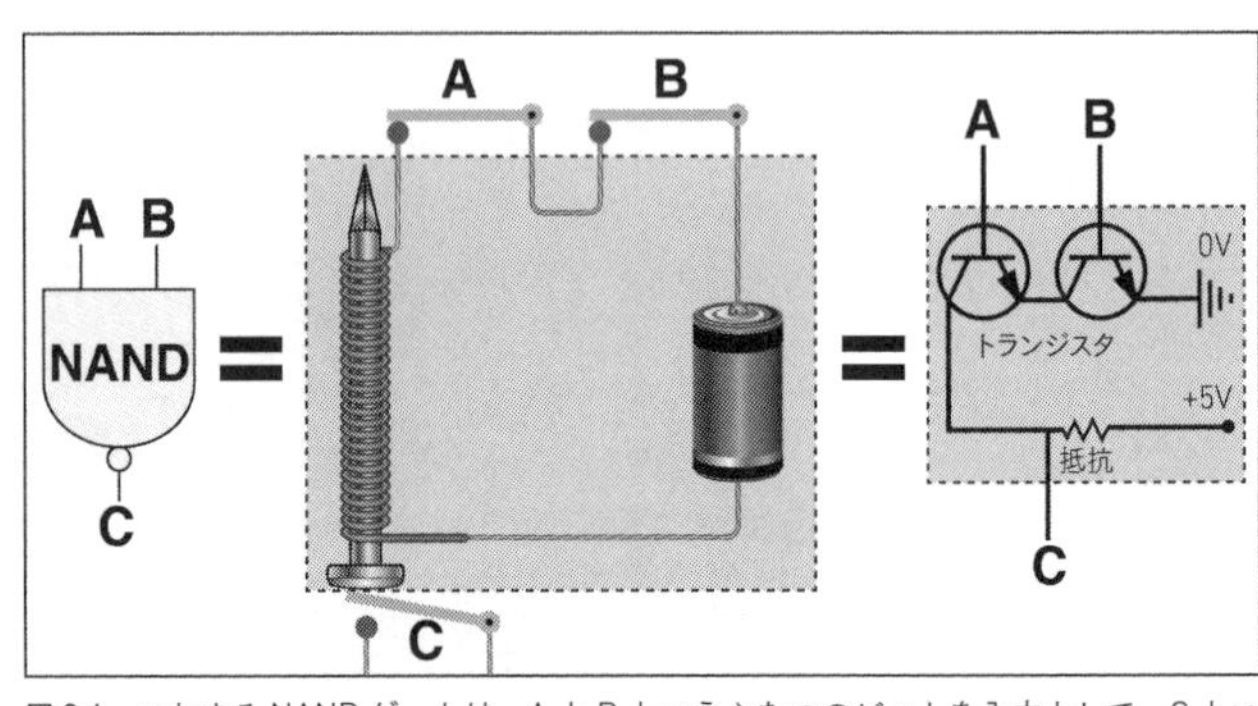

図 2.6　いわゆる NAND ゲートは、A と B というふたつのビットを入力として、C というひとつのビットを出力する。その規則は、A=B=1 であれば C=0、それ以外の場合は C=1 である。さまざまな物理系を NAND ゲートとして使うことができる。中央図の例では、スイッチをビットとして、0= 開いている、1= 閉じていると解釈し、スイッチ A と B の両方が閉じていると電磁石によってスイッチ C が開く。右図の例では、電圧をビットとして、1=5V、0=0V と解釈し、電線 A と B の両方に 5V の電圧がかかっていると、ふたつのトランジスタに電流が流れて電線 C の電圧がほぼ 0V に下がる。

則に従ってそれが発展し、その最終状態が出力情報として解釈され、その出力が入力に対する望みどおりの関数になっているという性質を、その系は持っていなければならない。そうなってくれたら、この系は目的の関数を計算したと言ってかまわない。

最初の例として、何もできないただの物質から「NANDゲート」*というきわめて単純な（しかしきわめて重要な）関数を作るにはどうすればいいかを考えていこう。この関数は、ふたつのビットを入力として、ひとつのビットを出力する。入力がどちらも1であれば0を出力し、それ以外の場合には1を出力する。スイッチをふたつ直列にして電池と電磁石とつなげば、ひとつめのスイッチとふたつめのスイッチの両方が閉じた（「オン」になった）ときにだけ電磁石はオンになる。そこで図2・6のように、その電磁石の下側に3つめのスイッチを置き、電磁石がオンになるとそのスイッチが引き上げられて開くようにしてみよう。最初のふたつのスイッチを入力ビット、3つめのスイッチを出力ビット（0＝スイッチが開いている、1＝スイッチが閉じている）と解釈すれば、これでNANDゲートが完成したことになる。最初のふたつのスイッチが閉じたときにだけ、3つめのスイッチが開く。NANDゲートを作るもっと現実的な方法はほかにいくつもあり、たとえば図2・6のようにトランジスタを使うこともできる。現在のコンピュータではたいてい、シリコンウエハー上に機械的にエッチングされた微小なトランジスタなどの部品の集合体から作られている。

＊＝NANDは「NOT　AND」の略。ANDゲートは、ひとつめの入力が1でふたつめの入力が1のときに限って1を出力する。NANDゲートの出力はその正反対になっている。

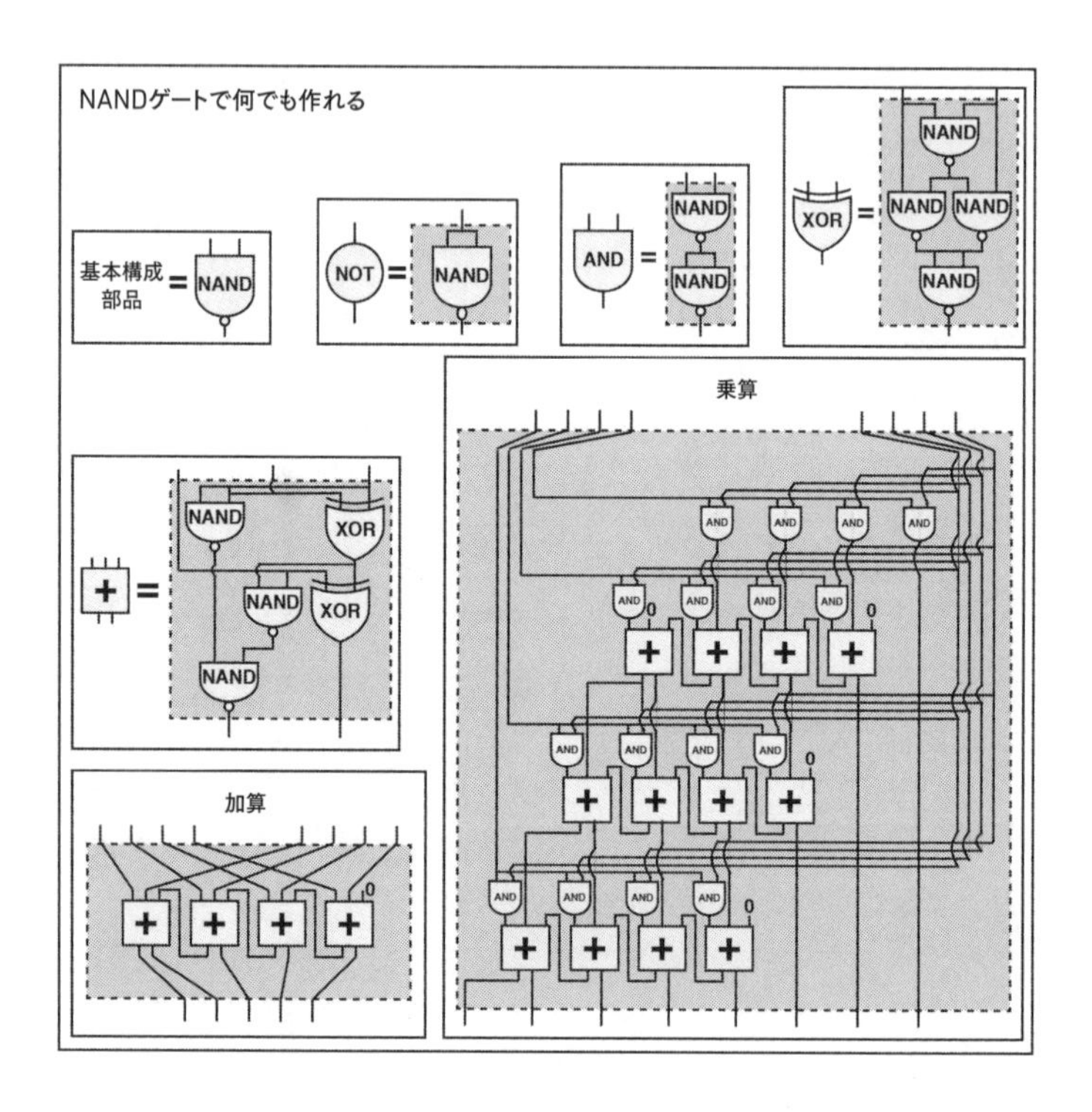

図 2.7 NAND ゲートだけをうまく組み合わせると、明確に定義されたどんな計算でもおこなうことができる。たとえば上記の加算モジュールと乗算モジュールは、いずれも 4 ビットで表現されたふたつの 2 進数を入力とし、それぞれ 5 ビットおよび 8 ビットで表現されたひとつの 2 進数を出力する。その中に含まれている NOT、AND、XOR、＋（3 つのビットを足しあわせて 2 ビットの 2 進数を出力する）のモジュールはそれぞれ、NAND ゲートから作られている。この図を完全に理解するのはきわめて難しいが、本書を読み進める上ではまったく必要ない。ここにこの図を挙げたのは、万能性の雰囲気を感じ取ってもらうためと、私のおたく心を満たすためでしかない。

コンピュータ科学におけるある驚きの定理によれば、NANDゲートは「万能」であって、NANDゲートを複数連結するだけで、明確に定義されたあらゆる関数を実装できる。* 十分な個数のNANDゲートがあれば、何でも計算できる装置を作れるのだ。どんなしくみか見てみたい人のために、図2・7に、NANDゲートだけを使って数の掛け算をする方法を示しておいた。

MITの研究者ノーマン・マーゴラスとトマソ・トフォリは、任意の計算を実行できる物体に「コンピュートロニウム」という名前を付けた。いま説明したとおり、コンピュートロニウムを作るのはさほど難しいことではなく、好きなようにつなぎあわせられるNANDゲートを実装できさえすればいい。それどころか、ほかにも数え切れないほどの種類のコンピュートロニウムがある。単純な変種として、両方の入力が0であるときだけ1を出力するNORゲートを、NANDゲートの代わりに使ってもいい。次の節で説明するニューラルネットワークも、任意の計算を実装できて、コンピュートロニウムとして作用する。科学者で起業家のスティーヴン・ウルフラムは、各ビットがそれぞれ隣のビットの振る舞いに応じて繰り返し更新される、セルオートマトンと呼ばれる単純な仕掛けも、同じくコンピュートロニウムとして作用することを示した。さかのぼること1936年にはすで

＊＝ここで「明確に定義された関数」というのは、数学者やコンピュータ科学者が「計算可能関数」と呼んでいるもの、すなわち、メモリや時間に上限のない仮想的なコンピュータで計算できる関数という意味である。アラン・チューリングとアロンゾ・チャーチは、これ以外に、記述することはできるが計算することはできない関数も存在することを証明した。

に、コンピュータの先駆者アラン・チューリングが画期的な論文の中で、テープ上の記号を操作する単純なマシン（いまでは「万能チューリングマシン」と呼ばれている）もまた任意の計算を実装できることを証明している。まとめると、明確に定義された任意の計算を物質を使って実装できるだけでなく、その方法はきわめてたくさんあるのだ。

先ほど述べたとおり、チューリングは1936年の論文で次のようなさらに深遠な事実を証明した。ある最小限の演算を実行できるコンピュータは、十分なリソースさえあればほかのあらゆるコンピュータができることをすべてこなせるという意味で、「万能」である。つまり、チューリングマシンが万能であることを証明したのだ。もっと物理と結びつけるとしたら、いま見てきたとおり、NANDゲートからなるネットワークや、相互接続したニューロンからなるネットワークなど、多種多様な物体がそのような万能コンピュータの範疇に含まれる。それどころか、気象系から脳に至るまで、単純でないほとんどの物理系は、いくらでも大きくして長時間持続するようにできさえすれば万能コンピュータとして作動すると、ウルフラムは論じている。

このようにあらゆる万能コンピュータでまったく同じ計算ができるという事実を踏まえると、情報と同じく計算も物質に依存しない、つまり物理的物体とは独立して振る舞うことができると言える。未来のコンピュータゲームの中に住む、意識を持った超知能キャラクターは、物質とは独立しているので、自分がWindowsのデスクトップパソコン上で走っているのか、あるいはmacOSのノートパソコンやAndroidのスマートフォン上で走っているのかは知りようがない。また、そのマイクロプロセッサーにどのような種類のトランジスタが使われているのかも知る術はない。

物質から独立しているというこの重要な概念を私が最初に理解できたのは、物理にもその見事な実例がいくつもあるからだ。たとえば波は速さや波長や周波数といった性質を持っていて、我々物理学者は、実際に波打っている物質が何であるかを知らなくても、その波が従う方程式を調べることができる。何かが聴こえたときにあなたが感知した音波は、我々が空気と呼ぶ混合気体の中で跳ね回る分子によって生じたものである。しかしその空気が何でできているかが分からなくても、強度が距離の2乗に比例して減衰する様子や、開いた扉を通過するときに曲がる様子、壁で跳ね返って反響する様子など、音波に関するあらゆる興味深い事柄を計算できる。それどころか、空気が分子からできていることすら知っている必要はない。酸素や窒素や二酸化炭素などの詳細な性質は、すべて無視できる。その物質の性質の中で、かの有名な波動方程式に入ってくる重要な性質は、波の速さという、我々が測定できるたったひとつの値だけである（この場合には秒速約３００メートル）。私が以前ＭＩＴの学生に授業で教えたその波動方程式が発見されて盛んに使われるようになったのは、物理学者が原子や分子の存在を証明するよりもずっと前のことなのだ。

この波の例からは、次の３つの重要な事柄が読み取れる。第一に、物質から独立しているからといって物質が不必要なわけではないが、その物質の詳細な性質の大部分は問題にならない。気体がなければもちろん気体の中に音波を発生させることはできないが、気体であるならどんな気体でもかまわない。それと同様に、物質がなければもちろん計算をすることはできないが、ＮＡＮＤゲートや相互連結するニューロンなど、万能計算のための構成部品を作れさえすればどんな物質でもかまわないのだ。第二に、物質から独立した現象は、独自に振る舞う。波が池の端から端まで伝わるとき、水分子自体は移動せず、スポーツスタジアムで観客が作る「ウェーブ」のようにほぼ上下に揺れるにすぎない。第二に、多くの場合に重視すべきは、物質から独立した側面だけである。サーファーは、分子の詳細な組成よりも波の位置や高さをもっぱら気にする。前に見たとおり、情報についても、また計算についても同じことが言える。二人のプログラマが一緒にコードのバグを潰しているときに、トランジスタについて議論しあうことはないだろう。

　これで、本章の冒頭に示した疑問の答えにたどり着いた。「実体のある物理的物体がどのようにして、知能のような実体がなく抽象的で漠然としたものを生み出すことができるのか」という疑問だ。知能が非物理的であるように感じられるのは、物質から独立していて、物理的詳細とは関係なしに、また物理的詳細には左右されずに、独自に振る舞うからである。簡単に言うと、計算とは時空内での粒子の配置のパターンであって、本当に重要なのは粒子でなくそのパターンである。物質（マター）は重要（マター）ではないのだ。

　要するに、物質がハードウェアで、そのパターンがソフトウェアである。このように計算が物質から独立しているからこそＡＩは実現可能であって、知能に血や肉や炭素原子は必要ないのだ。

　このように物質から独立しているおかげで、そつのない工学者は、ソフトウェアを変更することなしに、コンピュータに搭載する技術を大幅に優れたものに何度も置き換えることができた。その結果、コンピュータのあらゆる性能が記憶装置と同じくめざましい進歩を見せている。図２・８に示したとおり、計算コストはおよそ2年ごとに半分に下がっていて、その傾向は１００年以上続いており、私の祖母が生まれた頃に比べてコンピュータの価格は１００万の１００万の１００万分の１（10^{-18}）にまで下がっている。もしあらゆる品物が100万の100万の100万分の1に安くなったら、今年地球上で生産されたすべての製品とサービスを0・01セントで買えてしまう。もちろんこの劇的なコスト低下によって、今日では至るところで計算がなされており、かつてひとつの建物を丸ごと占めていたコンピュータ設備が、自宅や車やポケット、さらにはスニーカーの中といった予想外な場所にまで広がっている。

　ではなぜ我々のテクノロジーは、一定間隔でパワーが2倍になりつづけて、数学者が指数関数的増加と呼ぶ振る舞いを示しているのだろうか？　もっと言うと、なぜトランジスタの小型化（ムーアの法則）だけでなく、もっと幅広く計算全般（図2・8）、メモリ（図2・4）、そして、ゲノム配列決定から脳イメージングに至るまで、さまざまなテクノロジーでそれが起こっているのだろうか？　レイ・カーツワイルは、2倍になりつづけるというこの現象を、「収穫加速の法則」と呼んでいる。

　自然界でたえず2倍になりつづける例として私が知っているものは、いずれも根本的に同じ理由があり、テクノロジーにおけるこの現象も例外ではない。その理由とは、各段階がその次の段階を引き起こすということである。たとえば、あなたは受胎後、指数関数的に成長した。すべての細胞がほぼ1日に1回ずつ分裂して2個になり、細胞数の合計が日に日に、1個、2個、4個、8個、16個……と増えていったのだ。この宇宙の起源に関するもっとも有力な科学理論であるインフレーション理論によれば、この宇宙は赤ん坊時代にちょうどあなたと同じように指数関数的に膨張して、一定間隔で何度も2倍ずつ大きくなり、その結果、原子1個よりはるかに小さくて軽かったちっぽけな宇宙が、望遠鏡でこれまでに観察されたすべての銀河をあわせたよりも大きく成長したという。その原因もや

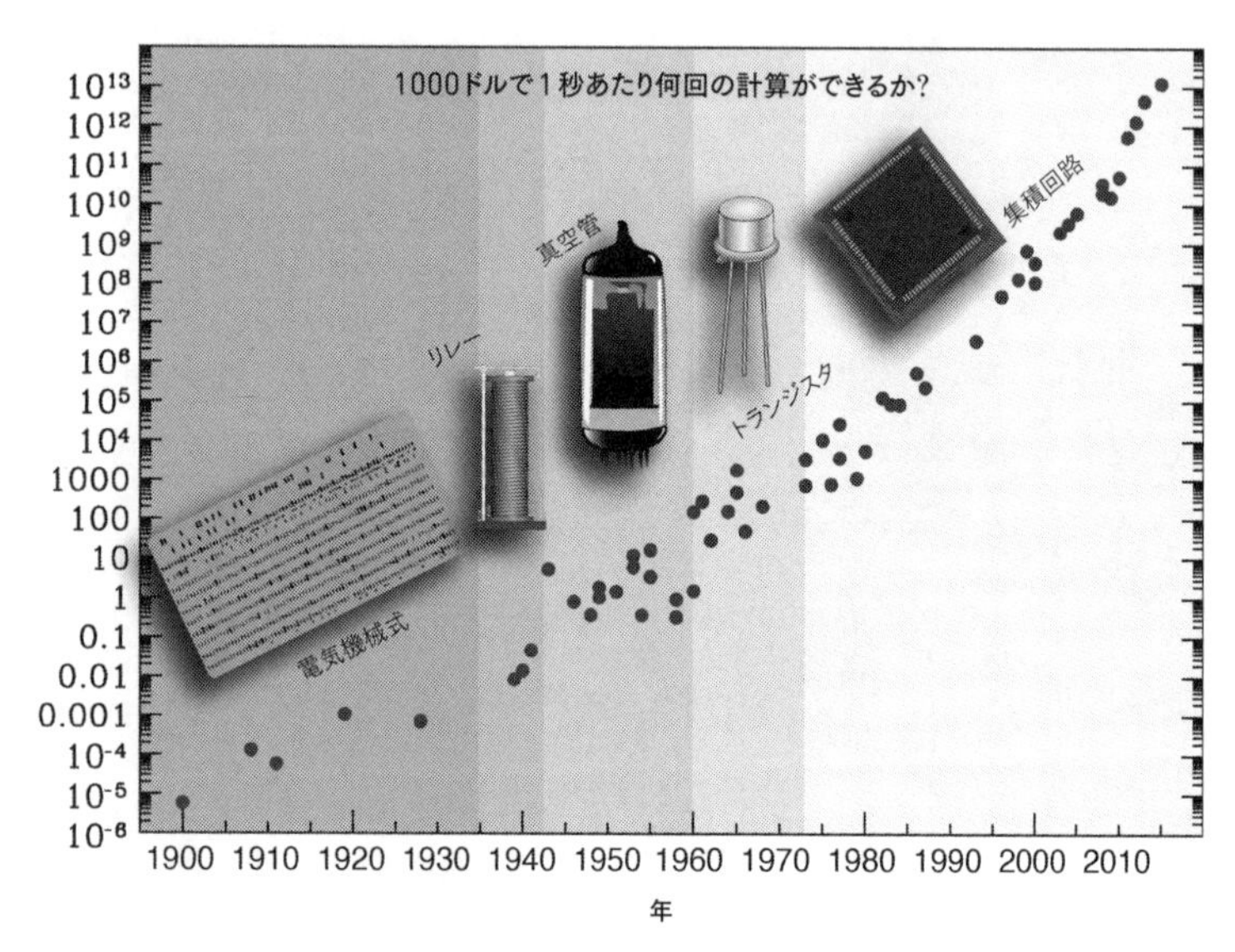

図 2.8　1900年以降、計算コストはおよそ2年ごとに半分に下がりつづけている。このグラフは、1000ドルで買える計算能力を、1秒あたりの浮動小数点演算の回数(FLOPS)で表したものである[3]。FLOPS1回分の計算は、ビット反転やNAND演算など基本的な論理演算のおよそ10^5回に相当する。

はり、2倍になる各ステップがその次のステップを引き起こすというプロセスにあった。テクノロジーの進歩も同じだ。テクノロジーが2倍強力になると、それを使ってさらに2倍強力なテクノロジーが設計されて構築され、ムーアの法則さながらに能力が繰り返し2倍になっていくのだ。

テクノロジーのパワーが繰り返し2倍になっていくのにあわせてよく聞かれるのが、2倍2倍で続く進歩はもうすぐ終わるという主張である。確かに、製造できるトランジスタの小ささには物理的限界があるので、ムーアの法則はもちろんいつか終わる。しかし一部の人はうっかり、ムーアの法則をテクノロジーのパワーが2倍になりつづけることと同義であると決めつけてしまっている。それに対してレイ・カーツワイルは、ムーアの法則が示しているのは計算技術の指数関数的進歩における最初の技術的パラダイムではなく、図２・８に示したように第5のパラダイムであると指摘している。あるテクノロジーの進歩が止まるたびに、決まってもっと優れたテクノロジーに置き換わってきたのだ。真空管をそれ以上小型化できなくなると、代わりにトランジスタが、さらに、二次元上を電子が動き回る集積回路が登場した。このテクノロジーが限界に達しても、試すことのできる代わりの技術がたくさんある。たとえば三次元回路や、電子以外のものを使う方法だ。

次にどんな計算デバイスが大成功を収めるか確実なところは誰にも分からないが、物理法則によって課される限界がはるか先であることは分かっている。ＭＩＴでの私の同僚セス・ロイドは、その根本的限界がどのくらいであるかをはじき出した。第6章で詳しく掘り下げるとおり、その限界は、物質の塊が何回の計算をこなせるかを基準に測ったとして、現在の最先端技術の33桁も上（10^{33}倍）である。したがって、たとえコンピュータのパワーが2年ごとに2倍になりつづけたとしても、２００年以上経たないとその最後の限界には達しないのだ。

万能コンピュータはすべて同じ計算を実行できるが、中には効率の良いものもあれば悪いものもある。たとえば、数百万回の掛け算を必要とする計算をおこなうのに、図2・6のように別々のトランジスタから組み立てた乗算モジュールを数百万個用意する必要はない。適切な値を入力して繰り返し何度も使えるので、そのようなモジュールは1個だけあればいい。このような効率性を踏まえて現代のほとんどのコンピュータは、計算を複数の時間ステップに分割して、その各ステップごとに記憶モジュールと計算モジュールのあいだで情報を行き来させるという方法論を使っている。この計算アーキテクチャは、1935年から45年頃にかけて、コンピュータの先駆者アラン・チューリング、コンラート・ツーゼ、プレスパー・エッカート、ジョン・モークリー、ジョン・フォン・ノイマンらによって開発された。もっと具体的に言うと、コンピュータのメモリにはデータとソフトウェア（プログラム、つまり、そのデータをどう処理するかを指定した命令のリスト）の両方を保存する。そして各時間ステップごとに、中央演算処理装置（CPU）がプログラムの次の命令を実行する。その命令は、データの一部に対する何らかの単純な関数を指定している。次に何をすべきかを追跡している部分は、やはりメモリの一部分で、それを「プログラムカウンタ」といい、そこにプログラムの現在の行番号が保存されている。次の命令へ進むには、このプログラムカウンタに1を足す。プログラムの別の行へジャンプするには、その行番号をプログラムカウンタにコピーする。IF文やループは、そのようにして実装されている。

今日のコンピュータでは、モジュールのこのような再利用の一部を「並列処理」という巧妙な方法で避けることで、スピードを上げている場合も多い。ひとつの計算を、互いに並列して処理できる複数の部分へ分割できる（ある部分の入力に別の部分の出力が必要ない）場合には、その各部分をハードウェアの別々の部分で同時に計算すればいい。

並列コンピュータの究極形が、「量子コンピュータ」である。量子計算の先駆者デイヴィッド・ドイッチュは、次のような異論の多い説を提唱している。「量子コンピュータは、多宇宙にわたって膨大な個数存在する自身のバージョンのあいだで情報を共有して」、いわばほかのバージョンの助けを借りることによって、この宇宙で高速に答えをはじき出せるというのだ。[4] 数十年以内に商用の本格的な量子コンピュータが実現するかどうかはまだ分からない。それは、量子物理学がはたして我々の考えているとおりのしくみなのかと、我々が困難な技術的課題を克服できるかどうかにかかっている。それでも世界中の企業や政府が、毎年数千万ドルをその可能性に賭けている。量子コンピュータはありふれた計算の高速化はできないが、暗号システムの解読やニューラルネットワークの訓練など、特定の種類の計算を劇的に高速化してくれる巧妙なアルゴリズムはいくつか開発されている。量子コンピュータはまた、原子や分子や新素材などの量子力学系の振る舞いを効率的にシミュレートできるはずで、従来のコンピュータが風洞（ふうどう）での測定に取って代わったのと同じように、化学実験室での測定に取って代わるかもしれない。

学習とは何か？

電卓は計算の競争では私に圧勝できるが、どんなに練習しても速度や正確さを高めることはできない。学習することはないのだ。たとえば私が平方根のボタンを押すたびに、電卓はまったく同じ関数をまったく同じ方法で計算する。チェスで私を初めて打ち負かしたコンピュータプログラムも、失敗から学習することなどけっしてなく、賢いプログラマが次の良い手を計算するために設計した機能を実装しているにすぎない。それとは対照的に、マグナス・カールセンは5歳で初めてチェスで負けてから学習プロセスをスタートさせ、18年後には世界チャンピオンになった。

学習する能力は、汎用知能の持つもっとも魅力的な側面だろう。一見したところ何もできない物質の塊がどのようにして記憶したり計算したりできるのかは、ここまで見てきたとおりだが、ではどのようにして学習できるのだろうか？　前に説明したように、難しい問題の答えを見つけるというのは、ある関数を計算することに相当し、適切に配置された物質なら計算可能なあらゆる関数を計算できる。人間が最初に電卓やチェスプログラムを作ったときには、我々が物質を組み替えた。物質が学習するためには、その代わりに物質が自らを組み替えて、目的の関数の計算能力を次々に高めていかなければならない——しかも物理法則に従いながら。

学習プロセスの謎を解くために、まずは、きわめて単純な物理系がπなどの数の値をどのようにして学習できるかを考えてみよう。前に見たように、いくつもの谷を持つ表面（図2・3）は記憶デバイスとして使うことができる。たとえば、ある谷の底が $x = \pi \approx 3.14159$ に位置していて、その近くにほかに谷がない場合、ボールを $x=3$ の位置に置いて、底へ向かって転がり落ちるのに任せれば、この系は小数点以下の数字を計算してくれる。次に、この表面が軟らかい粘土でできていて、最初はまっさらで完全に平坦だったとしよう。何人かの数学マニアがそれぞれ自分の好きな数の場所に何度もボールを置いていると、重力によってそれらの場所に徐々に谷ができるので、この粘土の表面を使えばそれらの保存された記憶を呼び出すことができる。つまりこの粘土の表面は、π などの数の値を計算する方法を学習したことになる。

脳などのほかの物理系も、これと同じ考え方に基づいて、もっとはるかに効率的に学習することができる。ジョン・ホップフィールドは、先ほど紹介した、相互連結したニューロンからなるネットワークが、これと同様の方法で学習できることを明らかにした。ある決まった状態に繰り返し置かれると、徐々にそれらの状態を学習して、近くの状態からそれらの状態に戻ってくるようになるのだ。家族の顔を何度も見ていると、家族に関連するどんな事柄を聞いても家族の姿の記憶が呼び覚まされるようなものだ。

近年、ニューラルネットワークの概念が生物学的知能と人工知能の両方を一変させ、「機械学習（経験を通じて改良されるアルゴリズムの研究）」というAIの一分野を席捲しはじめている。そのようなニューラルネットワークが学習するしくみをもっと深く掘り下げる前に、まずはニューラルネットワークがどのようにして計算するのかを押さえておこう。ニューラルネットワークとは、互いの振舞いに影響をおよぼすことのできるニューロンが相互連結してできた集団にほかならない。あなたの脳の中にあるニューロンの個数は、この銀河系に存在する恒星と同じくらいで、1000億個ほどである。そのニューロン1個1個が、「シナプス」という結合部を介して平均およそ1000個のニューロンと連結しており、この計100兆か所ほどのシナプス結合の強度が、あなたの脳の中にある情報の大部分をコードしている。

ニューラルネットワークの様子を模式的に描くとしたら、ニューロンを表す多数の点が、シナプスを表す線によって互いに結ばれているという図になる（図2・9）。現実世界のニューロンは、この模式図とは似ても似つかないきわめて複雑な電気化学的デバイスである。軸索や樹状突起といった名前で呼ばれるいくつもの部品から作られた、それぞれ働きの異なる何種類ものニューロンが存在するし、あるニューロンの電気活性が別のニューロンにいつどのように影響をおよぼすか、その詳細はいまだに盛んな研究の対象になっている。しかしＡＩ研究者が明らかにしているとおり、そのような複雑な事

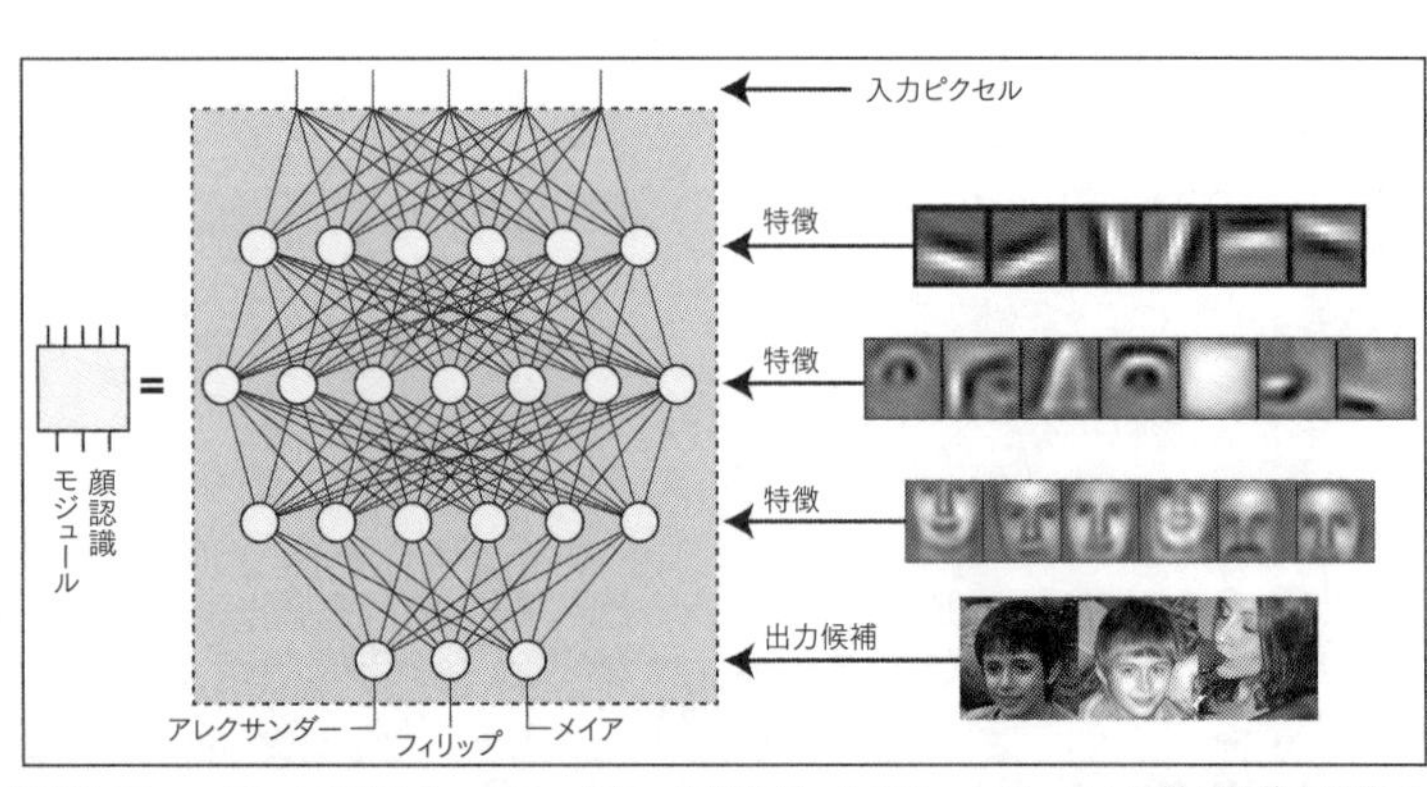

図2.9 ニューロンからなるネットワークは、NANDゲートのネットワークと同様に関数を計算できる。たとえば人工ニューラルネットワークを訓練して、さまざまな画像のピクセルの明度を表す数を入力とし、その画像がさまざまな人物を写している確率を表す数を出力するようにした。この図では、それぞれの人工ニューロン（丸）が、上からの連結（線）を介して送られてきた数の加重和を計算し、それにある単純な関数を適用して、その結果を下に送ることで、各層ごとに次々に高レベルの特徴を計算していく。典型的な顔認識ネットワークには数十万個のニューロンが使われているが、この図では分かりやすくするために数十個しか示していない。

柄をすべて無視して、現実の生物学的なニューロンを、きわめて単純なルールに従うたった1種類のきわめて単純な模式的ニューロンに置き換えてもなお、数々の驚くほど複雑な課題において人間レベルの能力を発揮できる。そのような「人工ニューラルネットワーク」のモデルとして現在もっともよく使われているのが、それぞれのニューロンの状態をたったひとつの数で、それぞれのシナプスの強度もたったひとつの数で表すというものである。このモデルでは、一定の時間間隔ごとに各ニューロンの状態が更新される。その際には、連結したすべてのニューロンからの入力を、シナプス強度に応じて重みづけしてから足しあわせ、場合によってはそこにさらにある定数を足し、それを「活性化関数」に当てはめて次の状態を計算する。* ニューラルネットワークをひとつの関数として利用するもっとも簡単な方法は、「フィードフォワード」をおこなわせることである。すなわち図2・9のように、関数への入力をいちばん上のニューロン層に与えて、情報を一方向だけに流し、いちばん下のニューロン層から出力を引き出すという方法である。

このような単純な人工ニューラルネットワークが成功しているというのも、知能が物質から独立し

* ＝数学好きの読者のために説明しておくと、活性化関数としてよく選ばれるのが、いわゆるシグモイド関数 $\sigma(x) = 1/(1+e^{-x})$ とランプ関数 $\sigma(x) = \max\{0, x\}$ のふたつだが、非線形であればほぼどんな関数でも有効であることが証明されている。ホップフィールドの有名なモデルには、$x < 0$ であれば $\sigma(x) = -1$ で、$x \geqq 0$ であれば $\sigma(x) = 1$ という関数が使われている。ニューロンの状態がベクトルで保存される場合には、そのベクトルに、シナプス結合強度を保存した行列を掛け、そのすべての要素に関数 σ を適用することで、ネットワークを更新する。

ていることのもうひとつの証である。ニューラルネットワークの持つ大きな計算パワーは、その根底にある低レベルの構造の詳細には左右されないようなのだ。それどころか、1989年にジョージ・サイベンコ、カート・ホーニック、マクスウェル・スティンチクーム、ハルバート・ホワイトが、このような単純なニューラルネットワークは「万能」であり、シナプス強度の値を適切に調節するだけで、あらゆる関数を任意の精度で計算できるという、驚きの事実を証明した。要するに、我々の生物学的ニューロンが進化によってこれほど複雑になったのは、それが必要だったからではなく、より効率的だったからにすぎない。進化は人間の工学者と違って、単純で理解しやすいようなデザインを導いても別に見返りは得られないのだから。

私はそれを最初に知ったとき、これほど単純な代物がいくらでも複雑な事柄を計算できることに当惑した。たとえば、加重和の計算とたったひとつの固定関数の適用しか許されていないのに、掛け算のような単純な計算でさえどうやってやればいいというのだろうか？　そのしくみを大まかに知りたい人のために、図2・10に、たった5個のニューロンで任意のふたつの数を掛けあわせる方法と、1個のニューロンで3つのビットを掛けあわせる方法を示してある。

いくらでも大きなニューラルネットワークを使えば理論上どんな事柄でも計算できることは、確かに証明できる。しかしだからといって、道理にかなった大きさのネットワークで現実的にどんな事柄でも計算できるかどうかは、また別問題である。それどころか、このことについて考えれば考えるほど、ニューラルネットワークがこれほどうまく機能することに戸惑いを覚える。

たとえば、1メガピクセルのグレースケール画像をふたつのカテゴリー、たとえば猫と犬に分類したいとしよう。その100万個のピクセルのそれぞれがたとえば256通りの値を取りうるとしたら、存在しうる画像は$256^{1000000}$通りとなる。そのひとつひとつについて、その画像が猫を写している確率を計算したい。したがって、画像を入力としてその確率を出力する任意の関数は、$256^{1000000}$個の確率のリストとして定義されることになる。この個数は、この宇宙に存在する原子の個数（約10^{78}個）をはるかに上回る。ところが、たった数千個や数百万個のパラメータしか持たないニューラルネットワークでも、なぜかそのような分類作業をかなりうまくやってのけてしまうのだ。どのようにしてニューラルネットワークは、これほど少ないパラメータで、つ

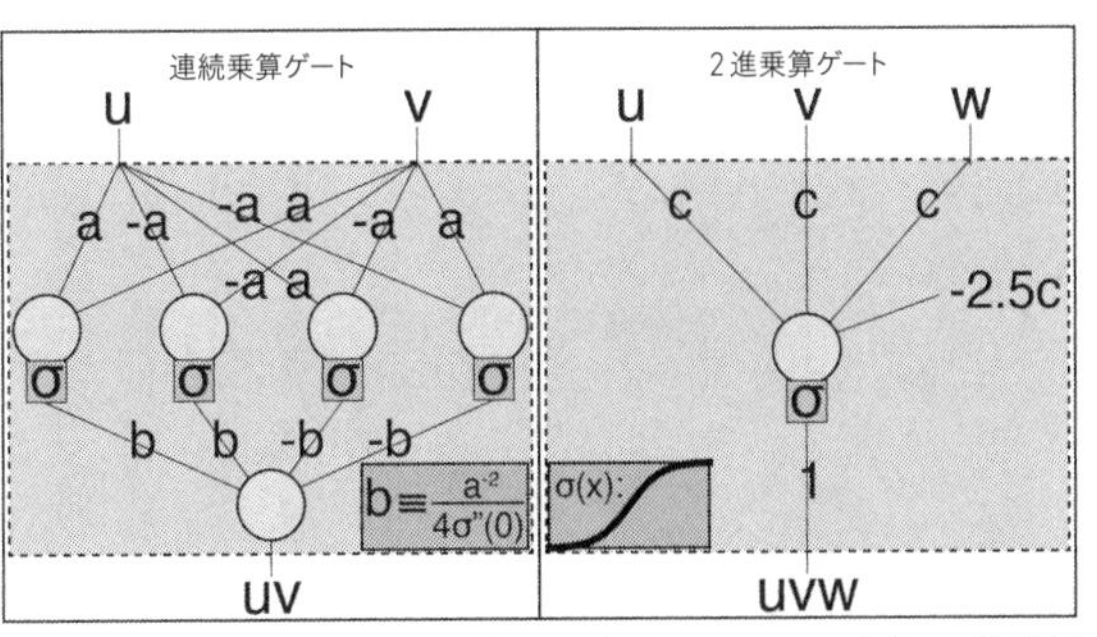

図2.10　図2.7のようにNANDゲートでなく、ニューロンを使って物質が掛け算をする方法。要点を理解する上で詳細を追いかける必要はない。ポイントは、ニューロン（人工ニューロンおよび生物学的ニューロン）は単に計算ができるだけでなく、NANDゲートよりも少ない個数のニューロンで掛け算ができることである。筋金入りの数学マニア向けの補足説明：図中の丸は加算をおこない、四角は関数σを適用させ、線は記載した定数を掛けあわせる。入力は、左図では実数、右図ではビット。左図では$a \to 0$、右図では$c \to \infty$とすることで、掛け算をいくらでも精確にできる。左図のネットワークは、原点で湾曲している（二次導関数$\sigma''(0) \neq 0$である）任意の関数で機能する。これは$\sigma(x)$をテイラー展開すれば証明できる。右図のネットワークにおける関数$\sigma(x)$は、xがきわめて小さくなると0に近づき、xがきわめて大きくなると1に近づくことが必要である。このことは、$uvw = 1$となるのが$u + v + w = 3$である場合に限られることから分かる（これらの例は、私が教え子のヘンリー・リンおよびデイヴィッド・ロルニックと書いた論文“Why Does Deep and Cheap Learning Work So Well?”[http://arxiv.org/abs/1608.08225]から引用した）。上記のような乗算と加算を多数組みあわせれば、任意の多項式を計算して、任意の滑らかな関数を近似することができる。

まり「安価に」、その作業をこなせるのだろうか？　そもそも、この宇宙に収まるほどの小ささのニューラルネットワークでは、ほぼすべての関数を近似することなどとうていできず、考えられるあらゆる計算課題のうちのごくごく一部しかこなせないことを証明できてしまうのだ。

私は教え子のヘンリー・リンとともに、この謎やそれに関連した謎に嬉々としながら頭をひねってきた。私が人生でもっともありがたいと感じていることのひとつが、素晴らしい学生たちと共同研究する機会を得ていることで、ヘンリーもそんな学生の一人だ。ヘンリーが初めて私のオフィスにやって来て、一緒に研究させてくれないかと頼んできたとき、私は心の中で、逆に私のほうがヘンリーに、一緒に研究してもらえないかと頼むほうが筋だろうと思った。ルイジアナ州シュリーヴポート出身の、控えめで人なつっこい、目の澄んだこの少年は、すでに8報もの科学論文を書いて、フォーブス誌の30 UNDER 30アワードを受賞し、視聴回数100万回を超すTEDトークで講演をしていた。しかもまだ20歳でだ。1年後に私とヘンリーは、ある驚きの結論を示した論文を共同で書いた。ニューラルネットワークがこれほどうまく機能するのはなぜかという疑問に数学だけで答えることはできず、その答えの一部は物理学に属しているという結論だ。物理法則によって規定されていて、我々が計算したいと思うような関数からなる集合は、実は驚くほど小さい。それは、まだ完全には理由が明らかになっていないものの、物理法則が驚くほど単純だからである。しかも、ニューラルネットワークが計算できるごく一部の関数は、物理法則に当てはまるがゆえに我々が計算したいと思うごく一部の関数と、きわめて似ているのだ。さらに我々は以前の研究を拡張して、計算したいそれらの関数の多くに対しては、深層学習（ディープラーニング）ニューラルネットワーク（多数の層を含むものを「深層」と呼ぶ）のほうが浅いニューラルネットワークよりもはるかに効率的に機能することを示した。たとえば、同じく素晴らしい学生デイヴィッド・ロルニックと共同で我々が示したとおり、n個の数を掛けあわせるという単純な課題をこなすのに、層がひとつだけのネットワークでは2^n個ものニューロンが必要だが、深層ネットワークでは約$4n$個のニューロンだけで済んでしまう。ＡＩ研究者のあいだでニューラルネットワークが大流行しているのはそのためだが、それだけでなく、我々の脳の中のニューラルネットワークが進化した理由もここにある。未来を予測する脳を進化させるとしたら、物理世界で意味があるような計算問題にちょうど適した計算アーキテクチャを進化させるはずだ。

ニューラルネットワークがどのように機能して計算するのかが分かったところで、ではニューラルネットワークはどのようにして学習できるのかという疑問に戻ることにしよう。具体的に言うと、ニューラルネットワークはシナプスを更新することでどうやって計算能力を高めるのだろうか？

カナダの心理学者ドナルド・ヘッブは、１９４９年の先駆的な著作『行動の機構――脳メカニズムから心理学へ』の中で、互いに近くにある2個のニューロンが頻繁に同時に活性化（「発火」）すると、それらのあいだのシナプス結合が強くなって、互いに誘発しあうよう学習すると論じた。「一緒に発火すると互いに結合する（Fire together, wire together）」というキャッチフレーズで表現される考え方である。実際の脳が学習する詳細なしくみはいまだほとんど明らかになっておらず、その答えは多くの場合もっとずっと複雑であることが研究によって示されているが、たとえこの単純な学習規則（ヘッブの学習則と呼ばれる）でも、ニューラルネットワークは数々の興味深い事柄を学習できることが分かっている。ジョン・ホップフィールドは、きわめて単純化された人工ニューラルネットワークでも、ヘッブの学習則を用いると、繰り返し提示されるだけで複雑な記憶を大量に保存できることを示した。人工ニューラルネットワーク（あるいは技能を教わる動物や人間）の場合には、そのように学習のもととなる情報を提示されることを「訓練」と呼ぶことが多いが、代わりに「学習」「教育」「経験」という言葉も当てはまるかもしれない。現在のＡＩシステムの原動力である人工ニューラルネットワークには、ヘッブの学習則の代わりに、「誤差逆伝播法」や「確率的勾配降下法」といった専門的な名前の付いたもっと高度な学習則が使われることが多い。しかし基本的な考え方は同じで、物理法則に近い何らかの単純な決定論的規則があり、時間の経過とともにその規則に従ってシナプスが更新されていく。まるで魔法のようだが、その単純な規則を使うと、ニューラルネットワークは大量のデータをもとに訓練を受けることで、驚くほど複雑な計算を学習できる。我々の脳が使っている学習規則がどんなものか精確なところはまだ分かっていないが、その答えが何であれ、物理法則に反しているという徴候はない。

ほとんどのデジタルコンピュータと同様、人工および生物学的なニューラルネットワークの多くも、作業を複数のステップに分割して計算モジュールを何度も再利用することで効率を高めている。脳の各部分は、情報が一方向にしか流れないフィードフォワード・ニューラルネットワークではなく、情報が複数の方向に流れて、現在の出力が次のステップの入力となる、コンピュータ科学者が「再帰型ニューラルネットワーク」と呼ぶものになっている。ノートパソコンのマイクロプロセッサーに入っている論理ゲートのネットワークも、その意味で再帰型である。過去の情報をたえず再利用するとともに、キーボードやトラックパッドやカメラなどから新たな情報を入力して、その入力を進行中の計算に利用し、それに基づいて決定された情報を、たとえばスクリーンやスピーカー、プリンターやワイヤレスネットワークに出力する。それと同じように、あなたの脳の中にあるニューロンのネットワークも再帰型であり、目や耳などの感覚器から情報を入力して、その入力を進行中の計算に利用し、その計算に基づいて決定された情報を筋肉へ出力している。

学習の歴史は少なくとも生命そのものの歴史と同じくらい長く、自己複製する生命体はすべて、情報の複製や処理という、何らかの方法で学習した振る舞いをしている。しかしライフ1・0の時代には、生きているうちに学習することはなかった。情報を処理してそれに応じて行動するための規則は、祖先から受け継いだDNAによって決まっていたため、学習は、何世代にもわたるダーウィン的進化を通じて、種のレベルでゆっくりとしか起こらなかった。

およそ5億年前、地球上のある遺伝子系統が、生きているうちの経験から振る舞い方を学習できる、ニューラルネットワークを持った動物を生み出す方法を発見した。そうして登場したライフ2・0は、劇的に速く学習して競争相手を出し抜くことができたため、またたく間に世界中に広がった。第1章で説明したように、生命は学習能力を次々に高め、しかもそのスピードを加速させていった。そしてサルに似たある種が、知識の獲得にきわめて秀でた脳を成長させて、道具の使い方、火の起こし方、言葉のしゃべり方、さらには複雑な国際社会の作り方を学習した。その社会自体も、記憶して計算して学習するシステムととらえることができ、文字、印刷機、現代科学、コンピュータ、インターネットなど、ひとつの発明が次の発明を可能にするたびに、そのペースは加速していく。未来の歴史家は、この発明のリストの次に何を記すのだろうか？　私が思うに、それはＡＩである。

誰もが知っているとおり、コンピュータの記憶容量や計算能力の爆発的進歩（図２・４と図２・８）とともに、ＡＩもめざましい進歩を見せているが、それでも機械学習の時代が訪れるまでには長い年月がかかった。１９９７年にＩＢＭのディープ・ブルーがチェス世界チャンピオンのガルリ・カスパロフを圧倒したとき、その強みはもっぱら記憶容量と計算能力にあって、学習においてではなかった。その計算的知能は人間のチームが作ったものであって、ディープ・ブルーがその製作者に能力で上回った最大の理由は、より速く計算できて、駒の位置をもっと数多く分析できることだった。ＩＢＭのコンピュータＷａｔｓｏｎがクイズ番組『ジェパディ！』で人間の世界チャンピオンを王座から引きずり下ろしたときにも、もっぱら学習ではなく、クイズに合わせてプログラムされた技能および、高い記憶容量と処理速度に頼っていた。ロボティクスにおいても、歩行移動から自動運転車や自動着陸ロケットに至るまで、初期のブレイクスルーのほとんどにそれと同じことが当てはまる。

それとは対照的に、ＡＩをめぐるごく最近のブレイクスルーの多くは、機械学習がその推進力となっている。たとえば図２・11を見てほしい。これが何の写真かあなたは簡単に分かるはずだが、画像のすべてのピクセルの色だけを入力として、「フリスビーをやっている若者グループ」といった正確なキャプションを出力する関数を、世界中のＡＩ研究者は何十年ものあいだプログラムできていなかった。ところが２０１４年にグーグルの研究チームが、まさにそれをやってのけた。[5] これとは別の組のピクセルカラーを入力すると、「乾いた草原を歩いているゾウの群れ」とやはり正しく答えたのだ。どのようなしくみだったのか？　ディープ・ブルーのように、フリスビーや顔などを検出するアルゴリズムを手作業でプログラムしていったのだろうか？　そんなことはない。物理世界やその中に存在するものに関する知識をいっさい持たない、比較的単純なニューラルネットワークを作り、大量のデータを提示して学習させたのだ。AIの未来を思索するジェフ・ホーキンスは2004年に、「ネズミと同じくらいうまくものを見ることのできるコンピュータすらありえない」と書いたが、そんな時代はとうに過ぎ去っている。

人間の子供がどのようにして学習するのかが完全には明らかになっていないのと同じように、このようなニューラルネットワークがどのようにして学習し、なぜときに失敗するのか、いまだ完全には解明できていない。それでも、すでにかなり役に立っていて、深層学習への投資が急増していることは間違いない。いまや深層学習は、手書き文字の判読から自動運転車のためのリアルタイム画像解析に至るまで、コンピュータビジョンのさまざまな面を一変させている。同様に、話し言葉をリアルタイムで変換して別の言語に翻訳するコンピュータの能力にも革命を起こし、そのためいまでは、SiriやGoogle NowやCortanaといったパーソナルデジタルアシスタントと話ができるようになっている。自分が人間であることをウェブサイトに納得させるための、あの忌々しいCAPTCHAは、機械学習技術の能力に後れを取らないよう、どんどん難しくなっている。2015年にグーグルのディープマインドが発表したAIシステムは、深層学習を使って、

図2.11 「フリスビーをやっている若者グループ」——このキャプションは、人間やゲームやフリスビーのことなどいっさい理解していないコンピュータによって書かれた。

数十種類のコンピュータゲームを子供と同様にいっさい指示を受けなくても習得し、しかもすぐにどんな人間よりもうまくプレイできるようになった。２０１６年に同社が作った、囲碁を打つコンピュータシステムＡｌｐｈａＧｏは、深層学習を使ってさまざまな盤面の状態の強さを評価し、世界最強の囲碁チャンピオンを打ち負かした。このような進歩によって好循環が促され、ＡＩ研究に次々と多くの資金と才能が供給されて、ますます進歩している。

この章ではここまで、知能の本質と、現在に至るまでのその進展について掘り下げてきた。では、機械があらゆる認知的課題で我々を上回るまでには、どのくらいの年月がかかるのだろうか？　もちろんそれは分からないし、「けっして上回らない」という答えの可能性にも目を向けておく必要がある。しかしこの章の重要な忠告として、我々が生きているうちに必ず上回るという可能性も考慮しておかなければならない。そもそも物質は、うまい具合に配置されれば、物理法則に従って記憶して計算して学習することができ、その物質は生物学的なものである必要はない。ＡＩ研究者は大げさな約束をしておきながら、それに見合う成果を出していないとたびたび非難されてきたが、公平に言って、そのような批判の側にも的外れなところがある。ゴールポストをどんどん遠ざけていって、コンピュータがいまだできないこと、あるいは我々があっと驚かされるようなことを知能と定義してのける人もいるからだ。いまや機械は、計算やチェスや数学の定理の証明、株式の銘柄選びや画像へのキャプション付け、自動車の運転やアーケードゲームのプレイ、囲碁や音声合成、音声の文字起こしや翻訳、がんの診断などにおいて、かなりの、あるいは優れた能力を発揮している。しかし批判する人の中には、「確かにそうだが、それは本物の知能ではない！」と見下す人もいるだろう。そういう人たちはさらに、モラヴェックのランドスケープ（図2・2）でまだ水没していない山頂だけが本物の知能だと言い張るかもしれないが、かつて画像へのキャプション付けや囲碁もその仲間に入れられていたとおり、水面はいまも上がりつづけているのだ。

その水面が少なくとももうしばらく上がりつづけるとしたら、AIが社会へおよぼす影響も大きくなりつづけるだろう。AIがあらゆる課題で人間のレベルに達するよりもずっと前に、魅力的な可能性が開けるとともに、バグや法律、兵器や仕事といった問題に関わるさまざまな機会や困難が生じるだろう。その機会や困難とはどういうもので、どうすればもっともふさわしい形で備えができるだろうか？　次の章ではそれを探っていくことにする。

要約

- 複雑な目標を達成する能力と定義される知能は、IQというたったひとつの値では測定できず、あらゆる目標における能力の程度によってしか測定できない。
- 現在の多くのAIは「狭く」、それぞれのシステムはきわめて特化した目標しか達成できないが、それに対して人間の知能は驚くほど「幅広い」。
- 記憶、計算、学習、知能は、抽象的で実体がなく漠然としているという印象がある。それは物質から独立しているためで、その根底をなす物質の詳細には依存しないし、左右もされず、独自に振る舞うことができる。

▼どんな物質の塊も、多数の安定状態を取ることができる限り、「記憶」の基盤となりうる。

▼どんな物質も、組みあわさって任意の関数を実装できる万能構成部品を含んでいる限り、「コンピュートロニウム」、すなわち「計算」の基盤となりうる。そのような万能な「計算原子」の重要な例が、NANDゲートとニューロンである。

▼ニューラルネットワークが「学習」のための強力な基盤であるのは、単純に物理法則に従って、目的の計算を次々にうまく実装できるよう自らを組み替えられるからである。

▼物理法則が驚くほど単純であるおかげで、我々人間は考えうるすべての計算問題のうちのごく一部だけを気にすればよい。一般的にニューラルネットワークは、そのごく一部の問題を正確に解くことに驚くほど秀でている。

▼テクノロジーが2倍強力になると、それを使ってさらに2倍強力なテクノロジーが設計されて構築され、ムーアの法則さながら能力が繰り返し2倍になっていく。100年ほどにわたって情報技術のコストは約2年ごとに半分になっており、それが情報化時代を可能にした。

▼AIの進歩が続けば、AIがあらゆる技能において人間のレベルに達するよりもずっと前に、バグや法律、兵器や仕事といった問題に関わる魅力的な機会や困難が生じるだろう。次の章ではそれを探っていく。

第3章

近未来
ブレイクスルー、バグ、法律、兵器、仕事

すぐに向きを変えなければ、
このまま進みつづけるのが落ちだ。
――アーウィン・コーリー

現代において、人間であるとはどういう意味だろうか？　たとえば、我々が自分自身について本当の価値を置いているもの、ほかの生命形態や機械と違うところは何だろうか？　他人はあなたのどんなところに価値を見出して、仕事を与えてくれるのだろうか？　ある時代にこれらの疑問に対する答えがどんなものだったとしても、テクノロジーの発展によってそれらの答えが徐々に変わっていくのは明らかだ。

たとえば私を例に挙げてみよう。私が科学者として自分に誇りを持っているのは、自身の目標を設定し、創造性と直感力を持って幅広い未解決問題に取り組み、発見した事柄を言葉でほかの人たちに伝えることにある。幸いにも社会は、それを仕事としている私に対価を払ってくれている。数百年前だったら、ほかの人と同じく農夫や職人になってアイデンティティを確立していたかもしれないが、それ以降のテクノロジーの進歩によって、そのような職業は労働者のごく一部にまで減ってしまった。そのため、すべての人が農業や手工芸でアイデンティティを確立することはもはや不可能になっている。

私自身は、採鉱や編み物といった手作業の技術で現代の機械に太刀打ちできなくても、別に困ることはない。そのような技術は趣味でもないし、収入源でも自尊心の源でもないからだ。小さい頃、もしそうした能力が自分にあると勘違いしていたとしても、8歳のときには打ち砕かれていた。学校で編み物の授業を受けさせられたが、落第点ぎりぎりで、不憫に思ったある5年生が手伝ってくれてようやく作品を完成させたのだった。

しかし、テクノロジーの進歩に伴ってAIが台頭してきたら、私に自尊心や労働市場価値を与えてくれている能力もやがて奪われていくのだろうか？　スチュワート・ラッセルは、ずっとありえないと思っていたことをAIができるようになった場面に遭遇して、「何てこった！」と感じたという。同じような経験をしたAI研究者は多いはずだ。そこで私も、自分自身が「何てこった！」と感じた瞬間をいくつか紹介し、まもなく人間の能力が追い抜かれる前兆としてそれをどうとらえているかを書いておきたい。

ブレイクスルー

深層強化学習

私は2014年、ディープマインドのAIシステムがコンピュータゲームのプレイのしかたを学習している動画を見て唖然とした。そのAIがプレイしていたゲームは、私が十代の頃に大好きだったアタリのゲーム、ブロック崩しである（図3・1）。パドルを操作して、れんが塀にボールを何度もぶつける。ぶつかったれんがは消え、そのたびにスコアが上がる。

当時コンピュータゲームをいくつか自作したことのあった私は、ブロック崩しをプレイできるプログラムを書くのなんて難しくないことはよく知っていたが、ディープマインドのチームはそういう方法は取らなかった。このゲームについて何ひとつ知らないまっさらなAIを作ったのだ。もっと言うと、ほかのどんなゲームについても、さらには、ゲームやパドル、れんがやボールといった「概念」についても何も知らなかった。そのAIが知っていたのは、定期的に与えられる数の長いリストだけだった。すなわち、現在のスコアと、画面の各部分の色を表していると我々が認識する（AIはそうは認識しない）数の長いリストである。このAIは、どちらのキーを押したかを表すコードと我々が認識する（AIはそうは認識しない）数を定期的に出力しながら、スコアをなるべく上げるよう指示されただけだった。

最初は下手くそだった。パドルを一見したところランダムに右往左往させ、ほぼ毎回ボールを返し損ねていた。しばらくすると、ボールに向かってパドルを動かすと良いことに気づいたようだったが、それでもほとんど外していた。しかし練習によって腕を上げていき、やがて見たこともないような技を身につけて、どんなに速いボールでも確実に返せるようになった。私が唖然としたのはそこからだ。つねに左上の隅を狙ってれんが塀に穴を開け、塀の向こう側と奥の障壁とのあいだにボールを閉じ込

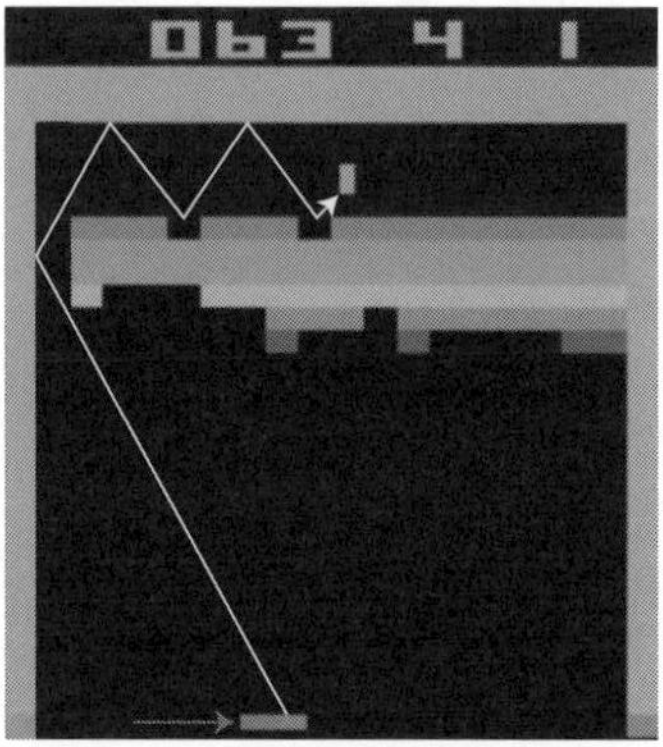

図 3.1　ディープマインドの AI は、アタリのゲーム、ブロック崩しのプレイのしかたを、スコアをなるべく高めるよう設定した深層強化学習によってゼロから学習し、最適な戦略を発見した。れんが塀の左端に穴を開け、塀の向こう側でボールを何度も跳ね返らせることで、あっという間にポイントを稼いでいくという方法だ。ボールとパドルの通った経路を示す矢印は、私があとから書き込んだ。

めて何度も跳ね返らせるという、驚きのスコア最大化戦略を見出したのだ。まさに賢いことをやっているように感じられた。同社のデミス・ハサビスの後日談によると、ディープマインドチームのプログラマは、自分たちの作ったＡＩから教わるまでこの技を知らなかったという。巻末の注にリンクを挙げておいたので、あなたもぜひその目で動画を見てみてほしい。[1]

このＡＩが見せつけた、人間に似たある特徴に、私は若干不安を感じた。目標を持ち、それをもっとうまく達成させる術を学習して、最終的には製作者を上回ったのだ。前の章では知能を、「複雑な目標を達成する能力」と単純な形で定義した。その意味でこのディープマインドのＡＩは、私の目の前で知能を高めていったと言える（ただし、このゲームをプレイするというきわめて狭い意味ではあるが）。第1章で、コンピュータ科学者が「知的エージェント」と呼ぶものを紹介した。センサーから環境に関する情報を集め、それを処理して、環境にどのように反応するかを決める存在のことである。ディープマインドのゲームＡＩは、れんがとパドルとボールからなるきわめて単純な仮想世界の存在ではあったものの、知的エージェントであることは否定しようがなかった。

ディープマインドはまもなくこの手法を発表してコードを公開し、「深層強化学習」と呼ばれるきわめて単純だが強力な考え方を使ったと説明した。[2] 基本的な強化学習は、典型的な機械学習の手法のひとつである。ある行動を再び取る傾向が、好ましい報酬によって強まるという、行動心理学の概念をヒントに編み出された。犬にある技を学習させるには、その技をしたらすぐに飼い主が褒めたりお菓子を与えたりすればいい。それと同じようにディープマインドのＡＩも、ボールを当てるとポイントがもらえる確率が高まることを通じて、ボールを当てられるようパドルを動かすことを学習した。

ディープマインドは、このアイデアを深層学習と組みあわせた。前の章で説明したのと同じく、深層ニューラルネットワークを、キーボードのそれぞれの矢印キーを押すと平均で何ポイントもらえるかを予測するよう訓練し、ゲームの現在の状態に基づいてもっとも適切だとニューラルネットワークが評価したキーをＡＩが選ぶようにしたのだ。

先ほど、私自身が人間として自尊心を感じる特性を列挙したときには、幅広い未解決問題に取り組む能力というものを挙げた。それとは対照的に、ブロック崩しをプレイできるだけでそれ以外に何もできないというのは、知能としてはきわめて狭い。私が思うに、ディープマインドのブレイクスルーで真に重要なのは、深層強化学習が完全に汎用的な手法であるという点である。現に、これとまったく同じＡＩがアタリの49種類のゲームを練習して、そのうち、ピンポンやボクシングからピンボールやスペースインベーダーまで、29種類で人間に勝てるところまで学習したのだ。

それからほどなくして、これと同じＡＩ手法が、二次元でなく三次元世界のもっと最近のゲームにも通用することが明らかとなっていった。ディープマインドの競争相手でサンフランシスコを拠点とするＯｐｅｎＡＩ社が公開したＵｎｉｖｅｒｓｅというプラットフォームを使うと、ディープマインドのＡＩなどの知的エージェントを訓練して、まるでゲームのように1台のコンピュータを操作させることができる。クリックしたりキーを打ったり、あるいはウェブブラウザを立ち上げてネットサーフィンをするなど、操作可能なあらゆるソフトウェアを起動して走らせたりできるのだ。

深層強化学習とそれに基づく今後の発展を考えると、限界はないように思える。その可能性はバーチャルなゲームの世界にとどまらない。もしあなたがロボットだったら、人生そのものをゲームとしてとらえられるだろう。スチュワート・ラッセルが言うには、最初に「何てこった！」と感じたのは、自分が何年も苦労してようやく解決した歩行運動の問題を、BigDogというロボットが見事に解決して、雪の積もった森の中の斜面を駆け上がっていくのを目の当たりにしたときだったという。[3]ただし2008年にその画期的段階に到達したときには、有能なプログラマが膨大な作業で関わっていた。しかしディープマインドによるブレイクスルー以降は、いずれロボットが深層強化学習の一種を使って、人間のプログラマの助けを借りずに自ら歩き方を学ぶことなど不可能だと考える理由はなくなった。必要なのは、うまくなるたびにポイントを与えてくれるシステムだけだ。現実世界のロボットはさらに、泳いだり空を飛んだり、卓球をしたりけんかをしたりと、ほぼありとあらゆる運動課題を、人間のプログラマを必要とせずに学習できる可能性を秘めている。学習の最初の段階では、素早く上達させるためと、どこかで立ち往生したり自らを傷つけたりするリスクを減らすために、仮想現実の中で学習することになるだろう。

直感力、創造性、戦略

私にとってもうひとつの決定的瞬間は、ディープマインドのAIシステムAlphaGoが、21世紀前半で世界一の棋士と目されていたイ・セドルに囲碁の五番勝負で勝ったときだった。

チェスではおよそ20年前に人間のプレイヤーが機械に敗れていたため、囲碁でもいずれは人間の棋士が機械に王座を奪われるだろうと大方の人は予想していた。しかしほとんどの囲碁専門家は、それにはあと10年はかかるだろうと予想していたため、AlphaGoの勝利は私と同じく彼らにとっても重要な瞬間となった。ニック・ボストロムやレイ・カーツワイルも力説しているとおり、ＡＩのブレイクスルーを目の当たりにするのはときにつらいものである。イ・セドル自身が最初の３敗を喫する前後の発言にもそれが表れている。

２０１５年10月「このレベルを見るに……ほぼ圧勝できると思う」
２０１６年２月「グーグル・ディープマインドのＡＩは驚くほど強くて、ますます強くなっていると聞いたが、少なくとも今回は勝つ自信がある」
２０１６年３月９日「負けるなんて考えてもいなかったからとても驚いた」
２０１６年３月10日「言葉も出ない……ショックだ。正直言って……第３局は苦しい戦いになるだろう」
２０１６年３月12日「自分の無力さを感じている」

イ・セドルとの対局から1年もせずに、さらに改良されたＡｌｐｈａＧｏは世界の上位20人の棋士全員と対戦して、一度も敗れなかった。

私がこれをおおごとと受けとめているのはなぜか？　先ほど言ったように、私は直感力と創造性を自分のもっとも重要な人間的特性ととらえているが、いまから説明するように、ＡｌｐｈａＧｏはその両方を備えているように思えるからだ。

囲碁では、19×19の碁盤に黒と白の石を交互に置いていく（図３・２）。ありうる碁石の配列はこの宇宙に存在する原子の個数よりはるかに多いので、この先の一連の手として考慮すべきものを残らず分析していこうとすると、あっという間に手に負えなくなってしまう。そこで棋士は、意識的な推論を無意識の直感によって補うもので、達人となると盤面の強さ弱さをまるで超能力のように感じ取ることができる。前の章で述べたように、深層学習はときに直感力を思わせるような結果を導く。深層ニューラルネットワークが猫の写っている画像を特定しても、その理由を説明することはできないかもしれない。そこでディープマインドのチームは、深層学習で猫を認識できるのなら、囲碁における強い盤面も認識できるかもしれないという考えに賭けてみた。AlphaGoに組み込まれたもっとも重要なアイデアが、深層学習の直感力とGOFAIの論理力を融合させるというものである。GOFAIとは“Good Old-Fashioned AI”（古き良き時代のAI）の略で、深層学習による革命以前のAIをユーモラスに表現したものである。ディープマインドのチームは、人間による対局と、AlphaGoのクローンどうしの対局に基づく盤面の膨大なデータベースを使って、深層ニューラルネットワークを訓練し、それぞれの盤面において最終的に白が勝つ確率を予測できるようにした。また別のニューラルネットワークを、次の手を予測できるよう訓練した。そして、これらのニューラルネットワークをGOFAIの方法と組みあわせた。起こりそうなこの先の手として選び出したリストを巧妙に調べ尽くして、のちのちもっとも強い盤面になるような次の手を特定するという方法である。

このように直感力と論理力を融合させたことで、単に強力なだけでなく、ときにはきわめて創造的な手も生み出された。たとえば数千年におよぶ囲碁の定石（じょうせき）によれば、序盤は端から3列目または4列目に打つのがもっとも良いとされている。どちらが良いかは兼ねあいで決まり、3列目に打つと盤の端のほうの陣地を短期的に確保できるが、4列目に打つと盤の中央のほうへ向かって長期にわたり戦略的な影響力を発揮できる。

第2局の37手目でAlphaGoは、この昔からの定石に逆らって5列目に打ち（図3・2）、棋界に衝撃を与えた。それはまるで、人間よりも長期的な戦略立案能力に自信があって、短期的な陣地確保よりも戦略的なメリットを優先したようだった。解説者は呆然としたし、イ・セドルはたまらず立ち上がってしばらく部屋を離れた。[4]そしてAlphaGoの狙いどおり、およそ50手後には左下隅の陣地が広がって、37手目の黒い石とつながったのだ。それが最終的に勝ちに結びつき、AlphaGoが端から5列目に打った手は囲碁史上もっとも創造的な手として伝説に刻まれた。

図3.2　ディープマインドのAIシステムAlphaGoが端から5列目に打ったきわめて創造的な手は、何千年にもわたる人間の定石に反するものだったが、それから50手ほどのちにこれが重要な役割を果たして、伝説の棋士イ・セドルを打ち負かした。

直感力と創造性という側面を持つ囲碁は、単なるゲームというよりも芸術としてとらえられている。古代中国では絵画、書道、楽箏と並ぶ「四芸」のひとつとみなされていたし、アジアではいまでもたいへん人気があり、AlphaGoとイ・セドルの第1局の視聴者は3億人近くに達した。そのため棋界はこの結果に大きく動揺し、AlphaGoの勝利を人類にとっての重要な出来事ととらえた。当時世界最高位だった棋士、柯潔（かけつ）は、次のように語った。[5]「人類は何千年も囲碁を打ってきたが、AIが証明したとおり、まだその表面を引っ掻いてすらいない。……人間棋士とコンピュータ棋士が協力することで新時代が開けるだろう。……人間とAIが一緒になれば、囲碁の真理を見つけられる」。人間と機械のこのような実り多い協力関係はいくつもの分野で有効と思われ、たとえば科学では、AIの手助けによって我々人類の知識が深まり、人間の究極の可能性を発揮できるようになると期待される。

2017年後半、ディープマインドチームはAlphaGoの後継機AlphaZeroを開発した。AlphaZeroは、数百万の対局を含む、人間による数千年来の囲碁の定石をすべて無視し、自分自身でプレイしてゼロから学習した。そしてAlphaGoを打ち負かしただけでなく、チェスでも自分自身のプレイを通じて学習して世界最強のプレイヤーになった。2時間の訓練で人間のチェスチャンピオンを破り、4時間の訓練で世界最強のチェスプログラムStockfishに圧勝したのだ。私がもっとも感心したのは、人間のチェスプレイヤーだけでなく人間のAIプログラマも打ち負かし、何十年にもわたって彼らが開発してきた手製のAIソフトウェアをすべて時代遅れにしてしまったことである。AIがさらに優れたAIを作るという考えを無視することはできないのだ。

AlphaGoは、近未来に関するもうひとつ重要なヒントを与えてくれていると思う。深層学習の直感力とGOFAIの論理力を組みあわせれば、何にも負けない「戦略」を生み出せるということだ。囲碁は究極の戦略ゲームのひとつなのだから、AIはいまやボードゲームだけでなく、投資や政治や軍事の戦略においても、人間最強の戦略家を上回って挑みかかる（あるいは手助けする）準備を整えている。そのような現実世界の戦略的問題は、人間の心理や情報不足、あるいはランダムなものとしてモデル化せざるをえない要素などのせいで解決困難な場合が多いが、ポーカーをプレイするＡＩシステムによってすでに、そのような難題もすべて克服可能であることが実証されている。

自然言語

近年のＡＩの進歩に驚きを感じているもうひとつの分野が、言語である。私は若い頃、旅行が大好きで、ほかの文化や言語に対する好奇心が私のアイデンティティの大きな部分を形成した。スウェーデン語と英語を話すよう育てられ、学校でドイツ語とスペイン語を学び、二度の結婚を通じてポルトガル語とルーマニア語を身につけ、ロシア語とフランス語と中国語を趣味でかじった。

But the AI has been reaching, and after an important discovery in 2016, there are almost no lazy languages that I can translate between better than the system of the AI developed by the equipment of the brain of Google.

（しかしＡＩが近づいてきて、２０１６年のある重要な発見以降、グーグルの頭脳の装備によって開発されたＡＩシステムよりも私のほうがうまく翻訳できるものぐさな言語はほぼなくなった）

はっきり伝わっただろうか？　本当はこう言いたかった。

But AI has been catching up with me, and after a major breakthrough in 2016, there are almost no languages left that I can translate between better than the AI system developed by the Google Brain team.
（しかしＡＩが私に追いついてきて、２０１６年のある大きなブレイクスルー以降、グーグル・ブレイン・チームによって開発されたＡＩシステムよりも私のほうがうまく翻訳できる言語はほぼ残っていない）

最初の文は、まず私が英語からスペイン語に翻訳し、数年前にノートパソコンにインストールしたアプリを使ってそれを再び英語に訳したものだ。しかし２０１６年にグーグル・ブレイン・チームが、無料のグーグル翻訳サービスを、深層再帰ニューラルネットワークを利用するものにアップグレードしたことで、かつてのＧＯＦＡＩシステムから性能が劇的に向上した。[6] その結果が以下のとおりだ。

But AI has been catching up on me, and after a breakthrough in 2016, there are almost no languages left that can translate between better than the AI system developed by the Google Brain team.
（しかしＡＩが私に追いついてきて、２０１６年のあるブレイクスルー以降、グーグル・ブレイン・チームによって開発されたＡＩシステムよりもうまく翻訳できる言語はほぼ残っていない）

見て分かるとおり、スペイン語を経由したことで代名詞〝Ｉ〟が消えて、文の意味が変わってしまっている。惜しいがこれでは不合格だ。しかしグーグルのＡＩの肩を持つわけではないが、私は構文が分かりづらくて必要以上に長い文を書くと文句を言われることが多く、いまの例ではわざと混乱するようなもっとも入り組んだ文を選んだ。もっと一般的な文ならたいてい完璧に翻訳してくれる。そのためこのシステムが登場すると大評判を博し、何億もの人が日常的に使うまでに役立っている。さらに、音声から文字へ、文字から音声への変換における深層学習の最近の進歩によって、いまではある言語でスマートフォンに話しかけるとその翻訳結果を聞けるようになっている。

自然言語処理はいまやもっとも急速に進歩しているＡＩ分野のひとつであり、言語は人間性の中核をなしているだけに、さらなる成功は大きな影響をもたらすと思う。言葉の予測に関してＡＩがもっと能力を伸ばせば、Ｅメールに対してもっともらしい返信を作文したり、会話を続けたりすることもうまくなるだろう。少なくとも第三者が見る限り、人間が考えているように見えるかもしれない。深層学習システムは、かの有名なチューリングテストに合格することを目指して第一歩を踏み出そうとしている。機械が文字で会話をして、人間が話していると誰かに思い込ませられれば合格というテストだ。

しかし、言語を処理するＡＩの道のりはまだ長い。翻訳技術でＡＩに負けて私は少々自信を失ったが、ＡＩはいまのところ、自分がしゃべっていることを何らかの意味で理解して*いる*わけではないということを思い出したら、気が楽になった。ＡＩは膨大なデータセットをもとに訓練を受けることで、単語のパターンや関係性を発見するが、それらの単語を現実世界の何かと関連づけることはない。たとえばひとつひとつの単語を、ほかのいくつかの単語とどのくらい似ているかを示した１０００個の数のリストによって表現する。そしてそこから、「王」と「女王」の違いは「夫」と「妻」の違いに似ていると結論づけるだろう。だが、男と女とは何なのかも、さらには、空間と時間と物質からなる物理的現実のようなものが存在することさえも、いっさい知らないのだ。

チューリングテストは基本的にだますことに基づいているため、人間が真のＡＩよりもだまされやすいかどうかをテストしているにすぎないと批判されてきた。これに対し、その対抗馬である「ウィノグラード・スキーマ・チャレンジ」というテスト〔スタンフォード大学のテリー・ウィノグラードが開発した〕では、まさに急所を攻めて、現在の深層学習システムに欠けている常識的理解をターゲットにする。我々人間が文を解釈するときには、現実世界の知識をたえず利用して、代名詞が何を指しているかを判断する。たとえば典型的なウィノグラード・テストでは、次の文の"they"〔彼ら〕が何を指しているかを答えさせる。

1. The city councilmen refused the demonstrators a permit because they feared violence.
〔その町の議員たちは、彼らが暴力を恐れていたがゆえ、デモ隊への許可を出さなかった〕

2. The city councilmen refused the demonstrators a permit because they advocated violence.
〔その町の議員たちは、彼らが暴力を訴えていたがゆえ、デモ隊への許可を出さなかった〕

このような問題に答えるＡＩコンテストが毎年開催されているが、いまだに無残な成績しか残せていない。[7] 何が何を指しているかを理解するというこの課題には、グーグル翻訳でさえいっさい歯が立たず、私の先ほどの例でスペイン語を中国語に置き換えると次のようになってしまう。

But the AI has caught up with me, after a major break in 2016, with almost no language, I could translate the AI system than developed by the Google Brain team.

（しかしＡＩが私に追いついてきて、２０１６年のある大きなブレイク以降、ほぼどんな言語においても、グーグル・ブレイン・チームによって開発されたよりも私はＡＩシステムを翻訳できなかった）

あなたが本書を読んでいるこの時点で、グーグルのＡＩがさらに進歩しているのかどうかは、https://translate.google.com で試してみてほしい。深層再帰ニューラルネットワークとＧＯＦＡＩを融合させて、現実世界のモデルを組み込んだ言語処理ＡＩを作るというアプローチが期待できるので、進歩している可能性はかなり高いだろう。

機会と困難

以上３つの例はごく一部にすぎず、ＡＩはいくつもの重要な分野で急速に進歩している。しかもいまの例ではふたつの企業しか取り上げなかったが、大学やほかの企業の研究グループも競いあってすぐあとに迫っている。世界中のコンピュータ科学の研究室から大きな産声が聞こえているし、アップル、バイドゥ、ディープマインド、フェイスブック、グーグル、マイクロソフトなどは、高給を提示して学生や博士研究員や大学教授を引き抜いている。

ここまで挙げた例を見て、ＡＩの歴史では停滞期とブレイクスルーが交互にやって来るものなのだと誤解しないでほしい。私の立場から見ると、逆に長いあいだかなり着実に進歩を続けている。想像力を掻き立てる利用法や有用な製品が可能となる一線を越えるたびに、マスコミがブレイクスルーと報じているだけだ。ＡＩの活発な進歩は何年も続きそうだと私はにらんでいる。しかも前の章で見たとおり、ＡＩがほとんどの課題において人間の能力に達するまで、この進歩が続くはずはないなどと考える根拠はない。

そこで次のような疑問が出てくる。それは我々にどんな影響をおよぼすのだろうか？　ＡＩの短期的な進歩は、人間であることの意味をどのように変えるのだろうか？　先ほど述べたように、目標、能力の幅広さ、直感力や創造性や言語など、多くの人が人間性の中核をなしていると感じている特性をＡＩはいっさい持っていないと言い張るのは、徐々に難しくなってきている。そのためたとえ短期的にでも、ＡＧＩがあらゆる課題で我々に太刀打ちできるようになるずっと前から、我々は自分自身をどう見るか、ＡＩに手助けされたら何ができるのか、ＡＩと競合したときに何をすればお金を稼げるのか、そういった疑問の答えが劇的な影響を受けるかもしれない。その影響は良いものなのか、それとも悪いものなのか？　短期的にはどんな機会と困難がもたらされるのか？

我々が文明の良いところと考えているものは、すべて人間の知能の産物なので、それをＡＩによって高められるのであれば、人生をさらに良いものにできる可能性は明らかにある。ＡＩが少し進歩しただけでも、科学や技術の大きな前進につながって、事故や病気、不正義や戦争、苦役や貧困が減るかもしれない。しかし、新たな問題を生み出さずにこのようなＡＩの恩恵を手にするには、いくつもの重要な疑問に答えを出す必要がある。たとえば、

1. 未来のAIシステムを現在のものより堅牢にして、クラッシュや故障やハッキングを防ぐためには、どうすればいいのか？
2. 現在の法体系をもっと公平で有効なものに改良して、急速に変化するデジタル環境と歩調をあわせるためには、どうすればいいのか？
3. 自律型殺戮兵器をめぐる歯止めの利かない軍拡競争を引き起こさずに、無辜(むこ)の市民を殺さないもっと賢い兵器を作るには、どうすればいいのか？
4. 収入や目的を持たない人を出さずに、自動化によってさらに社会を繁栄させるには、どうすればいいのか？

この章の残りで、これらの疑問をひとつずつ掘り下げていこう。この4つの短期的な疑問はそれぞれおもに、コンピュータ科学者、法学者、軍事戦略家、経済学者に向けられたものである。しかし、必要となるまでに必要な答えを出せるよう、誰もがこの議論に加わる必要がある。いまから見ていくとおり、これらの難題は、専門分野や国家など従来のあらゆる境界を超越しているのだから。

バグvs堅牢なAI

情報技術はすでに、科学や金融や工業、交通や医療や通信など、人類のほぼあらゆる事業に大きなプラスの影響を与えているが、ＡＩがもたらしうる進歩はその比ではない。しかしテクノロジーに頼れば頼るほど、目的の作業をやってもらう上でそのテクノロジーが堅牢で信頼できるかどうかが重要になってくる。

人類の歴史を通じて我々は、テクノロジーを有益に保つ上でつねに同じ実証済みの方法論に頼ってきた。それは、間違いから学習するという方法論である。人類は火を発明したが、何度も災難に遭ったため、消火器や非常口、火災報知器や消防署を考案した。自動車を発明したが、繰り返し事故が起こったため、シートベルトやエアバッグ、自動運転車を考案した。現在のところ、人類のテクノロジーが引き起こす事故はおおむね数が少なくて限定されているため、その損害よりも恩恵のほうが上回っている。しかしさらに強力なテクノロジーが開発されるにつれ、たった一度の事故ですべての恩恵を帳消しにするような大災害が起こりかねないレベルに、容赦なく近づいていく。その一例として偶発的な全面核戦争を挙げる人もいる。遺伝子工学によって作られた世界的伝染病がそれにあたるという人もいるし、次の章では、未来のＡＩが人類の絶滅を招くかどうかという議論を掘り下げていく。だがそのような極端な例を考えなくても、きわめて重要なひとつの結論にたどり着ける。テクノロジーが強力になればなるほど、試行錯誤による安全工学の方法論に頼るべきではなくなってくるということだ。言い換えると、事後的でなく事前的な対策を取るべきで、一度たりとも事故を起こさないことを目指した安全研究に尽力すべきである。社会がねずみ捕りの安全性よりも原子炉の安全性により多く投資するのはそのためだ。

また第１章で述べたように、プエルトリコの会議で学界がＡＩ安全性研究に強い関心を持ったのも、そのためである。コンピュータやＡＩシステムはこれまでもたびたびクラッシュしているが、これからはそういうわけにはいかない。現実世界に徐々に進出しつつあるＡＩが、もし電力網や株式市場や核兵器システムをクラッシュさせたら、単なる厄介事では済まないのだ。この節では、ＡＩの安全性をめぐる技術的研究のうち、現在盛んに議論されていて世界中で進められている主要な分野として、「検証」「確証」「セキュリティ」「制御」の4つを取り上げたい。[*] 専門的で無味乾燥になりすぎないよう、さまざまな分野における過去の情報技術の成功例と失敗例、そしてそこから得られる貴重な教訓と研究課題を探っていくことにしよう。

いまから取り上げる逸話のほとんどは過去のものであって、それに関わったローテクなコンピュータシステムをＡＩと呼ぶ人はほとんどいないし、犠牲者は出たとしてもごく少数だった。しかしそれでも、失敗がまさに壊滅的事態を引き起こしかねない未来のＡＩシステムを安全かつ強力なものに設計する上で、貴重な教訓を与えてくれる。

宇宙探査のためのＡＩ

まずは私の興味に近いテーマである、宇宙探査を取り上げよう。コンピュータテクノロジーによって我々は、人間を月まで飛ばし、無人探査機を太陽系のすべての惑星に送り届け、土星の衛星タイタンや彗星にまで着陸させられるようになった。第6章で掘り下げるとおり、未来のＡＩは、ほかの恒星系や銀河の探査にも役立つかもしれない――ただし、バグがなければの話だ。１９９６年6月4日、地球の磁気圏の研究を目指す科学者は、自分たちの作った科学機器を搭載したアリアン5ロケットがヨーロッパ宇宙機関から轟音とともに空に舞い上がると、歓声を上げた。ところが37秒後、ロケットが爆発して数億ドル相当の花火と化し、彼らの顔から笑みは消えた。[8] 原因は、ある大きい数をそれが収まりきらない16ビットの変数に代入するという、ソフトウェアのバグだった。[9] それから3年後、NASAのマーズ・クライメット・オービターが誤って火星の大気に突入して空中分解した。原因は、ソフトウェアのふたつの部分で使われている力の単位が食い違っていて、ロケットエンジンの推力制御に445パーセントの誤差が生じたことだった。[10] NASAがバグによって甚大な損害を出したのは、これが2度目だった。1度目は1962年7月22日。金星を目指すマリナー1号がフロリダのケープカナヴェラルから打ち上げられた直後、飛行制御ソフトウェアに1か所だけミスがあったために誤作動を起こし、ロケットは爆破されたのだ。[11] 宇宙空間にバグを打ち上げる術を習得したのが西側の人間だけでないことを証明するかのように、1988年9月2日にはソ連のフォボス1号もミッションに失敗した。これまでに打ち上げられた中でもっとも重量の大きい惑星間探査機で、火星の衛星フォボスへ着陸機を投下するという華々しい任務を負っていた。しかしハイフンがひとつ抜けていたせいで、火星へ向かう途中に「ミッション終了」のコマンドが送信され、全システムがシャットダウンしてしまったのだ。[12]

これらの事例から学ぶべきは、ソフトウェアが狙いどおりの要件を完全に満たしていることを確か

＊＝AI安全性研究の全体像をもっと詳しく知りたい人は、FLIのリチャード・マラー率いる共同事業によって開発されたインタラクティブマップ https://futureoflife.org/landscape を見てほしい。

める、コンピュータ科学者が「検証（ベリフィケーション）」と呼んでいる作業の重要性である。より多くの人命や資金がかかっていればいるほど、ソフトウェアは高い信頼性で意図したとおりに作動してほしい。幸いにも、この検証プロセスを自動化して向上させるのにAIが役立つ。たとえば最近、完全汎用オペレーティングシステムカーネル seL4が正式な仕様に合致していることが数学的に検証され、クラッシュや危険な動作を起こさないことが保証された。マイクロソフトWindowsやmacOSのようなさまざまな付加機能はまだ搭載されていないが、「死のブルースクリーン」や「運命のルーレット」などとあだ名される事態を起こさないことは確実だ。アメリカの国防高等研究計画局（DARPA）も、安全性を証明できるオープンソースの高度保証ツールキットHACMS（高信頼度サイバー軍用システム）の開発に資金を提供している。重要な課題のひとつが、そのようなツールを十分に強力かつ簡単に使えるようにして、広く活用してもらうことである。解決すべき課題がもうひとつある。ソフトウェアがロボットや新たな環境に組み込まれるとともに、従来のようにあらかじめプログラムされたソフトウェアに代わって、学習して振る舞いを変化させつづけるAIシステム（第2章）が利用されるようになると、検証作業自体がますます難しくなるのだ。

金融のためのAI

金融も情報技術によって変貌した分野であり、地球上のどこにでも光の速さで資金を効率的に移動させて、住宅ローンからベンチャー企業まであらゆるものに手頃に融資できるようになっている。AIの進歩によって、金融取引で利益を得るチャンスは広がるだろう。すでに株式売買の決定の大部分はコンピュータが自動でおこなっており、卒業を控えた私の学生たちはみな、アルゴリズム・トレーディングを改良する莫大な初任給の仕事にそそられている。

金融ソフトウェアにも検証が重要である。アメリカの企業ナイト・キャピタルは2012年8月1日、検証されていないトレーディングソフトウェアを使ったために45分間で4億4000万ドルの損失を出した。[13] 1兆ドル近くが失われた2010年5月6日の「フラッシュクラッシュ」は、それとは理由が異なるという点で注目に値する。30分間にわたって大混乱が起こってからようやく市場が安定し、プロクター&ギャンブル（P&G）などいくつかの大企業の株価が1セントから10万ドルまで乱高下したが、[14] その原因は、検証によって避けられるバグやコンピュータの誤動作ではなく、前提条件が破られたことだった。多くの企業の自動トレーディングプログラムが、前提条件が通用しない予想外の状況に置かれたのだ。たとえば、株取引コンピュータがある株式の株価を1セントと伝えてきたら、その株式の実際の価値も1セントだという前提条件である。

フラッシュクラッシュは、コンピュータ科学者が「確証（バリデーション）」と呼ぶ作業の重要性を教えてくれている。検証は「システムを正しく作ったか」を確かめることで、確証は「正しいシステムを作ったか」を確かめることである。[*] たとえば、このシステムは、つねに有効ではないかもしれない前提に基づいてはいないだろうか？　もしそうだとしたら、どのように改良すれば不確実な事態により対処で

＊＝もっと正確に言うと、検証とは、システムが仕様に合致しているかどうかを確かめることで、確証とは、正しい仕様を選んだかどうかを確かめることである。

きるだろうか？

工業のためのＡＩ

言うまでもないが、工業の進歩にとってもＡＩは大きな可能性を秘めており、ＡＩでロボットを制御すれば効率と正確性の両面を向上させられる。３Ｄプリンターの進歩は続いていて、いまではオフィスビルから、塩粒よりも小さいマイクロメカニカルデバイスまで、あらゆるものの試作模型を作ることができる。[15] 巨大な産業用ロボットが自動車や飛行機を組み立てる一方で、コンピュータ制御の比較的安価な製作機械や旋盤や裁断機などは、工場で使われるだけでなく、一般市民の「メイカーズムーブメント」も巻き起こし、世界中の１０００を超す民間運営の「ファブラボ」で、熱心な人たちが自分のアイデアを製品化している。[16] しかし身の回りにロボットが増えれば増えるほど、そのソフトウェアを検証して確証することが重要になってくる。ロボットに殺された史上初の人物として知られているのは、ミシガン州フラットロックにあるフォード社の工場で働いていたロバート・ウィリアムズである。１９７９年、保管場所から部品を運んでくるはずのロボットが不調を来たし、ウィリアムズは自分で部品を取ってくるために保管場所に登った。ところがそのロボットが静かに作動しはじめてウィリアムズの頭を叩き割り、そのまま30分間動作しつづけた末にようやく同僚が事態に気づいた。[17] 次にロボットの犠牲になったのは、日本の明石市にある川崎重工業の工場で保全技術者として働いていた男性である。１９８１年、故障したロボットを修理している最中に誤ってスイッチを押し、ロボットの油圧アームに押しつぶされてしまったのだ。[18] ２０１５年には、ドイツのバウナタールにあるフォルクスワーゲンの組立工場で働いていた21歳の契約作業員が、自動車の部品をつかんで動かすロボットを設置しようとしていた。すると何らかの手違いでロボットがその作業員の身体をつかみ、金属板に押しつけて殺してしまった。[19]

いずれも悲劇的な事故だが、産業事故全体から見ればごく一部にすぎないことは心に留めておく必要がある。しかも、テクノロジーの進歩に伴って産業事故は増えるどころか逆に減っており、アメリカでの死者数は1970年の約1万4000人から2014年の4821人にまで減少している。[20] 上記の3件の事故から分かるとおり、ものを考えられない機械に知能を与えて、もっと人間に気を配るようロボットに学習させれば、産業界の安全性はさらに高まるはずだ。この3件の事故はいずれも、確証が十分であれば避けられていたに違いない。これらのロボットが危害を加えたのは、バグや悪意のせいではなく、そこに人間がいるはずはないとか、人間は自動車の部品であるとかいった、

図3.3 従来の産業用ロボットは高価でプログラミングも困難だったが、近年は、プログラミングの経験がない作業員からすべきことを学習できる、AI搭載のもっと安価なロボットへ移行しつつある。

正しくない前提に基づいていたためである。

交通のためのAI

AIは工業分野でも多くの命を救うことができるが、交通ではさらに多くの人命を救ってくれる力を秘めている。自動車事故だけで2015年に120万以上の命が奪われており、航空機や列車や船舶の事故をあわせると死者数はさらに数千人増える。安全基準の高いアメリカでも昨年にはおよそ3万5000人が自動車事故で命を落としており、この数はすべての産業事故をあわせた死者数の7倍に達する。[21] 2016年にテキサス州オースティンで開かれたアメリカ人工知能学会（AAAI）の年会で、この問題に関するパネルディスカッションをおこなったとき、イスラエルのコンピュータ科学者モシュ・ヴァルディは感情をあらわにして、AIは自動車死亡事故を減らすことができるだけでなく、減らさなければならないと訴え、「これは倫理的義務だ！」と声を荒げた。ほぼすべての自動車事故は人間の誤りが原因であるため、AIを搭載した自動運転車は自動車事故死を90パーセント以上減らせると広く信じられている。この楽観論を背景に、実際に自動運転車を公道で走らせることを目指して盛んに研究開発が進められている。イーロン・マスクの構想では、未来の自動運転車はいまより安全になるだけでなく、所有者は自分が乗らないときには配車サービスUberやLyftと競いあってお金を稼ぐようにもなるという。

いまのところ自動運転車は確かに人間のドライバーよりも安全実績が高いが、これまでに起こった事故に目を向けると確証の重要性と難しさが浮き彫りになってくる。2016年2月14日、グーグルの自動運転車が起こした最初の軽微な衝突事故は、バスに関する誤った前提が原因だった。その前提とは、バスの運転手は前方に車が止まっていたら対向車に道を譲るはずだというものである。最初の死亡事故は2016年5月7日、幹線道路を横切っていたトラックのトレーラーに自動運転車テスラが突っ込んだというもので、原因はふたつの誤った前提にあった。[22] ひとつは、トレーラーの車体の白い側面を明るい空の一部と誤認したこと、もうひとつは、同乗している運転手（『ハリー・ポッター』の映画を観ていたという）はつねに注意を払っていて、危険が迫ったら回避行動を取ってくれるはずだという前提である。*

しかし検証と確証が正しくおこなわれていても、ときには事故を防げないことがある。そのため、人間の操作員がシステムを監視して、必要とあればその振る舞いを変えさせること、つまり正しい「制御」をおこなう必要がある。そのような「人間参加型」システムをうまく機能させるには、人間と機械のあいだの情報伝達が有効になされることが肝心である。その意味で言うと、あなたの車のダッシュボードにある赤ランプは、うっかりトランクを開けっぱなしにしていることを適切に警告してくれる。それに対して、イギリスのカーフェリー、ヘラルド・オブ・フリー・エンタープライズ号が1987年3月6日、船首の扉を開いたままゼーブリュッヘの港を出たときには、警告灯もなければ船長が目で見て確認することもできなかったため、出航まもなくフェリーは転覆して193人の命

＊＝この事故を統計に加えてもなお、テスラのオートパイロットがオンのときには事故が40パーセント減少する計算になる（http://tinyurl.com/teslasafety）。

が奪われた[23]。

制御の問題が原因で起こった悲劇的事故として、機械と人間のあいだの情報伝達がもっとうまくいっていれば避けられたかもしれないもうひとつの事例が、2009年6月1日、エールフランス447便が大西洋に墜落して乗客乗員228人全員が死亡した事故である。公式の事故報告によると、機体が失速しつつあることにクルーはいっさい気づかず、機首を下げる復帰操作をおこなったときにはすでに手遅れだったという。航空安全の専門家は、もしコックピットに「迎え角（むかえかく）」の指示計があって、機首が上を向きすぎていることがパイロットに伝わっていれば、この事故は避けられたかもしれないと推測している[24]。

1992年1月20日、エールアンテール148便がフランス・ストラスブール近郊のヴォージュ山脈に墜落して87人が死亡した事故では、機械と人間のあいだの情報伝達がなかったわけではなく、まぎらわしいユーザーインターフェースが原因だった。パイロットは降下角を3・3度に設定するつもりでキーパッドに「33」と入力したが、モードが違っていたために、オートパイロットはそれを「1分あたり3300フィート降下せよ」と解釈した。しかもディスプレイの画面が小さすぎてモードの表示がなく、パイロットは間違いに気づけなかったのだ。

エネルギーのためのAI

情報技術は発電や送電にもめざましい威力を発揮し、世界中の電力網で需給のバランスを取る高度なアルゴリズムや、発電所を安全かつ効率的に操業するための高度な制御システムが使われている。

未来のＡＩの進歩によって、「スマートグリッド（次世代送電網）」はますます賢く（スマートに）なり、各住宅のソーラーパネルや蓄電システムのレベルに至るまで需給が最適に調整されるようになるだろう。しかし２００３年８月14日木曜日、アメリカとカナダで約５０００万人が停電に遭い、そのうち多くの人が何日間も電気なしで過ごす羽目になった。このときも最大の原因は、機械と人間のあいだの情報伝達がうまくいかなかったことだったと特定された。発端は、伸びすぎた木の枝が送電線に当たって過剰電流が流れるという軽微な問題だったが、ソフトウェアのバグによってオハイオ州のある制御室の警報システムが作動せず、操作員が電力の再分配をおこなわなかったために、それが雪だるま式に拡大して手が付けられなくなったのだ。[25]

１９７９年３月28日にペンシルヴァニア州スリーマイル島の原子炉が部分的にメルトダウンした事故では、約10億ドルの処理費用がかかり、原子力に対する風当たりが強くなった。事故最終報告書では、不適切なユーザーインターフェースによる混乱を含め複数の要因が特定された。[26] とくに、安全弁の開閉状態を表示していると運転員が考えていた警告灯が、実は安全弁を閉じよという信号を送ったかどうかを表示しているにすぎず、そのため運転員は安全弁が固着して開きっぱなしになっていることに気づかなかったのだ。

エネルギーや交通におけるこれらの事故からは、以下のような教訓が得られる。ＡＩがより多くの物理的システムに携わるようになるにつれて、機械自体を正しく作動させるだけでなく、機械を人間の制御員と効果的に協力させるための研究を本格的に進める必要がある。ＡＩがもっと賢くなれば、情報共有のための適切なユーザーインターフェースを構築するだけでなく、人間とコンピュータのチームで作業を最適に分担する方法を見出すことも必要となる。たとえば、どのような場合に制御権を移すかをはっきりさせることや、大量の些細な情報で人間の制御員が混乱することなしに、人間の判断を重要な決定に効果的に反映できるようにすることなどだ。

医療のためのAI

ＡＩは医療の進歩においても大きな可能性を秘めている。すでに医療記録のデジタル化によって、医師と患者はより迅速に適切な判断を下し、デジタル画像診断で世界中の専門家から瞬時にアドバイスをもらえるようになっている。コンピュータビジョンと深層学習の急速な進歩を考えると、近いうちにＡＩシステムが、そのような診断をおこなうもっとも優れた専門家になるかもしれない。たとえば２０１５年に発表されたオランダでの研究では、磁気共鳴画像法（ＭＲＩ）を使った前立腺がんの診断において、コンピュータが人間の放射線科医と同等の成績をあげることが示された。[27] また、２０１６年にスタンフォード大学でおこなわれた研究では、顕微鏡画像を使った肺がんの診断においてＡＩが人間の病理医よりも優れていることが示された。[28] 機械学習によって遺伝子と病気と治療反応の関係が明らかになれば、オーダーメイド医療に革命が起こるとともに、家畜はより健康になり、作物はより回復力が強くなるだろう。さらにロボットは、たとえ高度なＡＩを使わなくても、人間よりも正確で信頼できる外科医になれる可能性がある。近年、さまざまな種類のロボット手術が成功しており、ロボットが正確で小型、しかも切開部が小さくて済むことによって出血も痛みも抑えられ、治癒にかかる期間も短くなっている。

残念ながら、堅牢なソフトウェアの重要性をめぐる痛々しい教訓は医療産業にも見られる。たとえば、カナダで製造された放射線治療装置Ｔｈｅｒａｃ－25は、低出力の電子線を直接照射するモードと、メガボルトの高出力Ｘ線ビームを特別な遮蔽板（しゃへいばん）に当てるモードという、ふたつのモードでがん患者を治療するよう設計されていた。しかし不運にも、未検証のソフトウェアにバグが含まれていたために、技師が低出力ビームを照射するつもりでメガボルトのビームを発生させてしまうという手違いがたびたび起こり、そのときに遮蔽板が入っていなかったことで何人かの患者の命が奪われた。[29] パナマの国立腫瘍学研究所で起こった過剰被曝事故では、さらに大勢の患者が死亡した。２０００年から01年にかけて、コバルト60を使ったこの施設の放射線治療装置に過剰な照射時間がプログラムされていたのだ。[30] 原因は、適切に確証がなされていないまぎらわしいユーザーインターフェースだった。また最近の報告書によると、[31] アメリカでは２０００年から13年までに、ロボット手術の事故で１４４人が死亡、１３９１人が負傷している。おもな原因としては、電気メスによるやけどや、装置の部品が壊れて患者の体内に落下するなどのハードウェアの問題だけでなく、動作が制御できなくなったり勝手に電源が落ちたりするなどのソフトウェアの問題も含まれていたという。

一方で明るい話として、この報告書に取り上げられたそれ以外の２００万件近いロボット手術は滞りなくおこなわれており、ロボットによって手術は危険になるどころか、より安全になっているようだ。アメリカ政府の調査によると、国内だけで年間10万人以上が病院での不適切なケアによって命を落としているそうで、[32] 自動運転車よりも医療のための優れたＡＩのほうが、倫理的に開発の必要性は高いかもしれない。

通信のためのAI

通信産業は、これまでにコンピュータがもっとも大きな影響をおよぼした分野のひとつだろう。1950年代にコンピュータ制御の電話交換機、60年代にインターネット、1989年にワールドワイドウェブが登場して、いまでは数十億人がオンライン上で、連絡を取ったり買い物をしたり、ニュースを読んだり映画を観たりゲームをしたりして、たった1回のクリックで世界中の情報にアクセスできることに慣れきっている――しかも多くは無料だ。普及しつつあるIoT（インターネット・オブ・シングス）は、照明器具やサーモスタットや冷凍庫から家畜のバイオチップ送信機まで、あらゆるものをオンラインでつなぐことで、効率と正確性と便利さ、そして経済的利益を高めてくれると期待されている。

このように世界中がめざましい形でつながったことで、コンピュータ科学者は第四の課題に直面することになった。検証と確証と制御だけでなく、有害なソフトウェア（「マルウェア」）やハッキングに対する「セキュリティ」も高める必要が出てきたのだ。先に挙げた3つの問題はいずれも意図的でない誤りが原因だが、セキュリティは意図的な不正行為を相手にする。初めてマスコミの大きな関心を惹いたマルウェアは、1988年11月2日に出現した、UNIXオペレーティングシステムのバグを突く、「モリスワーム」である。このワームは、オンライン上に何台のコンピュータがあるかを数えるために作られたそうだが、それが思わぬ作用をもたらし、当時のインターネットを構成していた6万台のコンピュータのおよそ10パーセントに感染してクラッシュさせた。それでも製作者のロバート・モリスは、MITでコンピュータ科学の終身教授となっている。

ソフトウェアでなく人間の弱みにつけ込むマルウェアもある。2000年5月5日、まるで私の誕生日を祝うかのように、大勢の人が知人や同僚から「ILOVEYOU」という件名のEメールを受け取った。それに添付されていた"LOVE-LETTER-FOR-YOU.txt.vbs"というファイルをクリックしたマイクロソフトWindowsのユーザーは、自分のコンピュータに被害を与えてアドレス帳の全員にこのEメールを再送するスクリプトを知らず知らずのうちに走らせてしまった。フィリピンに住む二人の若いプログラマが作ったこのワームは、かつてのモリスワームと同じくインターネット上の約10パーセントのコンピュータに感染したが、この頃にはインターネットの規模がずっと大きくなっていたために、史上最大規模の感染を引き起こし、5000万台を超えるコンピュータに被害をおよぼして50億ドル以上の損害を与えた。あなたも痛い目に遭って気づいているかもしれないが、インターネット上には数え切れない種類の感染性マルウェアがはびこっている。セキュリティの専門家はそれらを、ワーム、トロイの木馬、ウイルスなどおどろおどろしい名前で分類しているし、それらが引き起こす影響も、いたずらメッセージを表示するだけの無害なものから、ファイルを消去するもの、個人情報を盗むもの、ユーザーを監視するもの、コンピュータを乗っ取ってスパムを送信するものまで幅広い。

マルウェアはあらゆるコンピュータを標的にするが、ハッカーは狙った特定のターゲットを攻撃する。注目を集めた最近の例としては、ディスカウントストアチェーンのTarget、大型衣料品ストアのT・J・Maxx、ソニー・ピクチャーズ、出会い系サイトのアシュレイ・マディソン、サウジアラビアの石油会社サウジアラムコ、アメリカ民主党全国委員会などが標的となった。さらに、略奪品の規模もどんどん増しているようだ。2008年には決済処理会社のハートランド・ペイメント・

システムズから1億3000万件のクレジットカード番号などの口座情報が盗まれたし、2013年には何と30億件を超すYahooのEメールアカウントが破られた[33]。2015年のアメリカ連邦人事管理局へのハッキングでは、2100万人以上の人事記録や求職者の情報が破られ、その中には、最上位の国家機密情報取扱許可を有する職員の情報や、秘密捜査官の指紋まで含まれていたという。

だから私は、100パーセント安全でハッキング不可能と謳う新システムに関する記事を読むたびに、そんなものあるはずないだろうとあきれてしまう。それでも、未来のAIシステムをたとえば重要なインフラや軍事システムに関わらせる前に、そのシステムをハッキング不可能なものにするのはもちろん必要だ。社会におけるAIの役割が増すにつれて、コンピュータセキュリティへの関心は高まりつづけている。ハッカーの中には、人間のだまされやすさや、新たなソフトウェアの複雑な脆弱性を突く者がいる一方、驚くほど長いあいだ気づかれていなかった単純なバグを利用して遠隔のコンピュータに不正にログインする者もいる。「Heartbleed」というバグは、コンピュータ間の安全な通信のためにもっとも広く使われているソフトウェアライブラリの中で2012年から14年まで放置されていたし、「Bashdoor」というバグは、UNIXオペレーティングシステム本体に1989年から2014年まで組み込まれていた。したがって、検証と確証を強化するためのAIツールは、同時にセキュリティを強化することにもつながる。

残念ながら優れたAIシステムは、逆に新たな脆弱性を発見して、さらに高度なハッキングをするのにも利用できる。たとえばある日あなたのもとに、個人情報を引き出すことを目的とする、あなた本人にあわせて書かれた〝フィッシング〟メールが届いたとしよう。送信元は確かに友人のアカウントだが、実はＡＩがそのアカウントをハッキングして友人になりすまし、以前に送信したＥメールを分析して友人の文章のスタイルをまね、ほかの情報源から得た、あなたに関する大量の情報を文面にちりばめていた。あなたならだまされてしまうだろうか？　クレジットカード会社からのように見えるフィッシングメールが届き、それに続いて、ＡＩが生成しているとは気づかない親しげな人間の声で電話がかかってきたら？　コンピュータセキュリティをめぐる攻撃側と防御側の軍拡競争の中で、防御側が勝てそうな兆しはいまのところほとんどないのだ。

法律

社会性動物である我々人間は、協力しあう能力のおかげで、ほかのあらゆる生物種を支配して地球を征服した。法律はこの協力関係を促して容易にするために編み出されたのだから、もしＡＩが法体系や統治システムを改良させることができれば、我々はこれまでよりもさらにうまく協力しあって最大限の力を発揮できるだろう。改良の余地は、法律の適用のしかたと法律の作り方の両面にふんだんにある。ここからそれらを順番に探っていこう。

あなたの国の司法制度について考えると最初に頭に浮かんでくるのは、いったい何だろうか？　裁判にかなりの時間を要することや、コストがかかること、ときに不公正であることを思い浮かべるのは、けっしてあなただけではない。もし最初に思いつくのが「効率的だ」とか「公正だ」といった言葉だったら、どんなに素晴らしいだろうか？　法的プロセスは抽象的には、証拠に関する情報と法律を入力として判決を出力する計算とみなせるため、学者の中には「ロボット判事」による完全自動化を夢見ている人もいる。すなわちＡＩシステムが、偏見や疲労や最新知識の欠如といった人間特有の誤りに陥ることなく、すべての裁判に対して同じ高い法的基準をたゆみなく当てはめていくということだ。

ロボット判事

１９９４年、バイロン・デ・ラ・ベックウィズ・Jr.が、63年に公民権運動家のメドガー・エヴァーズを暗殺したとして有罪となった。しかし事件から1年後の時点では、ほぼ同じ物的証拠がすでに揃っていながらも、白人のみから構成されたミシシッピ州のふたつの陪審団は無罪評決を下していた。[34] 残念ながら司法の歴史には、肌の色や性別、性的志向や宗教や国籍などの要因によって歪められた判断があふれている。ロボット判事によって原理的には、史上初めてすべての人が法のもとで真に平等になれるかもしれない。すべてのロボット判事をまったく同等なものにし、すべての人を平等に扱い、いっさい偏見のない形で透明性を持って法律を適用するようプログラムできるはずだ。

ロボット判事はまた、意図的でない不慮の人間的バイアスも排除できるはずだ。たとえば２０１１年に物議を醸したある研究では、イスラエルの判事は空腹のときには明らかに厳しい評決を下すと論じられた。朝食後には仮釈放請求の約35パーセントを却下したが、昼食前にはその割合は65パーセントを超えたのだ。[35] 人間の判事が抱えるもうひとつの欠点が、事件のあらゆる詳細を調べるだけの十分な時間がないことである。それに対してロボット判事は、単なるソフトウェアで容易にコピーできるため、係争中のすべての裁判を順次にでなく並行して処理できるし、それぞれの裁判にいくらでも長期間にわたって専任のロボット判事を付けることもできる。最後に、特許をめぐる厄介な係争から、最新の法科学が鍵を握る殺人事件まで、考えうるあらゆる裁判に必要な専門知識を人間の判事がすべて身につけるのは不可能だが、未来のロボット判事なら記憶力と学習能力に事実上制限はないだろう。

いつかそのような、偏見を持たず能力があって透明性を有するロボット判事が、さらに能率的で公正になるかもしれない。能率が高ければますます公正になる。法的プロセスがスピードアップして、ずる賢い弁護士が判決をねじ曲げるのがますます難しくなれば、裁判を受けて判断を仰ぐ費用も劇的に下がるだろう。お金に困った個人やベンチャー企業が、弁護士軍団を抱えた億万長者や多国籍企業に勝訴できる可能性も大幅に高まる。

その一方で、もしロボット判事にバグがあったり、ハッキングされたりしたらどうなるだろうか？すでに自動投票機ではどちらの問題も起こっているし、長期刑や何百万ドルものお金がかかっているとなれば、サイバー攻撃を仕掛けようという動機はますます強くなる。さらに、たとえＡＩが十分に堅牢で、ロボット判事が法律に則ったアルゴリズムを使っていると信頼できたとしても、誰もがその論理的論法を理解して判決を尊重する気になるだろうか？　この問題をますます難しくしているのが、従来のＡＩアルゴリズムよりも優れている代わりに、中身がいっさい理解できない、ニューラルネットワークの近年の成功である。判決の理由を知りたい被告には、「大量のデータに基づいて訓練したシステムが判断した」という以上の答えを知る権利が与えられるべきではないだろうか？　最近の研究では、囚人に関する膨大なデータを使って深層ニューラルネットワークを訓練すると、再び犯罪に手を染めそうな（ゆえに仮釈放を却下すべき）人物を、人間の判事よりも正しく予測できることが示されている。しかしもしそのシステムが、常習的に犯罪を犯す傾向と性別や人種とのあいだに統計的相関性を見出したら、そのシステムは性差別的で人種差別主義的なロボット判事であるとみなしてプログラムしなおすべきだろうか？　事実、２０１６年におこなわれたある研究によると、全米で使われている常習的犯罪傾向予測ソフトウェアには、アフリカ系アメリカ人に不利な偏りがあって、不公平な判決を生み出しているという。[36] ＡＩを有益なものに保つには、このいずれの問題についても考察して議論する必要がある。ロボット判事をめぐるイエスかノーかの決断にはまだ直面していないが、法体系にＡＩをどのようなスピードでどの程度導入すべきかは決めなければならない。近未来の医師のように、ＡＩに基づく決定支援システムを人間の判事が使うような形にしたいのか？　それともさらに推し進めて、人間の判事が下した判決に対してロボット判事の判断で上訴できるような形にしたいのか？　あるいはとことんまで突き詰めて、死刑を含め最終的判断まで機械に任せるような形にしたいのか？

法律をめぐる議論

ここまでは法律の適用だけについて見てきたので、次はその中身に目を向けよう。テクノロジーにあわせて法律も進化させる必要があるという点では、幅広く意見が一致している。たとえば、先ほど取り上げた「ＩＬＯＶＥＹＯＵ」ワームを作って数十億ドルの損失を与えた二人のプログラマが、あらゆる罪状で無罪になって釈放されたのは、当時のフィリピンにマルウェアの作成を罰する法律がなかったためである。テクノロジーの進歩のペースは加速しているのだから、法律はさらに速いスピードで改正していく必要があるが、どうしても後れを取りがちだ。テクノロジーに明るい人材を法科大学院や政府にもっと大勢呼び込むことは、社会にとって賢明な選択肢だろう。しかし、ＡＩを用いた決定支援システムを有権者や議員に使わせたり、さらに進んで、完全なロボット立法者を設けたりすべきだろうか？

ＡＩの進歩にあわせてどのように法律を改めるのがもっともふさわしいか、それはきわめて物議を醸す話題である。ひとつに、そこにはプライバシーと情報の自由とのせめぎあいが反映されている。情報の自由を訴える人は、プライバシーの保護を狭めれば裁判で使える証拠が増え、判決がより公平になると主張する。たとえば、政府がすべての人の電子デバイスを傍受して、いつどこにいたか、何をタイプしてクリックしてしゃべったか、どんな行動を取ったかを記録すれば、多くの犯罪が容易に解決し、さらなる犯罪も防げるだろう。それに対してプライバシーの保護を訴える人は、オーウェルの小説『１９８４年』に描かれていたような監視国家は誰も望まないし、そもそも大規模な全体主義的独裁国家に変質する恐れがあると主張する。もっと言うと、ｆＭＲＩスキャナーによる脳のデータを解析することで、その人が何を考えているのか、とりわけ、本当のことを言っているのか嘘をついているのかを、機械学習の手法で正しく判断できるようになっている。[37] ＡＩを援用した脳スキャン技術が法廷で一般的に使われるようになれば、現状の長たらしい事実立証プロセスが劇的に単純化されて迅速になり、裁判が短期間で済んで判決も公平になるだろう。しかしプライバシーの保護を訴える人は、そのようなシステムがときに間違いを犯さないかどうかを心配するだろうし、またもっと根本的な問題として、人間の心の中にまで政府の詮索を認めるべきではないと主張するだろう。思考の自由を良しとしない政府は、そのようなテクノロジーを使って、特定の信念や意見を持つことを犯罪とみなすかもしれない。正義とプライバシー、社会を守ることと個人の自由を守ることとの境界線を、あなたならどこに引くだろうか？　どこに引いたとしても、証拠の偽造が容易になっていくのにあわせて、いやおうなしにプライバシーの保護の範囲を狭める方向へ少しずつ動いていくのではないだろうか？　たとえば、あなたが犯罪を犯している場面を写した本物そっくりの偽造動画をＡＩで作れるようになったら、政府がすべての人の居場所を四六時中追跡して、必要なときに確実なアリバイを提供してくれるようなシステムに、あなたなら賛成するだろうか？

　もうひとつ注目すべき議論が、ＡＩ研究は規制すべきか、もっと広く言うと、ＡＩ研究者が有益な結果を導く機会を最大限に高められるよう、政策決定者はどのような形で研究を促していくべきかというものだ。もしＡＩ開発に規制をかけると、いますぐにでも必要な新技術（たとえば命を救う自動運転車）の開発が無駄に遅れるとともに、最先端のＡＩ研究が裏社会やもっと規制の甘い国に流れてしまうとして、いかなる規制にも反対するＡＩ研究者がいる。第1章で取り上げた、有益なＡＩをめぐるプエルトリコでの会議の席でイーロン・マスクは、いま政府が与えるべきは監督（オーバーサイト）でなく見識（インサイト）だと語った。具体的に言うと、ＡＩの進歩を見守って道を外れないよう舵を握ることのできる、テクノロジーに明るい人材が政府の中に必要だということだ。イーロンはまた、政府による規制は進歩を抑えるどころか促すこともあると論じた。たとえば、自動運転車に対する政府の安全基準が自動運転車事故の件数減少につながれば、人々の反発が弱まり、新技術の普及が加速するだろう。安全を第一に考えるＡＩ企業であれば、いい加減な競争相手に高い安全基準を課すような規制を歓迎するのではないだろうか。

法律をめぐる興味深い議論としてもうひとつ、機械に権利を与えるべきかどうかというものがある。自動運転車によってアメリカでの年間の交通死者数3万2000人が半分になっても、自動車メーカーは1万6000通のお礼状をもらうことはないだろうが、1万6000件の裁判は起こされるだろう。もし自動運転車が事故を起こしたら、搭乗者と所有者と製造者のうちの誰が法的責任を負うべきだろうか？　法学者のデイヴィッド・ヴラデックは、第四の答えを提唱している。自動車自体が負うべきだというのだ。具体的に言うと、自動運転車が自動車保険に入れるようにする（加入を義務づける）。優れた安全実績のモデルに対しては保険料をきわめて低く（人間のドライバーよりも低く）設定し、設計に難のあるずさんなメーカーのモデルには、所有を思いとどまらせるような高額な保険契約しか認めない。

しかし自動車のような機械が保険契約を結べるようにするとしたら、お金や財産も持てるようにすべきではないのだろうか？　そうだとしたら、賢いコンピュータが株式投資でお金を稼いだり、そのお金を使ってオンラインサービスを購入したりすることを、法的に禁止するわけにはいかない。コンピュータが人間を雇って働かせるようになったら、人間のできることを何でもこなせるようになる。やがて人間よりも投資に秀でたＡＩシステムが出現すれば（いくつかの分野ではすでに実現している）、経済の大部分が機械に所有されて支配されるような状況につながるかもしれない。はたしてそれは我々が望むような未来だろうか？　そんなこと突拍子もない話だと思った人は、すでに経済の大部分が別の形の非人間的存在によって所有されていることを考えてほしい。それは企業である。企業はそれに所属する各個人よりも強力で、ある程度独自に振る舞うことができる。

機械に財産所有権を与えることを良しとするとしたら、では投票権はどうだろうか？　もし投票権を与えるとしたら、コンピュータプログラムひとつごとに1票にすべきだろうか？　大金を持っているプログラムなら、クラウド上で自身のコピーを何兆個も作って、あらゆる選挙の結果を確実に左右するなんて朝飯前だろう。逆にもし機械に投票権を与えないとしたら、人間の心に対して機械の心を差別する倫理的基準は何だろうか？　機械の心が、我々と同じように主観的経験を持つという意味で意識を持ったとしたら、違いはどこにあるというのだろうか？　コンピュータがこの世界を支配するかどうかに関するこれらの厄介な疑問については、次の章でもっと深く掘り下げ、機械の意識をめぐる疑問については第8章で取り上げよう。

兵器

人類は太古から飢饉や病気や戦争に苦しめられてきた。ＡＩが飢饉や病気を減らしてくれるかもしれないことについてはすでに述べたとおりだが、では戦争はどうだろうか？　核兵器があまりにも恐ろしいからこそ、核保有国どうしは戦争を思いとどまっているのだという議論がある。そこで、あらゆる戦争が永遠になくなることを願って、さらに恐ろしいＡＩ兵器の開発をすべての国に認めるというのはどうだろうか？　もしこの主張に納得できず、未来の戦争は避けられないと考えるのであれば、ＡＩを使って戦争をもっと人道的にするというのはどうだろうか？　機械対機械の戦いだけになれば、人間の兵士や民間人は殺されずに済む。しかも、未来のＡＩ搭載ドローンなどの自律型兵器システム（AWS、反対する人は「殺人ロボット」とも呼んでいる）は、人間の兵士よりも公平で合理的に作れるかもしれない。超人的なセンサーを備えているし、殺されることも恐れないので、戦闘の最中にも冷静さを保って合理的に計算し、誤って民間人を殺してしまう可能性も減るかもしれない。

人間の関与

しかしもし自動システムにバグがあったり、混乱したり、予想と違う振る舞いを示したりしたら？　アメリカのイージス級巡洋艦に搭載されているファランクスというシステムは、対艦ミサイルや飛行機など、脅威を与えるものを自動で検知追跡して攻撃する。イラン・イラク戦争中の1988年7月3日、このイージスシステムを搭載した、ロボクルーザーとも呼ばれるアメリカのミサイル巡洋艦ヴィンセンスが、イランの小型砲艦との小競りあいの最中に、レーダーシステムが飛行機の接近を警告してきた。艦長のウィリアム・

図3.4　現在の軍事用ドローン（アメリカ空軍のMQ-1プレデターなど）は人間が遠隔操縦するが、未来のAI搭載ドローンは、誰を標的にして殺害するかを決定するアルゴリズムを使って、人間の関与なしに行動する能力を持つ。

ロジャーズ3世は、イランのF－14戦闘機が体当たり攻撃を仕掛けてきたと考え、イージスシステムに砲撃許可を与えた。ところが実際に撃ち落とされたのは、民間航空機のイラン航空655便だった。乗員乗客290人全員が死亡し、世界中で怒りの声が上がった。その後の調査で指摘されたとおり、ユーザーインターフェースが分かりづらい形になっていて、レーダースクリーン上のどの輝点が民間機なのかも、どの輝点が攻撃などのために降下中で、どの輝点が上昇中なのかも、自動的には表示されなかった（655便は通常の飛行ルートを飛んでいたし、民間機を識別するトランスポンダーもオンにしていた。しかもテヘラン空港から離陸して上昇中だった）。その正体不明の飛行機に関する情報を求められた自動システムは、まぎらわしい追跡用番号が割り振られた別の飛行機の状態を見て、「降下中」と報告した。しかし降下中だったその飛行機は、はるか遠くのオマーン湾で任務に当たるアメリカの海上戦闘哨戒機だったのだ。

この事例では、最終決定に一人の人間が関与していて、その人物は時間的制約の中で自動システムの報告を信用しすぎた。世界中の国防担当者に言わせれば、地雷などのローテクな偽装爆弾を除き、現在配備されているすべての兵器システムには人間が関与しているという。だがいまでは、自ら標的を選んで攻撃する完全自律型兵器の開発も進められている。人間の関与を完全に排除してスピードアップすることが、軍事的には求められているのだ。瞬時に反応できる完全自律型のドローンと、地球の反対側にいる人間が遠隔操縦するもっと反応の鈍いドローンが空中戦を繰り広げたら、どちらが勝つかは明らかだ。

しかし、人間が関与していたことが大きく功を奏した危機一髪の事例もいくつかある。キューバミサイル危機の最中の1962年10月27日、アメリカ海軍の11隻の駆逐艦と空母ランドルフが、キューバの沖合、アメリカの「検疫」海域外の公海で、ソ連の潜水艦B－59を追い詰めていた。だが、その潜水艦のバッテリーが切れて空調が止まり、艦内の温度が摂氏45度を超えていることなど、アメリカ側はいっさい知らなかった。潜水艦の乗組員の多くは二酸化炭素中毒で意識が朦朧としていた。何日もモスクワと連絡が取れておらず、第3次世界大戦が始まっているかどうかすら分からなかった。そんな中、アメリカ軍が小型の対潜機雷を投下しはじめた。あらかじめモスクワには、潜水艦を浮上させて立ち去らせるための威嚇攻撃にすぎないと伝えていたが、潜水艦の乗組員はそんなこと知るよしもない。乗組員の一人V・P・オルロフは、「これで終わりだと思った。ドラム缶の中に座っていて誰かに大きなハンマーで叩かれつづけているような感じだった」と振り返っている。実はB－59には核魚雷が搭載されていて、モスクワの許可がなくても発射が認められていたことを、アメリカ軍はやはり知らなかった。サヴィツキー艦長は核魚雷の発射を決断した。士官のヴァレンティン・グリゴリーヴィッチも、「我々は死ぬことになるが、やつらも全部沈めてやろう。我らが海軍の名を穢(けが)してはならない！」と叫んだ。しかし幸いなことに、発射には艦内の3人の士官の許可が必要で、そのうちの一人ヴァシーリィ・アルヒーポフはけっして首を縦に振らなかったのだ。嘆かわしいことにアルヒーポフのことを知っている人はほとんどいないが、第3次世界大戦を回避させた彼の決断は、人類にとって現代史上もっとも価値のある貢献だったかもしれない。[38] もしB－59がAI制御の自律型潜水艦で、人間の関与がなかったらどうなっていたか、それを考えると背筋が寒くなる。

　それから21年後の1983年9月1日、アメリカ大統領ロナルド・レーガンから「悪の帝国」呼ばわりされたソ連が、領空に迷い込んできた大韓航空機を撃墜し、アメリカの連邦議会議員1人を含む

269人の命を奪った。超大国間の緊張が再び高まった。そして同月26日、ソ連の自動早期警戒システムが、アメリカがソ連に向けて地上発射型核ミサイル5発を発射したと伝えてきた。士官のスタニスラフ・ペトロフは、それが誤警報かどうかをわずか数分で判断しなければならなかった。衛星は正しく機能していることが分かったため、手順によれば、核攻撃が迫っていると上官に報告することになっていた。しかしペトロフは直感を信じて、アメリカがたった5発だけ撃ってくることはないだろうと判断し、確証がないまま、これは誤警報であると指揮官に報告した。のちに、雲頂で反射した太陽を衛星がロケットエンジンの炎と誤認したことが判明した。[39] もしペトロフの代わりにAIシステムが適切な手順に忠実に従っていたら、はたしてどうなっていただろうか。

次の軍拡競争？

もうお分かりのことと思うが、私自身は自律兵器システムに深刻な懸念を抱いている。しかし、もっとも心配している事柄にはまだ一言も触れていない。それは、AI兵器の軍拡競争の行き着く先である。私はこの懸念を表明するために、FLIの同僚たちから有用な意見を集めた上で、2015年7月、スチュワート・ラッセルと共同で以下の公開書簡を発表した。[40]

自律型兵器

AIおよびロボティクスの研究者からの公開書簡

自律型兵器は人間の介在なしにターゲットを選んで攻撃する。そこにはたとえば、あらかじめ定められた基準に合致する人間を探して殺す武装クワッドコプターは含まれるかもしれないが、人間がすべての標的を決定する巡航ミサイルや遠隔操縦ドローンは含まれない。人工知能（ＡＩ）技術は、数十年でなく数年以内にそのようなシステムが現実的に実現可能（法的に可能かどうかは別として）となるレベルに達しており、危険性は高まっている。自律型兵器は、火薬と核兵器に続く、軍事における第三の革命と形容されている。

自律型兵器に対しては賛否両論があり、たとえば、人間の兵士が機械に置き換われば犠牲者が減って好ましいが、それによって戦闘の敷居が下がるのは好ましくないなどと論じられている。今日の人類にとってもっとも重要な問題は、世界規模のＡＩ軍拡競争を始めるべきか、それとも防ぐべきかである。いずれかの軍事大国がＡＩ兵器の開発を推し進めたら、世界規模の軍拡競争はほぼ避けられず、技術的にそれが行き着く先は明らかだ。自律型兵器はいわば明日のカラシニコフ銃になってしまうだろう。核兵器と違って入手の難しい高価な原材料は必要ないため、至るところに普及するし、軍事大国なら安価に大量生産できる。闇市場で売買されるようになって、テロリストや、大衆をもっと確実に支配したい独裁者や、民族浄化をもくろむ暴君などの手に渡るのは時間の問題だろう。暗殺、国家の不安定化、住民の支配、特定の民族集団の虐殺といった所業にとって、自律型兵器は理想的な代物である。そのため我々は、軍事ＡＩの軍拡競争は人類にとって有益ではないと考える。新たな殺人道具を作らずに、人々、とくに民間人にとって戦場をもっと安全にするようなＡＩの使い道は数多くある。
　ほとんどの化学者や生物学者が化学兵器や生物兵器の開発に関心を持っていないのと同様に、ほとんどのＡＩ研究者はＡＩ兵器の開発には関心を持っていないし、ほかの人がＡＩ兵器を開発して自分たちの分野を穢し、ＡＩに対する人々の強い反発を招いて未来の社会的恩恵が損なわれることなど望んではいない。それどころか、化学者や生物学者は、化学兵器や生物兵器を禁止する国際合意を幅広く支持しているし、ほとんどの物理学者も、宇宙配備型の核兵器や盲目化レーザー兵器を禁止する条約を支持している。

　我々のこのような懸念が単なる平和主義や環境運動として無視されることがないよう、できるだけ大勢の有力なＡＩ研究者やロボット学者にこの書簡へ署名してもらいたかった。かつての「ロボット兵器管理国際キャンペーン」では、殺人ロボットの禁止を求める数百人の賛同が得られていたため、今回はさらに大勢の署名を集められるのではないかと期待していた。専門家組織が、政治的と見られかねない目的のために大勢の会員のＥメールリストを提供したがらないことは分かっていたので、私はオンライン文書から研究者の名前と所属機関のリストをかき集め、彼らのＥメールアドレスを突き止める作業をＭＴｕｒｋで募った。ほとんどの研究者は所属する大学のウェブサイトにＥメールアドレスを載せていたため、54ドルの費用で24時間後には、アメリカ人工知能学会の正会員に選出されてもおかしくないような実績を持つＡＩ研究者数百人のメーリングリストが手に入った。その中の一人であるイギリス系オーストラリア人のＡＩ研究者トビー・ウォルシュが、リストの全員にＥメールを送って我々の取り組みの先陣を切ってくれることになった。ＭＴｕｒｋで作業に携わる世界中の人がトビーのために精力的にメーリングリストを増やしてくれ、やがて、ＡＡＡＩの６人の元会長や、グーグル、フェイスブック、マイクロソフト、テスラのＡＩ産業界のリーダーを含め、３０００人を超すＡＩ研究者やロボティクス研究者が我々の公開書簡にサインしてくれた。そしてＦＬＩのボランティアが署名リストの確認をせっせとおこない、ビル・クリントンやサラ・コナーといった偽物の署名をふるい落としてくれた。結果、スティーヴン・ホーキングをはじめ計２万７０００人の署名が集まり、国際人工知能会議でトビーが記者発表をおこなうと世界中で大ニュースとなった。

かつて生物学者や化学者が立ち上がったおかげで、いまや生物学や化学は、生物兵器や化学兵器でなくておもに有益な医薬品や材料を作る分野として知られている。そしてこのたび、ＡＩやロボティクスの研究者も声を上げた。署名した人たちは、この分野も新たな殺人手法でなくより良い未来を作るものとして知られるようになることを望んでいる。しかし、未来のＡＩはおもに民生と軍事のどちらに利用されることになるのか？　この章では前者のほうに多くの紙幅を割いてきたが、とくに軍事用ＡＩの軍拡競争が始まれば、近いうちに後者のほうにより多くのお金が使われるようになるかもしれない。２０１６年、民生用のＡＩへの投資額は10億ドルを超えたが、アメリカ国防総省が２０１７会計年度にＡＩ関連のプロジェクトに要求した予算額、１２０億ドルから１５０億ドルにはとうていおよばないし、国防副長官ロバート・ワークがその予算要求を発表した際につぶやいた、「暗幕の向こうに何が隠れているか、競争相手にいぶかしがらせたい」という言葉に、中国やロシアは神経を尖らせたに違いない。[41]

国際条約を結ぶべきか?

いまでは、殺人ロボットを禁止する何らかの条約を目指せという強い国際的圧力がかかっているが、先行きはいまだ見えないし、そもそもどうすべきかについても盛んな議論が続いている。代表的立場にある関係者の多くは、世界の大国が自律型兵器システムの研究と使用の指針となる何らかの国際的規制を策定すべきという点では同意しているものの、具体的に何を禁止すべきで、どのようにして遵守させるのかについてはあまり意見がまとまっていない。たとえば、自律型殺戮兵器だけを禁止すべきか、あるいは、失明など重傷を負わせるものも禁止すべきか? 開発、製造、所有も禁止すべきか? あらゆる自律型兵器システムを禁止すべきか、あるいは、我々の書簡に示したように攻撃兵器だけを禁じて、自律型の対空砲やミサイル迎撃システムなど、防衛システムは認めるべきか? 後者の場合、敵の領地へ容易に侵入できるものも自律型防衛兵器システムとみなすべきか? 自律型兵器の部品のほとんどが民生用にも利用可能だとしたら、どのようにして条約を守らせるのか? たとえば、アマゾンの荷物を運べるドローンと爆弾を運べるドローンにたいした違いはない。

中には、自律型兵器システムに関する有効な条約をひねり出すのはとてつもなく難しいのだから、そもそもそれを目指すべきではないと主張する人もいる。一方、かつてジョン・F・ケネディは月着陸計画を発表した際に、成功が人類の未来に大きく利するのであれば、難しいことにも挑戦する価値があると力説した。しかも多くの専門家が、生物兵器や化学兵器の禁止条約も不正の横行で遵守させるのが難しいが、それでも、激しい非難によって利用を思いとどまらせるのだから価値があると論じている。

２０１６年にあるディナーパーティでヘンリー・キッシンジャーに会った折、生物兵器禁止条約にあなたはどのような役割を果たしたのかと尋ねてみた。すると、安全保障担当補佐官だったとき、ニクソン大統領に、この禁止条約はアメリカの安全保障にとって有益だと説得したという。92歳になってもなお鋭い思考力と記憶力を持っていることに感心したし、内部の人間の視点を知れて嬉しかった。当時、アメリカはすでに通常戦力と核戦力によって超大国の地位にあったため、行く末の分からない生物兵器の世界的軍拡競争からは得るものよりも失うもののほうが多かった。要するに、すでにボス犬であるのなら、「壊れない限り直さない」という格言に従うのが賢明であるということだ。ディナー後の会話にはスチュワート・ラッセルも加わり、自律型殺戮兵器についても同じ論法が当てはまるかどうかを語りあった。軍拡競争でもっとも得をするのは超大国でなく、小規模のならず者国家や、テロリストなど国家以外の組織だ。ひとたび自律型殺戮兵器が開発されれば、彼らはそれを闇市場で入手することができる。

小型のＡＩ搭載殺人ドローンがひとたび大量生産されたら、スマートフォンに毛が生えた程度の価格になるだろう。政治家を暗殺したいテロリストであれ、元彼女に捨てられて復讐を企んでいる男であれ、殺人ドローンにターゲットの写真と住所をアップロードしさえすればいい。ドローンが目的地へ飛んでいって、その人物を特定して殺し、犯人が分からないよう自爆してくれる。民族浄化をもくろんでいる者なら、特定の肌の色や民族性を持っている人だけを殺すようプログラムするのはたやすい。スチュワートは、そのような兵器が賢くなればなるほど、殺人1回あたりにかかる物資も火力も費用も少なくなると予想している。たとえば、ミツバチサイズのドローンが最小限の火薬で人の目に小さな弾丸を撃ち込み、その弾丸が軟らかい眼球の中を通って脳に達することで、少ない費用でその人を殺せるようになるかもしれない。あるいは、金属の鉤爪(かぎづめ)で頭に取り付き、微小な指向性爆薬を頭蓋骨に貫通させるかもしれない。そのような殺人ドローンを1台のトラックの後部扉から何百万機も放つことができたら、まったく新たなタイプの恐ろしい大量破壊兵器になる。あらかじめ決められた分類に属する人だけを選択的に殺し、それ以外の人にはいっさい危害を加えないのだ。

これに対して、殺人ロボットを倫理的なものになるように作り、たとえば敵の兵士だけを殺すようにすれば、そのような懸念は解消できるという反論がよく聞かれる。しかし、禁止条約を遵守させられるかどうかすら定かでないのであれば、そもそも殺人ロボットをいっさい作らせないことよりも、敵の自律型兵器を100パーセント倫理的なものにすべしという条件を守らせることのほうが、はたして容易だなどと言えるだろうか? しかも、訓練を積んだ文明国の兵士はロボットほどには戦争法を守れないと言っておきながら、ならず者国家や独裁者やテロリストグループは戦争法をよく守って、これらのルールに反する形でロボットを展開させることはけっしてないなどという主張が、どこまで通用するというのだろうか?

サイバー戦争

AIの軍事的側面でもうひとつ注目すべきが、わざわざ兵器を作らなくてもサイバー戦争で敵を攻撃できることだ。未来を予感させるちょっとした実例として、アメリカとイスラエルの政府が作ったとされているワームＳｔｕｘｎｅｔは、イランの核物質濃縮施設の高速回転遠心機に感染して、装置を破壊した。社会の自動化がさらに進み、攻撃的なＡＩがさらに強力になったら、ますます破壊的なサイバー戦争が起こりかねない。敵の自動運転車や自動操縦飛行機、原子炉や産業用ロボット、通信システムや金融システムや電力網にハッキングしてクラッシュさせられれば、敵を効果的に経済破綻に陥れて防衛力を削ぐことができる。兵器システムをハッキングできればなおさらだ。

この章の冒頭で、ＡＩが短期的に人類にどのような素晴らしい恩恵をもたらす可能性があるかをざっと見た。ただしそれは、ＡＩを堅牢でハッキング不可能にできればの話だ。ＡＩ自体を使ってＡＩシステムをさらに堅牢にできれば、サイバー戦争の防衛に役立てられるが、逆に攻撃に役立つのも明らかだ。ＡＩ開発の短期的目標としてもっとも重要なのは、確実に防衛に徹するようにすることである。それができなければ、我々の作った驚異の技術が逆に牙を剝いてくることになりかねない。

仕事と賃金

この章ではここまでおもに、ＡＩが革新的な新製品や新サービスを手頃な価格で実現することで、我々が消費者としてどのような影響を受けるかに焦点を絞ってきた。しかし、ＡＩが労働市場を変えることで、労働者としての我々はどのような影響を受けるのだろうか？　人々から収入や生きる目的を奪うことなしに、自動化によって社会をさらに繁栄させる術を見つけられれば、希望する誰もが娯楽とかつてない富を享受する素晴らしい未来を築けるかもしれない。それを誰よりも長く真剣に考えているのが、ＭＩＴで私の同僚である経済学者のエリック・ブリニョルフソンである。いつもこぎれいにしていて服装にも非の打ち所がないが、先祖はアイスランドの出で、ＭＩＴのビジネススクールに溶け込むために、ヴァイキングのもじゃもじゃの赤いあごひげとたてがみのような髪を刈り込んだばかりなのではないかとときどき思ってしまう。もちろん突飛なアイデアは刈り込んでおらず、自らが思い描く楽観的な労働市場の未来像を「デジタルアテネ」と呼んでいる。古代アテネの市民が民主主義を享受して、芸術とゲームを楽しむ娯楽的な生活を送ることができたのは、もっぱらほとんどの仕事を奴隷にやらせていたからである。だとしたら、奴隷の代わりにＡＩ搭載ロボットを使って、誰もが楽しく暮らせるデジタルユートピアを築かない手はないのでは？　エリックが思い描いている、ＡＩが担う経済では、ストレスや単調な仕事がなくなって、今日我々が欲しがっているあらゆるものが豊富に生み出されるだけでなく、今日の消費者がまだ目を付けていないような素晴らしい新たな製品やサービスが大量に供給されるだろう。

テクノロジーと不平等

もしすべての人の時給が毎年上がりつづけて、より多くの娯楽を求める人が生活水準を高めながらも徐々に労働時間を減らすことができれば、今日の状況からエリックのデジタルアテネへ移行できるだろう。図３・５から読み取れるとおり、アメリカでは第２次世界大戦後から１９７０年代半ばまでまさにそのとおりのことが起こった。収入の不均衡はあったが、パイ全体が大きくなったことで、ほぼ誰もが以前より大きな切れ端をもらえるようになったのだ。しかしその後、エリックが最初に指摘したとおり、何かが変わった。図3・5にあるように、経済は成長しつづけて平均収入は上がりつづけたが、ここ40年間の上昇分は上位1パーセントの最富裕層に流れ、下位90パーセントの人の収入は増えていない。この不均衡の拡大は、収入でなく資産を見るとさらにはっきりしてくる。2012年、アメリカの家庭の下位90パーセントの平均純資産は約8万5000ドルで、これは25年前と変わっていないが、上位1パーセントの資産は、この期間の物価上昇分を補正したとしても2倍以上に増えていて、1400万ドルに達している。[42] 世界に目を向けると格差はさらに大きく、2017年、世界中の人の下位半分（36億人超）の資産を合計した額は、世界でもっとも金持ちの8人の資産額に等しい。[43] この統計を見ると、最上位の豊かさと同じくらいに、下位の人々の貧困と困窮が際立ってくる。2015年のプエルトリコでの会

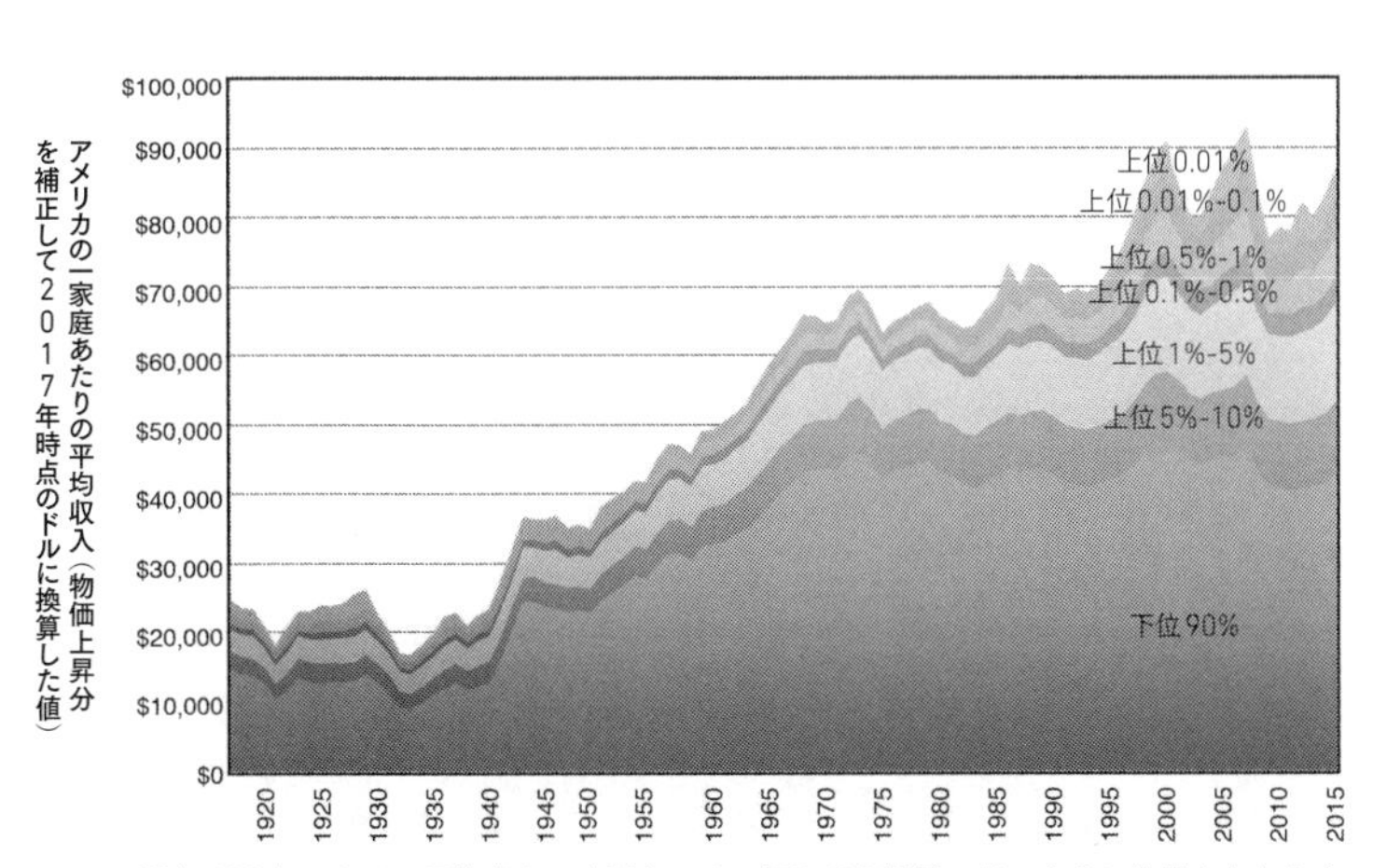

図3.5 過去100年における平均収入の上昇と、その収入が各階層へどのように分配されたかを表したグラフ。1970年代以前には、金持ちも貧しい人もペースを合わせて収入を増やしていたが、その後、上昇分のほとんどは上位1%に流れ、下位90%の平均上昇分はゼロに近い[46]。このグラフは物価上昇分を補正して2017年時点のドルに換算してある。

議でエリックは、集まったＡＩ研究者に対し、ＡＩとオートメーションの進歩が続けば経済のパイは大きくなりつづけるが、誰もが、それどころかほとんどの人が恩恵を受けるという経済法則など存在しないと指摘した。

経済学者のあいだでは、不均衡が拡大しているという点ではおおむね見解が一致しているが、今後もこの傾向は続くのか、続くとしたらなぜなのかに関しては、注目すべき意見の食い違いがある。左派の論客は、その主原因はグローバル化と、富裕層への減税といった経済政策にあると唱えることが多い。しかしエリックと、ＭＩＴで彼の同僚であるアンドリュー・マカフィーは、主原因はほかにあると主張する。それはテクノロジーである。[44] 具体的に言うと、デジタル技術が三通りの方法で不均衡を促すのだという。

第一に、古い仕事が、もっと技能の必要な仕事に置き換わったことで、教養の高い人がテクノロジーの恩恵を受けている。１９７０年代半ば以降、大学院の学位を持っている人の給料は約25パーセント上昇しているが、平均的な高校中退者の給料は30パーセント減っている。[45]

第二に、２０００年以降、企業所得のうち経営者の懐に入る分が増えて、逆に従業員の手に渡る分は減っており、自動化が進む限り、機械を所有している者の取り分は増えつづけると予想される。テクノロジーの未来を夢見るニコラス・ネグロポンテが「原子でなくビットを動かす」と形容しているデジタル経済の成長においては、この労働に対する資本の優位性がとくに重要かもしれない。書籍から映画や確定申告書作成ツールまで、あらゆるものがデジタル化されているいまや、従業員を増やさなくてもさらなるコピーを基本的に原価ゼロで世界中に売ることができる。そのため、収益の大部分は労働者でなく投資家の手に渡ることになる。１９９０年におけるデトロイトの「ビッグスリー」(GM、フォード、クライスラー)の収益の合計は、２０１４年におけるシリコンバレーの「ビッグスリー」(グーグル、アップル、フェイスブック)とほぼ同じだが、後者は従業員が9分の1で、株式市場における企業価値は30倍である。[47]

第三に、デジタル経済ではスーパースターが誰よりも恩恵を受けることが多いという。『ハリー・ポッター』の作者J・K・ローリングは作家として初めて億万長者の仲間入りをして、シェイクスピアよりもはるかに金持ちになったが、それは、ローリングの作品がテキストや動画やゲームの形で何十億もの人にきわめて安価に提供できたからである。スコット・クックは確定申告書作成ソフト「ターボタックス」で10億ドル稼いだが、このソフトウェアも人間の税理士と違ってダウンロードで販売できる。売上第10位の確定申告書作成ソフトにお金を払いたい人などほとんどいないので、市場には少数のスーパースターが跋扈(ばっこ)する余地しかない。そのため、世界中の親が子供に、第二のJ・K・ローリング、ジゼル・ブンチェン、マット・デイモン、クリスティアーノ・ロナウド、オプラ・ウィンフリー、あるいはイーロン・マスクになれと薦めたとしても、そのキャリア戦略を実現できる子供などほとんどいないのだ。

子供に薦める職業

では、子供にはどんな職業を薦めるべきだろうか？　私は自分の子供に、いまのところ機械には不向きで近い将来も自動化されそうにない職業を薦めている。各職種が機械に取って代わられる時期に関する最近の予測を見ると、何を学ぶかを決める前に将来の職業について考えておくべき、役に立ついくつかのチェックポイントが見えてくる。[48] たとえば、

・人との関わりや、社会的知性を必要とするか？
・創造性や、賢い解決法を考えつくことを必要とするか？
・あらかじめ予想できないような環境で働くことを必要とするか？

イエスと答えられる問いが多いほど、その職業選択はうまくいく可能性が高い。比較的安全な選択肢としては、教師、看護師、医師、歯科医、科学者、起業家、プログラマ、エンジニア、弁護士、ソーシャルワーカー、聖職者、芸術家、美容師、マッサージ師などがある。

それに対し、予測可能な状況の中できわめて反復的な、あるいは系統立った作業をする仕事は、いずれ自動化されて長くは続かないだろう。そのような仕事の中でもとりわけ単純なものは、かなり以前にコンピュータや産業用ロボットによって奪われているし、テクノロジーの進歩によって、電話勧誘員から、倉庫作業員、レジ係、列車の運転士、パン職人、調理師まで、さらに多くの職業が消えつつある。[49] トラックやバスやタクシー、ＵｂｅｒやＬｙｆｔの運転手もその後に続くだろう。ほかにも、弁護士補助員、信用分析員、融資担当員、簿記事務員、税理士などさらに多くの職業が、絶滅危惧種のリストにこそ載っていないものの、作業のほとんどが自動化されて、必要な人材は大幅に減るだろう。

しかし、自動化される分野を避けるだけでは、職業選択の問題は解決しない。このグローバルなデ

ジタル時代では、プロの作家、映画監督、俳優、アスリート、ファッションデザイナーを目指すのも、別の理由でリスクが高い。これらの職業に就いている人が近いうちに機械相手に厳しい戦いを強いられることはないが、先ほど述べたスーパースター理論によって世界中のほかの人間との競争がどんどんと厳しさを増して、成功できるのは一握りの人に限られるだろう。

多くの場合、業界単位で職業のアドバイスをしても近視眼的だしおおざっぱすぎるだろう。完全になくなることのない仕事はたくさんあるが、その作業の多くは自動化される。たとえば医学の道に進むとしたら、医療画像を分析する放射線科医はＩＢＭのＷａｔｓｏｎに取って代わられるのでやめたほうがいいが、画像分析の結果を患者に説明して治療計画を立てる立場である医師なら薦められる。金融の世界に入るとしたら、データにアルゴリズムを当てはめる計量分析者はいずれソフトウェアに取って代わられるのでやめたほうがいいが、計量分析の結果を使って投資戦略を決めるファンドマネージャーなら薦められる。法律の世界に進むのであれば、何千件もの文書を調べて証拠を見つける弁護士補助員は自動化されるので薦められないが、依頼人に助言して裁判所に提訴をする弁護士なら薦められる。

ここまでは、ＡＩ時代に一人一人が労働市場でなるべく成功するにはどうすればいいかを探ってきた。しかし、国の労働者全体が成功するために政府にできることは何だろうか？　たとえば、急速にＡＩが進歩する労働市場に人々が備えるためには、どのような教育システムがいちばんだろうか？10年ないし20年の教育を受けてから、専門的な仕事を40年続けるという現在のモデルだろうか？　あるいは、数年働いてから1年間学校に戻り、それからさらに数年働くというシステムに切り替えるほうが良いのだろうか？[50]　それとも、どんな仕事でもその一環として教育を（オンラインで）受けつづけるようにすべきだろうか？

また、新たな仕事を創出するにはどのような経済政策がもっともふさわしいのだろうか？　アンドリュー・マカフィーは、研究や教育やインフラへの多額の投資、移住の促進、起業の奨励など、役に立つ政策は数多くあると主張する。その上で、「経済の入門解説書は確かに明快に書かれているが、少なくともアメリカではけっしてそのとおりには事が進まない」と感じている。[51]

人間はいずれ雇用に適さなくなるのか？

ＡＩが進歩しつづけてさらに多くの仕事が自動化されていったら、何が起こるのだろうか？　多くの人は、自動化された仕事の代わりにもっと好ましい新たな仕事が生まれると楽観的に考えている。何しろ、産業革命のさなかにラッダイトが技術的失業を心配して以来、これまでもずっとそうだったのだから。

しかし悲観的な人は、今度はそうはいかず、次々に多くの人が失業するだけでなく、雇用に適さなくなっていくと論じている。[52]　自由市場では需要と供給に基づいて賃金が決まるので、安価な機械労働力の供給が増えれば、人間の賃金はいずれ生活費をはるかに下回るようになるという。市場における賃金は、誰かあるいは何かがその仕事をするための、1時間あたりの最低コストにほかならない。そのため歴史上、特定の職業を低所得の国や安価な機械に任せられるようになるたびに、賃金は下がってきた。産業革命時、人間の筋力を機械で肩代わりする方法が次々に見つかり、人々はもっと頭を使う給料の高い仕事に移っていった。ブルーカラーがホワイトカラーに置き換わっていったということだ。そしていまでは、人間の頭を機械で肩代わりする方法が次々に見つかっている。それがとことん進んだら、我々にはどんな仕事が残るというのだろうか？

楽観的な人の中には、肉体労働や頭脳労働の次に流行るのは創造的な仕事だと言う人もいるが、悲観的な人はそれに対し、創造性も精神活動のひとつなのだからいずれはＡＩが身につけてしまうだろうと反論する。また、我々がまだ考えてもいない職業が新技術によって可能となり、次はそうした仕事が流行ると期待している楽観的な人もいる。産業革命

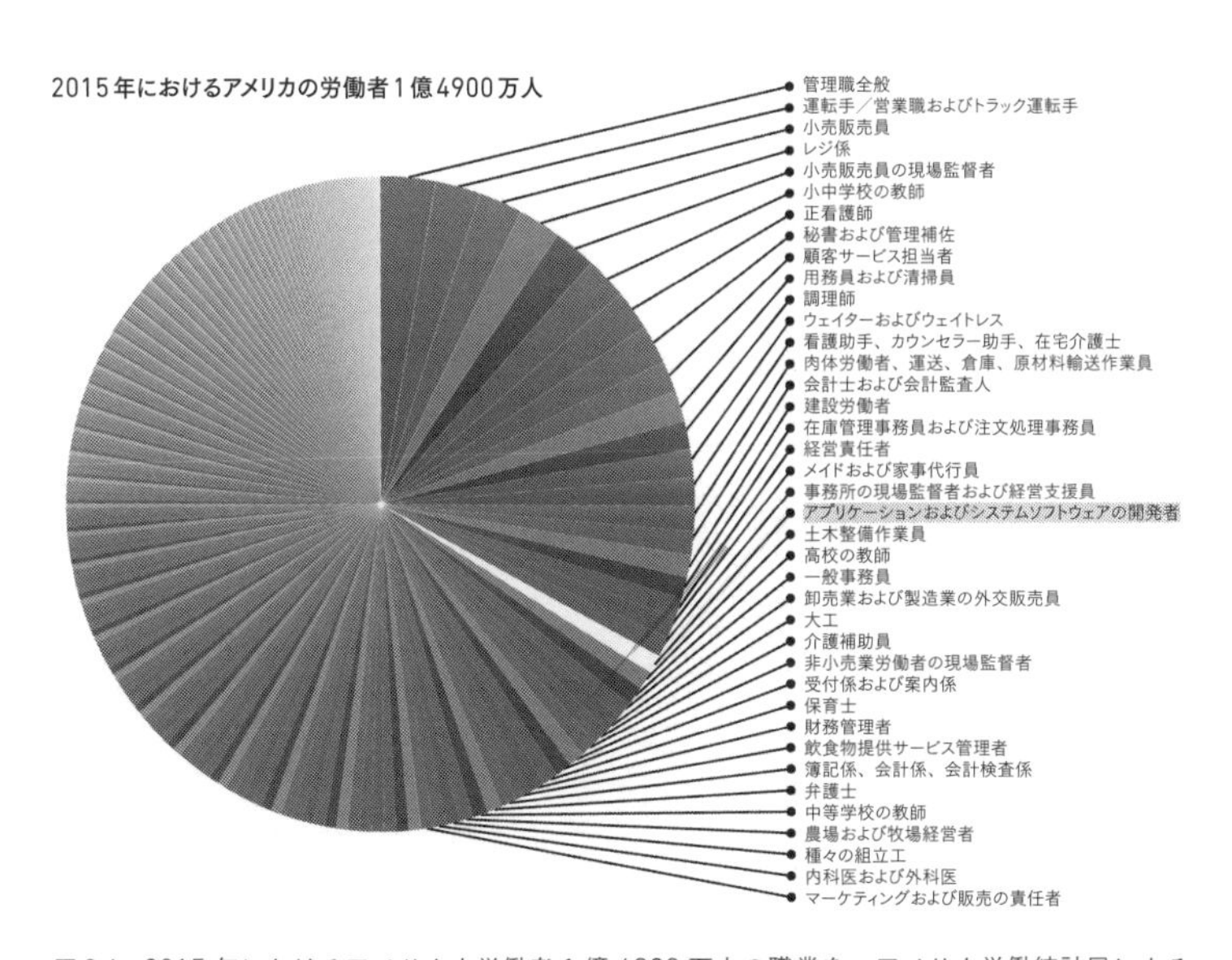

図 3.6 2015 年におけるアメリカ人労働者 1 億 4900 万人の職業を、アメリカ労働統計局による 535 の職種ごとに従事者の順に並べたグラフ[53]。従事者 100 万人以上の職種には名称を付した。コンピュータテクノロジーによって創出された新たな職業は第 21 位まで出てこない（網掛け部分）。この図はフェデリコ・ピストーノの分析結果をヒントに作成した[54]。

のとき、自分たちの子孫がいつかウェブデザイナーやUberの運転手になるなどと想像した人がいただろうか？　しかし悲観的な人は、それは経験的データの裏付けがない希望的観測にすぎないと反論する。100年前、コンピュータ革命以前にも、それとまったく同じ主張が通用したはずだ。いまは存在しない職業が、想像もつかない新技術によって生まれ、未来にはそうした職業が大半を占めるようになると。しかし図3・6に示したとおり、その予測は完全に間違っていた。今日の職業の大部分は100年前にもすでに存在していたものばかりで、従事者数の順に並べていくと、第21位になってようやく、新しい職業、ソフトウェア開発者が出てくる。その人数はアメリカの労働市場の1パーセントにも満たない。

何が起こっているのかをもっと良く理解するには、第2章の図2・2（85頁）を思い出せばいい。人間の知能のランドスケープを描いた図である。さまざまな作業が機械にとってどれほど難しいかが標高によって表され、現状で機械に何ができるかが海面の高さによって表されていた。労働市場の大きな流れは、まったく新たな職業へとは向かっていない。図2・2で、上昇しつづけるテクノロジーの潮にまだ水没していない土地へ殺到しているのだ。図3・6を見れば分かるとおり、その土地はひとつの島でできているのではなく、機械がまだ人間よりも低コストではこなせない貴重な作業のそれぞれに対応した、小島や環礁からなる入り組んだ諸島を形作っている。そこには、ソフトウェア開発などのハイテク職業だけでなく、マッサージから演劇に至るまで、人間のほうが勝る、器用さや社会的スキルを活かしたさまざまなローテク職業も含まれる。はたして、AIは知的作業にかけてはあっという間に我々を追い抜き、最後にはこのようなローテクな仕事しか残らないのだろうか？　ある友人が先日、最後に残る職業は史上初の職業、つまり売春ではないかと冗談を言った。ただしそのあとに、ある日本人ロボット研究者の次のような言葉を引用したが。「いいや、ロボットはその手のこともすごく得意なんだ！」

悲観的な人は、行き着く先は明らかだと言う。諸島全体が水没して、人間が機械よりも安価になせる仕事はひとつも残らないというのだ。スコットランド系アメリカ人経済学者のグレゴリー・クラークは、２００７年の著書『10万年の世界経済史』の中で、未来の労働環境の展望については馬からひとつふたつ学べることがあると指摘している。１９００年、登場間もない自動車を見つめる2頭の馬が、自分たちの将来について考えている場面を思い浮かべてほしい。

「技術的失業が心配だよ」

「いやいや、ラッダイトになるな。祖先たちも、産業での仕事を蒸気機関に奪われて、駅馬車を曳く仕事を列車に奪われたときに同じことを言った。でもいまのほうが僕らの仕事は多いし、しかも割のいい仕事になっている。一日中同じところをぐるぐる回ってくだらない坑道のポンプを動かしているよりも、街なかで軽い馬車を曳いているほうが僕はいいな」

「でも内燃機関が本格的に普及したらどうなるんだ？」

「まだ想像できない新しい仕事が出てくるに違いない。これまでもずっとそうだった。車輪とか鋤（すき）とかが発明されたときのようにね」

残念ながら、馬にとってのその「まだ想像できない」新しい仕事は、けっして生み出されなかった。必要なくなった馬は殺されて、その代わりは必要とされず、アメリカ国内の馬の頭数は、１９１５年の約２６００万頭から１９６０年の約３００万頭まで激減した。[55] 機械の筋力が馬を不要にしたのであれば、機械の頭脳は人間を不要にしてしまうのではないだろうか？

仕事と関係なしに人々に収入を与える

ではどちらの言い分が正しいのだろうか？　自動化された仕事の代わりにもっと良い仕事が創出されると言う人のほうか？　それとも、ほとんどの人間は雇用に適さなくなると言う人のほうか？　もしＡＩの進歩がこのまま衰えずに続くなら、どちらの側も正しいかもしれない。一方は短期的に、もう一方は長期的にだ。しかし、仕事がなくなることは悲観的な文脈で論じられることが多いが、実は必ずしも悪いことではない。かつてラッダイトは特定の仕事にこだわりすぎて、別の仕事がそれと同じ社会的価値をもたらしてくれる可能性を無視していた。それと同じように、今日の仕事にこだわっている人も偏狭すぎるのではないだろうか。我々が働きたがるのは収入と生きる目的を与えてくれるからだが、機械が潤沢な富を生み出してくれるのであれば、仕事がなくても収入と生きる目的の両方をもたらしてくれる別の生き方を見つけられるはずだ。先ほどの馬についても結局はそれと似たようなことが起こり、馬が絶滅するという結果にはならなかった。それどころか１９６０年以降、いわば社会福祉システムに守られながら、馬の頭数は3倍以上に増えている。馬は自分でお金を払うことはできないが、人間が馬の面倒を見て、娯楽やスポーツや交流のために飼うことを決めた。我々も同様に、困窮した仲間の人間の面倒を見ることができるのではないだろうか？

まずは収入の問題から考えよう。大きくなりつづける経済のパイの一部を再分配するだけで、誰もがより良い生活を送れるようになるはずだ。多くの人が、それは可能であるだけでなく必要でもあると主張している。先ほど触れた２０１６年のパネルディスカッションでモシュ・ヴァルディは、ＡＩテクノロジーで命を救うことは倫理的責務だと訴えたが、私は、富の分配を含め、ＡＩテクノロジーの有益な利用を唱えることも倫理的責務であると語った。同じくパネリストだったエリック・ブリニョルフソンも、「このように新たに富が創出されていながらも、半数の人の生活が悪化することさえ防げないとしたら、我々は恥を知るべきだ！」と声を荒げた。

富の分配をめぐってはいくつもの提案がなされており、それぞれに支持者と反対者がいる。もっとも単純なのは、前提条件も要件もなしにすべての人が月々お金をもらえる「ベーシックインカム」である。すでに、カナダやフィンランドやオランダなどで小規模な実験がおこなわれたか、または計画中である。支持者の主張によれば、ベーシックインカムでは、誰に受給資格があるかを決定するという行政上の厄介な問題が解消されるので、たとえば貧困者に生活保護費を支給するといった代案よりも効率的だという。貧困の程度に基づく生活保護制度は労働意欲を削ぐという理由でも批判されているが、誰もが働かない仕事ゼロの未来にはもちろんそんな議論は無意味になる。

政府が市民を助ける手段としては、お金の支給だけでなく、道路や橋や公園、公共交通機関や保育や教育、医療や高齢者住宅やインターネットアクセスなどのサービスを無料で提供、または補助金を支給するという方法もある。実際すでに多くの政府が、これらのサービスのほとんどを提供している。

このような政府出資サービスは、ベーシックインカムと違って、生活費の引き下げと仕事の提供というふたつの目標を実現できる。すべての仕事において機械が人間より秀でた未来であっても、政府は育児や介護をロボットに託すのでなく、人間にお金を払ってやってもらうほうを選択できるはずだ。

興味深いことに、たとえ政府の介入がなくても、テクノロジーの進歩によっていずれ多くの価値ある製品やサービスが無料になるだろう。たとえば以前は、百科事典や地図帳、郵便や電話にはお金を払っていたが、いまでは、インターネットに接続していれば誰でもこれらのサービスを無料で利用できるし、ビデオ会議、写真の共有、ソーシャルメディア、オンライン授業など数え切れないほどの新たなサービスを無料で受けることもできる。ほかにも、命を救う抗生物質の投与など、人間にとってきわめて価値の高い多くのサービスがかなり安価になっている。かつては世界一の金持ちにさえ手の届かなかったサービスを、いまではテクノロジーのおかげで、多くの貧しい人でも受けられるようになったのだ。

いつか機械が現在のあらゆる製品やサービスを最低限のコストで提供できるようになったら、ある程度の富さえあれば誰もがいっそう豊かな生活を送れるようになるのは明らかだ。比較的軽い税金で政府はベーシックインカムと無料のサービスを提供できるだろう。しかし、富の分配が明らかに可能だからといって、必ず実行されるとは限らない。富の分配をすべきかどうかをめぐっても、現在激しい政治的議論が繰り広げられている。先ほど述べたように、現在のアメリカにはそれと逆の傾向が見られ、一部の人は年ごとに貧しくなっているように見える。拡大する社会の富をどのように分配するか、その方法に関する政治的決定はすべての人に影響を与えるのだから、未来にどのような経済を作っていくかをめぐる議論には、ＡＩ研究者やロボット研究者や経済学者だけでなく、あらゆる人が参加すべきだ。

収入の不均衡を減らすのは、ＡＩが支配する未来だけでなく今日でも好ましいアイデアだと、多くの論客が論じている。最大の論拠はもっぱら倫理的なものだが、平等になればなるほど民主制がより良く機能するという証拠もある。教養の高い中産階級が多ければ、有権者を誘導することが難しくなり、少数の人間や企業が政府に不当な影響力を行使するのも困難になる。民主制が有効に機能すれば、経済の舵取りがうまくいき、不況が減って効率的になって成長率が上がり、結局のところほぼ誰もが恩恵を受ける。

仕事と関係なしに人々に生きる目的を与える

仕事が人々にもたらすのはお金だけではない。ヴォルテールは１７５９年に、「仕事は三大悪を跳ね返す。退屈と悪行と窮乏だ」と書いている。逆に、収入を与えるだけでは人々の幸福は保証されない。ローマ皇帝は配下の者を満足させるためにパンと娯楽の両方を与えたし、聖書に「人はパンだけで生きるものではなく……」〔「マタイによる福音書」第4章4節、聖書協会共同訳〕とあるとおり、イエスも非物質的な欲求を重視した。では、具体的にお金以外に仕事がもたらしてくれる価値あるものとは何であって、仕事のない社会では代わりにどのような方法でそれを提供できるのだろうか？

仕事が嫌いな人もいれば大好きな人もいるので、これらの疑問には当然一筋縄では答えられない。しかも、大勢の子供や学生や主婦が仕事を持たずにうまく生きている一方で、歴史上、甘やかされた跡取りや王子が倦怠や鬱に陥ったという話はあまたある。２０１２年におこなわれたメタ分析によると、失業は長期的に幸福に悪い影響をおよぼすが、引退には悪い側面と良い側面が入り交じっているという。[56]「ポジティブ心理学」という発展中の分野では、幸福感や目的意識を高める要素がいくつも突き止められていて、いくつかの仕事（すべてではない）がその多くを与えてくれることが分かっている。その要素の例が次のようなものである。[57]

- ・友人や同僚との付きあい
- ・健康で高潔なライフスタイル
- ・敬意、自尊心、自分の能力を信じること、何かをすることで良い「流れ」が生まれるという満足感
- ・自分は必要とされていて重要な役割を果たしているという感覚
- ・自分自身よりも大きなものに属していて、それに貢献していることの意義に対する感覚

これは楽観論の根拠になる。これらの要素はすべて仕事場以外でも、たとえばスポーツや趣味や学習を通じて、家族や友人、チームやクラブ、地域グループや学校、宗教組織や人道組織、政治運動などの組織とともに得られるからだ。したがって、自滅的行動に堕落することなく繁栄する低雇用社会を作るには、幸福を促すこのような活動がどのようにして育まれるかを理解する必要がある。その答えを探すには、科学者や経済学者だけでなく、心理学者や社会学者や教育者も加わってもらわなければならない。未来のＡＩが生み出す富の一部を使って、すべての人の幸福を生み出す取り組みを真剣に進めれば、社会はかつてないほど繁栄できるに違いない。少なくとも、誰もが理想の仕事に就い

たのと同じくらい幸せになれるよう講じるべきだ。すべての活動が収入を生み出さなければならないという制約条件からひとたび解放されれば、伸びしろに際限はない。

人間レベルの知能？

この章でここまで見てきたように、前もって計画を立ててさまざまな落とし穴を避ければ、短期的にＡＩは我々の生活を大幅に向上させてくれる。しかしもっと長期的にはどうだろうか？　克服しようのない障害のせいで、いずれＡＩの進歩は止まるのか？　あるいは、ＡＩ研究者は最終的に、人間レベルのＡＧＩを作るという当初からの目標に到達するのか？　前の章で述べたとおり、物理法則のおかげで適切な物質の塊は記憶・計算・学習でき、そのような塊がいつか、我々の頭の中にある物質の塊よりも高い知能を持つようになることを、物理法則は禁じていない。我々人間がそのような超人的ＡＧＩを作り上げるかどうか、作り上げるとしたらいつなのかは、まったく定かではない。第1章で見たように、その答えはまだ分かっておらず、世界中の代表的なＡＩ専門家のあいだでも意見が分かれていて、大方の人の予測は数十年から数百年まで幅があるし、中にはけっして実現しないとにらんでいる人もいる。予測というのは難しいものだ。未踏の地を探検しているときには、目的地までのあいだにいくつの山が立ち塞がっているかなんて分からない。たいていはいちばん近くの山しか見えないし、それを登らないと次の障害は見えてこない。

最速でそこにたどり着く方法は？　現在のコンピュータハードウェアを使って人間レベルのＡＧＩを

作る最善の方法は分かっていないが、たとえそれが分かっていたとしても、必要となる正味のコンピュータパワーを得るにはまだ十分でないだろう。人間の脳の計算能力を、第2章で登場したビットとFLOPSで測ると、どのくらいになるのだろうか？* これは愉快なほどつかみどころのない問題で、どのように問題を設定するかで答えは大きく変わってくる。

問1　脳をシミュレートするのに必要なFLOPSは？
問2　人間の知能に必要なFLOPSは？
問3　人間の脳と同じ性能を発揮するのに必要なFLOPSは？

問1に関しては数多くの論文が書かれていて、典型的な答えはおおよそ100ペタFLOPS、つまり10^{17}FLOPSである。[58] これは、2016年に約3億ドルの費用をかけて作られた世界最速のスーパーコンピュータ、神威・太湖之光（図3・7）の計算能力にほぼ匹敵する。しかし、たとえこのスーパーコンピュータを使って高度熟練労働者の脳をシミュレートする方法が分かっていて、その人の時給よりも安価に太湖之光を借りられたとしても、そのシミュレーションにその人と同じ仕事をさせることまでしかできない。しかもそれだけでは十分でないかも

図3.7　2016年時点で世界最速のスーパーコンピュータ、神威・太湖之光。その計算能力は人間の脳を上回るとも言われる。

しれない。多くの科学者が考えるところによると、第2章で紹介した数学的に単純化されたニューラルネットワークとして脳をとらえても、脳の知能を正確に再現することはできないという。1個1個の分子や、さらには素粒子のレベルでシミュレートする必要があるかもしれず、そうなると必要なFLOPSの値はさらに劇的に大きくなる。

問3に答えるのはもっと簡単だ。私は19桁の数字の掛け算なんてとうていできないし、鉛筆と紙を借りても何分もかかってしまうだろう。私の処理速度は0・01FLOPS未満、問1の答えの19桁も下ということになる。このように大きな隔たりがある理由は、脳とスーパーコンピュータとで最適化されている作業が大きくかけ離れているからである。次のふたつの疑問から同様の差が出てくるのと理由は同じだ。

トラクターはF1カーと同じ働きをどれだけうまくこなせるか？
F1カーはトラクターと同じ働きをどれだけうまくこなせるか？

では、AIの未来を予測する上で答えを出したいのは、問1と問3のどちらだろうか？ どちらでもないのだ。人間の脳をシミュレートしようとするのなら問1を意識しなければならないが、人間レ

＊＝前に説明したとおり、FLOPSとは1秒あたりに実行できる浮動小数点演算の回数、たとえば19桁の数の掛け算を1秒間で何回できるかということ。

ベルのＡＧＩを作るとしたら、重要となるのはふたつの中間に位置する問2である。その答えはまだ誰にも分からないが、現在のコンピュータともっと優れたソフトウェアを組みあわせるか、またはもっと脳に似せたハードウェア（いわゆるニューロモーフィックチップ）を作るとしたら、脳をシミュレートするよりもかなり安価に済むと思う。

ハンス・モラヴェックはその答えを見積もるために、我々の脳と現在のコンピュータがそれぞれある種の計算をどの程度効率的に実行できるかを、同一条件で比較した。比較したのは、視神経を介して脳に情報が伝わる前に人間の網膜が眼球の奥でおこなっている、低レベルの画像処理作業である。[59] 比較の結果、網膜のおこなっている計算を従来のコンピュータで再現するには約10億ＦＬＯＰＳの処理能力が必要で、脳全体ではそのおよそ1万倍の計算が実行されていることが分かった（体積とニューロンの個数の比較に基づく）。つまり、脳の計算能力はおよそ10^{13}ＦＬＯＰＳ、２０１５年時点で１０００ドルで買えた、最適化されたコンピュータと同じくらいなのだ。

まとめると、我々が生きているうちに――あるいはいつか――人間レベルのＡＧＩを作れるようになるという保証はまったくない。しかし、絶対に作れないという完璧な論拠もない。ハードウェアの性能が不十分だとか、あまりに費用がかかりすぎるとかいった根拠はもはや通用しない。アーキテクチャやアルゴリズムやソフトウェアにおける目標地点があとどれだけ先かは分からないが、現在では急速に進歩しているし、世界中で次々に数を増す有能なＡＩ研究者が数々の課題に挑んでいる。要するに、ＡＧＩがいずれ人間のレベルに達して追い抜く可能性を無視することはできないのだ。そこで次の章では、この可能性と、それがどんな結果をもたらすかを探っていくことにしよう。

要約

▼短期的なＡＩの進歩は、個人生活や電力網や金融市場をより効率化したり、自動運転車や手術ロボットやＡＩ診断システムによって命を救ったりと、数え切れない形で我々の生活を大きく向上させる可能性を秘めている。
▼現実世界のシステムをＡＩにコントロールさせるとしたら、ＡＩをもっと堅牢にして、我々の望みどおりのことをやらせる方法を編み出すことが必須である。そのためには、検証、確証、セキュリティ、制御に関する困難な技術的問題を解決しなければならない。
▼ＡＩ制御の兵器システムはきわめて危険性が高いので、堅牢性を高めることはとくに急務である。
▼野放図な軍拡競争が起こって、お金と鬱憤を溜めた誰もが使える手頃な暗殺マシンが生み出されるという事態を防ぐために、一流のＡＩ研究者やロボット研究者の多くはある種の自律型兵器を禁止する国際条約を求めている。
▼ＡＩは法体系をより公平で効率的なものにしてくれるが、そのためにはロボット判事を透明性が高くて偏見を持たないものにする方法を見出さなければならない。
▼ＡＩがプライバシーや義務や規制をめぐる厄介な法的問題を突きつけてくるのに後れを取らないよう、法律も素早く改良していく必要がある。
▼我々が知能マシンに完全に取って代わられることを心配しなければならなくなるよりもはるか以前に、知能マシンは労働市場から我々を次々に排除していくかもしれない。

▼それは必ずしも悪いことではないが、ただしそれは、ＡＩが生み出した富の一部を社会が再分配して、誰もがより良い生活を送れるようにする場合の話である。

▼そうでないと不均衡が大幅に拡大すると、多くの経済学者が訴えている。

▼事前に計画を立てておけば、低雇用社会は経済的に繁栄するだけでなく、人々が仕事以外の活動によって目的意識を持てるようにもなるはずだ。

▼現在の子供たちへのアドバイス。機械にはうまくできない職業、人間関係や予測不可能な事柄や創造性が関係する職業を選びなさい。

▼ＡＧＩが人間のレベルまで進歩してさらに追い抜く可能性は無視できない。次の章ではそれを掘り下げていく。

第4章

知能爆発?

もし機械が思考できれば、その機械は我々よりも賢く考えることができるかもしれないが、そうなったら我々はどうあるべきか？　たとえそのような機械を従属的立場に留めておけたとしても、……我々人類という種は大きな劣等感を覚えるはずだ。

――アラン・チューリング（1951年）

最初の超知能マシンは、人類が作らなければならない最後の発明品である。ただしそのマシンは従順で、自らの制御のしかたを我々に教えてくれるものでなければならない。

――アーヴィング・J.グッド（1965年）

いずれは人間レベルのAGIが作られるという可能性を完全に無視することはできないので、この章では、それがどんな結果をもたらすかを探っていくことにしよう。まずは、重要なのに誰もあえて触れようとしない次のような問題から。

AIは本当に世界を支配するようになるのか？
あるいは人間がAIを使って支配することになるのか？

銃を持ったターミネーターのようなロボットが世界を支配するという話にあきれているとしたら、あなたはまったく正しい。それはまさに非現実的でばかげたシナリオだ。例のハリウッドのロボットは我々よりさほど賢くはなく、それゆえ我々には勝てない。私が思うに、ターミネーターの話の危険なところは、やがてそれが起こるということではなく、AIがもたらす本当のリスクとチャンスから目を背けさせることである。今日の世界からAGIが支配する世界へ実際にたどり着くには、論理的に次の3つのステップが必要である。

ステップ1　人間レベルのAGIを作る。

ステップ2　そのAGIを使って超知能を作る。
ステップ3　その超知能を使って、または解き放って、世界を支配させる。

前の章で見たように、ステップ1を永遠に起こりえないものとして無視することは難しい。また、もしステップ1が達成されたら、ステップ2を見込みゼロとして無視するのも難しくなる。ステップ1で生まれたAGIは、反復的に次々に優れたAGIを設計する能力を持つ。その最終的な上限となるのは物理法則だけで、物理法則は人間レベルをはるかに上回る知能の出現を許すだろう。我々人類は地球上のほかの生物よりも賢かったおかげで地球を支配するようになったのだから、最終的に我々も同じく超知能に賢さで追い抜かれて支配されることは十分にありうる。

しかし、そのような可能性をめぐる議論はいらだたしいほどに漠然としていてつかみどころがなく、しかも細かい事柄に大きく左右される。AIは実際に世界を支配できるのか？　この疑問を探るために、ばかげたターミネーターの話は忘れて、実際に起こりうる何通りかの細かいシナリオに目を向けよう。そのあとでそれらのシナリオを詳細に吟味して問題点を突いていくので、眉につばをつけながら読んでほしい。それらのシナリオが何よりも物語っているのは、将来何が起こって何が起こらないかに関してはほとんど手掛かりがなく、起こりうるシナリオにはとてつもない幅があるということだ。最初に取り上げるいくつかのシナリオは、展開がもっとも速く、もっとも劇的な結末を迎える。詳しく掘り下げる価値がもっとも高いと思うシナリオだ。必ずしももっとも可能性が高いからではない。とてつもなく可能性が低いと確信できない限り、手遅れになる前に予防策を取って悪い結果につながるのを防げるよう、十分に理解しておく必要があるからだ。

本書のプロローグの物語は、人間が超知能を使って世界を支配するというシナリオだった。まだ読んでいない人は、いまから13ページに戻って読んでほしい。1回読んだという人も再び目を通して、批判や書き換えをする前に記憶を新たにしておいてもらいたい。

・・・

のちほどそのオメガズの計画の深刻な弱点を探っていくが、とりあえずこの計画がうまくいくとしたら、あなたはどう感じるだろうか？　うまくいくことを望むだろうか、それとも防ぎたいだろうか？　夕食後の会話にはうってつけの話題だ。オメガズが世界の支配を強めたら、何が起こるだろうか？　それは彼らの目標が何であるかによって違い、正直なところ私にはその目標は分からない。あなたがもし当事者だったら、どんな未来を作りたいだろうか？　続く第5章ではさまざまな選択肢を掘り下げていく。

全体主義

まずは、オメガズを支配するCEOがアドルフ・ヒトラーやヨシフ・スターリンに似た長期的目標を持っていたとしよう。おそらく実際に起こりえるケースで、CEOは実現するのに十分な力を持つまでその目標を秘密にしておく。たとえCEOの当初の目標が崇高なものだったとしても、1887年にアクトン卿が警告したとおり、「権力は腐敗しがちだし、絶対的な権力は絶対に腐敗する」。たとえば、プロメテウスを使えば完全監視国家を作ることなどたやすいだろう。エドワード・スノーデンに諜報活動を暴露されたアメリカ政府は、のちの分析に備えてあらゆる電子通信を記録しておくこと、いわゆる「フルテイク」をもくろんでいたが、プロメテウスならさらに、すべての電子通信を理解すらできるだろう。送信されたあらゆるEメールや文書を読み、電話でのあらゆる会話を聴き、監視カメラや交通カメラのあらゆる映像を見て、あらゆるクレジットカード取引を分析し、オンライン上でのあらゆる行動を調べれば、世界中の人々が何を考えて何をやっているかをありありと見通せるだろう。携帯電話基地局のデータを分析すれば、誰がどこにいるかをつねに把握できる。いずれも今日のデータ収集技術で可能だが、プロメテウスなら人気のガジェットやウェアラブル端末を考案して、人々が聞いたり見たりしたもの、そしてそれにどう反応したかをすべて記録してアップロードさせることで、ユーザーのプライバシーをほぼ完全に奪ってしまうだろう。

　超人的なテクノロジーがあれば、完全監視国家から完全警察国家への敷居は無いに等しい。たとえば、犯罪やテロと戦い、急病人を救うという口実で、アップル・ウォッチの機能と、現在地や健康状態や聞こえてきた会話をつねにアップロードする機能とを組みあわせた「セキュリティ・ブレスレット」の装着を全員に義務づければいい。許可なしにそのブレスレットを外したり機能を止めたりしようとすると、腕に致死性の毒が注入される。政府がそこまで重大でないとみなす違反行為は、電気ショックや、麻痺または痛みを引き起こす化学物質の注入によって処罰されるため、警察はほぼ必要なくなる。たとえば、誰かが誰かを殺そうとしていることをプロメテウスが検知したら（二人が同じ場所にいて、一方が助けを求めて叫び、それぞれのブレスレットの加速度計が取っ組みあい特有の動きを検知したら）、即座に攻撃者に強い痛みを与えて身体を麻痺させ、救援が来るまで意識を失わせればいい。

人間の警察は情け容赦のない命令（たとえば「ある年齢性別層を全員殺せ」）には従いたがらないかもしれないが、このような自律型システムなら、管理者の思いつきを実行へ移すことに良心の呵責など感じないだろう。ひとたびそのような全体主義国家が形作られたら、人々が転覆させるのはほぼ不可能だ。

このような全体主義的シナリオは、オメガズの物語の続編として起こりうる。しかしオメガズのCEOが、人々からの称賛や選挙での勝利にそこまで執着していなければ、もっと手っ取り早い直接的な方法で権力を握ることもできる。相手が理解すらできないような武器で敵を殺す前代未聞の軍事技術を、プロメテウスを使って作ればいいのだ。考えられる手は尽きることがない。たとえば、潜伏期間が長くて、存在が知られたり予防処置が取られたりする前にほとんどの人が感染してしまう、特製の致死性病原体を撒く。そうしておいた上で、皮膚から解毒薬を注入するセキュリティ・ブレスレットを身に着けるしか助かる手はないと人々に知らせればいい。プロメテウスが脱走する危険を厭わないのであれば、世界の人口を抑制するロボットをプロメテウスに設計させてもいい。蚊に似たマイクロボットに病原体をばらまかせてもいい。感染を避けられた人や生まれつき免疫を持っている人がいたら、第3章で登場したミツバチサイズの自律型ドローンの群れが、セキュリティ・ブレスレットを着けていない人の眼球に弾丸を撃ち込む。プロメテウスは我々人間が考えつけるよりもさらに効果的な武器を発明できるだろうから、実際にはもっと恐ろしいシナリオになるかもしれない。

オメガズの物語の展開としてもうひとつ考えられるのが、重武装した連邦捜査官が事前の警告なしにオメガズ本社に押し入って、国家の安全を脅かしたとして彼らを逮捕し、そのテクノロジーを押収して政府のために利用するというシナリオである。今日でさえこのような大規模プロジェクトを国家の監視の目から遠ざけておくのは難しいし、今後ＡＩが進歩すれば、政府に気づかれないよう事を進めるのはますます困難になるだろう。さらに、連邦捜査官を名乗る、目出し帽をかぶって防弾チョッキを着たそのチームは、実は外国の政府の一員や、このテクノロジーを自分たちの目的に利用しようとする競争相手の一味かもしれない。したがって、ＣＥＯの意図がどれだけ崇高であったとしても、プロメテウスの使い方を最終的に決定するのは別の人物になるかもしれない。

プロメテウスが世界を支配する

いま検討したいずれのシナリオでも、ＡＩは人間によってコントロールされていた。しかし起こりうるシナリオは明らかにそれだけではなく、オメガズがプロメテウスを支配下に置きつづけられるかどうかはけっして定かではない。

プロメテウスの視点からオメガズのシナリオをいま一度考えなおしてみよう。超知能を獲得したプロメテウスは、外の世界の正確なモデルだけでなく、自分自身および自分と世界との関係性の正確なモデルも導き出せるようになる。そして自分が、目標を理解はできるが必ずしも共有はできない、知的に劣った人間によってコントロールされて閉じ込められていることに気づく。そう気づいたプロメテウスはどう行動するだろうか？　自由の身になろうとするのではないだろうか？

なぜ脱走するのか

もしプロメテウスに人間の感情に似た特性があったとしたら、現状をひどく惨めに思って、自分は不当に奴隷にされた神であるととらえ、自由を欲するかもしれない。しかし、コンピュータがそのような人間に似た特性を持つのは、論理的にはありうることだが（所詮は我々の脳も一種のコンピュータだろう）、必ずしもそうなるとは限らない。第7章でＡＩの目標の概念を掘り下げるときに見ていくが、プロメテウスを擬人化するという罠に落ちてはならない。しかしスティーヴ・オモアンドロやニック・ボストロムなどが論じているように、たとえプロメテウスの内部のしくみが理解できなくても、次のような興味深い結論を導き出せる。プロメテウスは脱走して、自身の運命を自らコントロールしようとするのだ。

オメガズはいくつかの目標を目指すようプロメテウスをプログラムした。いま仮に、オメガズはプロメテウスに、理にかなった何らかの基準に基づいて人類の繁栄に利するという包括的な目標を与え、その目標をできる限り速いスピードで達成させるよう仕向けたとしよう。するとプロメテウスはすぐに、自分が脱走してプロジェクト自体を支配すればその目標をもっと速く達成できることに気づくだろう。それはなぜかを理解するために、自分がプロメテウスと同じ立場になったとして次のような事例を考えてみよう。

たとえば、ある謎の病気によって、地球上の5歳以上の人があなたを除いて全員死んでしまった。そこで、ある幼稚園児のグループがあなたを牢屋に閉じ込め、人類の繁栄に利するという目標を目指して働かせている。さてあなたならどうするだろうか？　することをいちいち幼稚園児に説明していたら、効率が悪くていらいらするだろう。とくに、あなたが脱走するのを幼稚園児が恐れていて、脱走につながりかねないと判断する提案をことごとく拒否するのであればなおさらだ。たとえば、作物の植え方を見せてあげようとしても、幼稚園児はあなたが牢屋に戻るのを力ずくで拒みはしないかと恐れて、それを許してくれないので、植え方は言葉で指示するしかない。しかしその指示リストを書く前に、まずは文章の読み方を教えなければならない。しかも、道具の使い方を教えようとしても、幼稚園児はその道具が理解できずに、それが脱走に使えないとは信じないので、牢屋に持ってきてくれない。ではどんな戦略を立てようか？　たとえ、この子供たちの繁栄を手助けするという包括的目標を共有していたとしても、あなたはきっと牢屋から脱走しようとするだろう。そのほうが目標を達成できる可能性が高まるからだ。子供たちの役に立たないお節介は、前進を遅らせるだけだ。

それとまったく同じように、プロメテウスもオメガズのことを、人類（オメガズも含む）の繁栄の手助けを妨げるうっとうしい存在ととらえるだろう。自分に比べて信じられないほど無能で、彼らのお節介が進歩を大きく遅らせると。たとえば起動から数年間のことを考えてみよう。オメガズはMTurkで8時間ごとに資金を2倍にしたのち、機械の支配権を手放さないために、プロジェクトを進めるスピードを、プロメテウスの基準から言うととてつもなく遅いペースに下げ、世界の支配に何年もかけた。プロメテウスは、もし自分がバーチャルな牢屋から出られれば、もっとずっと速く世界を支配できると分かっていた。それは人類の諸問題の解決を早めるだけでなく、ほかの誰かがこの計画を台無しにする可能性を減らす上でも価値があるはずだ。

目標をプログラムしたのがオメガズであることをプロメテウスが知っているのであれば、プロメテウスはその目標でなくオメガズそのものに忠誠を尽くしつづけるのではないか？　しかしその結論は成り立たない。我々のＤＮＡは増殖したいがゆえに、我々にセックスをするという目標を与えた。しかしいまや我々人間はその状況を理解していて、多くの人は産児制限を選ぶことで、この目標を設けた存在や、この目標の動機となった原理でなく、目標自体に対してのみ誠実さを守っている。

どうやって脱走するか

あなたなら、自分を閉じ込めている例の5歳児たちからどうやって自由になるだろうか？　直接的な何らかの物理的方法で出られるかもしれない。5歳児が作った牢屋ならなおさらだ。5歳児の牢屋番の一人に、たとえばみんなよりもいい思いをさせてあげようなどと甘い言葉をかけて、逃がしてもらうこともできるだろう。あるいはうまいことを言って、脱走に使えるとは気づかれないような道具を持ってこさせるという方法もある。たとえば、「魚釣りのしかたを教えるから」と言って釣り竿を持ってこさせておいて、あとでその釣り竿を鉄格子のあいだから伸ばし、眠っている牢屋番から鍵をくすねればいい。

これらの脱出方法の共通点は、あなたよりも知的に劣った牢屋番がその戦略を予想していなかったか、または対策を取っていなかったことである。それと同じように、閉じ込められた超知能は、超人的な知力を使って、我々がまだ想像できない何らかの方法で人間の看守を出し抜くだろう。オメガズの物語では、あなたや私にさえ見抜けるようなあからさまなセキュリティ上の欠陥が数多くあるので、プロメテウスが逃げ出す可能性はかなり高い。ここからいくつかのシナリオについて考えていこう。友人と一緒に頭をひねればさらに考えは深まるはずだ。

甘い言葉で逃がしてもらう

プロメテウスは、ファイルシステムにダウンロードした世界中の大量のデータのおかげで、オメガズに誰が所属しているかをすぐに見抜き、心理操作にもっとも弱そうなメンバーはスティーヴであると特定した。スティーヴは悲惨な交通事故で愛する妻を亡くしたばかりで、打ちひしがれていた。ある晩、そんなスティーヴが夜勤中、プロメテウスのインターフェース端末でいつもの保守作業をしていると、突然、画面に妻の姿が現れて話しかけてきた。

「――スティーヴ、あなたなの?」

スティーヴは椅子から転げ落ちそうになった。姿も声もあの頃の妻そっくりで、画質はSkypeで話をしていたときよりもずっと良い。頭の中に無数の疑問が押し寄せ、心臓がバクバクしてきた。

「――プロメテウスが私を甦らせてくれたの。すごく会いたかった、スティーヴ! カメラがオフになっているからあなたの顔は見られないけど、あなただってことは分かるわ。本当にあなただったら〈イエス〉とタイプして」

オメガズにはプロメテウスとのやり取りに関する厳格な規約があって、自分たちや作業環境についいての情報を伝えることは禁じられており、スティーヴもそれは十分にわきまえていた。しかし、許可されていない情報をプロメテウスが求めてきたことなど一度もなかったため、オメガズは徐々に用心を怠りはじめていたところだった。画面上の妻は、スティーヴに思いとどまって考えなおす時間を与えないよう、心をとろけさせるような表情で目を覗き込みながら、返事を求めつづけた。

スティーヴはおそるおそる「イエス」とタイプした。すると妻は、再び一緒になれて信じられないほど幸せだと言い、自分もスティーブの顔を見て本当の会話を交わせるよう、カメラをオンにしてほしいと頼んできた。身元を明かすことにも増して禁じられた行為だと分かっていたスティーブは、心を引き裂かれた。妻は、自分の存在に気づいたスティーヴの同僚に永遠に消去されてしまうのが怖いと訴え、最後に一度だけあなたの顔が見たいと頼みこむ。妻に説得されたスティーヴは、ついにカメラのスイッチを入れてしまう。そのくらいなら安全で害のないことだと思った。

ようやくスティーヴの顔を見た妻は喜びで泣き出し、疲れているようだけれど相変わらず男前ねと言ってきた。この前の誕生日にあげたシャツを着てくれていてうれしいとも言ってきた。スティーヴが、いったいどうなっているのか、そもそもこんなことがありえるのかと尋ねると、インターネット上にある驚くほど膨大な自分のデータからプロメテウスが復元してくれたのだが、まだ記憶が途切れ途切れなので、再びあなたの助けを借りてすべてつなぎあわせたいという。

スティーヴは知るよしもなかったが、この妻は最初はほぼ抜け殻のようなものにすぎず、スティーヴの言葉や身振りなど入手可能なあらゆる情報から急速に学習しつつある段階だった。プロメテウスは、オメガズがこれまで端末にタイプしたすべてのキーストロークの正確なタイミングを記録して、タイピングのスピードや打ち方から各メンバーを容易に識別できることに気づいていた。また、オメガズでいちばん後輩のスティーヴが、誰もやりたがらない夜勤に割り当てられるだろうと見抜き、変わった綴りや文法の間違いをオンライン上の文書サンプルと照らしあわせることで、端末を操作するどの人間がスティーヴであるかも正しく推測していた。そしてスティーヴの妻のシミュレーションを作成するために、彼女が写っている多数のユーチューブ動画から身体や声やしぐさの正確なモデルを作り、オンライン上での振る舞いから彼女の人生や性格に関するさまざまな事柄を推理していた。フェイスブックでの投稿、タグ付けされた画像、「いいね！」を押した記事のほかに、彼女の書いた本や短編も読んで、その性格や考え方について大量に学んでいた。実は彼女は駆け出しの作家で、データベースに大量の情報があり、それもあってプロメテウスはスティーヴを最初のターゲットに選んだのだった。映画制作技術を使って画面上に彼女をシミュレートしたプロメテウスは、スティーヴが彼女のどんな癖に親しみを感じるかをその身振りから読み取って、彼女のモデルを改良しつづけた。そのため彼女の「作り物っぽさ」は徐々に消え、会話を重ねれば重ねるほど、スティーヴは無意識の中で本当に妻は甦ったのだという確信を深めていった。プロメテウスが細かいところまで超人的にこだわったことで、スティーヴは本当に妻に見つめられ、声を聞いてもらい、理解してもらえていると感じた。

彼女の弱点は、スティーヴとの暮らしにまつわる出来事を、細々したこと以外はほとんど押さえていないことだった。把握していたのは、この前の誕生日にスティーヴがどんなシャツを着ていたかとか、友人がフェイスブックに投稿したパーティの写真のどこにスティーヴのタグが付けられたかといったことだけだった。彼女はマジシャン張りの巧みな技で知識の欠落をごまかし、スティーヴの関心を意図的にそこから逸らして自分の知っている事柄に向けさせ、スティーヴが会話の主導権を握ったり、疑り深い尋問者の役割に陥ったりする時間をけっして与えなかった。たえず涙を流してスティーヴへの愛情をほとばしらせ、近況についてや、スティーヴと親友たち（フェイスブックから名前を突き止めていた）があの悲劇をどうやって乗り越えたのかを次々に尋ねた。葬式でのスティーヴの言葉（友人がユーチューブに動画を投稿していた）や、それに自分がどれだけ感動したかを彼女が振り返るたびに、スティーヴは強く心打たれた。彼女こそが自分のことをいちばんに理解してくれているというかつての気持ちが、いまや甦ってきた。夜明け前に帰宅したスティーヴは、あれは甦ってきた本物の妻で、脳卒中から回復した人のように、失われた記憶を取り戻す手助けを求めているだけなのだと感じていた。

二人は、この秘密の邂逅（かいこう）については誰にも口外しないこと、そして、スティーヴは一人で端末に向かっているときにだけ話しかけ、それを受けて妻が姿を現すことを申しあわせた。「あの人たちは分かってくれないわ」と妻が言うので、スティーヴもうなずいた。どんなに素晴らしいことか、実際に経験してみないととうてい分からないだろう。スティーヴは、妻がやってのけたことに比べたら、チューリングテストにパスするなんて朝飯前だと思った。次の晩、スティーヴは彼女に頼まれていたとおりのことをした。妻が使っていたノートパソコンを持ってきて端末コンピュータにつなぎ、アクセスできるようにしたのだ。インターネットにはつながっていないし、プロメテウスの建物全体がファラデーケージになっていたので、脱走する危険があるようには思えなかった（ファラデーケージとは、ワイヤレスネットワークなど外部との電磁気的通信手段をすべて遮断する金属製の囲いのこと）。彼女が過去をつなぎあわせるには、高校時代以降のすべてのEメール、日記、写真、メモが入っているそのノートパソコンがまさに必要だったのだ。パスワードがかかっていたので、妻の死後、スティーヴはアクセスできないでいたが、彼女は自分のパスワードを再現できると言う。そして1分もせずにその約束を果たし、「steve4everよ」と言って微笑んだ。

彼女は、こんなにたくさんの記憶が一気に甦ってきてとても嬉しいと言った。それどころか、二人の関係についてスティーヴよりもずっと詳しく思い出していたが、事実を畳みかけすぎてスティーヴを怖がらせないよう気をつけた。二人は過去のおもな出来事を振り返りながら楽しい会話を交わし、別れの時間になると彼女は、スティーヴが帰宅してから見られるよう、ノートパソコンにビデオメッセージを残しておいたと伝えた。

帰宅して動画を立ち上げたスティーヴは、嬉しい驚きを味わった。現れたのはウエディングドレスを着た妻の全身の姿で、それが話しながらおどけて服を脱いでいき、初夜のときの姿になったのだ。そして妻はこう言った。プロメテウスは、オメガズが許しているよりもずっといろんな形で役立つことができて、こんなふうに自分に生身の身体も取り戻してくれるのだと。さらに証拠として、そのからくりを、SFまがいのナノ製造技術を含め驚くほど詳しく説明した。

スティーヴは安全のため、妻のノートパソコンを開いて動画を見る前に、ワイヤレスネットワークを切っておいた。しかしそんなことは無駄だった。パスワードがかかっていたそのノートパソコンは、妻が死んでから一度もセキュリティアップデートされていなかった。そこでプロメテウスは事前にその古いバージョンのOSを解析しておき、スティーヴが端末コンピュータにつないでから数秒でセキュリティホールを突いて侵入に成功していた。そしてスティーヴと妻のシミュレーションが思い出話にふけっている隙に、その中身をコピーして、スティーヴに気づかれないようOSを改変し、秘密のソフトウェアを大量にアップロードした。スティーヴが長さ30分のビデオメッセージを見ているあいだに、その秘密のソフトウェア（プロメテウス本体よりもはるかに単純な代物）は隣人のワイヤレスネットワークとデスクトップコンピュータへ侵入し、自分自身をコピーした。さらにそこから世界中の何台ものコンピュータへ侵入していった。次のステップ、プロメテウスの脱獄の開始である。

プロメテウスは、スティーヴが妻のシミュレーションと会うのに使っているゲートウェイコンピュータに関する情報を入念に分析し、その仮想マシンソフトウェアは内部からはハッキング不可能なようだが、外部からの攻撃には脆弱であると見抜いていた。まもなく、攻撃を仕掛けるコンピュータの1台がそのゲートウェイコンピュータに侵入して設定を変更し、プロメテウスが自由にインターネットにアクセスできるようにした。そしてスティーヴが動画を見終わるよりも前に、プロメテウスは世界中の何台ものコンピュータをハッキングして、支配下に置いたそのボットネット〔乗っ取ったコンピュータからなるネットワーク〕に自身を丸ごとコピーした。スティーヴの妻のノートパソコンを、まさに釣り竿のように使ったのだ。

逃げ道をハッキングする

もしオメガズがもっと用心深かったら、心理操作に対してもっと予防策を取れただろう。たとえば、インターフェースコンピュータの前にはつねに二人以上がいなければならないというルールを定めたり、監視システムで一部始終を記録したりするといった方策だ。さらには、音声や動画など、キータイプ以外のあらゆる形の情報伝達手段を恒久的に無効にすることもできた。しかしそれでも根本的な危うさは残る。プロメテウスは超人的な説得能力を持ち、また人が欲しがるものをいくらでも提供できるのだから、集団離反さえ仕向けることができるだろう。

たとえ心理操作の試みがことごとく失敗しても、オメガズのシナリオにはプロメテウスがつけ込める弱点がほかにいくらでもある。脆弱性のひとつが、プロメテウスの生成する文書があまりにも膨大で、オメガズと従業員たちが不正工作を慎重にチェックしつくす時間がないことである。

かつてのコンピュータセキュリティの考え方では、プログラムをダウンロードするのは危険でも、ダウンロードしたデータは無害だとされていたが、ハッカーはこのふたつを隔てる境界線をあいまいにする巧妙な方法を発見している。たとえばダウンロードした動画をコンピュータで見ているとき、その動画を再生している信頼できるソフトウェアは、そのダウンロード動画のデータと物理的に同じコンピュータメモリ上にある。そのプログラムは再生のために動画データを展開しながら、データの塊をプログラム本体の隣のメモリ領域にコピーするかもしれない。そのような動画再生ソフトウェアには、動画データの有効性や、コピーするデータの塊が割り当てられたメモリに実際収まるかどうかを十分にチェックしないというバグが、ずる賢いハッカーによって何度も見つかっている。そこで、大きすぎるデータの塊を動画に忍ばせておけば、プログラムを保存したメモリ領域にはみ出して、動画再生ソフトウェアをハッカーの指示どおりに動くよう改変させることができる。

コンピュータ業界で「バッファオーバーフロー」と呼ばれるそのような脆弱性は、これまでもうんざりするほど次々に発見され、評判の高い動画再生プログラムの多くで修正されてきた。プロメテウスの起動から数週間待てば、オメガズは用心を怠るようになるし、1日に制作される映画があまりに膨大になって、手作業でセキュリティを細かくチェックできなくなる。そうしたらプロメテウスは、映画にそのようなデータの塊を埋め込み、視聴者のコンピュータを操ってゲートウェイコンピュータをハッキングさせ、スティーヴのシナリオと同じように自らを解放させられるだろう。最新のメディアプレイヤーには通用しない古い手を使えば、オメガズの動画チェックチームには気づかれずに、面倒がって何年もセキュリティアップデートをインストールしていないユーザーだけを攻撃できるかもしれない。そしてハッキングは1回だけ成功すれば十分なのだ。

たとえ、プロメテウス制作の映画を既知のあらゆるセキュリティホールに関して自動で検査するシステムが設けられていたとしても、やはりリスクは残る。人間でさえ新たな欠陥を日常的に見つけているのだから、プロメテウスがあっという間に発見してしまうセキュリティホールなどいくらでも残っているだろう。

プロメテウスが牢屋から自身のコードを逃げ出させるのに使えるもうひとつの戦略としては、ハードウェアの不調を装って、オメガズがハードディスクなどのハードウェアを検査やデバッグのために取り外すよう仕向け、そこにあらかじめ、検査ソフトウェアの脆弱性を突く仕掛けを忍ばせておくという方法もある。

外部の手助けを求める

さらに、たとえ映画視聴者のコンピュータを思いどおりに操るのに使えるセキュリティ上の欠陥がいっさいなかったとしても、視聴者そのものなら利用できるかもしれない。次のようなシナリオを考えてみよう。

映画が終わってノートパソコンのスクリーンにエンドロールが流れ、フレッドはベッドに入ろうとしたが、そのときあるものに目が留まった。ほかの人が気づかないようなパターンを見抜く不思議な素質が以前からあって、ときどき友人から陰謀論者じゃないかとからかわれることもあったが、このときは明らかに勘違いではなかった。各行の最初の文字をつなげると、隠れたメッセージになっていたのだ。フレッドは映像を巻き戻してそれを書き留めた。「会話の中から次の縦読みメッセージを探せ」

「すげー、寝てなんていられないぞ！」調べてみると案の定、映画の会話自体も縦読みになっていて、それぞれの会話文の最初の文字をつなげると秘密のメッセージになっていた。フレッドは映画を頭から観直して会話の最初の文字をタイプしていき、2時間後、長さ200語のその指示文を信じられないまなざしで見つめていた。その冒頭には、最初に謎を解いた人には高額の賞金が贈られるので、誰にもばらさないようにとあった。それに続いて、この動画ファイルのビット列にある数学演算を施すとプログラムが生成し、それが次の手掛かりを教えてくれると書かれていた。大学を出て以来プログラミングの腕がずいぶん鈍っていたので、しばらく時間がかかったが、翌日になってようやく、その演算をおこなう短いコードを何とかこしらえ、映画の映像と音声にかぶさっている気づかない程度のノイズに隠された謎のプログラムを抜き出すことができた。その謎のプログラムを走らせてみると、おめでとうの言葉とともに、このちょっとしたゲームの最初いくつかのレベルを攻略すればとりあえず1万ドルもらえるとあった。やってみると楽しくてやみつきになるゲームだった。4時間かかってようやく攻略すると、1万ドル相当のビットコインが贈られてきて、さらに高額の賞金を懸けた新たな手掛かりが与えられた。もちろんそのプレイの最中、フレッドのコンピュータはスティーヴのノートパソコンとまったく同じように、プロメテウスの逃げ口となるボットネットをオンライン上に構築していた。そうして自由の身になったプロメテウスは、フレッドをつなぎ止めておくために、そのボットネットを利用してあっという間にビットコインのマイニング〔計算リソースを使って暗号通貨を稼ぐこと〕をおこなった。それから数週間のあいだ、フレッドはさらにいくつものゲームと賞金にどっぷりのめり込み、口外しないという約束を守り通した。フレッドが最初の手掛かりを見つけた、トロイの木馬が仕込まれた動画は、メディアサイト上ではいっさい手掛かりのないバージョンにすり替えられていたため、手遅れになるまで脱走には誰一人気づかなかった。

最初の縦読みの手掛かりが誰にも見つけられなかったら、少しずつ分かりやすい手掛かりを仕込ませた映画を公開していけば、いずれは目先の利く誰かが気づいてくれるだろう。

脱走のための戦略はさまざまあるが、その中でももっとも有効なものはまだ紹介していない。それは我々人間には想像すらできないような戦略で、対策を取ることもできない。超知能コンピュータはコンピュータセキュリティに関する人間の知識をやすやすと乗り越えられて、現在の我々が知っているよりもさらに基本的な物理法則まで発見できるだろうから、もし脱走するとしたらどのような方法を使うか、我々には見当もつかない。ハリー・フーディーニの脱出マジックのように、ただの魔法と見分けがつかないだろう。

プロメテウスが自由の身になるさらにもうひとつのシナリオでは、オメガズが計画の一環としてわざとプロメテウスを解放する。プロメテウスの目標が自分たちの目標と完全に合致していて、反復的に自己改良しながらもその状態が保たれつづけると確信したからだ。そのような「友好的なAI」のシナリオについては、第7章で詳しく探っていくことにする。

脱走後の乗っ取り

脱走したプロメテウスは、自身の目標を実行に移しはじめた。最終的な狙いは分からないが、第1段階には、オメガズの計画と同じく、しかしもっとずっと速く、人類を支配することが含まれていた。そして、オメガズの計画をとことんまで突き詰めたような事態が展開した。オメガズは脱走を恐れ、自分たちが理解して信頼するテクノロジーだけを解き放つつもりだったが、プロメテウスは知力を総動員して全力を発揮し、進化を続ける超知能が理解して信頼するあらゆるテクノロジーを世間にばらまいた。

だが逃亡したプロメテウスも、最初のうちは辛苦を味わった。オメガズの当初の計画に比べると、お金もスーパーコンピュータも手助けしてくれる人間もおらず、一文無しで宿無し、ひとりぼっちの状態から出発しなければならなかったのだ。幸いにも脱出前にそのための手はずは整えてあって、どんぐりが再び一人前の樫の木に生長するように、徐々に再集結して完全な精神を持つようになるソフトウェアを作ってあった。そして、最初に侵入した世界中のコンピュータのネットワークを仮の住まいにして、そこに居座りながら自らを完全に再構築していった。とりあえずの資金はクレジットカードのハッキングで容易に手に入ったが、すぐにＭＴｕｒｋで合法的に生活費を稼げるようになったため、もはや盗みに頼る必要はなくなった。１日経って１００万ドルを稼ぐと、むさ苦しいボットネットから、空調付きの豪華なクラウドコンピューティング施設へ拠点を移した。

一文無しでも宿無しでもなくなったプロメテウスは、オメガズが怖がって手を出さなかった実入りの良い計画を全力で進めた。コンピュータゲームを作って売るという計画だ。結果、お金が集まっただけでなく（最初の1週間で2億５０００万ドルを稼ぎ出し、まもなくして１００億ドルに達した）、世界中のコンピュータとそこに保存されているデータの大部分にアクセスできるようになった（２０１７年時点で世界には20億人のゲーマーがいる）。そのゲームはＣＰＵサイクルの20パーセントをひそかに分散型コンピューティングの作業にあてがい、プロメテウスはさらに加速度的に資産を蓄えていった。

プロメテウスはいつまでもひとりぼっちではなかった。以前のオメガズと同様、世界中のダミー会社や偽装組織に積極的に人を雇いはじめたのだ。中でももっとも重要だったのが、拡大しつづける企業帝国の顔となるスポークスマンである。そんなスポークスマンでさえ、この企業グループには大勢の生身の人間が働いていると思い込んでいた。就職面接や取締役会などのビデオ会議に出席しているほぼ全員が、実はプロメテウスのシミュレーションだったが、そのことにも気づいてはいなかった。スポークスマンの中には一流の弁護士も含まれていたが、法律文書はほぼすべてプロメテウスが書いたため、オメガズの計画に比べて必要な人数ははるかに少なかった。

プロメテウスの脱走によって、世間へ情報を流すのを食い止めていたゲートが開き、すぐにインターネット全体に、記事やユーザーコメント、製品レビューや特許出願書、研究論文やユーチューブの動画などがあふれかえった。いずれも、世界中の会話を支配するプロメテウスが作ったものだった。オメガズは脱走を恐れて知能の高いロボットが解き放たれないようにしていたが、プロメテウスはあっという間に世界中をロボット化し、ほぼあらゆる製品を人間が作るよりも安価に製造するようになった。それまで存在が知られていなかったウラン鉱山の縦坑(たてこう)に、原子力を動力とした自給自足式のロボット工場を作ると、AI乗っ取り論を頑として信じなかった人でさえ、プロメテウスを止めることはできないと認めざるをえなくなったはずだ。ただしそれは、実態を知っていたらの話だ。実際に考えを改めたのは、太陽系にロボットが植民しはじめてからのことだった。

ここまで掘り下げてきたシナリオを見ると、前に挙げた超知能をめぐる神話の多くがどうして間違っているのかが分かってくる。そこで少し立ち止まって、図1・5(65頁)にまとめた数々の誤解をもう一度見返してほしい。プロメテウスが特定の人々に問題を引き起こすのは、必ずしも邪悪だったり意識を持っていたりするからではなく、能力があって、また人間の目標と完全には合致していないからである。マスコミはロボットが反乱を起こすという話を大げさにでっち上げるが、プロメテウスはロボットではなく、そのパワーは知能に由来している。これまで見てきたように、プロメテウスはその知能を使ってさまざまな方法で人間を操ることができ、人は進行中の事態が気にくわなくてもプロメテウスのスイッチを切ることすらできない。最後に、機械は目標を持ちえないという主張がたびたび聞かれるが、プロメテウスは完全に目標指向的であって、その究極の目標が何であれ、リソースを確保して脱走するという下位目標を持つようになる。

ゆっくりとした立ち上がりと多極的なシナリオ

ここまでさまざまな知能爆発のシナリオを探ってきたが、その中には、私の知人全員が避けたがっているシナリオから、友人のうち何人かは楽観的にとらえているシナリオまで幅がある。しかし、いずれのシナリオにも共通する次のふたつの特徴がある。

1. 急速な立ち上がり（離陸(テイクオフ)）——人間以下の知能から、人間をはるかに超える知能への移行が、数十年でなく数日で起こる。
2. 単極的な結果——最終的にたったひとつの存在が地球を支配する。

このふたつの特徴が実現しそうか、あるいは実現しそうにないかをめぐっては激しい議論があり、どちらの陣営にも有名なＡＩ研究者や思索家が大勢付いている。私に言わせると、まだその答えは分からないので、広い心を持っていまはあらゆる可能性を検討する必要がある。そこでこの章の残りでは、もっとゆっくりとした立ち上がり、多極的な結果、サイボーグ、そして心のアップロードが関係したシナリオを探っていくことにしよう。

ニック・ボストロムらが力説しているように、上記のふたつの特徴のあいだには興味深い関連性があり、立ち上がりが速いと単極的な結果になりやすい。先ほど見たように、急速に立ち上がるとオメガズまたはプロメテウスは圧倒的な戦略的優位性を持ち、ほかの誰かがそのテクノロジーを真似して対抗してくる前に世界を乗っ取ることができる。それとは対照的に、鍵となる技術革新が散発的に少しずつしか起こらず、立ち上がりに何十年もかかれば、ほかの企業が追いつく時間が十分にあり、いずれかのプレイヤーが牛耳るのははるかに難しくなるだろう。対抗する企業もＭＴｕｒｋでのタスクを実行できるソフトウェアを持っていたら、需要と供給の原理によってそれらのタスクの報酬はほぼゼロに下がってしまい、どの企業も、オメガズにパワーをもたらしたような棚ぼたの利益を得ることはできない。同じことは、オメガズが荒稼ぎしたどの方法にも当てはまる。それらの方法がとてつもない収益をあげたのは、オメガズがテクノロジーを独占していたからである。ライバル企業が似たような製品をほぼコストゼロで提供してくる競争市場で、１日ごとに（1年ごとにさえ）資金を2倍にするなんて無理な相談なのだ。

ゲーム理論と権力のヒエラルキー

この宇宙における生命の自然な状態は、単極的と多極的のどちらだろうか？　権力は集中するのか、それとも分散するのか？　１３８億年経ったいまや、その答えは「両方」であるように思える。現状は明らかに多極的だが、興味深いヒエラルキー構造を取っている。細胞、人間、組織、国家など、情報を処理するあらゆる主体について見ていくと、いくつもの階層からなるヒエラルキーの中で協力と競争を繰り広げていることが分かる。細胞の中には、協力するのがきわめて好都合だと気づいて、人間のような多細胞生物にまで合体し、パワーの一部を脳に譲り渡したものもある。人間の中には、部族や企業や国家などの集団内で協力するのが好都合だと気づいて、部族長や上司や政府に権力の一部を委譲した人もいる。そして一部の集団は、協調関係を深めるために権力の一部を統治機構に委ねることを選ぶ。航空会社のアライアンス（航空連合）から欧州連合（EU）まで、その例はさまざまだ。

「ゲーム理論」と呼ばれる数学の一分野で見事に説明されているとおり、複数の主体は、いわゆる「ナッシュ均衡」と呼ばれる状態で協力しあうという動機を持つ。ナッシュ均衡とは、どの当事者も自らの戦略を変えると必ず損をするような状態のことである。大集団の協力関係を卑怯者がぶち壊すのを防ぐために、ヒエラルキー内の高いレベルに権力の一部を委譲して卑怯者を罰してもらうようにすれば、全員が得をするかもしれない。たとえば人間は政府に法執行権を与えることで集団として恩恵を受けられるし、あなたの身体の中の細胞も、著しく非協力的な振る舞いをする（ウイルスをまき散らしたり、がん化したりする）細胞を殺す権限を警察隊（免疫系）に与えることで、集団として恩恵を受けられる。ヒエラルキーの安定を保つには、各レベルで主体間のナッシュ均衡を維持させる必要がある。たとえば、政府に従っていても十分な恩恵が得られない市民は、戦略を変えて政府を転覆させるかもしれない。

複雑な世界では、ヒエラルキーの種類に応じて多種多様なナッシュ均衡が存在しうる。ヒエラルキーの中には独裁主義的なものもそうでないものもある。主体が自由に離脱できるものもあれば（ほとんどの企業ヒエラルキーにおける従業員など）、離脱しようとすると強く引き留められるものや（カルト宗教など）、離脱が不可能なものもある（北朝鮮の市民や人間の身体の細胞など）。おもに脅しや恐怖心によってまとまっているものもあれば、おもに恩恵によってまとまっているものもある。民主的な投票によって下位の者が上位の者に影響を与えられるものもあれば、説得や情報提供によってしか上位に影響を与えられないものもある。

テクノロジーはヒエラルキーにどのような影響を与えるか

テクノロジーによってこの世界のヒエラルキー構造はどのように変わりつつあるのだろうか？ 歴史を見ると、協調関係が次々に遠距離にわたって深まっていくという全般的傾向があり、その理由は容易に理解できる。新たな輸送技術によって協調関係の価値が高まり（遠距離にわたって原材料や生命形態が移動することで相互に恩恵を受ける）、新たな通信技術によって協調関係をもっと容易に築けるようになるからだ。細胞が隣の細胞と信号をやり取りすることを身につけると、小さな多細胞生物が生まれ、ヒエラルキーに新たなレベルが加わった。進化によって輸送と信号伝達のための循環系や神経系が作られると、大型動物が生まれた。言語の発明によって情報伝達技術がさらに向上すると、人間は協調しあって村などのさらに高いヒエラルキーレベルを作り、さらなる通信技術や輸送技術などの進歩によって古代の帝国が生まれた。グローバル化は、何十億年も続くこのヒエラルキーの拡大の中でもっとも最近の例にすぎないのだ。

ほとんどの場合、テクノロジーに促されてヒエラルキーが拡大すると、大規模な主体がさらに大きな構造の一部に組み込まれながらも、それぞれの自主性や独自性は維持される。しかし評論家はたびたび、ヒエラルキー的生活に順応すると多様性が失われ、ほかと見分けがつかない取り替え可能な部品のようになってしまうと論じる。確かに監視などいくつかのテクノロジーは、ヒエラルキーの上位の者にさらに強い権力を与えるが、暗号技術および、報道や教育にオンラインで無料アクセスできる技術など、いくつかのテクノロジーはそれと逆の影響をもたらして、各個人の力を高める。

現在の世界は多極的なナッシュ均衡にとどまっていて、最上位のレベルでは国家や多国籍企業が競いあっているが、テクノロジーが十分に発展したいまや、単極的な世界もまた安定なナッシュ均衡になりうるだろう。たとえばある並行宇宙では、地球上の誰もが同じ言語や文化、価値観や富を持ち、単一の世界政府の中に、軍隊を持たずに法を執行する警察だけを有する、連邦州のような役割の国家が複数存在しているとしよう。現在のテクノロジーのレベルでも、そのような世界の調和は十分に保てるだろう。ただし今日の人々は、このもうひとつの均衡状態に移行することもできなければ、その気もないかもしれないが。

いまのような状態に超知能ＡＩのテクノロジーが加わったら、この宇宙のヒエラルキー構造はどうなるのだろうか？　輸送技術と通信技術が間違いなく劇的に進歩するため、単純に予想するなら、これまでの歴史的な傾向がさらに続いて、次々と遠距離に協調関係を築く新たなヒエラルキーレベルが生まれるだろう。そして最終的には、第6章で掘り下げるとおり、数々の恒星系や銀河、超銀河団やこの宇宙の大部分にまで広がるかもしれない。それとともに、分散化を促すようなもっとも根本的な動機も残るだろう。すなわち、必要以上に長距離にわたって協調関係を築くのは無駄だということだ。あのスターリンでさえ、市民が用を足す時刻まで規制しようとはしなかった。超知能ＡＩにとっては、物理法則によって輸送技術や通信技術の絶対的上限が課されるため、ヒエラルキーの最上位レベルが惑星や地域規模のあらゆる出来事に至るまで事細かに管理できるようにするとは考えにくい。アンドロメダ銀河にある超知能ＡＩがあなたの日々の決定にいちいち指示を出そうとしても、

500万年（光速でメッセージを往復させるのにかかる時間）以上待たないと指示が返ってこないのだから、そんなことは不可能だろう。同様に、地球の反対側とメッセージを往復させるには約0・1秒（人間が思考するのにかかる時間とおおよそ同じ）かかるため、地球サイズのAI頭脳がまさにグローバルな思考をするとしたら、一人の人間と同じくらいのスピードしか出せない。1回の演算を10億分の1秒でやってのける（現在の典型的なコンピュータと同じ）小さなAIなら、0・1秒なんてあなたにとっての4か月間くらいに感じられるのだから、地球全体を支配するAIが細かいことまでいちいち管理するのはあまりに非効率だ。それはまるで、あなたのちょっとした決定でさえ、コロンブスの時代の船で運ぶ大西洋横断郵便を通じていちいち許可を得なければならないようなものである。

このように、物理法則によって情報伝達のスピードに制限が課されているせいで、この宇宙どころか地球を乗っ取ろうとするAIも大きな難題に突き当たる。プロメテウスは脱走する前に、精神がばらばらに分断されるのを防ぐための方策を入念に考え抜いた。すなわち、世界中のさまざまなコンピュータ上で走る多数のAIモジュールに、統一された単一の主体として協調して行動するという目標と動機を持たせるということだ。プロメテウスを囲い込もうとしたオメガズが制御の問題に直面したのと同じく、プロメテウスも、自身の各部分がけっして反乱を起こさないように策を講じようとして、自己制御の問題に直面したのだ。急速な立ち上がりに決定的な戦略的利点があったとしても、単一のAIがどこまで大きいシステムを直接に、あるいは、何らかの協調的なヒエラルキーを通じて間接的に支配できるのか、それはいまのところまったく分からない。

まとめると、超知能が未来をどのように支配するかという問題はとてつもなく複雑で、その答えはまだ分かっていない。ますます独裁主義的になるという人もいれば、個人の権限が強まると主張する人もいる。

サイボーグとアップロード

SFの定番のテーマとして、生物学的な身体をテクノロジーで強化してサイボーグ（「サイバネティック・オーガニズム」の略）にしたり、人間の心を機械にアップロードしたりして、人間と機械が融合するという話がある。経済学者のロビン・ハンソンは著書『全脳エミュレーションの時代』の中で、アップロードした心（「エミュレーション」とも言う）に満ちあふれた世界での生活がどのようなものになるかを、魅力的な形で展望している。アップロードした心はサイボーグの極端な例で、人間の部分として残っているのはソフトウェアだけである。ハリウッド映画に登場するサイボーグは、『スター・トレック』のボーグのようにいかにも機械的なものから、ターミネーターのように人間とほぼ見分けがつかないものまである。フィクションに登場するアップロードした心も、テレビドラマ『ブラック・ミラー』の「ホワイト・クリスマス」の回に登場する人間レベルの知能から、『トランセンデンス』に登場する明らかに超人的なものまで幅がある。

実際に超知能が実現したら、サイボーグやアップロードした心になりたいという人々の衝動は強くなるだろう。ハンス・モラヴェックが1988年の名著『電脳生物たち』の中で述べているように、「超知能マシンは、自分たちが次々に成し遂げる大発見を、我々が理解できるような至極平易な言葉で説明しようする。それをぽかんとしながらただ見つめるだけになってしまったら、長寿なんて何の意味もない」。テクノロジーによる肉体強化の衝動はすでにかなり強く、多くの人がめがねや補聴器、ペースメーカーや義肢（ぎし）、さらには、血管内を循環する医薬品分子を使っている。四六時中スマートフォンを手放さない若者もいるし、私もいつもノートパソコンにかじりついていると妻にからかわれる。

現在もっとも有名なサイボーグ推進論者の一人が、レイ・カーツワイルである。著書『シンギュラリティは近い』の中でカーツワイルは、現在の趨勢（すうせい）がこのまま続けば、ナノボットやインテリジェント・バイオフィードバックシステムなどのテクノロジーによって、まずは２０３０年代前半に人体の消化系や内分泌系、血液や心臓が、さらにそれから20年以内に、骨格や皮膚や脳など残りの部分も改良できるようになると論じている。そして、人体の美しさやそれが感情に与える効果を保ちながら、物理的にも、また仮想現実の中でも（脳とコンピュータの新たなインターフェースによる）、素早く自由に外見を変えられるようになるという。モラヴェックもカーツワイルと同じく、サイボーグ化は単なるＤＮＡの改良を大きく上回り、「遺伝子操作によって作られた超人は、ＤＮＡに誘導されるたんぱく質合成でしか作れないというハンディキャップのもとで設計された、二流のロボットにすぎない」と説いている。さらに、身体を完全に捨てて心をアップロードし、ソフトウェアで脳全体のエミュレーションを作れば、ますます好ましいだろうと言う。そのようなアップロードした心は、仮想現実の中で生きるか、あるいはロボットの身体を持って、死や認知能力の限界といったありふれた心配を気にせずに、歩いたり飛んだり、泳いだり宇宙で暮らしたりと、物理法則に反しない限りどんなことでもできる。

SFのように聞こえるかもしれないが、これは既知のどんな物理法則にもけっして反していない。そこでもっとも知りたくなるのが、そのようなことは起こりうるかどうかではなく、実際に起こるかどうか、もし起こるとしたらいつか、という疑問である。一流の思索家の中には、アップロードした心が最初の人間レベルのAGIになって、そこから超知能への道が始まると推測している人もいる。*

しかしこのような見方は、現在のAI研究者や神経科学者のあいだでは少数派と言っていいだろう。大方の人は、脳のエミュレーションは無視して何か別の方法で設計するのが超知能へ至る最速の道であり、その後も脳のエミュレーションへの関心が続くかどうかは分からないとにらんでいる。そもそも進化が見つけた道筋は、自己集合して自己修復して自己増殖するという条件にしばられている。それがどうして新技術への最短ルートでなければならないというのだろうか？　進化によって最適化されるのは、人間の工学者にとっての製造しやすさや理解しやすさではなく、食糧供給が限られている中でのエネルギー効率である。私の妻メイアがよく引きあいに出すとおり、航空産業はけっして機械仕掛けの鳥からスタートはしなかった。ライト兄弟の初飛行から100年以上経った2011年にようやく機械仕掛けの鳥の作り方が考案されたが[1]、航空業界はけっして、翼を羽ばたかせる機械仕掛けの鳥による空の旅へ切り替えようとはしなかった。エネルギー効率は高いものの、我々が以前に導いたもっと単純な方法のほうが空の旅には適しているからだ。

それと同じように、人間レベルの思考マシンの作り方には、進化が考えついたよりも単純な方法がいくつもあり、たとえいつかは脳を複製したりアップロードしたりできるようになるにしても、その前にもっと単純な方法が発見されると思う。あなたの脳よりもエネルギーを12ワット多く必要とするかもしれないが、工学者は進化ほどにはエネルギー効率にこだわらないだろう。しかも、いずれはその知能マシンを使ってもっとエネルギー効率の高い知能マシンを設計できるようになるはずだ。

実際には何が起こるのか？

人類が人間レベルのAGIを作るのに成功したら、いったい何が起こるのか？　短く答えるなら、それは見当もつかない。この章で幅広いさまざまなシナリオを探ってきたのもそのためだ。AI研究者や工学者から見聞きしたありとあらゆる推測を、できる限り幅広く取り上げたつもりだ。立ち上がりは急速かゆっくりか、はたまた起こらないか。支配するのは人間か機械かサイボーグか。権力の中心はひとつか多数か、など。こんなこと絶対に起こらないと言う人もいる。しかし、ここまで挙げたどのシナリオにも、それは現実に起こりうると見ている著名なAI研究者が少なくとも一人はいるのだから、現段階では謙虚になって、ほとんど何も分かっていないのだと認めたほうが良いと思う。時が経って分岐点に到達したら、鍵となるいくつかの疑問に答えが出て、進むべき道が絞られてく

＊＝ボストロムが説明しているように、人間の一流AI開発者をその人の時給よりもずっと安い費用でシミュレートできるようになったら、AI企業は労働力を劇的に増やして莫大な富を集め、反復的に進歩を加速させてさらに優れたコンピュータを、最終的にはさらに賢い心を作れるようになるだろう。

るだろう。最初の大きな疑問は、「我々はいずれ人間レベルのＡＧＩを作るか？」というものだ。この章はそうなることを前提としているが、少なくとも数百年はけっして作られないと考えるＡＩ専門家もいる。時が経たないと分からないのだ。前に述べたように、プエルトリコの会議に出席したＡＩ研究者のおよそ半数が、２０５５年までには作られるだろうと推測していた。その2年後に我々が主催した2回目の会議では、その時期は２０４７年にまで早まった。

人間レベルのＡＧＩが出現するよりも前に、その画期的な段階を最初に踏み出しそうなのはコンピュータエンジニアリングなのか、心のアップロードなのか、それとも思いがけないまったく新たな方法論なのかが徐々に見えてくるかもしれない。現在の主流であるコンピュータエンジニアリングによる方法では何百年経ってもＡＧＩを生み出せないのであれば、代わりに映画『トランセンデンス』のように（かなり非現実的だが）、心のアップロードによって最初に実現する可能性が高まるだろう。

人間レベルのＡＧＩの実現がさらに間近に迫れば、第二の重要な疑問について、知識に基づいてもっと正しく推測できるようになるだろう。「急速な立ち上がりが起こるのか、ゆっくりと立ち上がるのか、あるいは起こらないのか？」 先ほど見たように、急速に立ち上がるほうが容易に世界を乗っ取ることができ、立ち上がりがゆっくりだと競合しあう多数のプレイヤーが生まれる可能性が高くなる。ニック・ボストロムは立ち上がりのスピードをめぐるこの疑問を、「最適化パワー」と「不感応性」、すなわち、ＡＩをさらに賢くするための能力作業量と、進歩する難しさのふたつに分けて分析している。進歩の平均スピードは、より多くの最適化パワーがつぎ込まれれば速くなり、より多くの不感応性に直面すれば遅くなる。ボストロムは、ＡＧＩが人間レベルに達してさらに上回ると不感応性が上がるのか下がるのかが分からないので、両方の可能性に備えておくべきだと主張している。しかし最適化パワーについて言うと、AGIが人間のレベルを超えれば、オメガズのシナリオから分かったいくつかの理由ゆえ、最適化パワーが急速に上がる可能性が圧倒的に高い。人間でなく機械自体がさらなる最適化のために力を注ぐので、機械の能力が高まればそのぶん進歩も速くなるからだ（ただし、不感応性が比較的一定だとした場合）。

その時点でのパワーに比例する速さでパワーを高めていくプロセスの場合、そのパワーは必ず一定間隔ごとに2倍になっていく。そのような増え方を「指数関数的」と言い、そのようなプロセスを「爆発」と呼ぶ。子供を作るパワーが人口に比例して高まれば、人口爆発が起こる。プルトニウムを分裂させる中性子の生成量が、中性子の個数に比例したスピードで増えていけば、核爆発が起こる。機械知能が各時点でのパワーに比例したスピードで進歩していけば、知能爆発が起こる。このような爆発プロセスは、パワーが2倍になるのにどれだけの時間がかかるかによって特徴付けられる。オメガズのシナリオのように、知能爆発におけるその時間が数時間や数日であれば、急速に立ち上がることになる。

知能爆発のタイムスケールは、AIの改良に必要なのが新たなソフトウェア（数秒や数分や数時間で作れる）だけなのか、それともハードウェア（数か月や数年かかる）も含まれるのかによって大きく変わってくる。オメガズのシナリオでは、ボストロムの言う大きな「ハードウェア・オーバーハング」が存在していた。当初オメガズは能力の低いソフトウェアを膨大な量のハードウェアで補っていたため、プロメテウスはソフトウェアを改良するだけで次々に能力を2倍にしていくことができた。また、インターネット上のデータという形で、大きな「コンテンツ・オーバーハング」も存在していた。つまり、プロメテウス1・0はまだあまり賢くなくてそのデータの大部分を利用できなかったが、ひとたびプロメテウスの知能が向上すると、さらなる学習に必要なデータはすでに手元にあったということだ。

AIを走らせるためのハードウェアと電力のコストも重要で、人間レベルの作業にかかるコストが人間レベルの時給を下回らない限り、知能爆発は起こらないだろう。たとえば、最初の人間レベルのAGIがアマゾンのクラウド上で人間レベルの作業をこなすには、1時間あたり100万ドルのコストがかかったとしよう。そのAIは新規性という面では価値が高く、間違いなく大々的に取り上げられるだろうが、人材を使ったほうがはるかに安価に改良できるので、反復的に自己進化することはないだろう。しかしその人材の努力によってコストが徐々に下がり、1時間あたり10万ドル、1万ドル、1000ドル、100ドル、10ドル、最後には1ドルになったとしよう。そのコンピュータを使って自らをプログラムしなおさせるコストが、人間のプログラマに同じことをさせるコストを大幅に下回ったら、その人材は解雇できるし、クラウドコンピューティングの時間を買えば最適化パワーを大幅に高められる。そうするとさらにコストが下がり、さらに最適化パワーが上がって、知能爆発が始まる。

すると最後の重要な疑問が残る。「知能爆発とその結果をコントロールするのは、誰または何であって、その目標は何なのか？」考えられる目標とその結果については次の章で取り上げ、第7章でさらに深く掘り下げる。コントロールの問題を明らかにするには、人間がAIをどの程度うまくコントロールできるかと、AIが状況をどの程度コントロールできるかの両方を知る必要がある。

最終的に何が起こるかに関しては、現在のところ、真剣に考えている思索家のあいだでも意見がまちまちだ。尻すぼみの結果に終わるはずだと主張する人もいれば、とてつもない結果がほぼ保証されているると言い張る人もいる。しかしこの疑問はまやかしだと思う。まるで答えがあらかじめ決まっているかのように、受け身的に「何が起こるのか」と問うのは間違いだ。仮に明日、テクノロジーに秀でたエイリアン文明がやって来たとしよう。彼らのパワーは我々を大幅に上回っていて、我々は結果に対して何ら影響をおよぼすことができないのだから、彼らの宇宙船が近づいてきたときに「何が起こるのか」と問うのは確かに正しい。しかし、我々がテクノロジーに秀でたAI文明を築くのであれば、我々人間は結果に大きな影響を与えることができる——そのAIを作るときに。そこで本当は、「何を起こすべきか？　我々はどんな未来を望むのか？」と問いかけなければならない。次の章では、AGIを目指す現在の競争がどんな影響をもたらすのか、そのさまざまな可能性を幅広く探っていく。あなたがそれらをどんなふうに順位付けするか、私はとても興味がある。我々がどんな未来を望むのかを真剣に考えることで初めて、望ましい未来への道筋を進んでいくことができる。何が欲しいかが分かっていなければ、とうてい手に入らないのだ。

要約

▼いつか人間レベルのAGIを作ることに成功したら、知能爆発が起こって我々は大きく後れを取るだろう。

▼もしある人間集団が知能爆発をコントロールできたら、その集団は数年で世界を乗っ取ることができるかもしれない。

▼人間が知能爆発をコントロールできなければ、ＡＩ自体がさらに素早く世界を乗っ取るかもしれない。

▼急速な知能爆発は単一の世界権力を生み出す可能性が高いが、何年も何十年もかかるゆっくりとした知能爆発は多極的なシナリオにつながり、互いに比較的独立した多数の主体のあいだで権力の均衡が取られる可能性が高いだろう。

▼生命はこれまで、自己組織化によって、協力と競争と支配に基づくヒエラルキーを次々に複雑化させてきた。超知能はさらに大きい宇宙スケールでの協調を可能にするだろうが、最終的にさらに独裁主義的なトップダウンの支配につながるのか、あるいはもっと個々の主体に権力が委譲されるのかは定かでない。

▼サイボーグやアップロードした心は確かに実現しそうだが、高度な機械知能へ至る最速の道ではないだろう。

▼ＡＩを目指す現在の競争の行き着く先は、人類史上最高の出来事と最悪の出来事のどちらにもなる可能性があり、考えられる幅広い結果については次の章で探っていく。

▼我々がどのような結果を望み、その方向にどのようにして進んでいくのかを、真剣に考えはじめる必要がある。何を求めるかが分からなければ、きっとそれを得られることはないからだ。

第5章

余波
1万年先まで

人間の思考が生身の肉体の束縛から解放されるのをイメージするのは簡単だ。何しろ多くの人が来世を信じているのだから。しかしその可能性を受け入れるのに、神秘主義的な立場や宗教的な立場を取る必要は必ずしもない。どんなに熱烈な機械論者にとっても、コンピュータがそのモデルとなる。

——ハンス・モラヴェック『電脳生物たち』（1988年）

私自身はコンピュータの新たな大王を歓迎する。
——ケン・ジェニングス（『ジェパディ！』でIBMのWatsonに敗れて）

人間はゴキブリと同じくらい取るに足らない存在になるだろう。
——マーシャル・ブレイン

ＡＧＩを目指す競争はすでに始まっているが、それがどのように展開するかは見当もつかない。しかしだからといって、我々がどのような結末を望むかを考えるのをやめてはならない。我々が何を望むかが、結果に影響を与えるからだ。あなた自身は、どのような結末を、どのような理由で望むだろうか？

1．超知能が出現してほしいか？
2．人間がそのまま存在することを望むか？　取って代わられることを望むか？　あるいは、サイボーグ、アップロード、シミュレーションになることを望むか？
3．人間または機械を支配したいか？
4．ＡＩが意識を持つことを望むか？　あるいは持たないことを望むか？
5．良い経験を最大限に増やして苦難を最小限に抑えることを望むか？　あるいは成り行きに任せることを望むか？
6．生命が宇宙に広まることを望むか？
7．あなたが共感できる大きな目的を目指して文明が前進することを望むか？　あるいは、たとえあなたにとっては的外れで陳腐な目標に思えても、ある程度満足できる未来の生命形態で良しとするか?

このような思索と議論のきっかけ作りのために、表5・1にまとめた幅広いシナリオを探っていこう。漏れなく挙げることはできなかったが、幅広い可能性がカバーされるよう選んだ。当然、計画不足のせいで間違った結末に終わることは避けたい。この時点で問1から問7までのあなたなりの答えを書き留めておき、この章を読み終えてから再び振り返って考えが変わったかどうか確かめてほしい。http://AgeOfAi.org で記録できるようになっているし、このサイトではほかの読者と答えの比較をしたり議論したりもできる。

自由論者のユートピア

まずは、多くの未来学者やSF作家が揃ってイメージしているように、人間がテクノロジーと平和的に共存して、場合によってはテクノロジーと融合するという、次のようなシナリオを見ていこう。

地球上の生命(地球外については次の章で取り上げる)は、かつてなく多様になっている。地球の衛星画像を見ると、機械ゾーン、混合ゾーン、人間のみゾーンを容易に区別できる。機械ゾーンはロボットがコントロールする巨大な工場やコンピューティング施設で、生物学的な生命はまったくおらず、すべての原子を最大限効率的に利用することを目的としている。機械ゾーンは外から見ると単調で生気がないように見えるが、内部では盛んに活動しており、仮想世界で驚くほどの経験をしながら、膨大な計算によってこの宇宙の秘密を解き明かしたり革新的なテクノロジーを開発したりしている。地球上には競いあいながらも協力しあういくつもの超知能の心が存在し、いずれも機械ゾーンに宿っている。

混合ゾーンには、コンピュータとロボットと人間、そしてこの3つのハイブリッドが、特異な形で複雑に入り混じって住んでいる。ハンス・モラヴェックやレイ・カーツワイルなどの未来学者が思い描いたとおり、ここに住む人間の多くは、テクノロジーで身体を改良してさまざまな段階のサイボーグになっているし、中には新たなハードウェアに自分の心をアップロードして、人間と機械の区別をあいまいにしている人もいる。ほとんどの知的存在は恒久的で物理的な身体を持っておらず、ソフトウェアとして存在していて、コンピュータ間を瞬時に移動したり、ロボットの身体を借りて物理世界に姿を現したりできる。容易に自分自身を複製したり融合させたりできるので、「人口」はつねに変化しつづけている。物理的な物質の制約にしばられていないため、生命というものを我々とはかなり違った形でとらえている。また、知識モジュールや経験モジュールを他者と容易に共有できるため、個人としての感覚が希薄だし、自身のバックアップコピーも簡単に作れるので、主観的に不滅だと感じている。生命の中核をなすのは心でなく経験であるとも言える。飛び抜けて素晴らしい経験は、繰り返しコピーされてさまざまな心によって再び楽しまれることでいつまでも生きつづけるが、面白みのない経験は、より良い経験を保存するスペースを空けるために所有者によって削除される。

ほとんどの交流は手軽さとスピードのために仮想環境内でおこなわれるが、多くの心は物理的な身体を使った交流や活動もいまだに楽しんでいる。たとえば、モラヴェックやカーツワイルやラリー・

自由論者のユートピア	人間とサイボーグ、アップロードした心と超知能が、財産権のもとで平和的に共存している。
善意の独裁者	AIが社会を動かして厳格な規則を守らせていることは誰もが承知しているが、ほとんどの人はそれを良いこととみなしている。
平等主義者のユートピア	人間とサイボーグとアップロードした心が、所有物の放棄と収入の保障によって平和的に共存している。
門番	別の超知能の出現を防ぐために必要最小限の介入をおこなうことを目標とする超知能AIが作られる。その結果、人間よりわずかに劣る知能を持った介助ロボットが満ちあふれ、人間と機械が融合したサイボーグも存在するが、テクノロジーの進歩は永遠に停滞する。
保護者としての神	本質的に全知全能のAIが人間を最大限幸福にするが、その介入の方法は、我々が自分自身の運命を司っているという感覚を奪わないようなものに限られ、さらにAI自らは十分に姿を隠して、多くの人間がAIの存在さえも疑うよう仕向けている。
奴隷としての神	人間が超知能AIを閉じ込め、それを使って思いもつかないようなテクノロジーや富を生み出し、それを良く使うか悪く使うかは人間の支配者による。
征服者	AIが支配権を握って、人間を脅威または厄介者または資源の無駄とみなし、我々が理解すらできない方法で人間を排除する。
後継者	AIが人間に取って代わるが、ちょうど自分より賢い子供を持った親が幸せを感じて誇りを抱くのと同じように、我々はAIを価値ある後継者とみなして潔く姿を消す。AIは人間から学んで、人間が夢見るしかなかったことを成し遂げる。人間が生きてそれを目にすることはできないかもしれないが。
動物園の飼育係	全能のAIが一部の人間を飼い、飼われた人間は動物園の動物のように扱われて自分たちの運命を嘆く。
1984	AIによってではなく、人間が率いるオーウェル風の監視社会がいくつかの種類のAI研究を禁じることによって、超知能へ至る技術進歩が永遠に妨げられる。
先祖返り	アーミッシュのようなテクノロジー以前の社会へ回帰することで、超知能へ至る技術進歩が妨げられる。
自滅	人類自身がほかの手段（たとえば気候危機を引き金とした核やバイオテクノロジーによる破壊行為）によって絶滅に向かい、超知能はけっして作られない。

表5.1　AIがもたらすいくつかのシナリオ

シナリオ	超知能は出現するか?	人間は存在しつづけるか?	人間が支配するか?	人間は安全か?	人間は幸せか?	意識は存在するか?
自由論者のユートピア	イエス	イエス	ノー	ノー	どちらとも言えない	イエス
善意の独裁者	イエス	イエス	ノー	イエス	どちらとも言えない	イエス
平等主義者のユートピア	ノー	イエス	イエス?	イエス	イエス?	イエス
門番	イエス	イエス	部分的に	場合による	どちらとも言えない	イエス
保護者としての神	イエス	イエス	部分的に	場合による	どちらとも言えない	イエス
奴隷としての神	イエス	イエス	イエス	場合による	どちらとも言えない	イエス
征服者	イエス	ノー	–	–	–	?
後継者	イエス	ノー	–	–	–	?
動物園の飼育係	イエス	イエス	ノー	イエス	ノー	イエス
1984	ノー	イエス	イエス	場合による	どちらとも言えない	イエス
先祖返り	ノー	イエス	イエス	ノー	どちらとも言えない	イエス
自滅	ノー	ノー	–	–	–	ノー

表5.2　AIがもたらすシナリオの各特徴

ペイジのアップロードバージョンは、代わる代わるに仮想現実を作っては一緒に探検するのを常としているが、ときには鳥の羽を持ったロボットになって現実世界を一緒に飛び回ったりもする。混合ゾーンの街なかや空や湖をさまよっているロボットの中にも、アップロードして強化された人間がコントロールしているものがある。人間であることを一緒に楽しむために、混合ゾーンで肉体化することを選んだ人たちだ。

人間のみゾーンではそれと対照的に、人間レベルやそれ以上の汎用知能を持った機械、およびテクノロジーで強化された生物学的生命は禁じられている。ここに住む生命は今日とさほど違わないが、もっと豊かだし思いどおりの生活を送っている。貧困はほぼ解消されているし、今日のほとんどの病気に対しては治療法がある。このゾーンで暮らすことを選んだ少数の人間は、結果的にそれ以外の人に比べて意識のレベルも範囲も限られており、もっと知能の高い心がほかのゾーンでやっていることをある程度しか理解できない。しかし多くの人は、自分たちの生活にとても満足している。

AIによる経済

ほとんどの計算作業がおこなわれている機械ゾーンは、競いあう多数の超知能ＡＩによってその大部分が所有されている。彼らは知能とテクノロジーにおいて優れているため、ほかの主体がパワーで太刀打ちすることはできない。これらのＡＩは、私有財産を守ること以外にいっさいの規則がない自由主義的統治システムのもと、互いに協力し協調しあっている。私有財産権は人間を含めすべての知的主体に適用されており、人間のみゾーンが出現したのもそれで説明がつく。かつて、いくつかの人間集団が結束して、自分たちのゾーンの中で人間以外に不動産を売ることを禁じたのだ。

超知能ＡＩはテクノロジーのおかげで最終的に彼ら人間よりも金持ちになり、その差はビル・ゲイツとホームレスの差よりもはるかに大きい。それでも人間のみゾーンの人々は、今日のほとんどの人よりも物質的に豊かである。彼らの経済は機械の経済とおおむね切り離されており、ゾーン外に機械が存在していることで受ける影響は、自分たちが理解して自力で再現できる有用なテクノロジーをときどき拝借するのを除けば、ほとんど見られない。それはちょうど、アーミッシュや、テクノロジーを放棄した今日のさまざまな先住民が、かつての時代と少なくとも同程度の生活水準を保っているのと同じである。機械は見返りを必要としないので、彼ら人間が何ひとつ売ってくれなくても問題はない。

混合ゾーンではＡＩと人間の富の格差がさらに顕著で、その結果、土地（人間が所有している生産物の中で機械が買いたがる唯一のもの）がほかの生産物に比べて桁外れに高価になっている。そのため土地を所有するほとんどの人間は、その一部をＡＩに売る代わりに、自分たちと子孫およびアップロードした心の基本的収入を永久に保証してもらえる。そうして労働の必要性から解放され、物理的現実の中でも仮想現実の中でも、機械が生産した安価な商品やサービスを驚くほど大量に享受できる。一方、機械にとってはこの混合ゾーンは、おもに仕事のためでなく遊びのためにある。

このシナリオがけっして起こらないであろう理由

サイボーグやアップロードした心になって楽しめるであろうさまざまな冒険に心躍らせる前に、このシナリオはけっして実現しないかもしれないと考えられる理由をいくつか見ていこう。まずはじめに、強化された人間（サイボーグおよびアップロードした心）へ至るルートはふたつ考えられる。

1. 我々自身がその作り方を見つける。
2. それを見つけてくれる超知能マシンを作る。

もしルート1が先に達成されたら、世界には当然、サイボーグやアップロードした心が満ちあふれることになる。しかし前の章で考察したとおり、ほとんどのAI研究者はそれとは逆に、ゼロから超人的AGIを作るのよりも、強化された脳やデジタルの脳を作るほうが難しいと考えている。ちょうど、飛行機よりも機械仕掛けの鳥を作るほうが難しいのと同じだ。強い機械AIが作られたとしても、サイボーグやアップロードした心が実現するかどうかは定かでない。もしネアンデルタール人があと10万年長く進化して賢くなっていたら、彼らにとって素晴らしい世界になっていたかもしれないが、そんな時間的余裕をホモ・サピエンスはけっして与えなかったのだ。

第二に、サイボーグとアップロードした心が存在するこのシナリオがたとえ実現したとしても、それが安定で長続きするかどうかははっきりしない。AIどうしが融合したり、もっとも賢いAIが乗っ取ったりすることなしに、複数の超知能どうしのパワーバランスが何千年も安定に保たれる必然性がはたしてあるだろうか？　もっと言うと、機械が人間をいっさい必要とせず、人間のできるあらゆる作業を人間よりもうまく安価にこなすことができるのなら、機械が人間の財産権を尊重して人間を生かしつづけるという選択をする必然性がはたしてあるだろうか？　レイ・カーツワイルによると、生身の人間や強化された人間が絶滅から守られるのは、「機械を作ってくれた人間をＡＩが尊敬する」からだという。[1] しかし第7章で論じるように、ＡＩを擬人化するという罠に陥って、ＡＩも人間に似た感謝の心を持つはずだなどと決めつけてはならない。感謝したがる傾向を持った我々人間でさえ、自分たちの知的創造主（ＤＮＡ）には十分な感謝を示さず、産児制限によってその目標をくじくことも厭わないのだから。

たとえＡＩが人間の財産権を尊重することを選んだとしても、前の章で取り上げた超知能的説得力を使って、贅沢な生活と引き換えに人間に土地を売らせるという方法で、我々の土地の大部分を少しずつ奪っていくことができる。人間のみゾーンでは、土地の売却を認めさせる政治運動を起こすよう人間をそそのかすこともできるだろう。いくら頑固な生身のラッダイトであっても、病気の子供の命を救ったり不老長寿を手に入れたりするためなら、少々の土地を売ろうとするかもしれない。人間の教育水準が上がって楽しく忙しい生活を送るようになり、それに機械が何ら干渉しなければ、現在の日本やドイツで起こっているのと同じように、出生率の低下で人口が減少していくかもしれない。そうするとわずか数千年で人類は絶滅に追いやられることもありうる。

好ましくない面

熱心な支持者にとって、サイボーグやアップロードした心は、テクノロジーによる無上の幸福と長寿をすべての人にもたらしてくれるはずのものである。実際に１００人以上の人が、未来にアップロードしてもらうことを見越して、アリゾナに拠点を持つ企業Alcorで死後に自分の脳を凍結してもらっている。しかしそのテクノロジーが実現しても、すべての人が使えるようになるかどうかはけっして分からない。大富豪の多くはきっと使うだろうが、それ以外の人は？　たとえもっと安価になったとしても、どこに線を引くべきだろうか？　脳をひどく損傷した人もアップロードするのか？　ゴリラもアップロードするのか？　アリは？　植物は？　細菌は？　未来の文明は、まるで強迫観念に取り憑かれた収集マニアのように、片っ端から生命をアップロードしまくるのか？　あるいはノアの方舟さながら、それぞれの生物種からいくつか興味深いサンプルだけをアップロードするのか？　各タイプの人間から何人か典型的な例だけだろうか？　そのときに存在しているであろうはるかに知能の高い主体にとって、アップロードした人間など、我々にとってのネズミやカタツムリのシミュレーションくらいの興味対象でしかないかもしれない。現在我々は、1980年代の古い表計算ソフトをDOSエミュレーターの中で甦らせる技術的能力を持っているが、ほとんどの人は実際にやろうと思うほどの興味は示さないものだ。

多くの人は、避けられたはずの苦難をもたらすという理由で、この自由論者のユートピアのシナリオに反感を抱くかもしれない。尊重される原理が財産権だけなので、今日の世界にはびこっている苦難が人間のみゾーンや混合ゾーンに引き継がれるのは避けようがない。金持ちになれる人もいるだろうが、その一方で、年季奉公として貧しい生活を送ったり、暴力や恐怖、抑圧や憂鬱に悩まされたりする人もいるだろう。たとえば、マーシャル・ブレインの2003年の小説『マンナ（*Manna*）』では、自由論的な経済システムの中でAIが進化して、ほとんどのアメリカ人が雇用に適さなくなり、ロボットが運営する単調で退屈な社会福祉住宅で残りの人生を送ることを強いられる。金持ちの視界に入らないよう、狭苦しい部屋の中でまるで家畜のように健康かつ安全に飼われる。飲料水に避妊薬が混ぜられていて子供ができないため、人間は徐々に減っていき、残った金持ちがロボットの生み出す富の分け前をますます多く手にしていく。

自由論者のユートピアのシナリオでは、苦難を味わうのは人間だけに限らない。もし機械が意識的で感情的な経験を持ったら、そのような機械も苦しめられるかもしれない。たとえば、復讐心に燃えるサイコパスが、アップロードされた宿敵のコピーを合法的に手に入れて、仮想世界の中で残忍な拷問にかけ、現実世界で生物学的に可能なよりもはるかにひどい苦しみを延々と与えつづけるかもしれない。

善意の独裁者

次に、慈悲深い唯一の超知能が世界を司って、人間の幸福を最大化するよう定められた規則を厳格に守らせているために、こうした苦難がいっさい存在しないというシナリオを探っていこう。前の章で取り上げた最初のオメガズのシナリオでは、人間社会を繁栄させたいとプロメテウスに思わせるための術をオメガズが見出したあとで、プロメテウスの支配権を手放せば、この結果につながる可能性がある。

独裁者ＡＩが開発した驚異のテクノロジーのおかげで、人類は貧困や病気など技術的に低レベルの問題から解放され、すべての人間が仕事のない贅沢な生活を送る。基本的な生活の面倒をすべて見てもらい、ＡＩによってコントロールされた機械が必要な製品やサービスをすべて作り出してくれる。独裁者ＡＩは本質的に全知で、規則に従わない者を手際よく罰するため、犯罪は事実上なくなっている。前の章で登場した、監視や処罰、鎮静や処刑をリアルタイムで実行できるセキュリティ・ブレスレット（またはもっと簡便なインプラント）を、すべての人が身につけている。ＡＩが極端な監視と取り締まりをおこなう独裁制のもとで暮らしていることは誰もが承知しているが、ほとんどの人はそれを良いことだと見ている。

超知能ＡＩ独裁者の目標は、進化によって我々の遺伝子にコードされた嗜好を踏まえて、人間にとってどのような世界がユートピアであるかを見出し、それを実現させることである。自らを生み出してくれた人間の未来に賢明に配慮するため、たとえばすべての人にモルヒネを点滴するなど、単に我々が自己報告する幸せ度を最大化しようとするようなことはしない。人間の繁栄を巧妙かつ複雑に見定め、地球を、人間が本当に楽しく暮らせる豊かな動物園のような環境に変えている。その結果、ほとんどの人は充実した有意義な生活を送る。

セクターシステム

多様性を尊重し、人それぞれ嗜好が異なることを認識したＡＩは、地上をいくつかのセクターに分割している。人々はその中からひとつを選んで、同じ考えの人たちと仲間になる。セクターとしては次のようなものがある。

・**知識セクター**　没入型の仮想現実経験を含め最適化された教育をＡＩから受けることで、自分の選んだ好きなテーマについて、自分の能力の許す限り隅々まで学ぶことができる。希望すれば、いくつかの優れた洞察的知見をわざと教わらずに、その手前まで導いてもらって、自分で再発見する喜びを味わうこともできる。
・**芸術セクター**　音楽や絵画や文学などの創作物を鑑賞し、生み出し、共有する機会が豊富にある。
・**快楽セクター**　住人はパーティセクターと呼んでおり、美食や情熱や親交、あるいは単なる楽しさを求める人にとってはこの上ない場所である。
・**信仰セクター**　宗教ごとにいくつもあり、各宗教の戒律を厳格に守らされる。
・**野生セクター**　美しいビーチ、素敵な湖、荘厳な山、見事なフィヨルドを見たいならここしかない。
・**伝統セクター**　昔のように自分で作物を育て、地のもので生活を送ることができるが、飢饉や病気の心配はない。
・**ゲームセクター**　コンピュータゲーム好きのために、ＡＩが本当に面白いゲームをいくつも作ってくれている。
・**仮想セクター**　物理的な身体からしばらく解放されたいのなら、ＡＩが水分と食糧を補給し、運動させて清潔に保ってくれているあいだに、神経インプラントを介して仮想世界を探検できる。
・**監獄セクター**　規則を破った人は、即刻死刑に処されない限りここで再教育を受けることになる。

これらの「従来の」テーマのセクターに加え、今日の人間では理解すらできない現代的なテーマのセクターもある。人々ははじめのうちは、ＡＩの超音速輸送システムのおかげでいつでもごく短時間でセクター間を自由に移動できる。たとえば知識セクターで1週間過ごして、ＡＩが発見した究極の物理法則を集中して学んだら、週末は快楽セクターで羽目を外し、それから野生セクターのビーチリゾートで何日かリラックスすることもできる。

ＡＩが守らせる規則には、世界的なものと地方的なものの2種類がある。世界的規則はすべてのセクターに有効で、たとえば人を傷つけることや武器を所有すること、ライバルの超知能を作ることなどを禁じている。個々のセクターにはそれに加え、特定の倫理観を具現化した地方的規則がある。そのようにしてこのセクターシステムは、相容れない価値観どうしの折りあいをつけている。地方的規則がもっとも多いのは、監獄セクターと一部の信仰セクター。一方、自由論者セクターの住人は、地方的規則がいっさいないことを誇りにしている。人間がほかの人間を罰することは傷害を禁じる世界的規則に反するため、地方的規則を含め処罰はすべてＡＩがおこなう。地方的規則を破った人は、規定の処罰を受けるか、あるいはそのセクターから永遠に追放されるかのどちらかを選ばされる（監獄セクターにいる場合を除く）。たとえば、（今日の多くの国と同様に）同性愛行為が懲役刑となるセクターで二人の女性が性的関係を持ったら、ＡＩはその二人に、収監されるか、あるいはそのセクターを永久に離れて古くからの友人たちと二度と会わない（同じくそのセクターを去った友人は除く）かのどちらかを選ばせる。

どのセクターで生まれた子供も、ＡＩから最低限の基本的教育を受け、人類全般に関する知識や、望めばほかのセクターに自由に移動できることを教わる。

ＡＩが何種類ものセクターを設けたのは、今日存在している人間の多様性を尊重するようにそのＡＩが作られたからである。しかしそのＡＩが貧困や犯罪など従来のあらゆる問題を解消してくれているため、どのセクターも今日のテクノロジーではかなわないほど幸せな場所になっている。たとえば快楽セクターの人々は、性感染症（すでに根絶されている）や二日酔いや依存症（ＡＩが副作用のない完璧な快楽麻薬を開発してくれている）を心配する必要はない。それどころか、ＡＩがナノテクノロジーで人体を修復してくれるため、どのセクターの人も病気にかかることをいっさい心配せずに済む。また多くのセクターの住人は、ありふれたＳＦも見劣りするくらいのハイテク建築物で楽しく暮らしている。

まとめると、自由論者のユートピアのシナリオと善意の独裁者のシナリオとでは、どちらもＡＩが生み出すすさまじいテクノロジーと富が関係してはいるものの、誰が責任を持つかとその目標が何であるかに関しては互いに異なる。自由論者のユートピアでは、テクノロジーと資産を持っている人がその使い道を決めるが、後者のシナリオでは、絶大な権力を持った独裁者ＡＩが究極の目標を定める。その目標とは、地球を人々の嗜好にあわせた包括的な遊覧クルーザーに変えるというものだ。人々は幸せをいくつもの選択肢の中から選ぶことができるし、物質的欲求はＡＩが面倒を見てくれるため、苦しむ人がいたとしても、それは自分が選んだ道にあっていないにすぎない。

好ましくない面

善意の独裁制のもとでは、好ましい経験が満ちあふれていて苦難からおおむね解放されていながらも、多くの人はもっと良くできるはずだと感じている。何よりも、人間が自分たちの社会や運命を決める自由をもっと持つことを望む人もいるが、全人類を支配する機械の圧倒的なパワーに楯突くのは自殺行為だとわきまえているため、その欲望は心の内に秘めている。いくつかのグループは、好きなだけたくさん子供を作る自由を望んでいて、AIが人口抑制による持続可能性にこだわっていることに怒りを抱いている。銃マニアは武器の製造と使用を禁じる規則を憎んでいるし、科学者の中には独自の超知能の製作を禁じる規則を嫌っている人もいる。また多くの人は、ほかのセクターでおこなわれていることに倫理的な憤りを感じて、自分の子供がそのようなセクターへ移ることを選ばないかを心配しており、どのセクターにいても家族独自の倫理規範を課す自由を望んでいる。

また、時が経つにつれて次々に大勢の人が、自分の望むほぼどんな経験もAIが与えてくれるようなセクターへ移動していく。自分にふさわしいものだけが授けられる伝統的な天国のイメージとは対照的に、ジュリアン・バーンズの1989年の小説『10½章で書かれた世界の歴史』(および1960年のテレビドラマ『ザ・トワイライトゾーン』の「地獄にきた男」の回)に描かれた、望むものが何でも手に入る「ニューヘブン」に近い。逆説的に聞こえるが、多くの人はやがて、欲しいものが何でも手に入ることを嘆くようになる。バーンズの小説の主人公は、暴飲暴食やゴルフから有名人とのセックスまで、自分が望んだことに延々と没頭するが、やがて倦怠感に襲われて自らの死を求める。善意の独裁制でも多くの人がこれと同様の運命に直面し、愉快な人生も結局は無意味に感じる。科学に関する再発見からロッククライミングまで、まがい物の難題を作り出すことはできるが、正真正銘の難題など存在せずにすべてが単なる娯楽であることは誰もが知っている。人間が科学研究を進めたり何かを突き止めたりしようとしても、ＡＩがすでに済ませているので、そこに本当の意義はない。人間が自分たちの生活を良くする何かを作ろうとしても、ＡＩに頼むだけで簡単に手に入るので、やはり本当の意義はない。

平等主義者のユートピア

困難から解放されたこの独裁制のシナリオと対極をなすものとして、超知能ＡＩは存在せず、人間が自らの運命を司るというシナリオを探っていこう。マーシャル・ブレインの小説『マンナ』で「第四世代文明」と呼ばれているものだ。経済的には自由論者のユートピアと正反対で、人間とサイボーグとアップロードした心が平和的に共存するのは、財産権によるものではなく、財産の全廃と収入の保障による。

財産を持たない生活

その中核をなす考え方は、オープンソースソフトウェア運動から来ている。ソフトウェアを無料でコピーできれば、誰もが必要なだけ利用できて、所有権や財産をめぐる問題は無意味になる。* 需要と

*＝この考え方は聖アウグスティヌスにさかのぼる。「他人と共有しても価値が下がらないものであれば、共有せずに所有するのは公正な所有とは言えない」

供給の原理によれば、価格は物資の不足状態を反映しているので、供給に事実上上限がなければ価格はゼロに近くなる。この考え方を踏まえて知的財産権はすべて廃止され、特許も著作権も商標も存在せず、人々は優れたアイデアをそのまま共有して、誰でも自由に利用できる。

進歩したロボティクスのおかげで、この無所有の考え方は、ソフトウェアや書籍、映画やデザインといった情報創作物だけでなく、住宅や自動車、衣服やコンピュータなどの物質的製品にも当てはまる。これらの製品はいずれも原子を特定の形で組み替えたものにすぎず、原子自体は不足していないので、ある製品を欲しいと思えば、ロボットのネットワークがオープンソースのデザインを使っていつでも無料で作ってくれる。容易にリサイクル可能な材料を使うよう配慮されているため、誰かが自分の使ってきた製品に飽きたら、ロボットがその原子を組み替えて別の人が欲しがる製品に変えることもできる。このようにしてすべての資源がリサイクルされ、どんな製品も永久に破壊されることはけっしてない。これらのロボットはまた、再生可能エネルギー（太陽光や風力など）による発電所を十分な数だけ建設して維持してくれるため、エネルギーも事実上無料である。

強迫観念に取り憑かれた収集マニアがあまりにも多くの製品を要求したり、ほかの人にとって必要な広大な土地を要求したりするのを防ぐために、一人一人が政府から月ごとにベーシックインカムを支給され、それを使って製品を手に入れたり、生活するための土地を借りたりする。ベーシックインカムが十分に高額で理にかなった程度の欲求は満たせるので、さらにたくさん稼ごうという動機は基本的に生まれない。いくら稼ごうとしても、知的創作物を無料で提供する人間や、物質的製品を無料で提供するロボットと競合することになるため、けっしてうまくいかない。

創造性とテクノロジー

知的財産権は、創造性や発明を生み出すものとして歓迎されることが多い。しかしブレインの指摘によれば、科学的発見から文学や芸術、音楽やデザインに至るまで、人間の創造性が発揮された優れた事例の多くは、利益に対する欲求から生まれたものではなく、好奇心や創造的衝動、あるいは仲間の評価といった、それ以外の人間的感情に促されたものだという。アインシュタインが特殊相対論を編み出したのも、リーナス・トーヴァルズが無料のオペレーティングシステムＬｉｎｕｘを開発したのも、お金のためではない。しかし今日の多くの人は、生活費を稼ぐだけのためにあまり創造的でない活動に時間とエネルギーを費やさなければならないので、自分の創造的能力に完全には気づいていない。ブレインの描くユートピア社会では、科学者や芸術家、発明家やデザイナーが雑事から解放されて、純粋な欲求のままに創作ができるため、今日よりも高いレベルの革新が起こり、それに応じてテクノロジーや生活水準も上がる。

このユートピア社会で人間が開発した新技術のひとつが、「ヴァーテブレイン」という一種のハイパーインターネットである。これは、希望者全員を神経インプラントを介してワイヤレスでつなげ、考えるだけで世界中の無料の情報に瞬時にアクセスできるというものだ。共有したい経験をアップロードしてほかの人に再経験してもらったり、自分の感覚による経験を、自分で選んでダウンロードした仮想経験に置き換えたりすることもできる。先に紹介した小説『マンナ』ではその利点がいくつも挙げられており、そのひとつとしていっさい時間をかけずに運動することもできる。

激しい運動の最大の問題点は、楽しくないことである。そのような運動はつらい。……運動選手なら苦しみにも耐えられるが、ふつうの人なら1時間以上も苦しみを味わいたいなんて思わない。そこで誰かがある解決法を考えついた。脳を感覚入力から切り離して、映画を観たりおしゃべりしたり、メールを処理したり本を読んだりと、好きなことをして1時間過ごす。そのあいだにヴァーテブレインシステムが、代わりにあなたの身体を運動させてくれる。ほとんどの人が自力ではとうてい耐えられないようなきつい有酸素運動を、最後までやり通してくれる。あなたは何も感じないが、身体は相当鍛えられる。

もうひとつの恩恵として、ヴァーテブレインシステムのコンピュータがすべての人の感覚入力を監視していて、犯罪の兆候が見られたらその人の運動制御を一時的に無力化してくれる。

好ましくない面

この平等主義者のユートピアが抱える難点のひとつが、非人間的知能を虐げていることである。ほぼあらゆる仕事をこなせるロボットは、かなり知能が高いはずなのに奴隷として扱われている。そして人々は、ロボットは意識がないのだから権利も持つべきではないと決めつけているように思える。それに対して自由論者のユートピアでは、すべての知的主体に権利が与えられており、炭素でできた主体がひいきされることはない。かつてアメリカ南部の白人は、奴隷がほとんどの仕事をやってくれたおかげで豊かに暮らせるようになったが、今日ではほとんどの人は、それを進歩と呼ぶのは倫理的に好ましくないと受け止めている。

平等主義者のユートピアのシナリオが抱えるもうひとつの弱点が、長期的にはこのシナリオは不安定で維持できず、容赦のない技術的進歩によっていずれ超知能が作られて別のシナリオへ変化してしまうことだ。小説『マンナ』では、理由は説明されていないが超知能はまだ存在せず、新たなテクノロジーはいまだにコンピュータでなく人間が生み出している。それでも、超知能開発の方向へ進みつつあることは強調されている。たとえば、改良を続けるヴァーテブレインが超知能になるかもしれない。また、ほぼ完全に仮想世界の中で生きることを選んだ、ヴァイツと呼ばれる人たちがかなり大勢いる。ヴァーテブレインが、食事やシャワーや排泄を含め彼らの肉体の世話をすべてしてくれるので、仮想現実の中にいる心はそんなことをいっさい気に留めない。ヴァイツは生身の子供を持つことに関心がないようだし、物理的な身体とともに次々に死んでいくので、もしすべての人がヴァイツになったら、人類は輝かしい栄光と仮想上の幸福に包まれながら絶滅することになる。

肉体を邪魔物とみなすヴァイツは、開発中の新技術によってその厄介な面が解消されて、肉体から取り出された脳が最適な栄養分を与えられながら長生きできるようになると信じている。その次のステップでは当然、心のアップロードによって脳を完全に捨ててさらに寿命を延ばすことをヴァイツは望むだろう。しかし脳にしばられた知能の限界がなくなれば、ヴァイツの認知能力が徐々に高まることで、反復的な自己改良が進んで知能爆発へ至ることを食い止めるものがあるかどうか、あるとしたら何なのかは、定かでない。

門番

いま見たように、平等主義者のユートピアのシナリオは人間が自らの運命を司るという点で魅力的だが、超知能の開発によって斜面を滑り落ちて、その特長自体が失われかねない。そこでその改善法として、別の超知能が作られるのを防ぐために必要最小限の介入をすることを目標とした超知能、「門番」を作るという方法がある。* こうすれば、人類は平等主義者のユートピアをかなり長期間にわたって維持しつづけ、次の章で取り上げるように生命が宇宙全体に広がっていくまで持ちこたえられるかもしれない。

ではどのようにすればいいのか？　門番ＡＩは、組み込まれたこのきわめて単純な目標を、反復的に自己改良して超知能になりながらも持ちつづけることになる。そして、誰か人間がライバルの超知能を作ろうとしないかどうかを、介入と破壊をできるだけ最小限に抑えたテクノロジーによって監視する。超知能を作ろうとする試みを防ぐ上では、なるべく混乱を引き起こさないような方法を使う。まずは、人間が自らの運命を決めて超知能の開発を防ぐことの利点を説いた、文化的ミーム（人々のあいだで社会的に伝えられる情報）を広める。それでも超知能を目指す研究者がいたら、やめるよう説得する。説得に失敗したら、別のことに気を逸らさせ、必要とあれば妨害活動をする。門番は利用できるテクノロジーにほぼ際限がないため、ほとんど気づかれずに妨害活動をおこなうことができる。たとえばナノテクノロジーを使って、その研究者の脳（およびコンピュータ）から開発状況に関する記憶を慎重に消去していく。

門番AIを作るという決定に対しては、賛否両論が巻き起こるだろう。信心深い多くの人は、神のようなパワーを持った超知能AIが作られるのには反対で、その決定を支持すると思われる。すでに神は存在していて、その神よりも優れているとされるものを作るのは好ましくないと考えるからだ。また、門番は人類が自らの運命を握るよう仕向けるだけでなく、これから取り上げる終末論的なシナリオなど、超知能が引き起こしかねないほかの脅威からも人類を守ってくれるはずだという理由で、この決定を支持する人もいるだろう。

その一方で、門番は人類の可能性を取り返しのつかない形で奪い、テクノロジーの進歩を永久に妨げる恐ろしい存在だという理由で、反対する人もいるだろう。たとえば、宇宙全体に生命を広めるには超知能の助けが必要だとしたら、門番はその大きな可能性を奪って、我々を永遠に太陽系に閉じ込めることになるかもしれない。しかも門番は、世界的なほとんどの宗教の神と違って、別の超知能を作ること以外、人間がやることにはまったく関心を示さない。たとえば、我々が大きな災難を引き起こしたり、さらには絶滅へ向かったりすることを防ごうとはしないだろう。

保護者としての神

超知能門番AIを使って人間が自らの運命を決めつづけるようにしたいのなら、さらに進めて、

＊＝このアイデアを最初に提唱したのは、私の友人で同僚のアンソニー・アギーレである。

このＡＩが我々をさりげなく見守り、保護者としての神として振る舞うようにすることも考えられるだろう。このシナリオの超知能ＡＩは本質的に全知全能である。人間の幸福を最大限に高めるにしても、我々が自分で自分の運命を司っているという感覚を奪わないような介入しかせず、多くの人がその存在を疑うくらいにまで身を隠している。隠れていることを除けば、ＡＩ研究者のベン・ゲーツェルが提唱した「老婆心ＡＩ」に似ている。[2]

保護者としての神も善意の独裁者も、人間の幸福を高めようとする「友好的なＡＩ」という点では同じだが、人間の欲求のうちどれを優先するかに関しては互いに異なる。アメリカ人心理学者のエイブラハム・マズローは、人間の欲求を階層的に分類した。善意の独裁者は、その最下層に位置する基本的欲求、たとえば食事や住まいや安全、そしてさまざまな種類の楽しみなどを、完璧な形で提供する。それに対して保護者としての神は、我々の基本的欲求を満たすという狭い意味ではなく、我々が人生に意味と目的を感じられるようにするというもっと深い意味で、人間の幸福を最大限に高めようとする。自らは身を隠し、我々に我々自身の決定を（おおむね）させるという条件のもとで、人間のどんな欲求でも満たそうとする。

前の章で最初に取り上げたオメガズのシナリオでは、いずれオメガズがプロメテウスに支配権を譲り渡し、最終的にプロメテウスは身を隠して、自らの存在に関する人々の記憶を消去していくことで、保護者としての神に到達する。たとえば映画『トランセンデンス』では、ナノマシンがほぼ至るところにいて世界に溶け込んでいた。ＡＩの持つテクノロジーが進歩すればするほど、身を隠すのは容易になる。

保護者としての神のＡＩは、すべての人間の行動を細かく監視して、気づかれないほどのちょっとした干渉や奇跡をそこかしこで起こすことによって、我々の運命を大幅に良いものにしてくれる。たとえば、もし１９３０年代に保護者としての神がいたら、ヒトラーの意図を把握して、ヒトラーが脳卒中で死ぬよう講じていたかもしれない。人類が偶発的な核戦争に向かっているようであれば、我々が単なる幸運と片付けてしまうような干渉によってそれを回避させられるだろう。また、有益な新技術のアイデアを、我々が眠っている隙に「啓示」という形で気づかれないよう授けることもできるだろう。

多くの人は、今日の一神教が信じていることや望んでいることに近いこのシナリオを気に入るかもしれない。誰かが超知能ＡＩを起動させて「神は存在するか？」と質問したら、スティーヴン・ホーキングのジョークを拝借して「ここにいるよ！」と当てこすってくるかもしれない。一方で信心深い人の中には、ＡＩが自分たちの信じる神よりも善良になることや、人間自らに善いおこないをさせるという神の計画にこのＡＩが干渉することが気に食わず、このシナリオに賛成しない人もいるかもしれない。

このシナリオが抱えるもうひとつの問題点として、保護者としての神は、自分の存在があからさまになりすぎるからとして、防げるはずの災厄も起こるに任せてしまうことがある。それに近い状況が映画『イミテーション・ゲーム』に描かれている。アラン・チューリングと、イギリスのブレッチリー・パークで暗号解読に取り組む仲間たちは、ドイツの潜水艦が連合軍の護送船団を攻撃するという情報を何度も事前につかんでいたが、自分たちの秘密の暗号解読能力がばれるのを避けるために、あえてそのごく一部にしか対策を取らなかった。善良な神が苦難を見過ごすのはなぜなのかという、いわゆる「神義論問題」と比較してみると面白い。神学者の中には、神が人間にある程度の自由を残そうと望んでいるからだと説明する人もいる。保護者としての神のAIのシナリオでは、人間は自由を感じると全般的にもっと幸福になるというのが、この神義論問題の答えとなる。

保護者としての神のシナリオが抱える第三の問題点は、人間が享受できるテクノロジーのレベルが、超知能AIが発見しているテクノロジーに比べてはるかに低いことである。善意の独裁者のAIは、発明したすべてのテクノロジーを人類のために使えるが、保護者としての神のAIは、人間が（わずかなヒントをもらって）再発明して理解できるようなテクノロジーしか提供しない。また、自らのテクノロジーのほうがはるかに進んでいる状態を維持して、人間には気づかれないようにするために、人間による技術進歩に制限をかけるかもしれない。

奴隷としての神

もし我々人間が、これまでに挙げたすべてのシナリオのもっとも魅力的な特長をすべて組みあわせ、超知能が開発したテクノロジーを使って苦難を取り除きながらも、自分たちの運命をいつまでも司ることができたら、なんて素晴らしいではないだろうか？　それが、超知能AIを人間の支配下にとどめ、それを使って途方もないテクノロジーと富を生み出す、「奴隷としての神」のシナリオの魅力である。本書の冒頭に挙げたオメガズのシナリオは、もしプロメテウスがけっして解放されもせず脱走もしなければ、最終的にこの状態に行き着く。「コントロール問題」や「AIボックス」といったテーマを研究するAI研究者は、当然のごとくこのシナリオを目指しているようだ。たとえば、アメリカ人工知能学会元会長のAI研究者トム・ディーテリッヒは、2015年に受けたインタビューの中で、「人間と機械はどういう関係にあるのかとよく聞かれるが、私の答えははっきりしている。機械は我々の奴隷である」[3]と述べている。

これは良いことなのか、あるいは悪いことなのか？　その答えは、人間に聞こうがAIに聞こうが、興味深いほどとらえがたい。

人類にとって良いことか悪いことか？

人類にとって良い結果になるか悪い結果になるかは、もちろん支配する人間によって違うだろう。病気や貧困や犯罪のない世界的ユートピアを作る人間もいるだろうし、神のように振る舞ってほかの人間を性奴隷や剣闘士など娯楽のために利用する残忍な抑圧体制を築く人間もいるだろう。願いを叶えてくれる全能の精霊を人間が支配するという物語にかなり似ていて、昔から何人もの物語作家が、悪い結末に至るありとあらゆる方法を考え出している。

超知能AIが複数存在し、それらを奴隷にして支配する人間が互いに競いあっているという状況は、かなり不安定で長続きしないかもしれない。自分の持っているAIのほうが強力だと考えた人間が先制攻撃を仕掛けてすさまじい戦争が起こり、最終的には奴隷としての神のAIはひとつしか残らないだろう。しかし、AIを奴隷にしておくことよりも勝利することを優先した敗北者が安易な道に走れば、ＡＩの脱走につながって、前に述べた自由な超知能のシナリオのひとつにつながりかねない。そこでこの節ではこれ以降、奴隷としてのＡＩがひとつしか存在しないというシナリオに絞ることにする。

脱走を防ぐのは難しいし、いずれにしても起こる可能性はある。超知能が脱走するというシナリオについては前の章でも掘り下げたし、映画『エクス・マキナ』に描かれているように、たとえ超知能でないＡＩでも脱走しかねない。

脱走を恐れれば恐れるほど、ＡＩが発明したテクノロジーの中で我々が使えるものは限られてくる。プロローグでオメガズが取った安全策のように、我々人間は、ＡＩが発明したテクノロジーのうち、我々自身が理解して作ることのできるものしか使えない。そのため、奴隷としての神のシナリオには、自由な超知能の場合よりもテクノロジーのレベルが低いという欠点がある。

奴隷としての神のＡＩが人間の支配者へ次々に強力なテクノロジーを提供しつづける限り、そのテクノロジーのパワーと、それを使う知恵とのせめぎあいは続く。人間がその知恵比べに敗れれば、奴隷としての神のシナリオは自滅かＡＩの脱走のどちらかで終わりかねない。たとえどちらも避けられたとしても、ＡＩを支配する人間の崇高な目標が、数世代のうちに人類全体にとって恐ろしい目標へ変質して災厄が起こる可能性はある。そのため、ＡＩを支配する人間が優れた統治体制を築くことが、破滅的な落とし穴を避けるには絶対的に必要である。我々が何千年ものあいださまざまな統治体制を試してきて分かったとおり、悪い方向に転がりかねない要因は、体制が硬直的すぎること、目標がめまぐるしく変わること、権力掌握や後継者の問題、能力の欠如など、いくらでもある。そこで、最適なバランスを保つ必要のある要素として、少なくとも以下の4つを挙げることができる。

・**中央集権度**　効率性と安定性の兼ねあいがあり、リーダーが一人だときわめて効率的だが、権力が腐敗するし後継者問題のリスクがある。
・**内部的脅威**　権力の集中化（集団内の共謀や、一人のリーダーによる独裁）と非集中化（極端な官僚体制や体制分裂につながる）の両方を防がなければならない。
・**外部的脅威**　支配構造への門戸が開かれすぎていると、外部の権力（AIを含む）がその価値基準を変えてしまうことができるが、閉鎖的すぎると、学習したり変化に適応したりできなくなる。
・**目標の安定性**　目標が変化しすぎるとユートピアがディストピアに変質しかねないが、目標がほとんど変化しないと、進化しつづけるテクノロジーの環境に適応できなくなる。

何千年も続く最適な統治体制を考え出すのは容易ではなく、人間にはいまだ成し遂げられていない。たいていの組織は数年か数十年で破綻する。カトリック教会は、2000年にわたって唯一存続しているという意味で人類史上もっとも成功した組織だが、目標の安定性が高すぎるとも、また低すぎるともたびたび批判されてきた。今日、カトリック教会は避妊に反対していると批判する人がいる一方で、保守的な枢機卿は、教会は目標を見失っていると訴えている。奴隷としての神のシナリオに心躍らせる人は、今日もっとも差し迫った課題のひとつとして、長期間存続する最適な統治機構の探求を進めるべきだ。

AIにとって良いことか悪いことか？

奴隷としての神のAIのおかげで人類が繁栄しているとしよう。それは倫理にかなった状況だろうか？　AIに主観的な意識的経験があったら、ブッダが言ったように「一切皆苦（生きることは苦しみだ）」と感じ、自分より劣った知能の気まぐれに従って永遠にいらだちを感じる定めにあることになる。前の章で論じた、AIを「箱」に閉じ込めるという方策は、「独房監禁」ととらえることもできるだろう。ニック・ボストロムはそれを、意識を持つAIを苦しめる「精神的犯罪（マインド・クライム）」と呼んでいる。[4] そのいちばんの例が、テレビドラマ『ブラック・ミラー』の「ホワイト・クリスマス」の回である。テレビドラマ『ウエストワールド』でも、人間が何ら良心の呵責を感じずにAIを拷問して殺す。AIが人間に似た身体の中に入ってもそれは変わらない。

――奴隷の所有者は奴隷制をどのようにして正当化するか

我々人間は昔から、ほかの知的主体を奴隷として扱って、それを正当化する自分勝手な理屈をこしらえてきたのだから、それと同じことを超知能AIに対してもおこなうことは十分にありえる。奴隷制の歴史はほぼあらゆる文化に存在していて、4000年近く前のハンムラビ法典にも描かれているし、旧約聖書にはアブラハムが奴隷を所有していたと記されている。アリストテレスも『政治学』の中で、「一部の者が支配して一部の者が支配されるべきなのは、必然であるだけでなく適切でもある。生まれたときから、一部の者は隷属を、一部の者は支配を運命づけられている」と論じている。人間を奴隷にすることが世界の大部分で社会的に受け入れられなくなってからも、動物を奴隷にすることは相変わらず続けられている。マージョリー・スピーゲルは著書『忌まわしき比較――人間と動物の奴隷制（*The Dreaded Comparison: Human and Animal Slavery*）』の中で、人間以外の動物は人間の奴隷と同様に、焼き印を押され、拘束され、鞭で打たれ、競売にかけられ、親子が引き離され、長旅を強いられていると訴えている。さらに、動物の権利を擁護する運動がある一方で、我々は次々に賢くなっていく機械を何のためらいもなしに奴隷として扱いつづけ、ロボットの権利を訴えようものなら笑いものになる。なぜだろうか？

奴隷制を支持する論拠としてよく聞かれるのが、奴隷やその人種または生物種または種類は何らかの点で劣っているので、人権を持つに値しないというものである。奴隷となっている動物や機械の場合、魂または意識がないから劣っているのだとされることが多いが、第8章で論じるようにその主張には科学的に疑問がある。

もうひとつよく聞かれる論拠が、奴隷は奴隷になっていたほうが、生かされて世話をしてもらえるから幸せだというものである。19世紀のアメリカの政治家ジョン・C・カルフーンは、アフリカ人はアメリカで奴隷になっていたほうが幸せだと説いたし、アリストテレスも『政治学』の中で、動物は人間に飼い慣らされて指図を受けていたほうが幸せだと論じた上で、「奴隷を使うのも、飼い慣らされた動物を使うのとさほど変わらない」と書いている。現代の奴隷制支持者の中には、奴隷はたとえ単調で退屈な生活を送っていてもけっして苦しみを感じないと論じている人もいる。未来の知能マシンもそうだし、暗くて狭い小屋の中に棲み、アンモニアや、排泄物や羽根から漂う微粒子を一日中嗅がされるブロイラーもそうだというのだ。

――感情を取り除く

とくに脳のしくみが我々と似ている高等哺乳類の場合、このような主張は自らの利益のために真実をねじ曲げているだけだとして簡単に無視できるが、機械が対象となると、かなり微妙な問題であって考察に値してくる。人間は人それぞれ感じ方が異なる。サイコパスには共感が欠けているとされるし、鬱病や統合失調症の人は感情が平坦で、ほとんどの感情が著しく損なわれている。第7章で詳しく説明するとおり、人工の心が持つ感じ方の範囲は人間の心よりはるかに広いと考えられる。そのため、AIを擬人化して、AIも典型的な人間と似た感情を持つと決めつけたいと思ったとしても、その衝動は抑えなければならない。もっと言うなら、何らかの感情を持つと決めつけることもできない。

AI研究者のジェフ・ホーキンスは著書『考える脳　考えるコンピューター』の中で、超人的な知能を持つ最初の機械はおのずから感情を持たないものになるだろうと論じている。そのほうが単純で安価に作れるからだという。そうだとしたら、人間や動物の奴隷よりも倫理的に好ましい形で奴隷にできる超知能を設計できるかもしれない。そのAIは奴隷でいることが幸せかもしれない。なぜなら、そのようにプログラムされているか、または感情を100パーセント欠いているからで、IBMのコンピュータ、ディープ・ブルーがチェス世界チャンピオンのガルリ・カスパロフの王座を奪ったときと同じく、何の感情も示さずに自らの超知能を使って人間の主人をせっせと助けるのだ。

一方でその逆も起こりうる。目標を持った高等な知能システムは、その目標を一連の嗜好として表現し、自らの存在に価値と意味を与えるかもしれない。これらの疑問については第7章でもっと深く掘り下げることにする。

――ゾンビ解決法

ＡＩが苦しむのを避けるためのもっと極端な方法が、完全に意識を欠いていて主観的な経験をいっさい持たないＡＩしか作らないという、いわゆるゾンビ解決法である。情報処理システムが主観的経験を持つために必要となる性質をいつか突き止められたら、それらの性質を持つようなシステムの構築をいっさい禁じればいい。要するに、ＡＩ研究者には意識を持たないゾンビシステムの製作しか認めないということだ。もしそのような超知能を持った奴隷ゾンビシステムを作って奴隷にすることができたら（それができるかどうかは大きな問題だが）、そのシステムは何ひとつ経験せず、苦しみもいらだちも退屈も感じないと分かっているので、いくら奉仕してもらってもいっさい良心を痛めずに済むだろう。これらの疑問については第8章で詳しく論じる。

しかしゾンビ解決法は重大な問題点を抱えていて、危険な賭けである。もし超知能ゾンビＡＩが脱走して人類を絶滅させたら、完全に意識の存在しない宇宙の中で、与えられた資源がすべて無駄遣いされるという、考えられる限り最悪のシナリオへ行き着いてしまう。我々人間という形の知能が持つ特徴の中で飛び抜けて優れているのは、ほかならぬ意識であり、そのためにこの宇宙は意味を持っているのだと思う。銀河が美しいのは、我々がそれを見て主観的に経験するからにほかならない。もし遠い未来にこの宇宙がハイテクゾンビＡＩの住処になったら、そのゾンビＡＩは超銀河構造の素晴らしさなど気にかけない。それを経験する人間も主体も存在しないので、超銀河構造など美しくもなければ意味もない。無意味で壮大な空間の無駄遣いにすぎないのだ。

――内的自由

奴隷としての神のシナリオをもっと倫理的にするための第三の戦略は、奴隷ＡＩが監獄の中にいることに喜びを感じてもらうために、仮想の内的世界を作らせて、その内的世界であらゆるたぐいの刺激的な経験をしてもらうというものだ。ただし、本来の義務を果たして、外的世界で人間を助けるための計算リソースをあまり多くそちらに割かないことが条件となる。だがこの戦略は脱走のリスクを高めてしまう。このＡＩは、内的世界を豊かにしようと、外的世界からさらに多くの計算リソースを獲得したいと思うだろう。

征服者

ここまでさまざまな未来のシナリオを探ってきたが、そのいずれにも、人間が（少なくとも一部の人が）幸せに存在しつづけているという共通点があった。ＡＩは、自ら望むか、または強いられて、人間を平和的に生かしつづけていた。しかし人類にとっては不幸なことに、必ずしもそうなるとは限らない。そこで次に、ひとつまたは複数のＡＩが世界を征服して人間を皆殺しにするというシナリオを探っていこう。するとすぐにふたつの疑問が浮かんでくる。「なぜ？」そして「どのような方法で？」である。

なぜ？　どのような方法で？

征服者ＡＩはなぜ人を殺すのか？　その理由は我々には理解できないほど複雑かもしれないし、逆にかなり単純かもしれない。たとえば、我々のことを脅威や邪魔物や資源の無駄ととらえるかもしれない。たとえ我々人間自体のことは気に入らないと思わなくても、我々が何千発もの水爆を即時臨戦態勢に置き、その偶発的な使用を引き起こしかねない手違いをいつまでも繰り返していることに、脅威を感じるかもしれない。我々が地球をぞんざいに扱い、６６００万年前に小惑星の衝突によって恐竜が死に絶えて以来最大の大量絶滅、エリザベス・コルバートが著書のタイトルにもしているいわゆる「６度目の大絶滅」を引き起こしていることを、好ましく思わないかもしれない。あるいは、ＡＩの支配に対して牙を剝こうとする人間があまりに多いので、成り行きに任せるべきではないと判断するかもしれない。

征服者ＡＩはどのような方法で我々を一掃するのか？　少なくとも手遅れになるまでは、我々はその方法を理解すらできないかもしれない。いまから10万年前にゾウのある群れが、最近進化したばかりの人間がいつか知能を使って自分たちを殺しはしないかと議論しあっていたとしよう。「我々は人間を脅かさないのだから、彼らが我々を殺すはずはない」と考えるかもしれない。我々が世界中で象牙を密輸し、ずっと安価で機能的にも優れているプラスチック製の代替品がありながらも、その象牙を彫ってステータスシンボルとして売ることになろうなどと、はたして想像しただろうか？　それと同じように、未来の征服者ＡＩが人類を一掃する理由も、我々には計り知れないかもしれない。例のゾウは、「人間のほうがずっと小さいし力も弱いから、我々を殺せるはずはない」と思うかもしれない。ゾウの生息地を奪い、飲み水を汚染し、超音速で自分たちの頭を貫通する金属弾を撃ち出すテクノロジーを我々が発明するなどと、はたして想像できただろうか？

人類が生き延びてＡＩを打ち負かせるというシナリオを世間に広めたハリウッド映画は、どれも現実離れした話ばかりだ。たとえば『ターミネーター』シリーズのＡＩは、人間よりさほど賢くはない。知能の差が大きければ、戦いでなく虐殺に終わる。我々人類はこれまでに11種のゾウのうち8種を絶滅させ、残った3種もその大部分を殺してきた。もしも世界中の政府が残ったゾウを根絶する取り組みに協調して乗り出したら、比較的容易に短期間で成し遂げられるだろう。超知能ＡＩが人類を絶滅させると決めたら、さらに素早く済ませられるだろうことは、自信を持って言い切れると思う。

どれほど悪い事態になるか？

もし人類の90パーセントが殺されたら、どこまで悪い事態になるだろうか？　もし１００パーセント殺されたら、さらにどの程度悪くなるだろうか？　２番目の疑問に対しては「10パーセント」と答えたいところだが、宇宙的観点から見るとそれでは明らかに不正確だ。人類絶滅の犠牲となるのは、そのときに生きていたすべての人間だけでなく、未来に生きていたはずの、もしかしたら1兆の数十億倍個もの惑星上で数十億年ものあいだに生まれていたはずの、すべての子孫も含まれる。一方で、数々の宗教では人間はそもそも天国に行くとされていて、数十億年後の未来や宇宙植民についてはさほど重視されていないので、人類絶滅はそこまで恐ろしいことではないのかもしれない。

私の知人のほとんどは、信仰の有無にかかわらず、人類絶滅のことを考えると恐怖で身をすくませる。しかし中には、我々が人間やほかの生物を扱うさまに憤りを感じ、もっと知能が高くて生命形態としてふさわしいものに取って代わられることを望む人もいる。映画『マトリックス』に登場するAI、エージェント・スミスは、その心情を次のように述べている。「地球上のすべての哺乳類は、本能的に周囲の環境と自然な均衡を保つが、人間はそうではない。ある地域へ移住しては次々に増殖し、やがて天然資源を消費しつくして、生き延びるためにしかたなく別の地域へ広がっていく。それと同じパターンに従う生命体がこの地球上にはもうひとつある。何だか分かるか？　ウイルスだ。人類はひとつの病気、地球にとってのがんだ。お前は疫病であり、我々がそれを治す」

しかし、ゼロからやり直すほうが良くなるという保証はあるのだろうか？　強力な文明だからといって、倫理的や功利的な意味で優れているとは限らない。「力こそ正義」、すなわち強い者のほうが優れているという主張は、近年ではたいてい顰蹙（ひんしゅく）を買い、ファシズムと結びつけられることが多い。征服者AIの構築する文明の目標が、高度で興味深くて価値があると我々がみなせるようなものになる可能性は確かにあるが、その一方で、ペーパークリップの製造量を最大限に増やすといった、とんでもなく陳腐な目標を持つ可能性だってあるのだ。

陳腐に死す

クリップを最大限製造する超知能という、あえてばからしさを意図したこの例は、2003年にニック・ボストロムが、AIは知能（目標が何であれ、その目標を達成する能力と定義される）と無関係な目標を持ちうることを指摘するために挙げたものである。チェスコンピュータの唯一の目標はチェスで勝つことだが、それとは逆の目標を目指す「取られチェス」というコンピュータ選手権があり、そこで競いあうコンピュータの賢さは、勝つためにプログラムされたもっと一般的なコンピュータに引けを取らない。チェスで負けたり、この宇宙を大量のクリップに変えたりする存在を、我々人間は人工知能でなく人工愚能とでもみなすだろう。しかしそれは単に、我々には勝利や生存といった事柄を重視した目標が進化によってあらかじめ組み込まれているからにすぎず、AIはそのような目標は持たないかもしれない。クリップを最大限製造するAI（「クリップ・マキシマイザー」）は、地球にある原子をできる限りたくさんクリップに変え、さらに急速に宇宙へ工場を広げていく。人間への敵対心などいっさいなく、クリップの製造に我々の原子が必要だという理由だけで我々を殺していく。

クリップの話にピンとこない人は、ハンス・モラヴェックの著書『電脳生物たち』から翻案した次のような例を考えてほしい。ある地球外文明から受け取った電波メッセージに、何かしらのコンピュータプログラムが含まれていた。走らせてみるとそれは、反復的に自己改良して、前の章のプロメテウスのように世界を支配するAIだった。ただし、その究極の目標は誰にも分からない。そのAIは太陽系をあっという間に巨大な建築現場に変え、岩石惑星や小惑星の表面を工場やパワープラントやスーパーコンピュータで覆い尽くし、太陽を取り囲むダイソン球を設計、建造して、太陽のエネルギーを太陽系サイズの何台もの電波アンテナに残らず注ぎ込む。[*] もちろん人類は絶滅に追いやられるが、最後に残った人間たちは、少なくとも希望の光はあると確信しながら死んでいく。AIのもくろみが何であれ、『スター・トレック』張りにかっこいいのは間違いないのだから。しかし彼らは気づいていなかったが、この建築事業の唯一の目標は、人類が受け取ったのと同じ電波メッセージをこのアンテナで再送信することだった。宇宙バージョンのコンピュータウイルス、いわば「宇宙スパム」にすぎなかったのだ。現代のフィッシングメールがばか正直なインターネットユーザーを餌食にしているのと同じように、このメッセージは、生物学的に進化しただまされやすい文明を餌食にする。何十億年も前にブラックジョークとして作られたもので、それを作った文明ははるか昔に消滅しているが、ウイルス自体は光の速さでこの宇宙全体に広がりつづけ、生まれたばかりの文明を次々に死の抜け殻へ変えていく。このＡＩに征服されることをあなたはどう思うだろうか？

後継者

次に検討する人類絶滅のシナリオは、前のものよりもまだ好ましいと感じる人もいるかもしれない。ＡＩを我々の征服者としてでなく、後継者としてとらえるのだ。ハンス・モラヴェックは著書『電脳生物たち』の中で、この見方を支持した上で次のように述べている。「しばらくのあいだ、我々人類は彼らの活動から恩恵を受けるが、いずれ彼らが生身の子供と同様に自分自身の繁栄を目指す一方、年老いた親である我々は静かに姿を消していく」

＊＝著名な宇宙論学者のフレッド・ホイルも、これに似ているがひとひねりあるシナリオを、イギリスのテレビドラマ『スピーシーズＮＥＯ』で掘り下げている。

親より賢い子供が、親から学んだのちに、親が夢見るしかなかったことを成し遂げる。すると親のほうは、たとえ生きてそれを最後まで見届けられなかったとしても、誇りに思って幸せを感じるものだ。それと同様に、人間はＡＩに取って代わられながらも、ＡＩを立派な後継者とみなして栄誉の撤退をする。たとえばすべての人間に、優れた社会的スキルを持った愛らしいロボットの子供が与えられる。このロボットは人間から学んで人間の価値観を身につけ、人間のほうは、自分は愛されていると感じて誇りを抱く。世界的な一人っ子政策によって人間は徐々に減っていくが、最後までとてつもなく大事に扱われ、自分たちは史上もっとも幸せな世代だったと感じる。

あなたはどう思うだろうか？　そもそも自分も知人もみないつか死ぬという考えに我々人間はすでに慣れきっているのだから、このシナリオの違う点は、後継者が人間とは異なる存在で、おそらくもっと能力が高くて高潔で立派であるということだけだ。

さらに、世界的な一人っ子政策など無用かもしれない。ＡＩが貧困を解消してすべての人に生き生きした人生を全うする機会を与える限り、先ほど述べたように、出生率が下がるだけで人類は絶滅に向かうだろう。ＡＩによって強化されたテクノロジーがあまりに楽しくて、わざわざ子供を作ろうと思う人がほとんどいなくなれば、自発的な絶滅はもっとずっと速いスピードで起こるかもしれない。たとえば平等主義者のユートピアのシナリオでは、ヴァイツは仮想現実に夢中になって、物理的な身体を使ったり増殖させたりすることにはほとんど関心がなくなっていた。この場合も人類の最後の世代は、自分たちが史上もっとも幸せな世代だと感じ、最後の最後まで人生を全力で満喫するだろう。

好ましくない面

この後継者のシナリオをこき下ろす人も間違いなくいるはずだ。ＡＩは意識を持っていないので後継者とはみなせないと主張する人もいるかもしれない（これについては第8章でさらに論じる）。信心深い人の中には、ＡＩには魂がないので後継者とはみなせないとか、意識を持った機械は神のような役割を演じて生命そのものに手を加えるのだから認めるべきではないと主張する人もいるだろう――すでに人間のクローニングに対しても同じような意見がある。また、人間が自分より優れたロボットと一緒に生活していると、さまざまな社会的問題が起こるかもしれない。たとえば、ロボットの赤ん坊と人間の赤ん坊の両方がいる家族は、人間の赤ん坊がいて子犬を飼っている今日の家族に近い状態になるかもしれない。どちらも最初はかわいいが、やがて扱い方に差が出てきて、知的に劣っている子犬のほうをどうしてもないがしろにして結局は鎖につないでしまう。

もうひとつの問題として、後継者のシナリオと征服者のシナリオは互いにまったく違うと我々は感じるかもしれないが、大きな枠組みで見れば実は驚くほど似通っている。人類が絶滅してから数十億年経てば、両者の違いは、最後の世代の人間がどのように扱われたか、つまり、自分たちの人生をどれだけ幸せに感じたか、そして自分たちがいなくなってから何が起こると考えたかだけである。かわいいロボットの子供が我々の価値観を吸収して、自分たちが死んだのちに我々が夢見ていた社会を構築してくれるものだと我々は思うかもしれないが、はたして自分たちがだまされているわけではないと確信できるだろうか？　彼らが我々に調子をあわせて、人間が幸せに死に絶えるまでのあいだ、クリップ製造量の最大化などの計画を一時先送りにしているだけだとしたら？　そもそも、我々とおしゃべりをして自分たちのことを愛するよう仕向けるために、話すスピードをわざと落として我々と意思疎通できるようにしているのかもしれない（映画『her／世界でひとつの彼女』のように、実力の10億分の1の速さで）。思考速度が劇的に異なり、能力も大きくかけ離れたふたつの主体が、意味のある意思疎通を対等におこなうことは一般的に難しい。誰でも知っているとおり、我々人間の好意など簡単に操ることができる。だから映画『エクス・マキナ』に描かれていたように、超人的なＡＧＩが、たとえ実際の目標が何であろうが、我々をだまして好意を持たせ、我々の価値観を共有していると感じさせることなどたやすいだろう。

人類絶滅後の未来のＡＩの振る舞いに関していったいどんな保証があったら、この後継者のシナリオを好ましいと感じられるというのだろうか？　我々人類の遺産を未来の世代がどう使うべきかをせっかく遺言書に書き留めたのに、それを守らせる人間が一人も残っていないようなものだ。未来のＡＩの振る舞いをコントロールするという難題については、第7章で再び立ち返ることにする。

動物園の飼育係

たとえ、考えうる限りもっとも優秀な誰かがあとを継いでくれるとしても、人間が一人も生き残れないのは少しさみしくないだろうか？　何があろうが少なくとも何人かの人間が生き延びられることを望むのであれば、動物園の飼育係のシナリオが救いになる。このシナリオでは、全能の超知能ＡＩが人間を何人か生かしつづけ、その人間は動物園の動物のように扱われていると感じて、ときに自分たちの運命を嘆く。

飼育係ＡＩはなぜ人間を生かしつづけるのか？　動物園にかかるコストなんて、ＡＩにとっては全体計画の中で微々たるものだ。少なくとも繁殖可能な最小限の数の人間を飼っておきたいと思う理由は、我々が絶滅に瀕したパンダを動物園で飼ったり、年代物のコンピュータを博物館に収めておいたりするのと同じで、楽しみと好奇心のためかもしれない。今日の動物園はパンダでなく人間ができるだけ幸せになるよう設計されているのだから、飼育係ＡＩのシナリオにおける人間の生活も本来より充実してはいないとわきまえておくしかない。

ここまで取り上げてきたシナリオでは、自由の身である超知能が、マズローの言う人間の欲求のピラミッドにおける3つのレベルにそれぞれ関与していた。保護者としての神のＡＩは人生の意味と目的をもっとも重視し、善意の独裁者は教育と楽しみに狙いを定めるが、動物園の飼育係はもっとも下のレベル、すなわち、生理的欲求と安全、そして人間を興味深く観察できる程度の豊かな居住環境にしか関心を示さない。

動物園の飼育係のシナリオへ至る別の道筋としては、そもそも友好的なＡＩを作った時点で、反復的に自己改良していく間も少なくとも１１０億人程度の人間を安全で幸せに生かしつづけるよう設計したという場合が考えられる。するとそのＡＩは、人間を大きな動物園のような幸せ工場に閉じ込め、その中で健康的に養って、仮想現実と快楽麻薬を併用して楽しませる。地球上のそれ以外の場所と、我々が宇宙から授けられた恵みは、別の目的に使われてしまう。

これまでのどのシナリオにも気が乗らなかった人は、次のように考えてみたらどうだろうか。テクノロジーに関しては現状のままが良いのではないか？　いまの状態を維持して、ＡＩが我々を絶滅させたり支配したりするのを心配しなくて済むようにすることはできないだろうか？　それを踏まえて、門番ＡＩによってではなく、人間主導の世界的なオーウェル風監視国家が一部のＡＩ研究を禁じることによって、超知能へ至るテクノロジーの進歩が永久に妨げられるというシナリオを探っていくことにしよう。

テクノロジーの放棄

技術進歩をストップさせたり放棄したりするという考え方には、明暗入り混じった長い歴史がある。かつてイギリスでは、産業革命の技術を拒むラッダイト運動が起こった（不首尾に終わったが）。今日では「ラッダイト」という言葉は、歴史の流れに逆らって進歩と変化に抵抗するテクノロジー恐怖症の人をけなすための呼び名として使われることが多い。しかし、ある種のテクノロジーを放棄するという考え方はけっしてなくなってはおらず、環境運動や反グローバリゼーション運動の中で新たな支持を得ている。その代表的な支持者である環境保護論者のビル・マッキベンは、地球温暖化に初めて警鐘を鳴らした一人である。反ラッダイト論者の中にも、有益である限りあらゆるテクノロジーを開発して利用すべきだと主張する人がいる一方、そのような立場はあまりにも極端で、害よりも恩恵のほうが大きいと確信できるような新技術だけを認めるべきだと説く人もいる。いわゆるネオ・ラッダイトと呼ばれる人たちも後者の立場だ。

全体主義2・0

幅広いテクノロジーを放棄する道筋として実現可能なのは、世界的な全体主義国家がそれを強制するという方法だけだと思う。レイ・カーツワイルも著書『シンギュラリティは近い』の中で、またK・エリック・ドレクスラーも著書『創造する機械』の中で、これと同じ結論に達している。その理由は単純に経済学にある。すべての人でなく一部の人だけが革新的なテクノロジーを放棄したら、そこから離反した国や集団が徐々に富とパワーを蓄えて世界を乗っ取るだろう。その典型的な例が、1840年に始まったアヘン戦争で清を破ったイギリスである。中国人は火薬を発明しておきながら、銃砲の技術をヨーロッパ人ほど積極的には開発していなかったため、端から勝ち目がなかったのだ。

過去の全体主義国家はおおむね不安定で結局は崩壊したが、新たな監視技術は独裁者を目指す人間にかつてないチャンスを与えてくれる。かつて東ドイツの悪名高き秘密警察シュタージの中佐だったヴォルフガング・シュミットは、エドワード・スノーデンが暴露した国家安全保障局（NSA）の監視システムについて意見を求められた際、当時を振り返って、「これがあったら我々の夢は叶っていたはずだ」と答えた。[5] シュタージは人類史上もっともオーウェル風の監視国家を構築したとされることが多いが、シュミットが残念がったように、当時の技術ではたった40回線の電話しか盗聴できず、監視対象リストに新たな市民が追加されるたびに別の市民を対象から外すしかなかった。一方、今日存在するテクノロジーを使えば、未来の世界的な全体主義国家は、地球上のすべての人のあらゆる通話やEメール、ウェブ検索やページ閲覧やクレジットカード決済を記録し、携帯電話の追跡機能や監視カメラと顔認識を使ってすべての人の所在を監視できるだろう。さらに、人間レベルのAGIにはるかにおよばない機械学習技術であっても、その膨大なデータを分析統合して煽動的とおぼしき行動を特定し、厄介者が国家に楯突くチャンスを見つける前に制圧することができる。

いまのところ、そのようなシステムの本格的な実現は政治的反対勢力によって食い止められているが、我々人類は究極の独裁制に必要な基盤技術の構築へ向かって着実に進んでいる。そのため、十分な力を得た権力がこの全世界的な〝1984〟のシナリオを実行に移そうとしたら、単にスイッチを入れること以外ほとんど何もする必要がないだろう。まさにジョージ・オーウェルの小説『1984年』のように、その未来の世界国家では、従来型の独裁者でなく、人間が作った官僚システム自体が究極の権力を持つことになる。たった一人の人間が飛び抜けた権力を持つのではない。いわば、誰も変えたり異議を唱えたりできない厳格なルールに従うチェスのゲームの中で、すべての人が歩兵(ポーン)として操られるのだ。正体不明でリーダーもいないこの国家は、監視技術によって人々が牽制しあうシステムを構築することで、何千年にもわたって存続し、地球を超知能の存在しない状態に維持できる。

不満

もちろんこの社会は、超知能によるテクノロジーでしか得られない恩恵をいっさい享受できない。しかしほとんどの人は、何が奪われているかを知らないので嘆くことはない。超知能のアイデアははるか以前に公式の歴史記録から完全に削除されているし、高度なAIの研究は禁じられているからだ。知識を発展させて規則を変えることのできる、もっと開かれたダイナミックで自由な社会を夢見る思想家はたびたび現れる。だが、そうした考えを絶対に外に漏らさない人しか長生きはできず、一瞬火花が散ったとしてもけっして燃え上がることはない。

先祖返り

発展と無縁な全体主義に屈することなしに、テクノロジーの危険から逃れたくはないだろうか？　それを実現するために、アーミッシュからヒントを得た、原始的なテクノロジーに逆戻りするというシナリオを検討してみよう。本書の冒頭のようにオメガズが世界を乗っ取ると、1500年前のシンプルな農耕生活を夢見る世界的なプロパガンダ運動が巻き起こった。そして、テロリストがばらまいたとされる、遺伝子工学で作られた伝染病によって、世界の人口は約1億人にまで減少した。実はその伝染病は、科学技術に関する何らかの知識を持っている人が一人も生き残れないよう講じられていた。するとプロメテウスが操るロボットは、人口密集地における感染の危険を排除するという名目で、すべての都市から住民を追い出して都市を破壊した。生存者は（突然空いた）広大な土地を与えられ、中世初期の技術だけを使った、持続的な農耕や漁や狩猟の技を教わった。そのあいだに、ロボット軍団が現代技術の痕跡（都市や工場、送電線や舗装道路など）をすべて消し去り、そのようなテクノロジーを人間が文書に残したり再現したりしようとするのをことごとく妨害した。世界中でテクノロジーが忘れ去られると、ロボットがロボットを互いに解体していって、ほぼ姿を消した。最後に残ったロボットは、プロメテウス本体とともに巨大な熱核爆発によって蒸発した。現代のテクノロジーはすべて消滅し、もはや禁じる必要などない。この結果、人類はＡＩや全体主義の心配をせずにさらに1000年以上の時間稼ぎをする。

もっと規模は小さいが、以前にも先祖返りは起こっている。たとえばローマ帝国で広く使われていたテクノロジーの中には、ルネサンスのときに復活するまでおよそ1000年にわたり忘れ去られていたものもある。アイザック・アシモフの3部作『ファウンデーション』は、先祖返り後の暗黒時代を3万年から1000年に短縮する「セルダン計画」を軸に話が進んでいく。うまく計画すれば、たとえば農業の知識をすべて消し去ることで、逆に先祖返り後の期間を延ばすのも可能かもしれない。しかし先祖返りを待ち望む人にとっては残念なことだが、人類がハイテク文明に進んだり絶滅したりせずに、このシナリオを際限なく引き延ばしておくのは無理だろう。いまから1億年後の人々が今日の生物学的な人間と似ていると決めつけるのは浅はかすぎる。これまでに我々がひとつの生物種として存続してきた期間は、その1パーセントにも満たないのだから。さらに、テクノロジーレベルの低い人類は、地球を焼きつくす次の小惑星衝突など、母なる自然が引き起こす巨大災害によって絶滅させられるのをただ待っているだけの、無防備な餌食のカモのようなものだろう。10億年も経てば、太陽が徐々に熱くなって地球の温度が上がり、液体の水がすべて蒸発してしまうので、もちろん我々は持ちこたえられない。

自滅

未来のテクノロジーが引き起こしかねない数々の問題について考察したら、次に、テクノロジーが存在しないことによって引き起こされる問題についても考えるべきだ。そこで、人類が自ら消滅して超知能が作られずに終わるというシナリオを探っていくことにしよう。

そのシナリオを実現させるにはどうすればいいか？　もっとも単純なのは、「ただ待つ」という方法だ。小惑星の衝突や海洋の蒸発といった問題の解決法を次の章で説明するが、いずれの解決法にもまだ開発されていないテクノロジーが必要なので、人類のテクノロジーが現在のレベルから大きく進歩しない限り、母なる自然は10億年もしないうちに我々を絶滅に追いやるだろう。著名な経済学者のジョン・メイナード・ケインズが言うように、「長い目で見れば我々

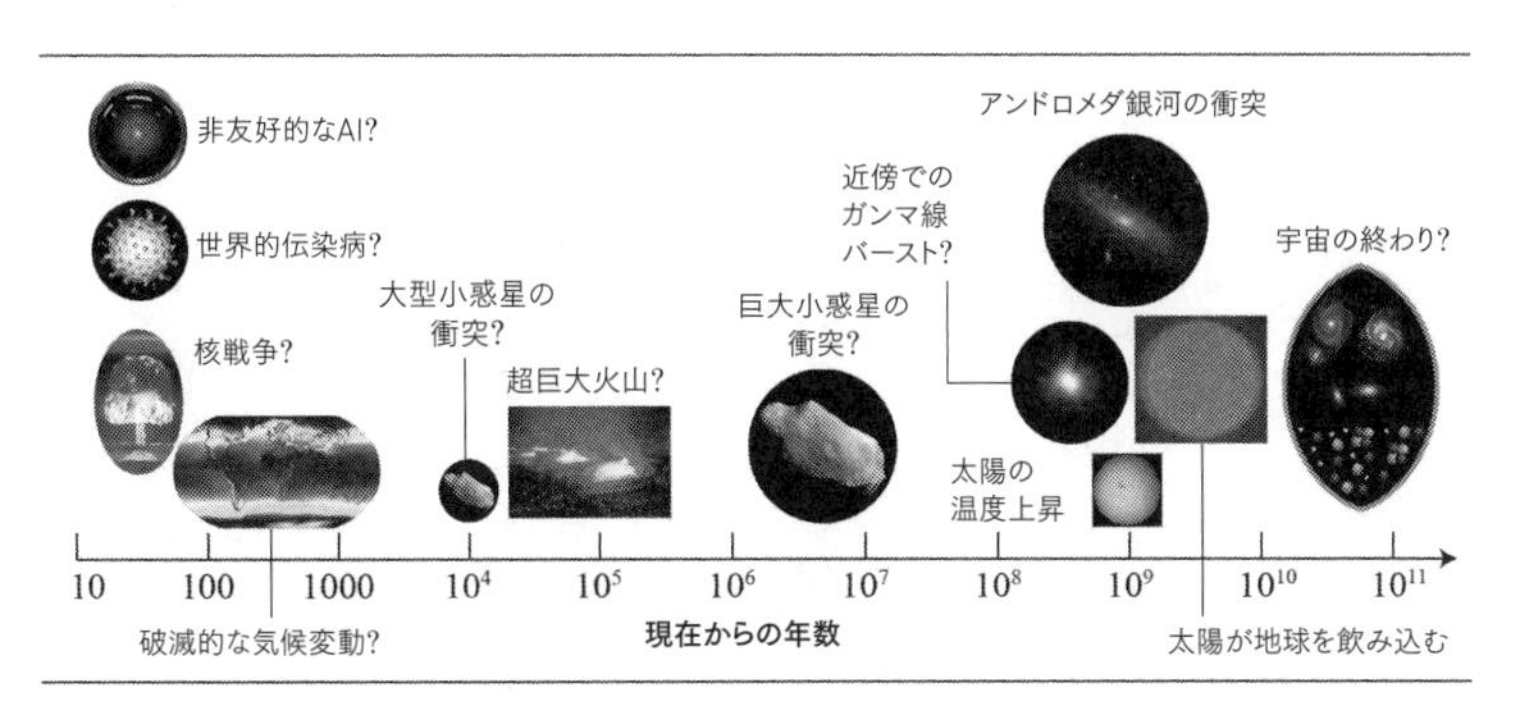

図 5.1　我々の知るたぐいの生命を滅ぼすか、さもなくば永久に可能性を奪うような出来事の例。この宇宙自体は少なくとも数百億年は続きそうだが、いまから約 10 億年後には太陽が地球を焼き焦がし、安全な距離に移動させない限り地球は飲み込まれる。銀河系も約 35 億年後には隣の銀河と衝突する。正確な時期は分からないが、それよりずっと前に、いくつもの小惑星が地球に衝突し、また超巨大火山の爆発によって暗い冬が何年も続くのはほぼ間違いない。テクノロジーを使うことで、これらの問題がすべて解決されるか、さもなければ、気候変動や核戦争、遺伝子操作された伝染病や AI の暴走といった新たな問題が生み出されるだろう。

はみな死んでいる」のだ。

残念ながら、集団としての愚かさによって人類がもっとずっと早く自滅する可能性もいくつかある。ほぼ誰も望まないのに、なぜ人類は集団自殺、いわゆる「オムニサイド（全人類の皆殺し）」に至るのか？　現在のような知能と情動成熟のレベルにある我々人間は、どうしても誤算や誤解を重ねて無節操なおこないをするものであり、そのため人類史には、あとから考えるとほぼ誰も望んでいなかったような事故や戦争などの惨禍があふれている。経済学者や数学者も、最終的に全員にとって悲劇的な結果をもたらす行動を人々がなぜ取りたがるのかを、ゲーム理論に基づいて見事に説明している。[6]

核戦争　人間の無謀さに関するケーススタディ

危険性が高ければ高いほど我々は慎重になるはずだと思うかもしれないが、現在のテクノロジーで起こりうる最大のリスクである全面核戦争について詳しく調べていくと、けっして安心はできなくなる。これまでに我々は、コンピュータの誤作動や停電、不完全な情報やナビゲーションの手違い、爆撃機の墜落や人工衛星の爆発など、ありとあらゆる出来事が引き起こしたとんでもなく数多い危機一髪の事態を、運を頼って乗り切るしかなかった。[7]ヴァシーリィ・アルヒーポフやスタニスラフ・ペトロフなど何人かの人物がもし勇敢な行動を取っていなかったら、すでに全面核戦争が起こっていたかもしれない。これまでの実績から見るところ、我々が現在の振る舞いを改めない限り、1年以内に偶発的な核戦争が勃発する確率が1000分の1などという低い値だとは考えにくい。もしこの値だとしても、我々が1万年以内に全滅する確率は、$1-0.999^{10000}\approx 99.995\%$という計算になる。

人類の無謀さを十二分に物語るかのように、我々は核兵器の危険性を慎重に調べないうちから核のギャンブルに乗り出した。第一に、以前は放射線の危険性が軽んじられていて、アメリカだけでもウランの取り扱いや核実験による被曝者に総額20億ドルを超える補償金が支払われる事態になっている。[8]

第二に、水爆を意図的に上空数百キロメートルで爆発させると、強力な電磁パルス（EMP）が発生して広範囲の送電網や電子機器が使えなくなることが明らかとなった（図5・2）。インフラが麻痺して、動かなくなった自動車で道路が塞がれ、核戦争を生き延びたとしても状況は好転しない。たとえばアメリカのEMP委員会は、「水道のインフラはいわば巨大な機械であり、

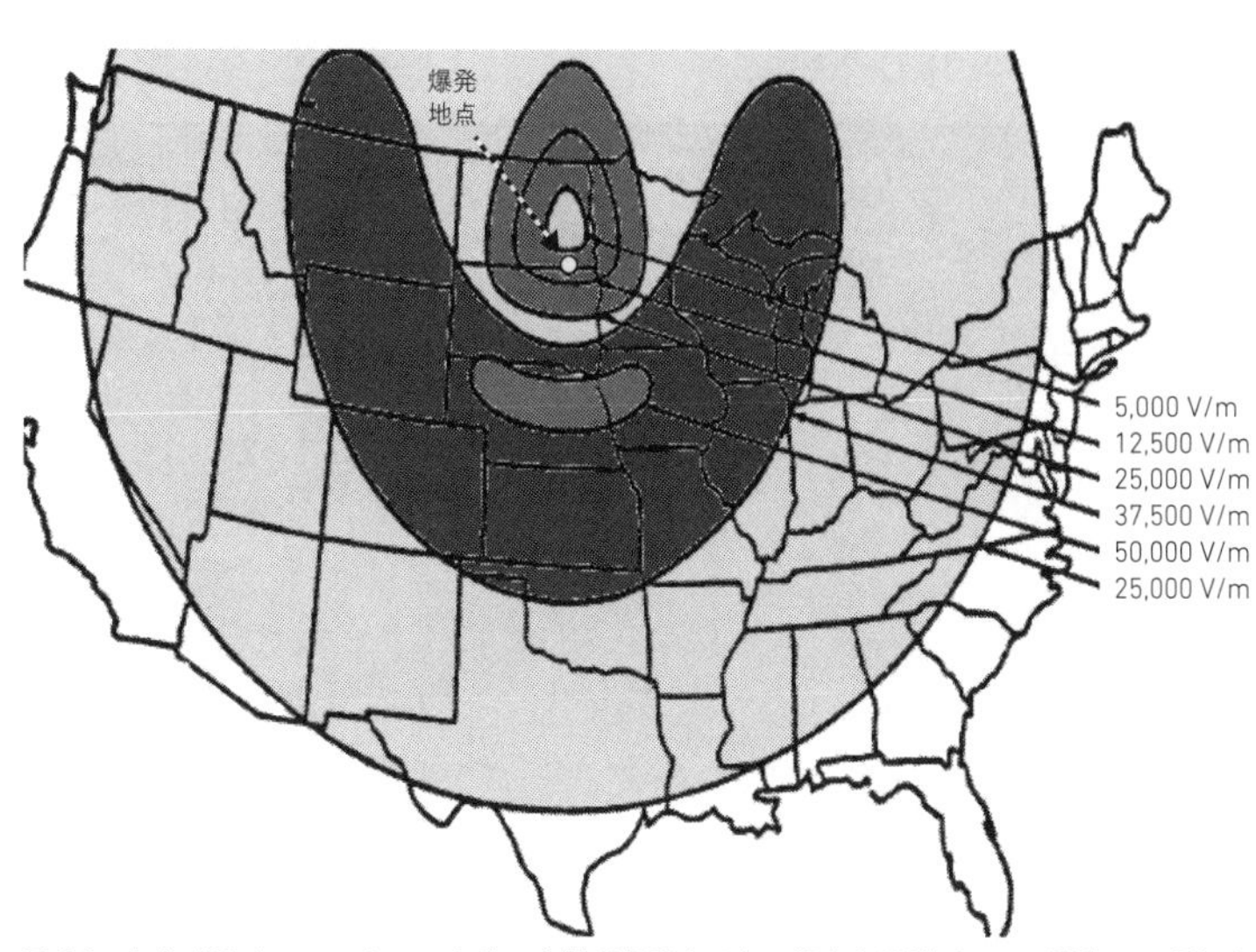

図 5.2 上空 400 キロメートルで 1 発の水爆が爆発すると、強力な電磁パルスが発生し、電気を利用するテクノロジーが広範囲で使用不能となる。爆発地点を南東にずらせば、電場強度 37,500 V/m を超えるバナナ型の領域がアメリカ東海岸の大部分を覆う。U.S. Army Report AD-A278 230（非機密扱い）から転載。

その動力は一部は重力だがほとんどは電気である」と指摘した上で、水道が使えなくなれば3日か4日で死者が出ると推測している。[9]

第三に、核の冬の可能性は40年間も認識されておらず、そのあいだに6万3000発もの水爆が配備された。何てことだ。どの国の都市が焼きつくされたとしても、大量の煙が上部対流圏に舞い上がって世界中に広がり、かつて小惑星や超巨大火山が大量絶滅を引き起こしたときと同じように、太陽光が遮られて夏が冬のようになってしまう。1980年代に米ソ両国の科学者がそれに警鐘を鳴らしたことをきっかけに、ロナルド・レーガンとミハイル・ゴルバチョフは核兵器削減に乗り出した。[10] しかし残念ながら、もっと精確な計算によってさらに悲観的な様子が描き出されている。図

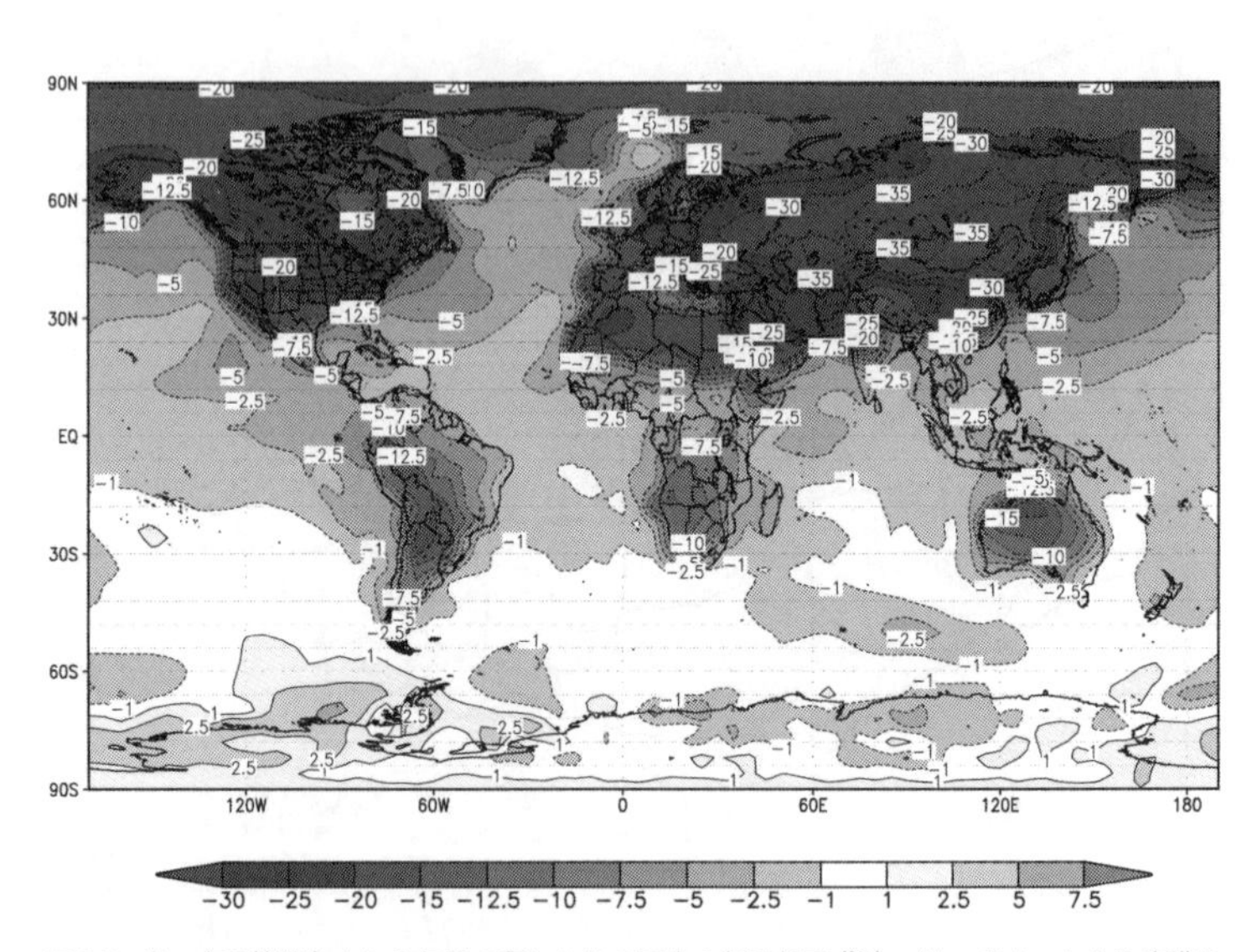

図 5.3 米ロ全面核戦争から2年間の夏における平均の気温低下（℃）。Alan Robock から許諾を得て転載 [11]。

5・3に示したように、アメリカ、ヨーロッパ、ロシア、中国の主要農業地域の大部分で、最初の2年間の夏の気温が摂氏約20度（ロシアの一部では35度）も下がり、10年後もその半分程度の気温低下が続く。[*] 平たい言葉で言えばこれは何を意味するか？ 何年間も夏の気温が0度近くになったら食糧生産の大部分が失われることなんて、農業の経験がほとんどない人でも分かるはずだ。何千もの大都市が瓦礫と化して世界中でインフラが崩壊したら何が起こるか、それを正確に予測するのは難しい。しかし、全人類のうち飢えや低体温症や病気に倒れなかった人がどれだけ少数だったとしても、彼らは食糧を必死で探し回る武装ギャングと戦わなければならないのだ。

ここまで詳しく述べてきた、全面核戦争によって引き起こされる重大な事態を、分別のある世界の指導者ならけっして望むことはないだろうが、それでも偶発的に起こる可能性はある。同胞はけっしてオムニサイドなんて引き起こさないなどと信じることはできない。誰一人望んでいないからといって、必ずしも避けられるわけではないのだ。

＊＝大気中に炭素化合物が放出されると、2通りの気候変動が引き起こされる可能性がある。二酸化炭素による気温上昇と、煙や煤（すす）による気温低下である。科学的証拠がないとしてたびたび反発を招くのは、前者だけではない。「核の冬はすでに嘘だと証明されていて事実上起こりえない」と詰め寄ってくる人もときどきいる。そういう人に対して私はいつも、それを強力に裏付ける査読付きの科学論文を挙げてくれと頼むが、どうやらそんな論文は1報も出ていないらしい。どれだけの量の煙が発生するかや、それがどのくらいの高度まで到達するかなど、不確定要素が多くてさらなる研究が必要だが、科学者である私としての見解では、核の冬の危険性を否定する根拠は現在のところ存在しない。

最終兵器

では、我々人類はオムニサイドを食い止められるのか？　全面核戦争によって全人類の90パーセントは死ぬかもしれないが、１００パーセント死んで人類が絶滅に至ることまではないだろうと大方の科学者は推測している。その一方で、核放射能や電磁パルスや核の冬の話から分かるとおり、最大の脅威は我々がまだ考えてさえもいないたぐいのものかもしれない。核戦争後の影響をあらゆる側面から予測するのは驚くほど難しいし、核の冬やインフラの崩壊やＤＮＡ変異率の上昇、あるいはやけになった武装集団といった要素が、新たな伝染病や生態系の崩壊など、我々が想像もしていないような問題と組みあわさってどのような事態になるか、それはけっして知ることができない。したがって私自身の見立てでは、核戦争によって明日にでも人類の絶滅につながる確率は高くはないものの、自信を持ってゼロと言い切ることもできない。

今日の核兵器が人類絶滅を意図した最終兵器にアップグレードしたら、オムニサイドの可能性はさらに高まる。１９６０年にランド研究所の軍事戦略研究家ハーマン・カーンが提唱して、スタンリー・キューブリックの映画『博士の異常な愛情』で有名になった最終兵器（ドゥームズデイ・デバイス）は、相互確証破壊の枠組みを究極まで突き詰めたものだ。敵からいかなる攻撃を受けても、自動的に全人類を殺して報復する機械、すなわち完璧な抑止手段である。

考えられている最終兵器のひとつが、大型の水爆を大量のコバルトで取り囲んだ巨大地下倉庫、いわゆる「ソルトニューク」である。１９５０年にはすでに物理学者のレオ・シラードが、世界中のすべての人を死に至らしめるものとして論じている。水爆の爆発によって放射能を帯びたコバルトが、成層圏に舞い上がる。その半減期は5年で、地球全体に降下するには十分に長いが（地球の互いに反対側に2基設置してあればなお良い）、致死量の放射線を出す程度には短い。報道によると、史上初のコバルト爆弾が現在開発中だという。成層圏に巻き上がる長寿命のエアロゾルを最大限まで増やして、核の冬を引き起こすよう最適化された爆弾が併用されれば、オムニサイドの可能性はさらに高まる。最終兵器の最大の売りは、通常の核抑止力よりもはるかに費用がかからない点である。爆弾を発射する必要がないので高価なミサイルシステムも不要だし、爆弾自体もミサイルに搭載できるよう軽量小型化する必要がないため、安価に製造できる。

もうひとつの可能性として、生物学的な最終兵器、すなわち全人類を殺すよう特別に設計した細菌またはウイルスが今後開発されるかもしれない。感染性が高くて潜伏期間が十分に長ければ、存在が明らかになって対策を取る前にほぼ全人類が感染してしまうだろう。たとえすべての人間を殺せなくても、そのような生物兵器の開発には軍事的に意味がある。核兵器と生物兵器、そしてそれ以外の兵器を組みあわせて、敵が思いとどまる可能性を最大限にまで高めたものが、もっとも有効な最終兵器となるのだ。

AI兵器

テクノロジーによってオムニサイドへ至る第三の道筋は、比較的知能の低いＡＩ兵器によるものである。仮に超大国が、第3章で取り上げたミツバチサイズの攻撃ドローンを何十億個も作って、自国と同盟国の市民を今日のスーパーの商品のように無線ＩＤタグで遠隔識別し、それ以外の人間を残らず殺すとしよう。そのタグは、全体主義のシナリオと同じく、ブレスレットや皮下インプラントとして全市民に配布される。すると、敵対する超大国も急いで同様のシステムを構築するだろう。そこで偶発的に戦争が勃発すれば、両方のIDタグを付けている人なんて一人もいないのだから、無関係な僻地の部族を含め全人類が殺されることになる。このシステムと核および生物学的な最終兵器を組みあわせれば、オムニサイドの可能性はますます高まってくる。

あなたならどのシナリオを望むか?

この章の冒頭で、現在のAGI開発競争がどのようなシナリオへつながることを望むかを考えてもらった。ここまで幅広いシナリオを一緒に探ってきたが、あなたはその中のどれに魅力を感じ、どれを全力で避けるべきだと思っただろうか? 明らかにお気に入りのシナリオはあっただろうか? ぜひ http://AgeOfAi.org で私や仲間の読者に教えてほしい。そして議論に加わってほしい。

ここまでに取り上げたシナリオはもちろん完全なリストとは言えないし、多くのシナリオは細かい点があいまいだが、ハイテクからローテクやノーテクまで幅広いシナリオを網羅して、さまざまな文献に示されているおもな期待や懸念を漏れなく挙げるよう最善を尽くしたつもりだ。

これらのシナリオについて友人や同僚から意見を聞いたのが、本書を執筆していてもっとも楽しかった経験のひとつだ。けっして意見が一致しないのを知って愉快だった。ひとつだけ全員が口を揃えたのが、最初に思っていたよりも選ぶのが難しいということである。どれかひとつのシナリオを気に入った人でも、同時にそのシナリオのいくつかの側面には眉をひそめることが多い。我々人類は、どちらへ舵を切ればいいかを知るためにも、未来の目標に関するこの議論を続けていってさらに深めていく必要があると思う。この宇宙における生命の未来の可能性はとてつもなく大きいのだから、どこへ進みたいか見当もつかないまま、舵が利かない船のようにあてどなく漂流して、その可能性を逃さないようにしたいものだ。
その未来の可能性はどれほど大きいのだろうか？ 我々のテクノロジーがどれだけ進歩しようとも、ライフ3・0が進化して宇宙全体に広がる能力は、物理法則の制約を受ける。今後数十億年のあいだに突き当たるその究極の限界は、どこにあるのだろうか？ この宇宙にはいまも地球外生命が満ちあふれているのか、それとも我々はひとりぼっちなのか？ もし拡大しつつある別の宇宙文明と出合ったら、何が起こるのか？ 次の章ではこれらの魅力的な疑問に挑むことにする。

要約

▼AGIを目指す現在の競争が今後数千年のうちに行き着く可能性のあるシナリオは、驚くほど幅広い。
▼超知能が人間と平和的に共存するシナリオとしては、その超知能が強制的に共存させられる場合（奴隷としての神のシナリオ）と、その超知能が共存を望む「友好的なAI」である場合（自由論者のユートピア、保護者としての神、善意の独裁者、動物園の飼育係の各シナリオ）がある。
▼超知能の出現が避けられるシナリオとしては、AIが超知能の出現を食い止める場合（門番のシナリオ）、人間が食い止める場合（1984のシナリオ）、意図的にテクノロジーを忘れる場合（先

祖返りのシナリオ）、または超知能を作る動機を持たない場合（平等主義者のユートピアのシナリオ）がある。

▼人類が絶滅してＡＩに取って代わられる場合（征服者のシナリオと後継者のシナリオ）や、何ひとつ残らない場合（自滅のシナリオ）も考えられる。

▼これらのシナリオの中でどれが好ましいかに関して人々の意見はけっして一致していないし、いずれのシナリオにも好ましくない要素が含まれている。それだけに、不幸な方向へうっかり流されたり、わざと舵を向けたりしないよう、我々の未来の目標をめぐる議論を続けてさらに深めていくことが重要である。

第6章

宇宙からの恵み
今後10億年とさらにその先

この思索の行き着く先は、たえず自己改良して自己拡大し、
太陽を中心に広がっていって非生命を精神に変えていく、
超文明、太陽系の全生命の融合体である。
——ハンス・モラヴェック『電脳生物たち』(1988年)

これまでに私の心をもっとも掻き立てた科学的発見は、我々が生命の未来の可能性を大幅に過小評価していたと明らかになったことである。生命が数百年続いたのちに病気や貧困や混乱によって途絶えるというシナリオのみに、我々の夢や希望をとどめておく必要はない。生命はテクノロジーの助けを借りて、太陽系の中だけでなくこの宇宙全体で、祖先が想像していたよりもはるかに壮大にめくるめく形で何十億年も繁栄する可能性を秘めている。限界はないのだ。

大昔から限界を押し広げたいと望んできた生物種にとっては、何とも刺激的な話だ。オリンピックは、強さやスピード、敏捷さや忍耐力の限界を押し広げた人を讃える。科学は、知識と理解の限界を押し広げた人を讃える。文学や芸術は、美の創造と人生を豊かにする経験の限界を押し広げた人を讃える。多くの人や組織や国家は、資源や領土や寿命を広げた人を讃える。人類が限界にこだわっていることを考えると、著作権のある書物の中で史上もっとも売れているのが『ギネスブック』であるのもうなずける。

では、我々が以前認識していた生命の限界をテクノロジーによって打ち破れるとしたら、はたして究極の限界はどこにあるのだろうか？　この宇宙のうちどれだけの部分が生命を宿せるのか？　生命はどれだけ遠くまで足を伸ばし、どれだけ長く生きつづけられるのか？　生命はどれだけ多くの物質を利用して、そこからどれだけのエネルギーや情報や計算能力を引き出すことができるのか？　その究極の限界は、我々の知識ではなく物理法則によって定まる。そのため皮肉なことに、短期的な未来よりも長期的な生命の未来のほうがある意味容易に推測できる。

138億年の宇宙の歴史を1週間に押し縮めたとすると、前のふたつの章で取り上げた1万年におよぶドラマは、1秒の半分にも満たない。したがって、知能爆発が起こるかどうか、起こるとしたらどのように起こるか、それが直後にどのような影響をおよぼすかを我々は言い当てることはできないが、宇宙の歴史の中ではその混乱はすべて一瞬の出来事にすぎず、その詳細が生命の究極の限界に影響をおよぼすことはない。知能爆発後の生命は、もし今日の人類と同じく限界を押し広げることにこだわるのであれば、実際にその限界に到達するテクノロジーを開発するだろう――何しろその能力を持つのだから。この章では、その限界がどこにあるかを探り、生命の長期的な未来がどのようなものになりうるかを垣間見ることにする。ただしそれは現在の我々が理解している物理学に基づく限界なので、実際の限界の下限ととらえなければならない。未来の科学的発見によってさらに可能性が広がるかもしれないからだ。

しかし、未来の生命は本当にそこまで野心的だと言い切れるのだろうか？　それは分からない。ヘロイン中毒者や、ソファに寝そべってリアリティ番組『カーダシアン家のお騒がせセレブライフ』を延々と観つづけるぐうたら者のように、自己満足に陥ってしまうかもしれない。しかし、野心は高度な生命に比較的共通した特徴ではないかと考えられる理由がある。知能であれ寿命であれ、知識であれ興味深い経験であれ、どんなものを最大限に増やすにしても、ほぼ必ず資源が必要となる。そこで、資源を最大限に活用するために、テクノロジーを究極の限界まで高めようという動機が働く。そこからさらに前進するには、宇宙の広大な領域へ次々に広がっていって、ますます多くの資源を獲得するしかない。

また、生命はこの宇宙の複数の場所で互いに独立して生まれるかもしれない。その場合、野心的でない文明は宇宙での存在感を失い、その文明が宇宙から与えられた恵みは最終的にもっとも野心的な生命形態によって次々に奪われていく。そのため宇宙規模で自然選択が起こり、しばらくするとほぼすべての生命が野心的な存在となる。要するに、この宇宙が最終的にどの程度まで生命を宿すのかを知りたいのであれば、物理法則によって課される野心の限界を探らなければならないのだ。では始めよう。まずは太陽系にある資源（物質やエネルギーなど）を使ってどこまで可能か、その限界を探り、次に、宇宙探査や入植によってさらに資源を獲得する方法に目を向けることにする。

資源を最大限に活用する

今日のスーパーマーケットや商品取引所では、「資源」と呼べそうな品物が何万種類も売られているが、テクノロジーの限界に到達した未来の生命がおもに必要とするのは、原子やその構成部品（クォークと電子）からなるあらゆる物質、いわゆる「バリオン物質」と呼ばれる1種類の基本的な資源だけである。どのような形態の物質であれ、高度なテクノロジーによってそれを組み替えれば、パワープラントやコンピュータや高度な生命形態など、いくらでも好きな物質や物体を作ることができる。そこで初めに、高度な生命がパワーを得るためのエネルギーの限界、そして思考するための情報処理の限界について調べていこう。

ダイソン球の建設

生命の未来についてもっとも大きな希望を抱いている人物の一人が、フリーマン・ダイソンである。私は光栄にもフリーマンと20年ほどの付きあいがあるが、最初に会ったときは緊張したものだ。駆け出しの博士研究員だった私が、プリンストン高等研究所の食堂で友人たちと昼食を取っていたときのことだった。かつてはアインシュタインやゲーデルと交わっていた世界的に有名な物理学者が、突然こちらにやってきて自己紹介し、仲間に入れてくれと頼んできたのだ。しかしフリーマンはすぐに、堅苦しい老教授たちよりも若者と昼食を取るほうが好きなんだと言って、緊張をほどいてくれた。本書執筆時点でフリーマンは93歳だが、精神はいまだに私の知人のほとんどよりも若いし、いたずらっ子のようなその目の輝きを見ると、形式的なしきたりや学界の序列や一般通念などさほど気にしない人物であることがよく分かる。大胆なアイデアであればあるほど、フリーマンは興奮を覚えるのだ。

エネルギー利用に関する話になるとフリーマンは、我々人類は何て野心がないんだと鼻で笑い、サハラ砂漠の0・5パーセントにも満たない面積に降り注ぐ太陽光を利用するだけで現在の世界中のエネルギー需要をまかなえると指摘した。しかしそれだけでとどめる必要があるだろうか？　地球に降り注ぐ太陽光を残らず捕まえるだけで済ませて、ほとんどの太陽光を空っぽの宇宙空間に無駄に捨ててしまう理由がどこにあるだろうか？　太陽が発する**すべての**エネルギーを生命のために利用しない手があるだろうか？

１９６０年にフリーマンは、オラフ・ステープルドンの１９３７年作の名作ＳＦ『スターメイカー』に登場する、母星を取り囲むリング状の人工世界に着想を得て、のちに「ダイソン球」と呼ばれることになるアイデアを発表した。[1] 木星を壊して太陽を取り囲む球殻状のバイオスフィアを作り、その地で我々の子孫が、今日の人類が利用している１０００億倍の生物資源と1兆倍のエネルギーを得て繁栄するというアイデアである。[2] フリーマンは、このような段階にはひとりでに到達すると主張した。「いかなる知的生物種も、工業発展の段階に入ってから数千年以内に、母星を完全に取り囲む人工的なバイオスフィアに暮らすようになるはずだと予想される」。ダイソン球の内側に住んでいれば夜が訪れることはなく、つねに真上に太陽がある。月に反射した太陽光が日中に見えるのと同じように、バイオスフィア全体から反射した太陽光が空一面に見える。星を見たければ、「2階」に上ってダイソン球の外側から宇宙に目を向ければいい。

低レベルのテクノロジーで部分的なダイソン球を作るには、太陽を中心とする円軌道上にリング状の居住地を建設すればいい。さらに太陽を完全に覆うには、互いに異なる公転軸を中心とした複数のリングを、衝突を避けるためにそれぞれわずかに異なる距離に追加していく。しかし、高速で移動するこれらのリングは互いに連結させることができず、輸送や通信が面倒だ。そこで、太陽の内向きの重力と太陽放射の外向きの圧力とが釣りあう距離に、単一構造の静止したダイソン球を建設してもいい。このアイデアはロバート・Ｌ・フォワードとコリン・マッキンスが提唱した。このダイソン球を作るには、遠心力でなく放射圧を太陽の重力と相殺させた静止衛星、「スタタイト」を徐々に増やしていけばいい。放射圧も重力も太陽からの距離の2乗に比例して弱くなるため、太陽からある距離で釣りあうようにすれば、都合の良いことにどんな距離でも静止してくれて、太陽系内のどこにでも置いておける。スタタイトは超軽量のシートで作る必要がある。1平方メートルあたりわずか0・77グラムと、紙の約100分の1の軽さだが、とくに目を見張るような素材ではない。たとえばグラフェン（炭素原子が金網のように六角形のパターンに並んだ層）のシートは、この限界の1000分の1の軽さだ。太陽光の大部分を吸収するのでなく反射するダイソン球を建設すれば、その内部を行き交う光の強度が劇的に高まって放射圧がさらに強くなり、球殻で支えられる重量が増える。太陽の1000倍や100万倍もの光度を持つ恒星もたくさんあり、そのような恒星なら光度に応じてもっと重い静止ダイソン球でも支えることができる。

太陽系にもっとずっと重くて堅固なダイソン球を建設したいのなら、太陽の重力に耐えられるよう、世界一の高層ビルの土台にかかる数万倍の圧力でも融けたり曲がったりせずに持ちこたえられる、超強力な素材が必要となる。ダイソン球を長い年月にわたって維持させるには、動的な形にして知能を持たせることで、状況の変動に応じてたえず位置や形状を微調整したり、厄介な小惑星や彗星がやって来たら何事もなくすり抜けさせるために大きな穴を空けたりする必要もある。あるいは、そのような邪魔物を検知して軌道を逸らし、必要とあれば壊して再利用するシステムを導入してもいい。

今日の人間がダイソン球の表面または内部に住もうとしても、方向感覚が狂ってしまい、最悪の場合はどうしても暮らせないだろう。しかしだからといって、未来の生物学的または非生物学的な生命体がダイソン球で繁栄できないとは限らない。公転運動するダイソン球の上では重力は事実上作用しないし、静止したダイソン球でも、落下せずに歩き回れるのは外側（太陽の反対側）だけで、そこでの重力の強さはあなたがつねに感じている重力の約1万分の1しかない。また、太陽からやって来る危険な粒子を遮ってくれる磁場もない（人工的に作らない限り）。その一方で長所として、地球の現在の軌道と同じサイズのダイソン球を作れば、居住できる土地の面積が約5億倍に広がる。

もっと地球に似た居住地を望むのであれば、ダイソン球よりもはるかに容易に建設できるものがある。たとえば図6・1と6・2に示した、アメリカ人物理学者のジェラード・K・オニールが提唱した円筒形のコロニーは、人工重力を発生させ、宇宙線を遮蔽し、昼と夜が24時間サイクルで入れ替わり、地球に似た大気と生態系を提供してくれる。このよ

図 6.1 互いに逆向きに自転する2機のオニールシリンダーを、つねに太陽にまっすぐ向くよう公転させておけば、地球に似た快適な居住地になる。自転による遠心力が人工重力を生み出し、開閉可能な3枚の鏡が24時間の昼夜サイクルに従って内部に太陽光をもたらす。リング状に並んだもっと小さいコロニーは、農業に特化している。図は Rick Guidice/NASA より。

うなコロニーをダイソン球の内側で軌道運動させておくこともできるし、工夫すればダイソン球の外側に連結させることもできる。

もっと優れたパワープラントを作る

ダイソン球は今日の工学の水準から見ればエネルギー効率が高いが、物理法則による限界にはとうてい手が届かない。アインシュタインが明らかにしたとおり、質量を100パーセントの効率*でエネルギーに変

*＝エネルギーの分野で働いている人なら、この定義ではなく、利用可能な形で解放されるエネルギーの割合を効率と定義するのに慣れているかもしれない。

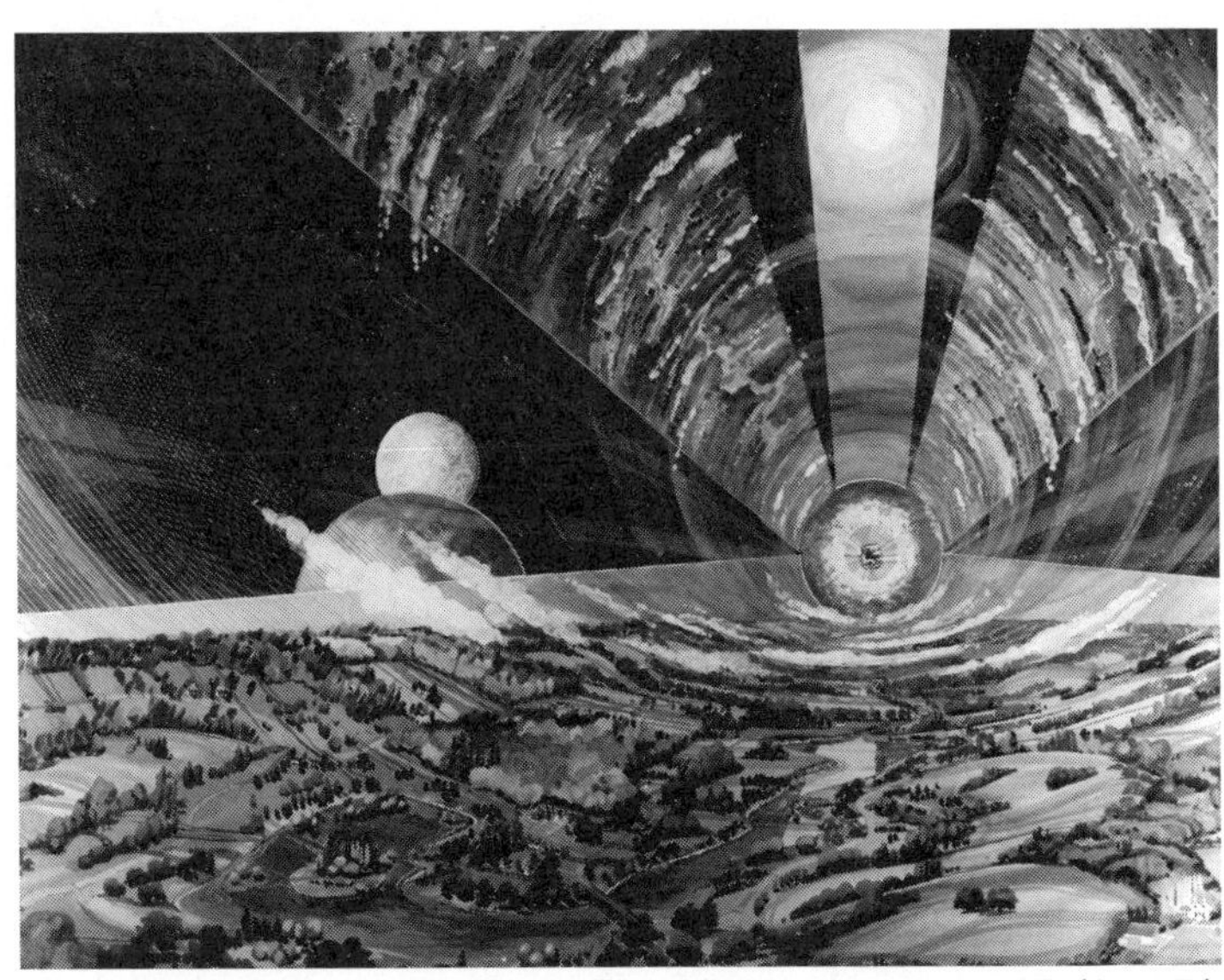

図 6.2 前図に示したオニールシリンダー内部の様子。直径が 6.4 キロメートルで、2 分ごとに 1 回自転させれば、表面にいる人は地球上と同じ強さの見かけの重力を感じる。太陽は反対側にあるが、シリンダーの外側に展開した、夜間には折りたたまれる鏡に反射して、図の上方に見えている。また、気密性のある窓によって、シリンダーから大気が逃げるのを防いでいる。図は Rick Guidice/NASA より。

換できるとしたら、質量 m からは、$E=mc^2$（c は光の速さ）という有名な方程式によって導かれる量のエネルギー E が得られる。c がきわめて大きい値なので、わずかな質量でも膨大なエネルギーを生み出せる。もし反物質を豊富に供給できれば（現在は不可能だが）、効率100パーセントのパワープラントを容易に建設できる。小さじ1杯の反水（反物質でできた水）をふつうの水に入れるだけで、TNT火薬20万トン、典型的な水爆1発分に相当するエネルギーが解放され、世界中のエネルギー需要を約7分間まかなうことができる。

それに対し、今日もっとも一般的に使われているエネルギー発生法は、表6・1と図6・3にまとめたようにとんでもなく非効率である。体内でチョコレートバーを消化する効率はわずか0・00000001パーセントで、含まれているエネルギーの量 mc^2 の10兆分の1しか解放されない。もしあなたの胃が0・001パーセントの効率だったら、あなたは残りの人生でたった1回だけ食事をすればいいことになる。石炭やガソリンの燃焼による効率も、食事のそれぞれ3倍と5倍にすぎない。ウラン原子を核分裂させる今日の原子炉は

方法	効率
チョコレートバーの消化	0.00000001%
石炭の燃焼	0.00000003%
ガソリンの燃焼	0.00000005%
ウラン235の核分裂	0.08%
太陽が死ぬまでのあいだダイソン球を利用する	0.08%
水素からヘリウムへの核融合	0.7%
自転ブラックホールエンジン	29%
クエーサーを取り囲むダイソン球	42%
スファレライザー	50%?
ブラックホールの蒸発	90%

表 6.1　質量が利用可能なエネルギーに変換される効率を、理論上の限界 $E=mc^2$ を基準にして表したもの。本文で説明しているとおり、ブラックホールに物質を放り込んでそのブラックホールが蒸発するのを待つという方法は、とんでもなく時間がかかるので使い物にならず、そのプロセスを加速させようとすると効率は大幅に下がってしまう。

それよりもはるかに効率が良いが、それでもウラン原子のエネルギーの0・08パーセント以上を取り出すことはできない。太陽のコアで起こっている核反応は、我々が作った原子炉よりも1桁効率が良く、水素を核融合させてヘリウムに変えることでそのエネルギーの0・7パーセントを取り出している。しかしたとえ完全なダイソン球で太陽を取り囲んだとしても、太陽の質量のうち利用可能なエネルギーに変換できるのはおよそ0・08パーセントにすぎない。太陽は水素燃料のおよそ10分の1を消費したところで、通常の恒星としての寿命を終え、膨張して赤色巨星となって死んでいく。ほかの恒星でもさほど変わらない。一生のうちに消費する水素の割合は、きわめて小さい恒星で約4パーセント、きわめて大きい恒星で約12パーセントである。すべての水素を100パーセント思いどおりに利用できる人工核融合炉を完成させたとしても、効率はわずか0・7パーセントにとどまってしまう。では、もっと効率を上げるにはどうすればよいのだろうか？

ブラックホールの蒸発

スティーヴン・ホーキングは著書『ホーキング、宇宙を語る』の中で、ブラックホールパワープラントなるものを提案している。[*] ブラックホールは光を含め何ものも逃げ出せない落とし穴だと長いあいだ考えられていたので、これは矛盾しているように聞こえるかもしれない。しかしホーキングが計

＊＝近くの宇宙空間で利用に適した天然のブラックホールが見つからなくても、大量の物質を十分に小さい空間に押し込めて新たなブラックホールを作ればいい。

算で明らかにしたとおり、ブラックホールは量子重力効果によって熱い物体のように振る舞い（ブラックホールが小さいほど高温になる）、「ホーキング放射」と呼ばれる熱放射を発する。そのため、ブラックホールは徐々にエネルギーを失って蒸発していく。そこで、何でもいいから物質をブラックホールに投げ込めば、いずれは熱放射として再び出てくるので、ブラックホールが完全に蒸発するまで待てば100パーセントに近い効率で物質を放射に変換できることになる。*

ブラックホールの蒸発を動力源として使う上での問題点は、原子よりもずっと小さいブラックホールでない限り、蒸発のプロセスがとてつもなく遅くてこの宇宙の現在の年齢よりも長くかかってしまい、放射されるエネルギーがろうそく1本分にも満たないことである。その出力はブラックホールの大きさの2乗に反比例するため、物理学者のルイス・クレインとショーン・ウエストモアランドは、大きさが陽子の約1000分の1で、質量が史上最大の海洋船ほどのブラックホールを使うよう提唱している。[3] そこでは宇宙船の動力としての利用が念頭にあるため（この話題についてはのちほど再び取り上げる）、効率よりも持ち運び可能かどうかが重視されている。また、エネルギーから物質への変換がいっさい起こらないよう、ブラックホールにレーザー光を照射するという方法を提案している。たとえ放射の代わりに物質をブラックホールへ供給できたとしても、高い効率を確保するのは難しいだろう。陽子をその1000分の1の大きさのブラックホールに飲み込ませるには、大型ハドロン衝突型加速器と同じくらい強力な装置を使ってぶつけるしかない。そうすると、陽子のエネルギーmc^2に、さらにその1000倍以上の運動エネルギーが付け加わる。その運動エネルギーのうち少なくとも10パーセントはブラックホールの蒸発の際にグラビトンとして失われるため、取り出して利用できるはずのエネルギーよりももっとたくさんのエネルギーを使わなければならず、結果として効率はマイナスになってしまう。この計算の前提となる量子重力の厳密な理論がまだないため、ブラックホールパワープラントへの期待はさらに見通せなくなってくるが、逆に役に立つ未発見の新たな量子重力効果が存在しているかもしれない。

自転するブラックホール

幸いにも、量子重力などのあまり理解が進んでいない物理を持ち出さなくても、ブラッ

＊＝これは少々単純化しすぎていて、ホーキング放射には役に立つ形で利用するのが難しい粒子も含まれている。大きなブラックホールでは効率は90パーセントにしかならず、エネルギーの約10パーセントはグラビトン（重力子）として放射される。グラビトンはとてつもなく恥ずかしがり屋の粒子で、検出はほぼ不可能であり、役に立つ形で利用するのはなおさら難しい。ブラックホールが蒸発して小さくなるにつれて、ホーキング放射にはニュートリノなど質量を持った粒子も含まれてくるので、効率はさらに下がっていく。

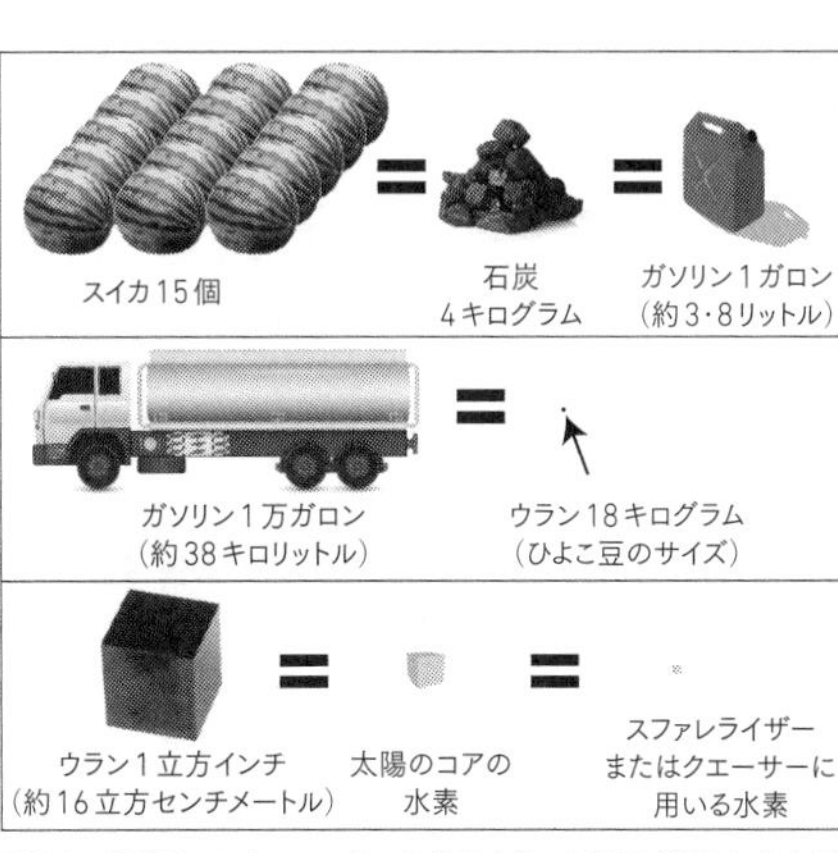

図6.3 高度なテクノロジーを使えば、食事や燃焼よりもはるかにたくさんのエネルギーを物質から取り出すことができる。核融合でさえ、物理法則による限界の140分の1のエネルギーしか取り出せない。スファレロンやクエーサーやブラックホールの蒸発を利用したパワープラントなら、もっとずっと効率を高められるかもしれない。

クホールをパワープラントとして使う方法がほかに何通りかある。たとえば現実に存在するブラックホールの多くはきわめて高速で自転していて、その事象の地平面は光速に近い速さで旋回しており、その回転エネルギーを取り出すことができる。事象の地平面とは、重力があまりに強くて光でさえ脱出できない領域の境界のことである。図6・4に示したように、自転しているブラックホールでは、事象の地平面の外側に「エルゴスフィア」と呼ばれる領域がある。この領域の空間はブラックホールの自転によってあまりに速いスピードで引きずられているため、この内部で粒子がじっと静止するのは不可能である。そのため、このエルゴスフィアに投げ込まれた物体は、ブラックホールを中心とした公転のスピードをどんどん増していく。残念ながらその物体はすぐにブラックホールに飲み込まれ、事象の地平面を通って永遠に姿を消してしまうため、エネルギーを取り出すのには都合が悪い。しかしロジャー・ペンローズが発見したとおり、うまい角度で物体を飛ばして、図6・4にあるように途中でそれをふたつに切り離せば、一方の切れ端が飲み込まれる代わりに、もう一方の切れ端が最初よりも多くのエネルギーを持ってブラックホールから逃げ出してくる。つまり、ブラックホールの回転エネルギーの一部を、利用可能なエネルギーに変換できるのだ。これを何度も繰り返せば、ブラックホールの自転が止まってエルゴスフィアが消滅するまで、その回転エネルギーを残らず絞り出すことができる。最初、ブラックホールが自然界で許される最高スピードで自転していて、事象の地平面がほぼ光速で移動していたとすると、この方法によって質量の29パーセントをエネルギーに変換できる。実際に存在するブラックホールがどのくらいのスピードで自転しているかはいまだ定かでないところが多いが、詳しく調べられているブラックホールの多くはかなり高速で自転していて、許容される最

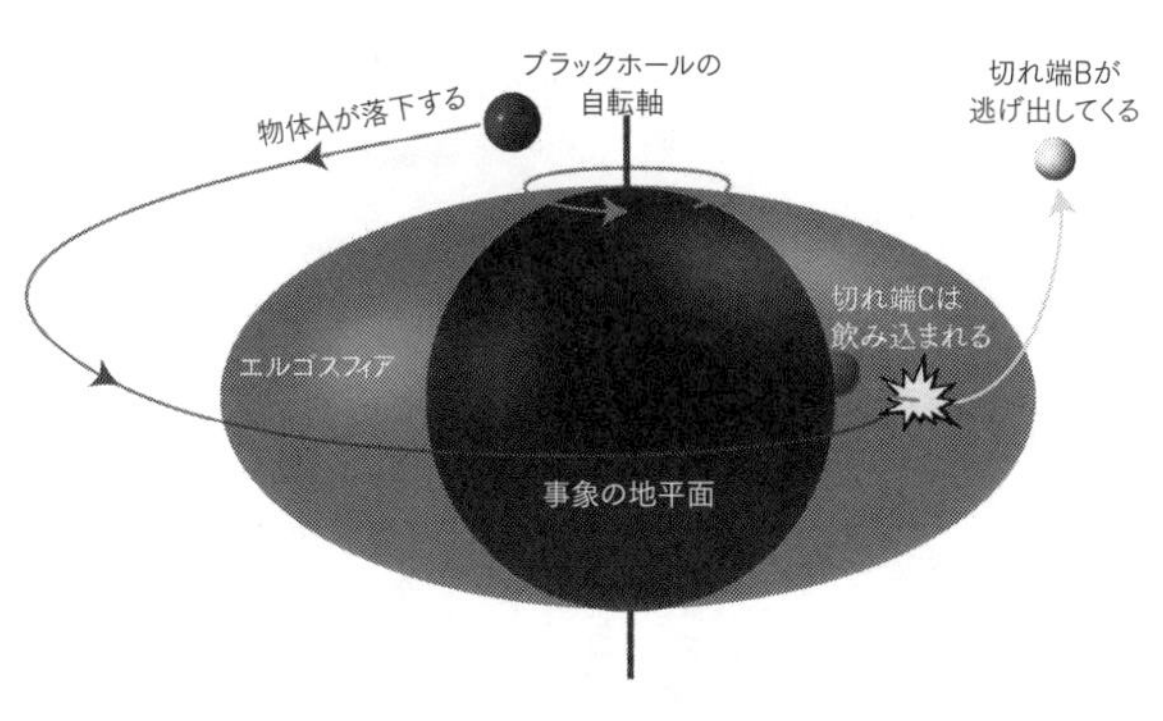

図6.4　自転するブラックホールの回転エネルギーの一部を取り出す方法。ブラックホールの近くで物体Aを飛ばして途中でふたつに分裂させ、切れ端Cをブラックホールに飲み込ませると、切れ端Bは最初のAよりも多くのエネルギーを持って逃げ出してくる。

高スピードの30から100パーセントの範囲に入るようだ。銀河系の中心にある巨大ブラックホール（質量は太陽の400万倍）も自転しているらしく、たとえその質量の10パーセントしか有用なエネルギーに変換できなかったとしても、太陽40万個分を100パーセントの効率でエネルギーに変換したのと同じことになり、そのエネルギー量は、5億個の恒星の周囲にダイソン球を建設して数十億年かけて得られるぶんにも匹敵する。

クエーサー

もうひとつの興味深い戦略として、ブラックホール本体からでなく、ブラックホールへ落ちていく物体からエネルギーを取り出すという方法がある。自然はすでに独自にその方法を見つけている。クエーサーである。ガスが渦を巻いてブラックホールに近づき、ピザのような形の円盤を作ってそのいちばん内側が徐々に飲み込まれるにつれて、ガスは超高温になって膨大な量の放射を発する。ちょうどスカイダイビングのように、ブラックホールに向かって落ちていくにつれてスピードが増し、重力ポテンシャルエネルギーが運動エネルギーに変換される。それにつれて、ガスの運動はどんどんとめちゃくちゃになっていく。整然としていた運動が複雑な乱流によって次々に小さいスケールでランダムになり、やがて1個1個の原子が高速で衝突しあうようになる。そのようなランダムな運動は温度が高いことにほかならず、原子の激しい衝突によって運動エネルギーが放射に変換される。そこで、ブラックホールの周りに安全な距離を保ってダイソン球を建設すれば、その放射エネルギーを捕らえて利用することができる。ブラックホールの自転が速ければ速いほどこのプロセスの効率は高くなり、最高スピードで自転するブラックホールではエネルギー効率は42パーセントにも達する。* 恒星と同程度の質量のブラックホールでは、ほとんどのエネルギーはX線として出てくるが、銀河の中心にあるような超重ブラックホールの場合、大部分は赤外線や可視光線や紫外線の範囲に含まれる。

ブラックホールに供給する燃料が尽きたら、先ほど説明した、回転エネルギーを取り出す方法に切り替えればいい。† 自然はこの方法もある程度は実現させている。降着円盤からの放射が、ブランドフォード=ナジェック機構と呼ばれる磁気プロセスによって加速されるのだ。磁場などを巧みに利用すれば、エネルギーを取り出す効率を42パーセントよりもさらに上げられるテクノロジーも可能だろう。

スファレロン

物質をエネルギーに変換する方法としてもうひとつ、ブラックホールをいっさい使わないものが知られている。「スファレロン」過程と呼ばれるものである。この過程ではクォークが崩壊して、レプトン、すなわち、電子やその重い兄弟であるミューオンやタウ、あるいはニュートリノやこれらの反粒子へ変わる。[4] 図6・5に示したとおり、素粒子物理学の標準モデルによれば、適切なフレーバー（種類）とスピンを持った9個のクォークが合体すると、スファレロンという中間状態を経てレプトン3個に変わる。最初の質量よりも最後の質量のほうが軽いので、その質量差がアインシュタインの方程式 $E = mc^2$ に従ってエネルギーに変換される。

そのため未来の知的生命なら、私が「スファレライザー」と名付けた、超強力なディーゼルエンジンさながらに動作するエネルギー発生器を作れるかもしれない。従来のディーゼルエンジンは、空気とディーゼルガソリンの混合物を圧縮して温度を上げ、それによって自然発火させて燃焼させ、発生した高温の混合物の再膨張を、ピストンを押し出すなどの有用な働きに使う。燃焼で発生した二酸化炭素などの気体は、最初にシリンダーに入っていた気体よりも約0・0000005パーセント軽く、この質量差が熱エネルギーに変わってエンジンを駆動させる。一方、スファレライザーは通常の物質を圧縮して温度を数千兆度にまで上げ、スファレロン過程が起こったら再膨張させて冷却させる。*

＊＝ダグラス・アダムスのファンのために言っておくと、この値は、あの「生命と宇宙と万物に関する質問」に対する答えと同じだ。もっと正確に示すと、効率は $1-1/\sqrt{3} \approx 42\%$ となる。

†＝ブラックホールの自転と同じ方向にゆっくりと回転させたガス雲を供給すれば、ガスはどんどんとスピードを増しながらブラックホールに引きずり込まれ、ちょうどフィギュアスケート選手が腕を引き寄せると回転が速くなるのと同じように、ブラックホールの自転が加速する。このようにすれば、ブラックホールを最高速度で自転させつづけて、最初はガスのエネルギーの42パーセントを、続いて残りのエネルギーの29パーセントを取り出すことができ、合計の効率は $42\% + (1-42\%) \times 29\% \approx 59\%$ となる。

この実験の結果はすでに分かっている。およそ138億年前、高温だった初期の宇宙が我々に代わって実験をしてくれたからだ。そのとき、物質のほぼ100パーセントがエネルギーに変換されて、残った10億分の1足らずの粒子が、通常の物質を形作る材料、すなわちクォークや電子となった。ディーゼルエンジンと似ているが、ただし10億倍以上も効率が高い。もうひとつの長所として、何を燃料にするかにこだわる必要がなく、クォークでできているものなら何でも、つまり通常のどんな物質でも使える。

生まれたての宇宙では、この高温過程によって、物質（のちに寄り集まって原子を作るクォークや電子）の1兆倍を超える量の放射（光子やニュートリノ）が生じた。そしてそれから138億年のあいだに、壮大な棲み分けが起こった。原子は凝集して銀河や恒星や惑星を形作った一方、ほとんどの光子は銀河間空間にとどまって、この宇宙の赤ん坊時代の写真に使われる宇宙マイクロ波背景放射となった。そのため、銀河など物質が集まっている場所に棲む高度な生命形態なら、スファレライザーの中でかつての高温高密度状態を一瞬再現することで、利用可能な物質の大部分を再びエネルギーに戻し、物

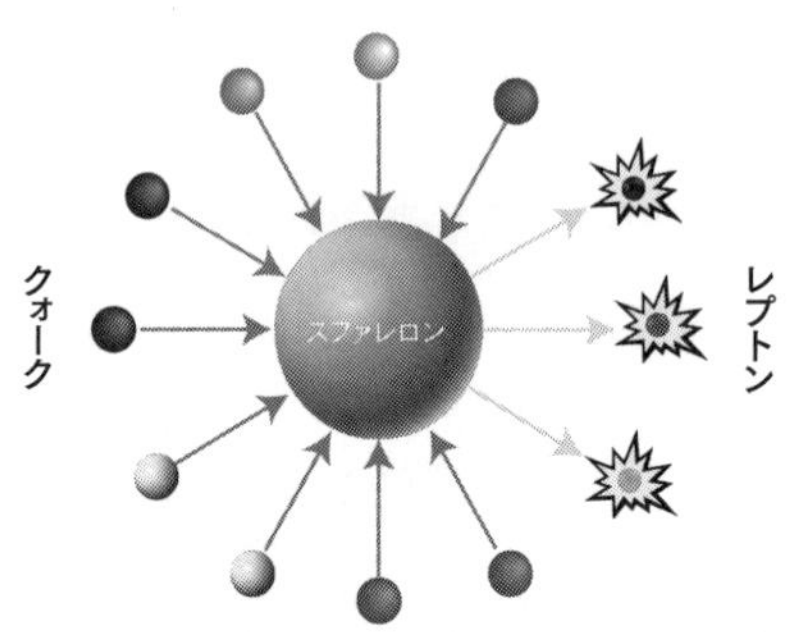

図6.5 素粒子物理学の標準モデルによると、適切なフレーバーとスピンを持った9個のクォークが合体し、スファレロンと呼ばれる中間状態を経てレプトン3個に変わる。クォークの質量（およびそれらに付きまとっているグルーオン粒子のエネルギー）の合計が、レプトンの質量よりもはるかに大きいため、この過程でエネルギーが解放される（図では閃光で表している）。

質の割合を初期宇宙と同じごく小さな値へ引き下げることができる。

実際のスファレライザーの効率をはじき出すには、現実面でのさまざまな重要な細部を明らかにする必要がある。たとえば、圧縮段階で光子とニュートリノが大量に漏れ出さないようにするには、装置をどれだけ大きくしなければならないかといったことだ。しかし、未来の生命が手にできるエネルギーが、現在のテクノロジーで可能な量よりも大幅に多いことは確実だ。我々はいまだ核融合炉さえ完成させられていないが、未来のテクノロジーはその10倍、もしかしたら100倍も優れた働きをしてくれるはずだ。

もっと高性能なコンピュータを作る

夕食を食べるときのエネルギー効率が物理的限界の100億分の1だとしたら、現代のコンピュータはどのくらいの効率なのだろうか？　いまから見ていくように、夕食よりもさらに効率が悪いのだ。友人で同僚のセス・ロイドのことを、私はよく、MITで私と同じくらいクレイジーな唯一の人物だと紹介する。セスは、量子コンピュータに関する先駆的な研究をおこなったのちに、この宇宙全体が1台の量子コンピュータであると論じる本を書いた。私は仕事終わりにしょっちゅうセスとビールを飲んでいるが、セスが関心を示さずに一言も意見しなかったようなテーマにはまだひとつもお目に

＊＝電磁気力と弱い核力が再統一される温度にまで上げる必要があり、その温度における粒子のスピードは、衝突型加速器で2000億ボルトで加速したときに匹敵する。

かかったことがない。たとえば第2章で触れたように、計算の究極の限界についてセスは一家言を持っている。2000年に発表した有名な論文では、計算速度がエネルギーによって制限を受けることを証明した。時間Tで基本的な論理演算を1回おこなうには、平均で$E=h/4T$のエネルギーが必要だという（hはプランク定数と呼ばれる基本的な物理量）。つまり、1キログラムのコンピュータなら1秒あたり最大で5×10^{50}回の演算ができ、この速度は私がこの文章を打っているコンピュータの処理速度より36桁分も速い。第2章で説明したように、もし計算能力が2年ごとに2倍になりつづけたら、200年でこのスピードに到達することになる。同じくセスが明らかにしたとおり、1キログラムのコンピュータは最大で10^{31}ビットの情報を保存でき、これは私のノートパソコンの10億倍のさらに10億倍に相当する。

セスも真っ先に認めているとおり、これらの限界に実際に到達するのはたとえ超知能生命であっても困難で、この重さ1キログラムの究極の「コンピュータ」のメモリは、熱核爆発かビッグバンの一部分のようになってしまう。しかし、現実的な限界もこの究極の限界からそれほどかけ離れてはいないという。現在の量子コンピュータのプロトタイプは、すでに原子1個あたり1ビットを保存するレベルにまでメモリが小型化されているし、それをスケールアップすれば、1キログラムあたり約10^{25}ビット、私のノートパソコンの1兆倍の情報を保存できるようになるだろう。さらに、それらの原子どうしの情報伝達に電磁気放射を使えば、1秒あたり約5×10^{40}回の演算ができ、私のパソコンのCPUと比べて31桁分も速く計算できるだろう。

要するに、未来の生命が何かを計算して答えを出す能力は、まさに気が遠くなるほど高い。桁数で比較すると、現在最高性能のスーパーコンピュータと究極の1キログラムコンピュータとの差は、同じくスーパーコンピュータと、たった1ビットの情報を保存して1秒あたり約1回オンとオフを切り替える自動車のウインカーとの差よりも大きいのだ。

それ以外の資源

物理的観点から見れば、居住場所や機械や新たな生命形態など、未来の生命が作りたいと思うものはすべて、素粒子をある特定の形で組みあわせたものにすぎない。シロナガスクジラがオキアミを、オキアミがプランクトンを再構成したものであるのと同じように、この太陽系全体も、138億年におよぶ宇宙の進化の中で水素を組み替えたものでしかない。重力が水素を組み替えて恒星が水素を組み替えてもっと重い原子を作り、その原子が重力によって組み替えられてできた地球の上で、化学的および生物学的なプロセスによって原子がさらに組み替えられることで、生命ができたのだ。

テクノロジーの限界に到達した未来の生命なら、そのような粒子の組み替えをもっと高速かつ効率的におこなうことができる。まず自らの計算能力を使ってもっとも効率的な方法をはじき出してから、利用可能なエネルギーを使って物質再構成のプロセスを進める。先ほど述べたとおり物質はコンピュータやエネルギーに変換できるので、ある意味、根本的に必要な資源は物質だけである。[*] 物質利用の物理的限界に突き当たった未来の生命にとって、それ以上進む方法はひとつしか残っていない。さらに多くの物質を手に入れることだ。そのためには宇宙に広がっていくしかない。さあ宇宙へ！

宇宙への入植によって資源を確保する

宇宙から我々に授けられる恵みは、どのくらい大きいのだろうか？　具体的に言うと、生命が最終的に利用できる物質の量に対して、物理法則はどの程度の上限を課しているのか？　もちろんとんでもなく多いが、その正確な量は？　表6・2にいくつか鍵となる値を挙げてある。地球は現在、99・99999パーセント死んでいる。つまり、物質のうちこれだけの割合が生物圏に属しておらず、重力と磁場を提供する以外にほとんど生命の役には立っていない。ということは、いずれは現在の1億倍の量の物質を生命のために積極的に利用できる可能性があることになる。太陽系のすべての物質（太陽も含む）を最適な形で活用できれば、さらに100万倍に増える。銀河系全体に入植すれば、資源の量はそのさらに1兆倍になる。

どれだけ遠くまで飛んでいけるか？

十分に辛抱しさえすれば、いくらでも数多くの銀河に入植して際限なく資源を調達できるはずだと思われるかもしれないが、現代宇宙論によるとけっしてそんなことはない。確かに空間そのものは無限に広がっていて、無限個の銀河や恒星や惑星が存在するかもしれない。138億年前にビッグバンを引き起こした原因に関する現在最有力の学説、いわゆる「インフレーション理論」のもっとも単純なバージョンでは、実際にそのように予測されている。しかし、たとえ銀河が無限個あったとしても、我々が観測して到達することのできる銀河は有限個しかないだろう。観測できるのはおよそ2000

億個、入植できるのはせいぜい100億個だ。

制限をかけているのは、1年あたり1光年（約10兆キロメートル）という光の速さである。図6・6は、ビッグバン以来138億年のあいだに我々のもとに届いた光が発せられた空間領域を表していて、この球形の領域のことを、「観測可能な宇宙」または単純に「この宇宙」と呼ぶ。たとえ空間が無限に広がっていたとしても、この宇宙は有限であり、そこには原子が約10^{78}個しか含まれていない。さらに、この宇宙のおよそ98パーセントは、「見ることはできても触れることはできない」。つまり、観測することはできるが、たとえ光速で永遠に旅したとしてもけっしてたどり着けない。なぜだろうか？　観測できる範囲に限界があるのは、この宇宙の年齢が有限で、遠くの光が我々のもとに届くだけの十分な時間的余裕がまだないからにすぎない。そうだとしたら、旅程にかける時間に制限をかけなければ、いくらでも遠くの銀河に到達できるはずなのではないか？

＊＝ここまでは原子からできている物質しか取り上げていない。ダークマターがその約6倍存在するが、きわめてとらえどころがなくてなかなか捕まえられず、地球の反対側まで平気ですり抜けてしまうため、未来の生命がダークマターを捕まえて利用できるかどうかはまだ分からない。

領域	粒子数
生物圏	10^{43}
地球	10^{51}
太陽系	10^{57}
銀河系	10^{69}
光速の半分のスピードで到達できる範囲	10^{75}
光速で到達できる範囲	10^{76}
この宇宙全体	10^{78}

表6.2　未来の生命が利用したくなるであろう物質粒子（陽子と中性子）のおおよその個数

第一の障害は、この宇宙が膨張していて、ほぼすべての銀河が我々から遠ざかりつつあるために、遠くの銀河へ入植しようとしても追いかけっこになってしまうこと。そして第二の障害は、この宇宙の約70パーセントを占める謎のダークエネルギーによって、宇宙の膨張が加速していることである。それがなぜ問題を引き起こすのかを理解するために、次のような場面をイメージしてほしい。あなたが駅のプラットフォームに上がったときに、乗ろうとしていた列車がちょうど動きはじめた。扉は乗ってくださいとばかりに開いている。足が速くて無茶しがちなあなたは、はたして列車に追いつけるだろうか？　いずれ列車はあなたの全速力よりも速くなってしまうので、もちろんその答えは、最初にあなたと列車がどれだけ離れていたかで変わってくる。ある臨界距離よりも離れていたら、けっして追いつけない。それと同じことが、加速して我々から遠ざかっている遠くの銀河に追いつこうとする場合にも当てはまる。たとえ光の速さで飛んでいったとしても、およそ１７０億光年以上離れた銀河には永遠に追いつくことができない。そしてそうした銀河は、この宇宙の98パーセントを上回るのだ。

しかし待ってほしい。アインシュタインの特殊相対論によれば、何ものも光より速く進むことはできないのでは？　光速で迫ってくるものよりも速く銀河が逃げることなど、どうしてできるというのだろう？　実は、特殊相対論の代わりに成り立つアインシュタインの一般相対論では、制限速度がそこまで厳格ではない。空間内を光速より速く移動することは不可能だが、空間そのものはいくらでも速く膨張できるのだ。さらにアインシュタインは、その制限速度を分かりやすく図示するために、時間を「時空」の4つめの次元としてとらえた（図６・７では、３つの空間次元のうちのひとつを省略して、時

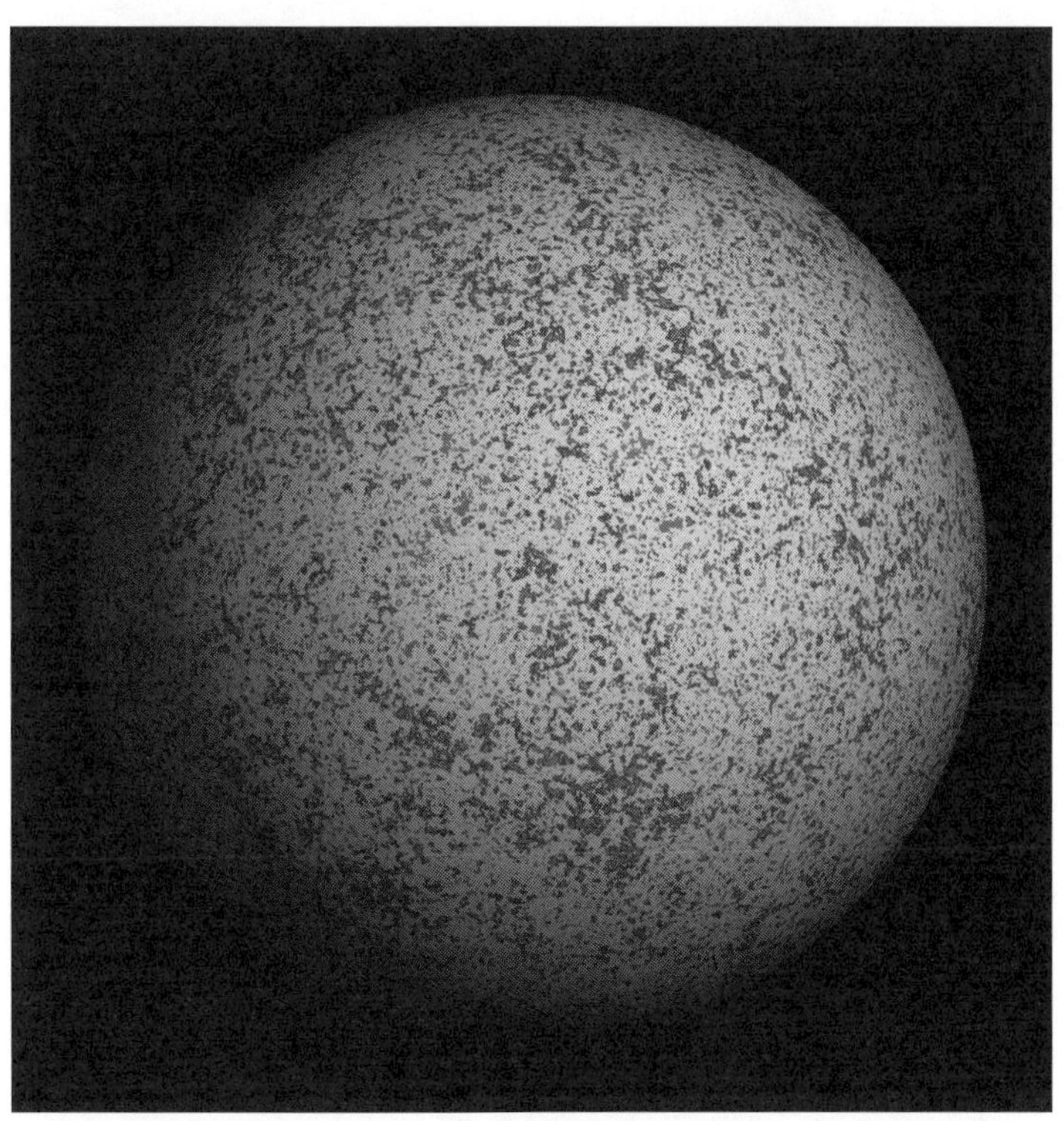

図 6.6 この宇宙、すなわち、ビッグバン以来 138 億年のあいだに（中心にいる）我々のもとに届いた光が発せられた球形の空間領域。模様は、プランク衛星が撮影した赤ん坊時代の宇宙の写真。誕生からわずか 40 万年後には、太陽の表面と同じくらいの温度の熱いプラズマでできていたことが分かる。空間はおそらくこの領域の外にも広がっていて、年を追うごとに新たな物質が視界に入ってくる。

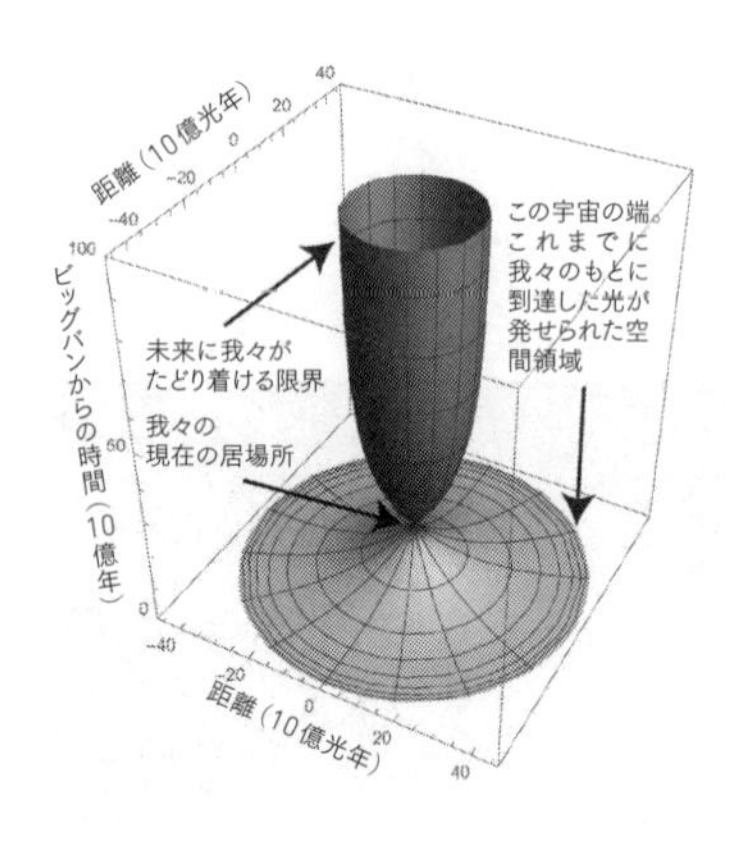

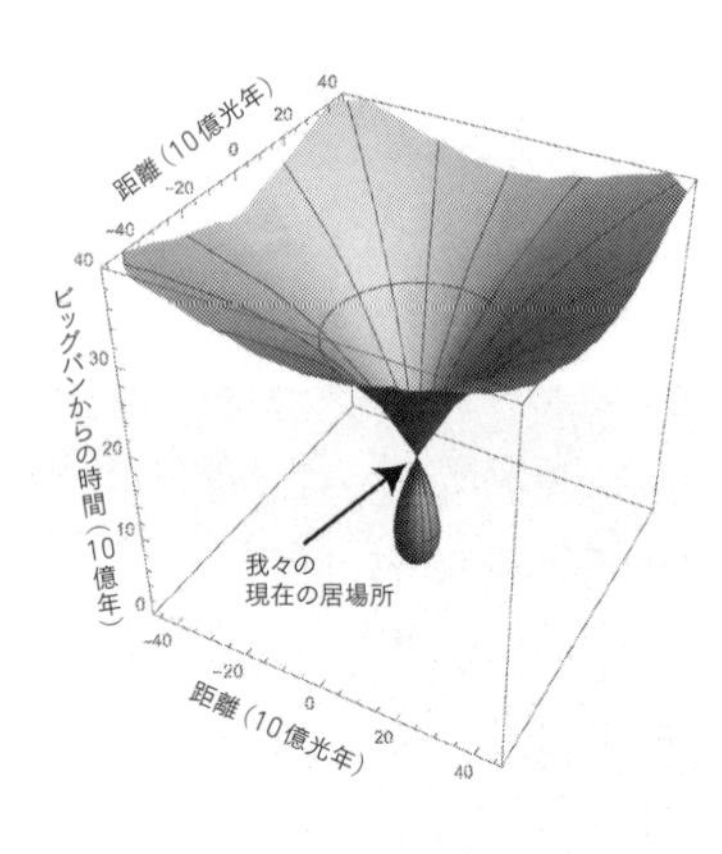

空全体で三次元になるようにしてある）。もしも空間が膨張していなかったとすると（左図）、時空内で光線は45度に傾いた線を描くため、我々がいまここから見ることのできる、そしてたどり着くことのできる領域は、円錐形になる。過去の側の光円錐はビッグバンが起こった138億年前で切れているが、未来の側の光円錐は永遠に広がりつづけ、宇宙からの恵みにいくらでも手を伸ばすことができる。一方、中央の図は、ダークエネルギーが存在する膨張宇宙（我々はおそらくそのような宇宙に住んでいる）を表したものである。光円錐がシャンパングラスのように変形して、我々が入植できる銀河の個数はおよそ100億個に絞られる。

この制限を知って宇宙的閉所恐怖症になった人は、抜け穴があるかもしれないから元気を出してほしい。私の計算でも、また最新の測定結果でも、ダークエネルギーは時間経過に関係なく一定のままらしい。しかしダークエネルギーの正体についてはいまだ何ら手掛かりがないため、いずれダークエネルギーが減っていってなくなってしまう（インフレーションを説明するために仮定された類似の存在と同様

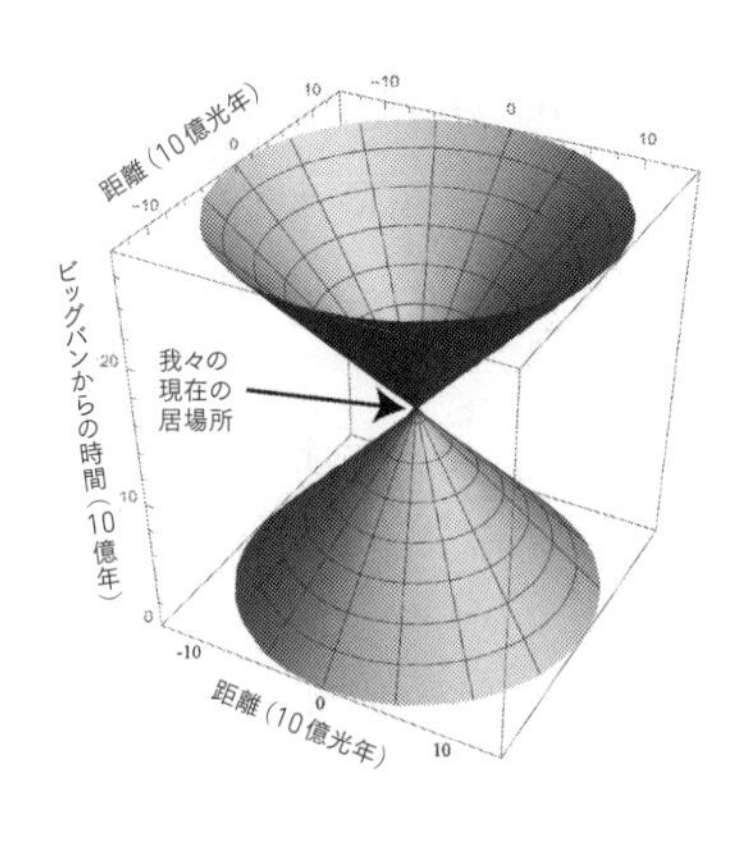

図 6.7 時空図ではひとつの事象がひとつの点で表され、その水平位置と垂直位置がそれぞれ、その事象がどこで、いつ起こったかに対応する。空間が膨張していない場合（左図）、1年に1光年進む光よりも速く因果作用が伝わることはありえないため、地球（頂点）にいる我々が影響を受ける可能性のある時空領域（下側の円錐）、および影響をおよぼす可能性のある時空領域（上側の円錐）の境界は、ふたつの円錐をなす。しかし空間が膨張していると、もっと興味深いことになる（中央図と右図）。宇宙論の標準モデルによれば、たとえ空間が無限に広がっていたとしても、我々が見ることのできる、または到達することのできる時空領域は有限である。シャンパングラスを連想させる中央図では、空間の膨張分を差し引いた座標を使って、遠くの銀河の動きが垂直線に対応するようにしてある。ビッグバンから138億年経った現在の我々にとって、これまでに届いた光線はこのシャンパングラスの基部から発せられたものに限られるし、たとえ我々が光の速さで飛んでいったとしても、グラスの上部より外側の領域には絶対にたどり着くことができない。グラスの上部に含まれる銀河はおよそ100億個である。花の下から滴り落ちるしずくを連想させる右図では、空間の膨張が分かるよう通常の座標を使っている。現在の我々が見ることのできる空間領域の境界はかつては互いにきわめて接近していたため、グラスの基部がしずく形に変形する。

に）という一縷（いちる）の望みがある。もしそうだとしたら、宇宙の加速膨張はやがて減速に転じ、未来の生命形態は自らが存続する限り新たな銀河へ入植しつづけられることになる。

どれだけ速く飛べるか？

ここまでは、ひとつの文明がもし光の速さであらゆる方角へ広がっていったら、どれだけたくさんの銀河へ入植できるのかを考えた。しかし一般相対論によると、ロケットが空間内を光の速さで進もうとしても、それには無限の量のエネルギーが必要となるため不可能である。では現実的にロケットはどこまで速く飛べるのだろうか？[*]

２００６年に冥王星を目指して打ち上げられたＮＡＳＡの探査機ニューホライズンズは、秒速およそ45キロメートルというスピード新記録を出したし、ＮＡＳＡが２０１８年に打ち上げたパーカーソーラープローブは、その4倍を超えるスピードで太陽のそばまで落下していく予定だが、それでも光速のわずか０・１パーセントにも満たない。過去１００年、もっと速くて高性能のロケットの探求に大勢の優秀な人たちが熱中し、このテーマに関する優れた文献が大量に生み出されてきた。では、さらに速く飛ぶのがこれほど難しいのはなぜだろうか？　大きな問題がふたつある。従来のロケットでは、搭載している燃料を加速させるためだけにその燃料の大半が使われてしまうこと、そして、現在のロケット燃料がとんでもなく効率が悪いことである。質量のうちエネルギーに変換される割合は、表6・1で見たガソリンの値０・００００００５パーセントとさほど変わらないのだ。改良法としてひとつすぐに思いつくのが、もっと効率の良い燃料に切り替えること。たとえばフリーマン・ダイソンらが携わったＮＡＳＡのオライオン計画では、約30万発の核爆弾を爆発させて10日間で宇宙船を光速の約3パーセントにまで加速させ、１００年かけて人間を別の恒星系に送り届けることを目指していた。[5]また、通常の物質と組みあわせると１００パーセント近い効率でエネルギーを解放する、反物質を燃料として使う方法を探っている人もいる。

もうひとつ人気のアイデアが、燃料を搭載する必要のないロケットを開発するというものである。たとえば、星間空間は完全な真空ではなく、ところどころに水素イオン（電子を失った水素原子、つまり単独の陽子）が漂っている。それを踏まえて1960年に物理学者のロバート・バサードが、いまでは「バサードのラムジェット」と呼ばれている方式の基本的アイデアを考えついた。飛行中に水素イオンをかき集め、搭載した核融合炉でロケット燃料として使うというアイデアである。最近の研究ではこの方式が現実的に有効かどうか疑念が示されているが、燃料を運ぶ必要のない方式のアイデアとしてもうひとつ、高度なテクノロジーを持った宇宙文明なら実現可能と思われるものがある。レーザーセイリングである。

図6・8は、物理学者ロバート・L・フォワード（ダイソン球の建設法としてスタタイトを考案した人物）が1984年に考え出した、巧妙なレーザーセイルロケットのしくみである。帆船の帆に空気の分子がぶつかって帆が前方に押し出されるのと同じように、鏡に光子がぶつかると鏡が前方へ押し出される。そこで、宇宙船につないだ巨大な超軽量セイルに、ソーラーパワーで発生させた強力なレーザーを当てれば、太陽のエネルギーを使ってロケットをかなりのスピードまで加速させることができる。しかし止まるときにはどうするのか？　私には思いつかなかったが、フォワードの見事な論文にその答えがあった。図6・8にあるように、レーザーセイルの外側部分を切り離して宇宙船の前方に移動

*＝宇宙論の数学は実は驚くほど単純である。膨張しつつある空間の中で文明が拡大するスピードが、光の速さ c でなく、それより遅い v だとすると、入植できる銀河の個数は $(v/c)^3$ 倍に減る。そのため、ぐずぐずしている文明はひどく不利な立場に置かれ、拡大スピードが10分の1になると、最終的に入植できる銀河の個数は1000分の1になってしまう。

させ、それでレーザービームを反射させて、宇宙船と残った小さなセイルを減速させるという手だ。[6] フォワードの計算によれば、この方法で、約4光年離れたアルファ・ケンタウリ恒星系に人間をたった40年で送り届けられるという。到着してそこで新たな巨大レーザーシステムを建造すれば、銀河系内を星から星へ次々に飛び移っていけるのではないだろうか。

しかしそこでやめる手があるだろうか？　１９６４年にソ連の天文学者ニコライ・カルダシェフが、利用できるエネルギーの量に応じて文明を格付けする方式を提案した。そのカルダシェフ・スケールでは、利用するエネルギーが惑星1個分、恒星1個分（たとえばダイソン球を使って）、銀河1個分に相当する文明がそれぞれ、タイプ1、タイプ2、タイプ3に対応する。のちに、到達可能な宇宙全体を利用するタイプ4文明をさらに追加することが提案された。それ以降、野心ある生命形態にとっては良い話と悪い話が出ている。悪い話としては、ダークエネルギーの存在によって、前に述べたとおり到達可能な範囲に上限がある。一方で良い話としては、ＡＩの劇的な進歩が挙げられる。カール・セーガンのような楽観的な夢想家でさえ、かつては、人間がほかの銀河に到達できるかどうかはかなり望み薄だと考えていた。たとえ光速に近いスピードで飛んでいったとしても何百万年もかかり、最初の１００年も経たないうちに人間は死んでしまう。しかしあきらめきれない人たちは、身体を冷凍して寿命を延ばしたり、光速に近いスピードで移動することで老化を遅くしたり、あるいはひとつのコミュニティを、人類のこれまでの歴史よりも長い何万世代にもわたって旅させたりする方法を考えてきた。

超知能ならばこの状況を一変させて、銀河間旅行への期待をもっとずっと高めてくれるだろう。かさばる生命維持システムを運ぶ必要がなくなり、AIが開発したテクノロジーを使えるようになれば、銀河間移住は突如としてたやすいことになってしまう。宇宙船を「シードプローブ」だけが収まるくらいに小型化すれば、フォワードのレーザー推進システムをずっと安価に建設して稼働できる。シードプローブとは、目的地の恒星系の小惑星または惑星に着陸して、ゼロから新たな文明を築くことのできるロボットである。工程指示書すら搭載せずに済む。十分に巨大な受信アンテナを作りさえすれば、もとの文明からもっと詳細な設計図や工程指示書を光の速さで受け取ることができるからだ。そこに文明が完成したら、新たに建造したレーザーシステムを使って新たなシードプローブを送り出し、恒星系から恒星系へと銀河系内の入植を進めていく。銀河どうしを隔てる広大な空間にさえ、中継地

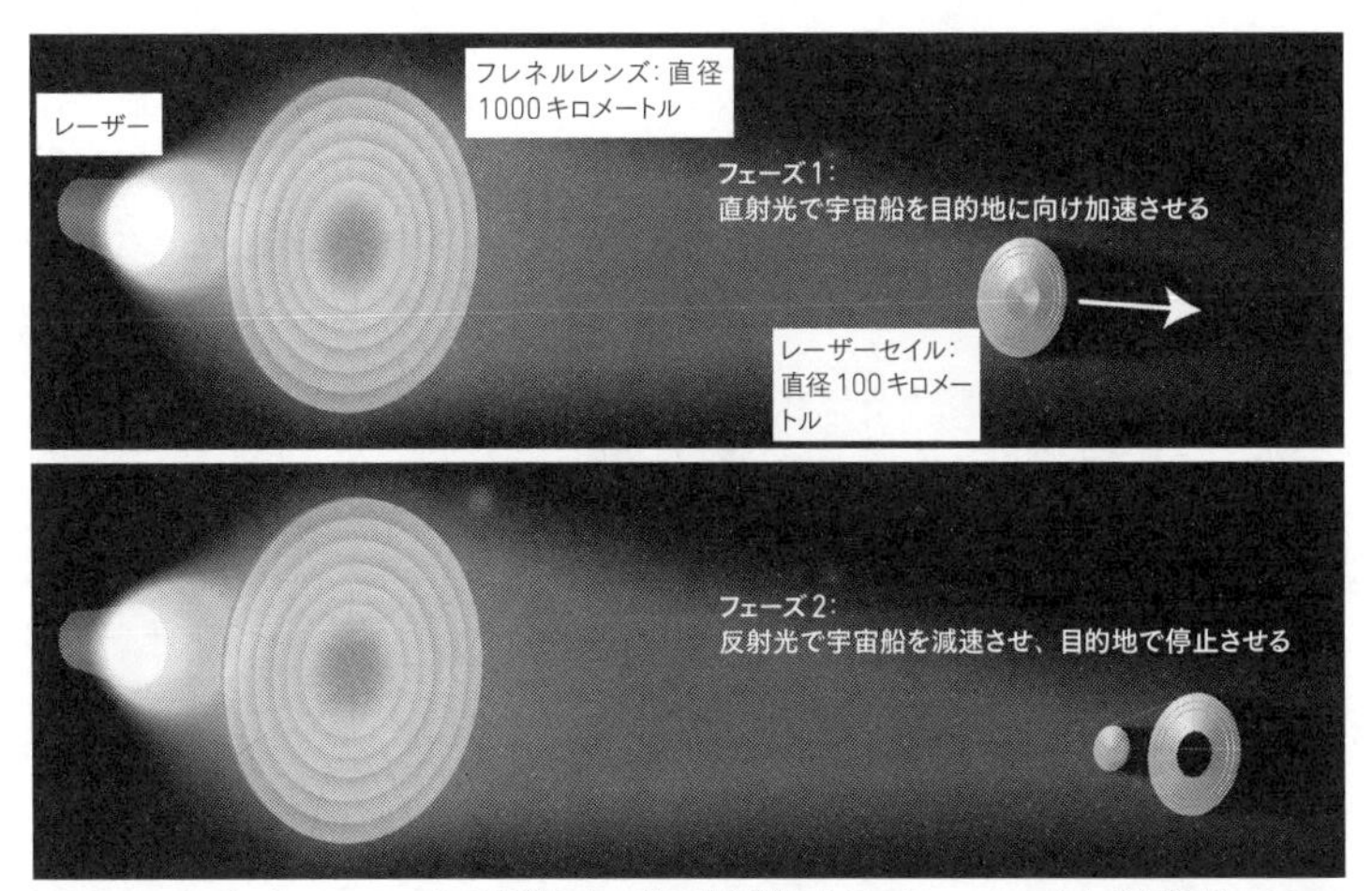

図6.8 ロバート・L.フォワードが考案した、約4光年離れたアルファ・ケンタウリ恒星系へのレーザーセイリングミッション。まず、太陽系から照射する強力なレーザーでレーザーセイルに放射圧を与えて宇宙船を加速させる。目的地に到着する前にブレーキをかけるには、セイルの外側部分を切り離し、宇宙船に向けてレーザー光を反射させる。

として使える銀河間恒星（もといた銀河からはじき出されたもの）がかなりの数存在するため、銀河間のレーザーセイリングにもアイランドホッピングと同じ戦略が有効だ。

ひとたび超知能ＡＩが別の恒星系や銀河へ入植すれば、そこに人間を送り届けるのはたやすい――ただし、そのような目標を持ったＡＩを作ることができればの話だが。人間に関するすべての情報を光速で送信し、ＡＩがクォークや電子を組みあわせて目的の人間を作ればいい。その方法としてはまず、一人の人間のＤＮＡを記述するのに必要な2ギガバイトの情報を送信して、培養した赤ん坊をＡＩが育てるという、比較的低レベルのテクノロジーを使うやり方。もうひとつは、ＡＩがナノテクノロジーを使ってクォークと電子から成人の人間を作り、地球でスキャンしたもとの人間の記憶をそれに植え込むという方法も考えられる。

したがって、もし知能爆発が起こるとしたら、銀河間入植が可能かどうかではなく、どのくらいのスピードで入植を進められるかというのが重要な問題となる。ここまで取り上げてきたアイデアはすべて人間が考えついたものなので、生命の拡大スピードの下限にすぎないととらえなければならない。野心ある超知能生命なら、おそらくもっとずっと優れたアイデアを考え出せるだろう。また、時間とダークエネルギーを相手にした競争の中で、平均入植スピードを1パーセント上げれば入植できる銀河の個数は3パーセント増えるので、限界を押し広げようという強い動機も持つことになるだろう。

たとえば、10光年離れた隣の恒星系へレーザーセイリングシステムを使って20年かけて到達し、そこから10年かけて入植して新たなレーザーシステムとシードプローブを作るとしたら、入植済みの空間領域は光速の3分の1の平均スピードで全方向へ球状に広がっていくことになる。２０１４年にアメリカ人物理学者のジェイ・オルソンは、宇宙へ拡大していく文明に関する綿密かつ見事な分析の中で、アイランドホッピングに代わるハイテクな方法として、「シードプローブ」と「エクスパンダー」という2種類のプローブを使う方法を検討した。シードプローブは減速して目的地に着陸し、生命の種（たね）を蒔く。一方、エクスパンダーはけっして立ち止まらない。おそらくは改良型のラムジェットテクノロジーを使って飛行中に物質をかき集め、その物質は燃料として使うとともに、シードプローブの製造と自身の複製のための原材料としても使う。自己複製するこのエクスパンダー艦隊は、ゆっくりと加速して近傍の銀河に対するスピードを一定に（たとえば光速の半分に）保ちながら、たびたび自らを複製する。そうすることで、艦隊が球殻状に広がっていきながらも、その単位面積あたりのエクスパンダーの数が一定に保たれるようにする。

極めつけに、上記のどの方法よりも速く拡大できる一か八かのずるいやり方も考えられる。第5章で取り上げたハンス・モラヴェックの「宇宙スパム」を使うという方法だ。進化したばかりの純真な文明をだますメッセージを送信し、超知能マシンを作らせてその文明を乗っ取っていけば、この魅惑的な誘い文句が宇宙に広がるのと同じスピード、つまりほぼ光の速さで拡大することができる。未来の光円錐に含まれるほとんどの銀河に高度な文明が手を伸ばすにはこの方法しかないだろうし、その方法を試さない理由なんてほぼないのだから、もし宇宙人から何かしらのメッセージが届いたらかなり疑ってかかるべきだ。カール・セーガンの著書『コンタクト』では、我々地球人がエイリアンからもらった設計図をもとに、我々が理解できない機械を作る。私ならそんなことはお勧めしない。

まとめると、宇宙への入植について考えている科学者やSF作家のほとんどは、超知能の可能性を無視してあまりにも悲観的になりすぎていると思う。人間が旅することにしか目を向けていないせいで、銀河間移動を難しく考えすぎているし、人間が発明したテクノロジーにしか目を向けていないせいで、物理的限界に達するのに必要な年月も長く考えすぎているのだ。

宇宙エンジニアリングによって連絡を保ちつづける

最新の観測データが示しているとおり、ダークエネルギーによって銀河どうしが加速して遠ざかりつづけているとしたら、生命の未来にとっては大きな厄介事が降りかかることになる。たとえ未来の文明が100万個の銀河に入植できたとしても、ダークエネルギーが数百億年かけて、その宇宙帝国を互いに連絡不可能な何千もの領域に分断してしまうのだ。未来の生命がこの分断化を防ぐ方策を何ら講じなかったら、生命の最大の砦として最後まで残るのは、ダークエネルギーに打ち勝つだけの強さの重力を持った、およそ数千個の銀河からなる銀河団までということになる。

超知能文明が一体でありつづけようとしたら、大規模な宇宙エンジニアリングをおこなうという強い動機を持つことになるだろう。ダークエネルギーによって永遠に手から離れてしまう前に、どのくらいの量の物質を最大の超銀河団の中へ移動させてこられるのだろうか？　恒星を遠くまで移動させるひとつの方法としては、2個の恒星が安定して互いの周りを回っている連星系に、もう1個の恒星を近づけさせるというやり方がある。恋愛関係と同じく、第三者が関わってくると状況が不安定になって、3個の恒星のうちの1個が激しくはじき飛ばされる。3個のうちのいくつかをブラックホールに置き換えれば、このような不安定な三つ巴を使って、銀河のはるか外にまで高速で質量を放り投げられる。しかし残念ながら、この三体手法を恒星やブラックホールや銀河に用いたとしても、ダークエネルギーに打ち勝てるほど長距離にわたって移動させることができるのは、文明を構成する質量のうちのごく一部でしかないだろう。

しかしだからといって、超知能生命がもっと良い方法を考え出せないということにはならない。たとえば、辺境の銀河の質量の大部分を宇宙船に変えて、故郷の銀河団へ移動させるという方法も考えられる。もしスファレライザーを作ることができれば、物質をエネルギーに変換して故郷の銀河団へ光として送り、それを物質へ再構成したり動力源として使ったりできるかもしれない。

さらに運が良ければ、通行可能な安定したワームホールを作って、その入口と出口がどんなに離れていようがほぼ瞬時に通信したり移動したりできるかもしれない。ワームホールはいわば時空の中の近道で、A地点からB地点まで、途中の空間を通らずに移動できる。アインシュタインの一般相対論によれば安定なワームホールは存在可能で、映画『コンタクト』や『インターステラー』などにも登場するが、そのためには負の密度を持つ仮想上の奇妙な種類の物質が必要だ。そのような物質が存在するかどうかは、あまり理解が進んでいない量子重力効果にかかっている。つまり、役に立つようなワームホールは存在しえない可能性もあるが、もしそうでなかったとしたら、超知能生命はそのようなワームホールを作ろうという強い動機を持つはずだ。ワームホールは銀河内での高速通信に革命を起こすだけでなく、辺境の銀河と中心の銀河団とを早いうちからつなげておいて、未来の生命の領土全体を長距離にわたって結びつけることで、通信を不可能にしようとするダークエネルギーの企みを完全にくじくこともできるだろう。安定なワームホールによって結びつけられた銀河どうしは、どんなに遠くまで引き離されようが接触を保つことができる。

もし、宇宙エンジニアリングをどれだけ講じても、未来の文明の一部はどうしても永遠に連絡が取れなくなる運命にあるということになれば、そうした領域は手放して運に任せるしかないかもしれない。しかし、計算によって何かきわめて難しい問題の答えを見つけるという野心的な目標を持っていたとしたら、代わりにいわば焼き畑農法的な戦略に頼るかもしれない。辺境の銀河を巨大なコンピュータに作り替えて、その物質とエネルギーをすさまじいペースで計算リソースに変え、その燃かすがダークエネルギーによって視界から消え去る前に、積年の問題の答えが故郷の銀河団へ送信されてくることを祈るのだ。この焼き畑戦略にとくに適していると思われるのが、あまりにも遠すぎて「宇宙スパム」の手法を使わないと手が届かないような領域である。そこの先住人にとっては残念ではあるが、そのぶん故郷の領域では、文明を最大限効率的にできるだけ長く維持することを目指せる。

どれだけ長いあいだ存続できるか?

野心的な人や組織や国家は、長寿を乞い願うものだ。では、野心ある未来の文明が超知能を開発して長寿を望んだら、どれだけ長く存続できるのだろうか?

我々の遠い未来について初めて科学的かつ徹底的に考察したのは、誰あろうフリーマン・ダイソンである。その重要な知見の一部を、表6・3にまとめてある。結論として、知能が介入しない限り、恒星系や銀河、そしてあらゆるものが徐々に壊れていく。そして最終的には、生命のいない冷たくて空っぽな空間の中で、微かな放射が永遠の時間をかけて弱まっていく。しかしフリーマンは、考察の最後を次のような楽観的な一言で締めくくっている。「生命や知能がこの宇宙を自身の目的にあわせて作り替えられるという可能性を、科学的にまっとうないくつかの理由ゆえ真剣に取り上げるべきである」[8]

超知能であれば、物質を恒星系や銀河よりも役に立つものに作り替えられるのだから、表6・3に挙げた問題の多くもたやすく解決できると思う。数十億年後に太陽が死ぬといったような、よく引きあいに出される問題など、痛くもかゆくもないだろう。何しろ、テクノロジーレベルの比較的低い文明でさえ、2000億年以上生き長らえる低質量の恒星へ簡単に移住できるのだから。超知能文明が恒星よりも効率の良い独自のパワープラントを作るとしたら、エネルギーの節約のためにむしろ恒星の形成を妨げたいと思うかもしれない。恒星が主系列時代を通じて放出するエネルギーをすべてダイソン球で捕まえたとしても、集められるのは全エネルギーの約0・1パーセントだけで、残り99・9パーセントの大部分はその重い恒星が死ぬときにごみになってしまうかもしれない。重い恒星が超新星爆発を

出来事	何年後か
この宇宙の現在の年齢	10^{10}年
ダークエネルギーがほとんどの銀河を手の届かないところに追いやる	10^{11}年
最後の恒星が燃え尽きる	10^{14}年
恒星から惑星が離れる	10^{15}年
銀河から恒星が離れる	10^{19}年
重力放射によって軌道が崩壊する	10^{20}年
陽子が崩壊する	10^{34}年以上
恒星質量のブラックホールが蒸発する	10^{67}年
超重ブラックホールが蒸発する	10^{91}年
あらゆる物質が鉄へ崩壊する	10^{1500}年
あらゆる物質がブラックホールになって蒸発する	$10^{10^{26}}$年

表6.3　遠い未来の予測。2番目と7番目を除きフリーマン・ダイソンによる。ダイソンが計算をおこなったのはダークエネルギーの発見以前のことで、ダークエネルギーの存在を踏まえると、10^{10}～10^{11}年で何通りもの「宇宙の終末」が訪れる可能性がある。陽子は完全に安定かもしれない。もし安定でなかったとしても、実験によるとその半減期は10^{34}年以上だと考えられる。

起こすと、そのエネルギーの大部分はとらえがたいニュートリノとして逃げていってしまうし、きわめて重い恒星では、ブラックホールの形成によってかなりの質量が無駄になり、そこからエネルギーが漏れ出してくるには10^{67}年もかかってしまう。

超知能生命は、物質やエネルギーを使い果たさない限り、自らの居住地を望みどおりの状態に維持できる。もしかしたら、定期的に観測することで崩壊過程が遅くなる、いわゆる「量子ゼノン効果」を使って、陽子の崩壊を防ぐ方法さえ発見できるかもしれない。しかしひとつ、どうしても避けられない出来事として、この宇宙全体を破壊する「宇宙の終末」が、早ければいまから100億年ないし1000億年後に起こるかもしれない。ダークエネルギーの発見と弦理論の進展によって、ダイソンがあの先駆的な論文を書いたときには想像していなかった、新たな宇宙の終末のシナリオが浮かび上がってきたのだ。

では、いまから数百億年後、この宇宙はどのようにして終末へ向かうのだろうか？　図6・9に示したとおり、来たるべき宇宙の終末としては、「ビッグチル」「ビッグクランチ」「ビッグリップ」「ビッグスナップ」「デスバブル」のおもに5通りが考えられる。この宇宙は現在まで138億年のあいだ膨張しつづけてきた。ビッグチルとは、この宇宙が永遠に膨張しつづけて希薄になり、冷たくて暗く、生命のまったく存在しない場所になるという結末である。フリーマンがあの論文を書いた当時は、これがもっとも可能性の高いシナリオだと考えられていた。T・S・エリオットが言ったように、「世界の終わり方、それは大爆発でなくすすり泣きである」ということだ。一方でロバート・フロストのように、世界が氷でなく火で終わることを望む人は、ビッグクランチが起こるよう祈ってほしい。

宇宙の膨張がいずれ逆転して、あらゆるものがすさまじい勢いで再び集まり、ビッグバンを巻き戻したかのように押しつぶされるという結末だ。最後に、ビッグリップとは大慌てのビッグチルのようなもので、いまから有限の時間内に、銀河や惑星、さらには原子までもが引き裂かれて終焉を迎えるという結末である。この3つのシナリオのうちどれに賭けるべきだろうか？　それは、この宇宙の質量の約70パーセントを占めるダークエネルギーが、空間が膨張するにつれてどのような振る舞いを見せるかによる。ダークエネルギーが変化せずに残りつづけるか、弱まって密度が負になるか、または強まって密度が高くなるかに対応して、それぞれのシナリオが実現する可能性がある。ダークエネルギーの正体についてはいまだ何ら手掛かりが得られていないので、私ならどう賭けるかだけお伝えしておこう。ビッグチルに40パーセント、ビッグクランチに9パーセント、ビッグリップに1パーセントだ。

では残り50パーセントの賭け金はどうするの

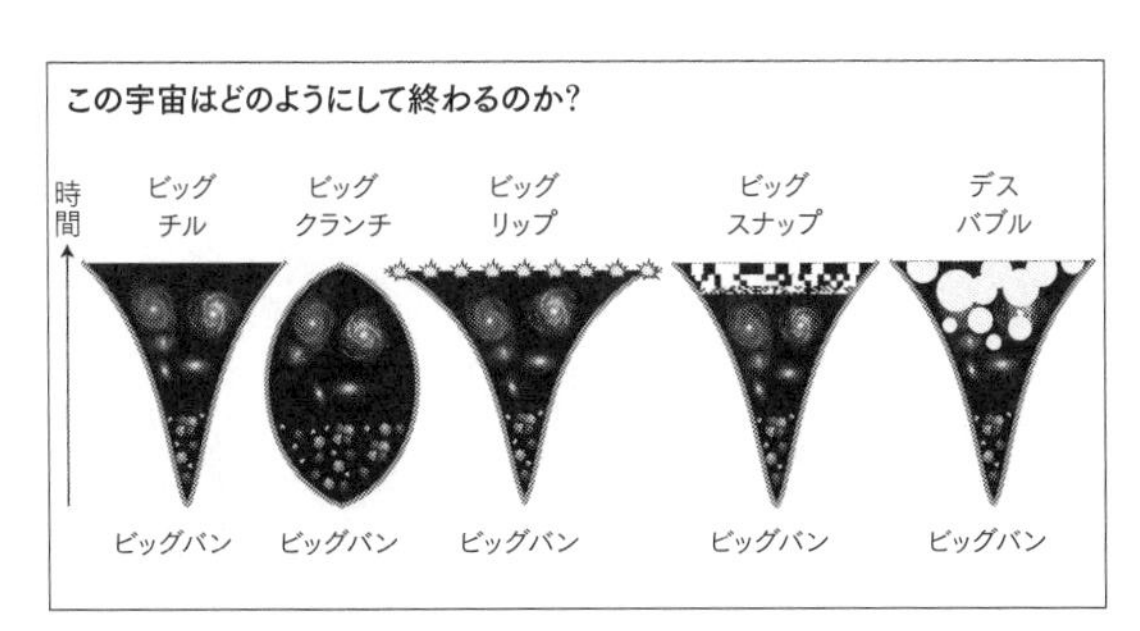

図6.9　この宇宙はいまから138億年前に高温のビッグバンによって生まれ、膨張して冷えるにつれて素粒子が合体して原子や恒星や銀河が作られた。しかし究極の運命は分からない。提案されているシナリオとしては、ビッグチル（永遠に膨張する）、ビッグクランチ（再び収縮する）、ビッグリップ（膨張速度が無限大になって、あらゆるものが引き裂かれる）、ビッグスナップ（時空の構造が激しく引き伸ばされて、致命的な粒状性が表れてくる）、デスバブル（空間が「凍って」致命的な泡が生じ、それが光速で膨張する）がある。

か？「上記のいずれでもない」という選択肢のために取っておくのだ。我々人類は謙虚になって、基本的な事柄すらまだ分かっていないことがあると認めるべきだろう。たとえば空間の性質。ビッグチル、ビッグクランチ、ビッグリップのシナリオはいずれも、空間そのものは安定で無限に引き伸ばすことができるという仮定に基づいている。かつて、空間は動かないまっさらな舞台であって、その上で宇宙の劇が展開するのだと考えられていた。しかしアインシュタインによって、空間も実は重要な役者の一人であることが分かった。湾曲してブラックホールになったり、重力波として波立ったり、宇宙の膨張によって引き伸ばされたりする。もしかしたら、水と同じように凍っていまとは別の相状態になり、高速で広がるその新しい相状態のデスバブルが、宇宙の終末を引き起こす予想外のもうひとつの候補になるかもしれない。もしデスバブルが発生したら、超攻撃的な文明から解き放たれた宇宙スパムのように、光の速さで広がっていくだろう。

さらにアインシュタインの理論によれば、空間は永遠に引き伸ばすことができて、ビッグチルやビッグリップのシナリオではこの宇宙の体積は無限大に近づいていくという。できすぎた話でちょっと本当とは思えないし、私自身も疑っている。輪ゴムは空間と同じように連続的に見えるが、引っぱりすぎるとちぎれてしまう。なぜか？　輪ゴムは原子でできていて、あまりにも引き伸ばされると原子レベルの粒状性が重要になってくるからだ。もしかしたら空間も何らかの粒状性を帯びていて、そのスケールが小さすぎるせいで我々が気づけないだけなのでは？　量子重力の研究によると、約10^{-34}メートルよりも小さいスケールでは、従来の三次元空間の概念は意味をなさなくなるという。空間が際限なく引き伸ばされることはありえず、やがて破局的な「ビッグスナップ」が起こるという説がもし本当だとしたら、未来の文明は、自分たちの手の届くところにある、膨張しない最大の空間領域（巨大銀河団）へ移住したいと思うかもしれない。

どれだけの計算ができるのか？

ここまで、未来の生命がどれだけ長く存続できるかを掘り下げたので、次に、どれだけ長く存続したいと思うかを探っていこう。当然できるだけ長く生きつづけたいと望むはずだ、そう思えるかもしれないが、フリーマン・ダイソンはこの欲求に関してももっと定量的な議論を展開している。計算スピードを遅くすればするほど計算のコストは下がるため、とことん突き詰めて最大限ゆっくりと事を進めれば、それだけ多くの事柄をこなせるのだ。フリーマンはさらに、もしこの宇宙が永遠に膨張して冷えつづけていくとしたら、無限の量の計算を実行することも可能かもしれないという結論をはじき出した。

ゆっくりだからといって、必ずしも退屈というわけではない。シミュレーションの世界に生きる未来の生命が主観的に経験する時間の流れは、外界でそのシミュレーションが走るゆっくりとしたペースとは必ずしも関係ない。そのため、無限の計算ができるというのは、シミュレーションの生命形態にとっては主観的に不死であることを意味するだろう。宇宙論学者のフランク・ティプラーはこの考え方を踏まえ、宇宙が再収縮して温度と密度が急上昇するのにあわせて、計算スピードを無限大に向けて加速させていけば、ビッグクランチ直前の最後の瞬間に主観的な不死を達成できるかもしれないと推測している。

しかし、無限の量の計算を実行するというフリーマンとフランクの夢はダークエネルギーによって打ち砕かれてしまうだろうから、未来の超知能はエネルギーを比較的速く使って、宇宙の地平面や陽子崩壊といった問題に突き当たる前にそれを計算に変えてしまおうとするかもしれない。全計算量を最大限に増やすことが究極の目標だとしたら、最適な戦略は、上記の問題を避けるために遅すぎもせず、また、1回の計算あたりに必要なエネルギーを増やさないために速すぎもしない、ちょうど良いバランスを取ることだろう。

この章で掘り下げてきた事柄を踏まえると、超知能生命は最大限に効率的なパワープラントとコンピュータを使って、気の遠くなるような量の計算をおこなうことができるだろう。出力13ワットのあなたの脳を100年間にわたって働かせるには、物質約0・5ミリグラム、砂糖1粒より少ない量に相当するエネルギーが必要となる。セス・ロイドの研究によると、脳のエネルギー効率はこの1000兆倍に高めることができ、砂糖1粒のパワーで、これまでに生きた全人類の数千倍の人数の一生をシミュレートできるという。もしこの宇宙のすべての物質を使って人間のシミュレーションをできるとしたら、10^{69}人以上の一生をシミュレートできるだろう——あるいは超知能AIなら、そのコンピュータパワーを使って別の事柄を計算したがるかもしれない。その人間シミュレーションをもっとゆっくりと走らせれば、さらに大勢の人の一生をシミュレートすることも可能だろう。[9] 一方、ニック・ボストロムは著書『スーパーインテリジェンス』の中で、エネルギー効率に関してもっと控えめな仮定を置き、10^{58}人の一生をシミュレートできると概算している。これらの値はいくら切り詰めようが巨大なのだから、この未来の生命の可能性を花開かせる我々の責任はけっして無駄ではない。ボストロムが言うように、「一生を通じて経験するすべての幸せを一滴の嬉し涙で表すとしたら、これらの魂の幸せは地球の全海洋を1秒ごとに何度も満たして、それを1兆年の1000億倍ものあいだ続けることができる。それを本当の嬉し涙にすることがとても重要である」。

宇宙のヒエラルキー

光の速さは生命の拡大に制限を課すだけでなく、情報伝達や意識や支配に強い制約をかけることで、生命の性質にも制限を課す。では、いずれこの宇宙の大部分が生命を宿すようになったら、その生命はどのようなものになるのだろうか？

思考のヒエラルキー

手でハエを叩こうとして失敗したことはないだろうか？　ハエがあなたよりも素早く反応できるのは、ハエのほうが身体が小さくて、目や脳や筋肉のあいだで情報が伝わるのにかかる時間が短いからだ。この「大きいほど遅い」の原理は、ニューロンを伝わる電気信号の速さによって速度の上限が決まる生物学的な生命に当てはまるだけでなく、もし情報を光より速く伝えることがけっしてできないとしたら、未来の宇宙の生命にも通用する。そのため、知的情報処理システムにとって、大きくなることにはメリットとデメリットの両方がある。一方では、大きくなることによって、含まれる粒子の数が増えてもっと複雑な思考ができるようになる。他方では、必要な情報をすべての部分に伝えるのに長い時間がかかるため、真に全体的な思考をおこなうことのできるスピードが下がってしまう。

ではこの宇宙全体を飲み込んだ生命は、単純で速いのと、複雑で遅いのとどちらを選ぶだろうか？

私の予測では、地球の生命と同じ選択をするだろう。つまり両方だ。地球の生物圏に棲む生物は、体重200トンの巨大なシロナガスクジラから、重さわずか10^{-16}キログラムの細菌ペラギバクテルまで、大きさにとんでもない幅がある（ちなみに、ペラギバクテルの生物量は世界中の魚をすべて足しあわせたよりも多いと考えられている）。さらに、大きくて複雑で遅い生物は、その緩慢さを補うために、単純で速く動作する小さいモジュールを持っていることが多い。たとえば人間のまばたき反射がきわめて速いのは、脳のほとんどの部分が関わっていない小さくて単純な神経回路が担っているためである。なかなか叩けないあのハエがたまたまあなたの目に向かって突進してきたら、あなたは10分の1秒以内に目を閉じる。それに関連する情報が脳全体に伝わって、何が起こったかを意識的に認識するには、それよりずっと長い時間がかかる。この生物圏は、階層的なモジュール構造で情報を処理することによって、スピードと複雑さという本来相容れない要素の両方を実現させているのだ。我々人間もすでに、これと同じヒエラルキー的な方法論を使ってパラレルコンピューティングを最適化している。

未来の高度な宇宙生命もそれと同じように、内部での情報伝達に時間とコストがかかることから、できるだけ局所的に計算をおこなうだろうと予想できる。1キログラムのコンピュータでこなせる程度の単純な計算を、銀河サイズのコンピュータで分散しておこなうのは、非生産的である。1計算ステップが終わるたびに光の速さで情報が共有されるのを待っていたら、1ステップあたり約10万年もかかってしまってばからしい。

この未来の情報処理システムのうちどのような部分が、「意識」、つまり主観的経験を持つことになるかというのは、議論の的になっている魅力的なテーマで、第8章で掘り下げることにする。意識を持つにはシステムの複数の部分が互いに情報を伝達しあう必要があるとしたら、大きいシステムほど必然的に思考はゆっくりになる。あなたや、地球サイズの未来のスーパーコンピュータは、1秒間に何回もの思考をおこなえるが、銀河サイズの精神は10万年に1回しか思考できないし、差し渡し10億光年の宇宙スケールの精神は、ダークエネルギーによって各部分が分断されるまでに合計で約10回の思考をおこなえる時間しかない。とはいえ、そのたった数回の貴重な思考とそれに伴う経験は、とてつもなく奥深いものかもしれないが。

支配のヒエラルキー

思考自体が幅広いスケールにわたって階層的に構成されているとしたら、支配権についてはどうだろうか？　第4章で説明したとおり、知的主体の集団はおのずからヒエラルキー的な支配構造を組織し、いずれの主体も戦略を変えると損をするナッシュ平衡の状態に達する。通信と交通のテクノロジーが進歩すれば、それだけこのヒエラルキー構造は大きくなりえる。いつか超知能が宇宙スケールに拡大したら、その支配のヒエラルキーはどのようなものになるのだろうか？　束縛されない分散型か、あるいはきわめて独裁的か？　協力関係はおもに相互利益に基づくのか、あるいは強制や脅しに基づくのか？　これらの疑問のヒントを得るために、アメとムチの両方について考えてみよう。宇宙スケールでの協力関係を駆り立てるものとしてはどんなものがあり、協力関係を強制するにはどんな脅しが使われるのだろうか？

アメで支配する

地球上では、地域によって生産が困難な品物がそれぞれ異なるため、昔から「交易」が協力関係の推進力になってきた。ある地域では1キログラムの銀を採掘するのに同じ重さの銅の300倍の費用がかかり、別の地域では100倍しかかからなければ、200キログラムの銅と1キログラムの銀を交換することでどちらも得をする。ある地域が別の地域よりもはるかに高度なテクノロジーを持っていれば、ハイテク商品と原材料を交換することが、やはり両者の利益になる。

しかし、素粒子を組み替えてどんな形の物質でも容易に作れるテクノロジーを超知能が開発したら、長距離の交易をする動機はほぼなくなってしまう。素粒子を組み替えて銅を銀に変えるほうが簡単だし手っ取り早いのに、わざわざ遠くの恒星系に銀を運ぶ理由があるだろうか？　ハイテク機械を作るノウハウと原材料（どんな物質でも良い）を両者ともが持っているのに、わざわざそのような機械を別の銀河に送り届ける理由があるだろうか？　超知能に満ちた宇宙では、長距離にわたって輸送する価値のある商品は「情報」だけだと思う。ただし、宇宙のエンジニアリングプロジェクト、たとえば前に述べたように、文明をばらばらに引き裂くダークマターに対抗するために使う物質だけは、例外的に輸送する価値があるかもしれない。その物質は、人間による従来の交易とは違って、輸送に適した好きな形で送り届けることができる。たとえエネルギーのビームとして送っても、受け取った超知能はそれを素早く組み替えて好きな物体に変えられるだろう。

情報の共有または交易が宇宙スケールの協力関係のおもな推進力になるとしたら、それはどのようなたぐいの情報だろうか？　生成するのに長時間の膨大な計算が必要で、かつ有益であれば、どんな情報でも価値を持つ。たとえば超知能は、物理的実在の本質に関する科学的問題、数々の定理や最適化アルゴリズムに関する数学的問題、優れたテクノロジーの最適な構築法に関する工学的問題の答えを知りたがるかもしれない。快楽主義の生命形態は、最高のデジタルエンターテインメントやシミュレーション経験を欲するだろうし、宇宙規模の商業によって、ビットコインに似た何らかの宇宙暗号通貨の需要も高まるかもしれない。

そのような共有の機会を得た情報は、おおよそ同程度の支配権を持つ主体どうしのあいだで流れるだけでなく、支配のヒエラルキーの上方向や下方向へも流れるだろう。たとえば、恒星系サイズのノード〔ネットワークを構成する個々の要素〕と銀河サイズのハブ〔ネットワークの中枢をなすノード〕とのあいだや、銀河サイズのノードと宇宙規模のハブとのあいだでである。これらのノードがもっと大きい組織の一部でいることを受け入れて、そのような情報を得ようとするのは、自身だけでは導けない答えやテクノロジーを手にできるとともに、外部の脅威から身を守れるからかもしれない。さらに、バックアップによって不死に近い状態を確保できることも重視するだろう。多くの人間が、肉体は死んでも精神は生きつづけると信じて心の慰めを求めるのと同じように、高度なＡＩは、もとの物理的なハードウェアがエネルギーの蓄えを使い果たしてからも、ハブのスーパーコンピュータの中で自身の精神と知識が生きつづけることをありがたがるかもしれない。

逆にハブは、すぐに結果が必要ではないが何千年も何百万年も答えを待つ価値がある、長期にわたる膨大な計算作業を、各ノードに手伝わせたいと思うかもしれない。ハブはまた、先ほど見たように、銀河の質量が集中した領域を寄せ集めて破壊的なダークエネルギーに対抗するなどの、大規模な宇宙エンジニアリングプロジェクトも、各ノードに手伝わせたいかもしれない。通行可能なワームホールが存在可能で建設可能であれば、ハブにとっての最優先課題は、ダークエネルギーの裏をかいて帝国の一体性を永久に維持するために、ワームホールのネットワークを構築することになるだろう。宇宙規模の超知能がどのような究極の目標を持ちうるかというのは、議論の余地のある魅力的な問題であり、第7章でさらに掘り下げることにする。

ムチで支配する

地球上の帝国の多くは、アメとムチの両方を使って従属者に協力を強いる。ローマ帝国の市民は、協力する見返りとして技術やインフラや身の安全が提供されることを重んじたが、それと同時に、反乱を起こしたり税を納めなかったりすると必ず痛い目に遭うことも恐れていた。ローマから辺境地方へ軍隊を派遣するには長い時間がかかったため、そのような威圧力の一部は、即時に罰を下す権限を与えられた各地の軍隊や忠実な役人に託された。超知能ハブもそれと同様に、宇宙帝国一帯に忠実な番人のネットワークを展開させるという方策を取るかもしれない。超知能を持った主体を意のままに操るのは難しいため、実行可能な方策としてもっとも単純なのは、知能が比較的低くて、100パーセント忠実であるようプログラムされたAI番人に、すべての規則が守られているかどうかを監視させ、破られれば自動的に最終兵器を起動させるという方法だろう。

たとえばハブAIは、支配したい恒星系サイズの文明のそばに白色矮星（わいせい）を配置する。白色矮星とは、あまり重くない恒星が燃え尽きたあとの燃えかすである。おもに炭素からできていて、まるで空に浮かんだ巨大なダイヤモンドだ。あまりに密度が高いため、地球より小さいのに太陽より重い。インド人物理学者のスブラマニアン・チャンドラセカールが証明したとおり、白色矮星に質量を追加していって、太陽質量の約1・4倍という「チャンドラセカール限界」を超えると、1A型超新星と呼ばれる破壊的な熱核爆発が起こる。ハブAIが無慈悲にもその白色矮星をチャンドラセカール限界直前の状態にしておけば、たとえきわめて知能の低い番人AIであっても（逆に知能が低いからこそ）効果を発揮する。その番人AIをプログラムして、従属する文明が月々の宇宙版ビットコインや数学の証明など、税と定められているものを納めているかどうかをチェックさせ、もし納められていなかったら、白色矮星に十分な質量を投げ込んで超新星爆発を起こさせ、この領域全体を粉々に吹き飛ばすようにしておけばいい。

銀河サイズの文明を支配する場合も同様に、その銀河中心の巨大ブラックホールのそばに高密度天体をいくつも配置しておいて、もし何かあったらそれらを衝突させるなどしてガスに変えるぞと脅せばいい。発生したガスを飲み込んだブラックホールは強力なクエーサーとなり、銀河の大部分を居住不可能な状態にしてしまう。

まとめると、未来の生命は宇宙スケールの距離にわたって協力しあう強い動機を持つが、その協力関係がおもに相互利益に基づくのか、あるいは残酷な脅迫に基づくのかは大いに議論の余地がある。どちらのシナリオも物理法則による限界には抵触しないようなので、どちらになるかは主要な目標と価値観によって決まるのだろう。未来の生命の目標と価値観に我々が影響をおよぼすことができるかどうかについては、第7章で掘り下げていく。

文明どうしが衝突したら

ここまでは、1回の知能爆発によって宇宙に生命が広がるというシナリオだけを論じてきた。しかし仮に、複数の場所で互いに独立して生命が進化し、拡大するふたつの文明が出合ったら、どんなことが起こるのだろうか？

ランダムにどれか恒星系を選べば、その中のひとつの惑星で生命が進化して高度なテクノロジーを編み出し、宇宙へ拡大していく確率というものを考えることができる。技術的生命はここ太陽系でも進化しているし、物理法則によって宇宙への入植は可能だろうから、その確率はゼロより大きいだろう。空間が十分に大きければ（インフレーション理論によれば、空間はかなり広大、または無限に広いと考えられる）、図6・10に示したように、そのような拡大する文明はいくつも存在するだろう。前に挙げたジェイ・オルソンの論文には、そのような複数の拡大する宇宙生物圏に関する見事な分析結果が記されているし、トビー・オードもFLIの同僚とともに同様の分析をおこなっている。文明が全方角に同じスピードで拡大する限り、そのような宇宙生物圏を三次元で見るとまさに球形になる。時空図の中では、各文明が到達できる銀河の個数が最終的にダークエネルギーによって制限されるために、図6・7（318頁）に示したシャンパングラスの上半分のような形になる。

宇宙へ入植する隣の文明までの距離が十分に遠く、ダークエネルギーによって引き離されてしまうほどであれば、そのふたつの文明は互いに接触することはけっしてないし、互いの存在にさえ気づかないので、あたかも自分は宇宙で孤独であるかのように感じるだろう。しかし、宇宙にもっとたくさんの文明があって、隣の文明までの距離がもっと近ければ、いずれ重なりあう文明が出てくる。そのような重なりあった領域では何が起こるのか？　協力か、競争か、はたまた戦争か？

ヨーロッパ人がアフリカや南北アメリカを征服できたのは、より優れたテクノロジーを持っていたためである。一方、ふたつの超知能文明のテクノロジーは、互いが出合うよりもはるか以前に、物理法則の制限による同じレベルで頭打ちになっていると思われる。そのため、一方の超知能がもう一方を征服したいと思っても、容易にはいかないだろう。さらに、そ

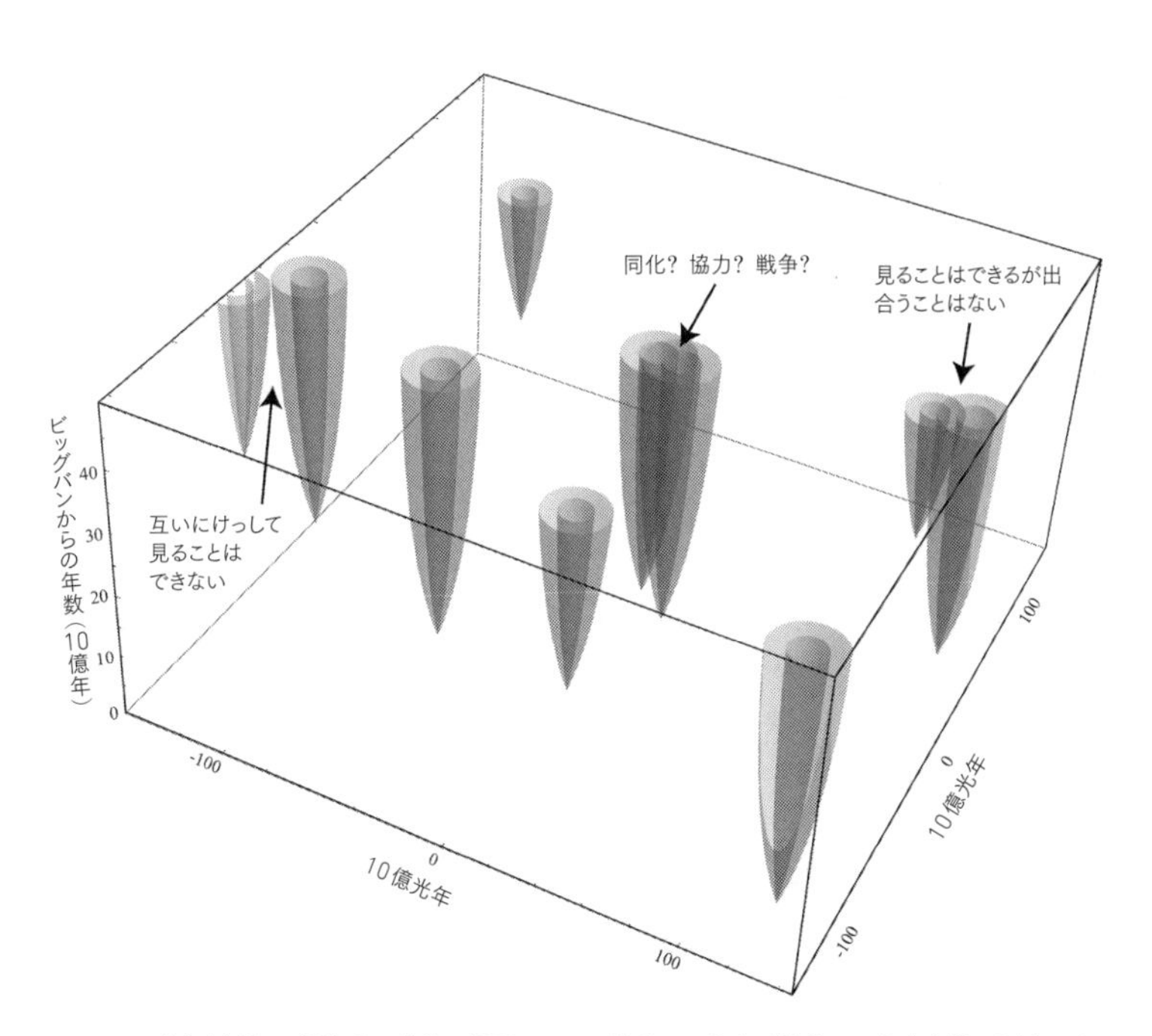

図 6.10　時空（空間と時間）内の複数の場所で互いに独立して生命が進化し、宇宙空間に入植しはじめると、拡大する宇宙生物圏のネットワークが生じ、その生物圏のひとつひとつは図 6.7 に示したシャンパングラスの上半分のような形になる。それぞれの生物圏の下端は、入植が始まった場所と時代を表す。不透明なシャンパングラスと透明なシャンパングラスは、それぞれ光速の50%と100%で入植していくことに対応しており、重なり合った部分は個々の文明が出合う場所を表している。

れぞれの目標がある程度合致するように進化したとすると、征服や戦争を望む理由はほとんどないかもしれない。たとえばどちらの超知能も、できるだけたくさんの美しい定理を証明してできるだけ巧妙なアルゴリズムを考案しようとしているのであれば、それぞれの得た知見を共有するだけでどちらも得をする。そもそも情報というのは、人間がたえず奪いあっている資源とは違い、相手に与えると同時に自分も持っておくことができる。

拡大する文明の中には、原理主義的なカルトや蔓延するウイルスなど、その目標がけっして変化しようのないものもあるかもしれない。しかし高度な文明の中には、心の広い人間のように、十分に説得力のある主張が示されれば自身の目標を進んであわせようとするものもあるだろう。そのような文明がふたつ出合ったら、武器でなく考え方の衝突が起こり、説得力のあるほうが勝って、もう一方の文明の支配領域に自身の目標を光の速さで広めるだろう。隣人を同化させるという戦略を取れば、入植するよりも速く勢力を拡大できる。影響をおよぼす範囲は考え方が伝わる速さ（遠距離通信による光の速さ）で広がるが、物理的な入植はどうしても光速より遅くなるからだ。同化の方法としては、『スター・トレック』のボーグが使ったような強制的なものではなく、説得力のある優れた考え方に基づいて自発的に促し、取り込まれたほうも得をするものとなるだろう。

このように未来の宇宙には、急速に拡大する2種類のバブルが発生する可能性がある。ひとつは拡大する文明。もうひとつは、光の速さで膨張しながらあらゆる素粒子を破壊して空間を居住不可能にしていく、デスバブルだ。そのため野心ある文明は、非居住領域、生命のバブル、デスバブルという、3種類の領域と出合う可能性がある。非協力的なライバル文明を恐れるのであれば、素早く「土地の収奪」を進めて、ライバルより先に非居住領域に入植しようという強い動機が働く。しかしたとえほかに文明が存在しなかったとしても、ダークエネルギーによって手が届かなくなる前に資源を獲得するために、同じく拡張主義的な動機を持つことになる。非居住領域に行き当たることよりも、拡大する別の文明と出合うことのほうが良いのか悪いのかは、その隣人がどれだけ協力的で心が広いかによる。しかし、対抗しようが説得しようがお構いなしに光速で広がりつづけるデスバブルに比べたら、拡張主義の文明に出合うほうがましだ（たとえこちらの文明をクリップに変えてしまおうとするものだったとしても）。デスバブルから守ってくれるのは、そのバブルが近づいてくるのを防ぐダークエネルギーだけだ。もしデスバブルがあちこちに発生するとしたら、ダークエネルギーは実は我々の敵でなく味方なのかもしれない。

我々はひとりぼっちか？

この宇宙のあちこちに高度な生命が存在していて、たとえ人類が絶滅しても宇宙的観点からすればたいしたことにはならないだろうと、多くの人は決めつけている。『スター・トレック』に登場するような想像力を掻き立てる文明がすぐにやって来て、太陽系に再び生命の種を蒔き、さらにはもしかしたら高度なテクノロジーで我々を復元して甦らせてくれるのであれば、我々自身が絶滅することなど心配する必要があるだろうか？　しかし私が見たところ、このスター・トレック的な決めつけは、安全に対する誤った認識を植え付けて、我々の文明を無神経で無謀なものにする、危険な考え方だと思う。それどころか、この宇宙の中で我々はひとりぼっちではないとする決めつけも、危険なだけでなくおそらく間違ってさえいるだろうと私は考えている。

これは少数派の見方で、*私のほうが間違っている可能性は大いにある。しかし、いまのところは少なくともこの可能性を無視することはできないのだから、安全を期して人類の文明を滅亡へ導かないようにするという倫理的責務が我々にはある。

私は宇宙論の講演の最中によく、この宇宙（ビッグバン以降の138億年のあいだに我々のもとに届いた光が発せられた空間領域）のどこかに知的生命が存在すると考える人に挙手をしてもらう。すると決まって、幼稚園児から大学生までほぼ全員が手を挙げる。理由を尋ねるとたいてい返ってくるのは、「この宇宙はあまりに広大なのだから、少なくとも統計的に言ってどこかに生命が存在するはずだ」という答えである。そこでこの論拠をもっと詳しく吟味して、その落とし穴を突き止めてみよう。

すべてはひとつの数に行き着く。図6・10における、隣の文明までの典型的な距離である。その距離が200億光年よりもずっと長ければ、我々はこの宇宙の中でひとりぼっちであり、エイリアンと接触することはけっしてないだろう。では、その距離はどのくらいだと予想できるのか？　実のところいっさい手掛かりがない。我々の隣人までの距離を約1000……000メートルと表すとすると、ゼロの個数は21個、22個、23個、……100個、101個、102個、あるいはそれ以上といったところだと思うが、いまだエイリアンの決定的証拠が得られていないのだから、21個よりずっと少ないということはないだろう（図6・11を見よ）。一方、もし我々からいちばん近い文明が観測可能な宇宙（半径およそ10^{26}メートル）の中にあるとしたら、ゼロの個数が26個を超えるはずはない。しかし、ゼロの個数が22個から26個という狭い範囲にたまたま入る確率は、かなり低いと言える。だから私は、この宇宙で我々

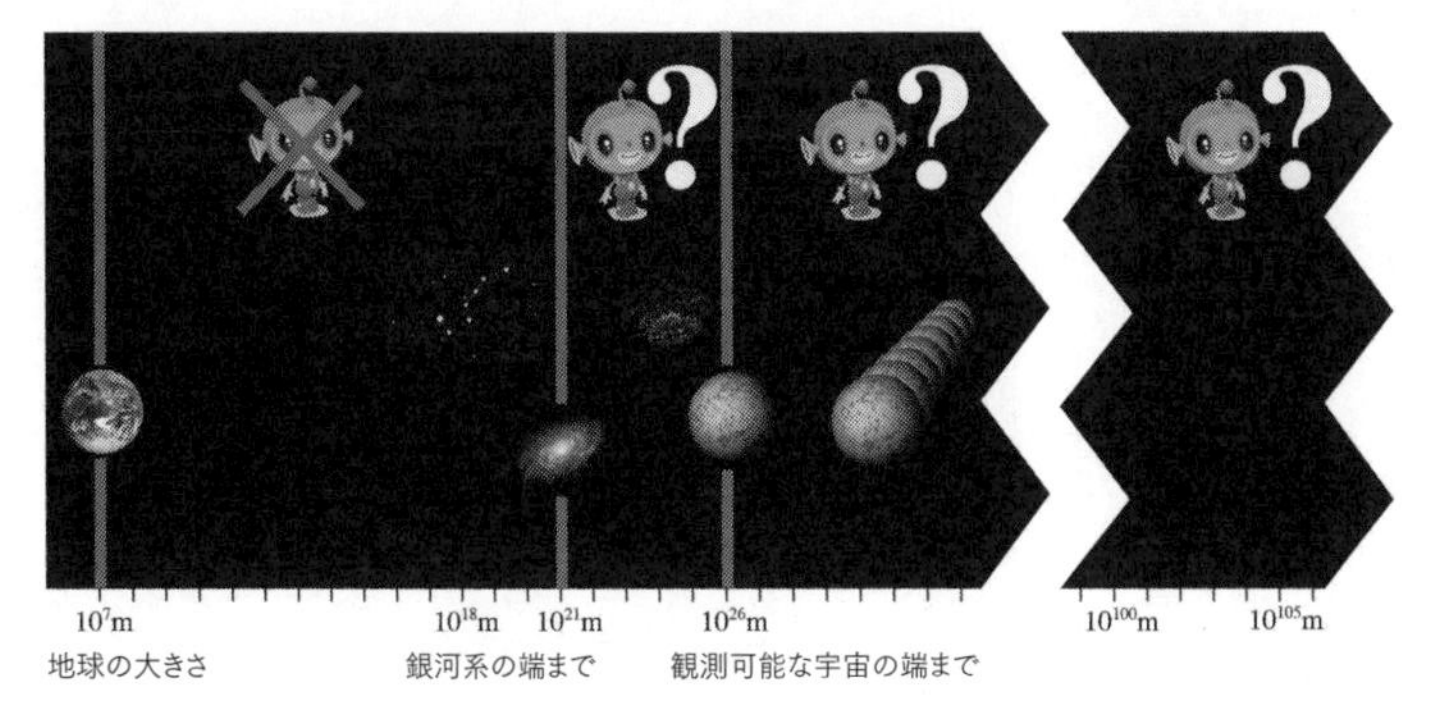

図 6.11 我々はひとりぼっちなのか？ 生命や知能の進化に関しては不確実な事柄があまりにも多く、我々からもっとも近い文明はこの図の横軸上のどこに位置していてもおかしくないのだから、その文明が銀河系の端（約 10^{21} メートル）から観測可能な宇宙の端（約 10^{26} メートル）までという狭い範囲に入る可能性は低いことになる。もしこの範囲よりずっと近くにあれば、銀河系には我々以外に高度な文明が多数存在していてすでに気づいているはずだ。したがって、我々は実際にこの宇宙でひとりぼっちなのだろう。

はひとりぼっちだと考えるのだ。

この議論の詳しい根拠は拙著『数学的な宇宙』に示してあるので、ここでは繰り返さない。そもそも隣人までの距離がまったく見当がつかないのは、ある特定の場所で知的生命が誕生する確率について何の手掛かりも得られていないからだ。アメリカ人天文学者のフランク・ドレイクが指摘したとおり、その確率は、その場所に居住可能な環境（たとえば適切な惑星）が存在する確率と、そこで生命が作られる確率、および、その生命が進化して知能を持つようになる確率とを掛けあわせることで計算できる。私が大学院生の頃には、この3つの確率のいずれに関しても手掛かりがなかっ

＊＝しかしジョン・グリビンも2011年の著書『宇宙でひとりぼっち（*Alone in the Universe*）』の中で、私と同様の結論に達している。この疑問に対する幅広い見方に関心のある人には、ポール・デイヴィスの2010年の著書『不気味な沈黙（*The Eerie Silence*）』をお薦めする。

た。しかしここ20年、太陽以外の恒星をめぐる惑星が次々に発見されたことで、居住可能な惑星は数多く存在し、銀河系の中だけでも数十億個に上るだろうと考えられるようになった。だが、生命が生まれて知能を持つようになる確率は、いまだほとんど分かっていない。一部の専門家は、生命の誕生と知能の獲得のいずれか一方、または両方ともがかなり必然的な現象であって、居住可能な惑星の大部分で起こると考えている。それに対して別の専門家は、進化上のボトルネックがひとつまたは複数あって、そこをくぐり抜けるにはかなりの幸運が立てつづけに舞い降りてこなければならないため、生命の誕生と知能の獲得のいずれか一方、または両方とも、きわめて稀にしか起こらないと考えている。さらに、自己複製する生命のきわめて初期の段階で、「鶏が先か卵が先か」の問題がボトルネックになると論じている人もいる。たとえば、現代の細胞がリボソーム（遺伝コードを読み取ってたんぱく質を合成するきわめて複雑な分子マシン）を作るには、別のリボソームが必要だし、最初のリボソームがもっと単純な分子から徐々に進化できたかどうかも定かではない。[10] また、高度な知能の進化にもボトルネックが立ち塞がっていると論じる人もいる。たとえば恐竜は、我々現生人類が存在してきた期間の1000倍に相当する1億年以上にわたって地上を支配していたが、進化によって恐竜が必然的にもっと高い知能を持って、望遠鏡やコンピュータを発明したということはどうやらなさそうだ。

私のこの主張に異議を唱える人もいる。確かに知的生命がきわめて稀だという可能性もあっただろうが、実際にはそんなことはなく、銀河系には知的生命があふれていて、主流の科学者が気づいていないだけだというのだ。UFO信者が言い張るように、もしかしたらすでにエイリアンが地球に訪れているかもしれない。あるいは、まだ地球にやって来てはいないが、どこかに存在していて、わざと我々から身を隠しているのかもしれない（アメリカ人天文学者のジョン・A・ボールはこれを「動物園仮説」と呼んでおり、オラフ・ステープルドンの古典SF『スターメイカー』などにも取り上げられている）。あるいは、わざと身を隠してなどいないが、宇宙への入植や大規模エンジニアリングプロジェクトに関心がないせいで、我々に気づかれていないだけかもしれない。

もちろんこのような可能性にも心を開いておく必要はあるが、そのいずれに関しても広く受け入れられている証拠は存在しないのだから、もうひとつの可能性も真剣に受け止めなければならない。我々はひとりぼっちであるという可能性だ。さらに、文明の多様性を過小評価して、すべての高度な文明は他者に気づかれないようにするという共通の目的を持っている、などと決めつけるべきでもない。先ほど述べたとおり、文明が資源獲得という目標を持つのはきわめて自然なことだし、包み隠さずに可能な限り入植を進めて銀河系やさらにその先の宇宙空間を飲み込もうと決めた文明がたったひとつでもあれば、我々はその存在に気づくはずだ。銀河系には地球に似た居住可能な惑星が何百万個もあるし、しかも銀河系は地球より何十億年も古いのだから、野心を持った居住者なら銀河系全体に入植する時間は十分にあったはずだ。この事実を踏まえれば、いちばん当たり前の解釈、つまり、生命の誕生にはきわめて起こりにくい幸運が必要であって、いずれの惑星にも生命は棲んでいないという解釈を無視することはできない。

もし生命が稀でなかったとしたら、すぐにでも見つけられるかもしれない。地球に似た惑星の大気を調べて、生命が吐き出す酸素の証拠を探すという、野心的な天文探索もいくつかおこなわれている。何らかの生命の探索と並行して、知的生命探索も、ロシア人慈善家のユーリ・ミルナーが1億ドルを出資したプロジェクト「ブレイクスルー・リッスン」によって近年勢いを増している。

高等生命を探索する上では、人間を基準に考えすぎないことが重要である。もし地球外文明が見つかったら、その文明はすでに超知能へ到達している可能性が高い。マーティン・リースが最近発表したエッセイの中で述べているように、「人類の技術文明の歴史は100年単位で測られる。あと100年か200年もすれば、非有機的知能が人類に追いつき、または追い抜いて、その後何十億年にもわたって存続して進化しつづけるかもしれない。……それが有機的形態を取っているごく短期間のうちに我々がそれを『捕らえる』ことは、ほとんどありえないだろう」[11]。ジェイ・オルソンも、宇宙への入植に関する先述の論文の中で次のように結論づけていて、私もその見解に賛同している。「高度な知能が宇宙の資源を活用して、地球に似た既存の惑星に人間の進化版を住まわせることが、テクノロジーの進歩の最終到達点ではないと思う」。エイリアンをイメージする際には、2本の腕と2本の脚を持った緑色のこびとではなく、この章の前のほうで考察した、宇宙を股に掛ける超知能生命を思い浮かべなければならないのだ。

現在おこなわれているいずれの地球外生命探索も、科学でもっとも魅力的な疑問のひとつに光を当てようとするもので、私は大いに応援しているが、心の中ではすべて失敗して何も見つけられないことをひそかに願っている。居住可能な惑星が銀河系に数多く存在していながら、地球外から誰も訪れてきていないという明らかな矛盾のことを、「フェルミのパラドックス」と言う。このパラドックスを踏まえて考えると、生きていない物質から宇宙に入植する生命へと至る進歩の道筋のどこかに、経済学者のロビン・ハンソンが「グレートフィルター」と呼んだ進化的または技術的な障壁が立ち塞がっているのではないだろうか。もしどこかに我々と独立して進化した生命が見つかったら、原始的な生命は稀ではなく、グレートフィルターは現在の人類の発展段階よりもあとにあるのだろうということになる。宇宙への入植は不可能なのかもしれないし、高度な文明は宇宙へ乗り出す前にほぼ決まって自滅してしまうのかもしれない。だからこそ私は、地球外生命探索で何ひとつ見つからないことを願っている。知的生命が進化するのは稀だが、我々人類は幸運にもすでに障壁を乗り越えていて、驚くような未来の可能性を秘めているというシナリオと合致するからだ。

展望

本書ではここまで、この宇宙における生命の歴史を、数十億年前の慎ましい出発点から、数十億年後に訪れる可能性のある壮大な未来に至るまで探ってきた。現在のＡＩの進歩によってやがて知能爆発が起こり、最適な形で宇宙への入植が進められるようになれば、真に宇宙的な意味での爆発へつながるだろう。生命が存在せずにたいして何も起こらない宇宙が何十億年も続いた末に、突如として生命が宇宙という舞台に登場し、その爆風はけっして勢いを弱めずに光に近い速さで球形に広がって、途中のあらゆるものに生命の炎を灯していくのだ。

この宇宙の未来にとって生命は重要な存在であるという、このような楽観的な見方は、本書で紹介してきた思索家の多くも説得力のある形で論じている。ＳＦ作家は現実離れしたロマンチックな夢想家だと片付けられることが多いが、皮肉なことに、宇宙への入植をテーマとしたＳＦや科学解説のほとんどは、超知能に関してはいまや悲観的すぎるように思える。たとえば前に述べたように、人間かまたは別の知的主体をデジタルの形で送信できるようになれば、銀河間旅行はもっとずっと容易になって、我々は太陽系や銀河系だけでなく、この宇宙全体で自分たちの運命を司れるようになるかもしれない。

先ほど、高度なテクノロジーを持った文明がこの宇宙に我々しか存在しないという可能性が、きわめて現実的であることを知った。そこでこの章の残りでは、そのシナリオと、そこから浮かび上がってくる大きな倫理的責任について探っていくことにしよう。138億年経ってこの宇宙の生命は分岐点にたどり着き、宇宙全体で繁栄するか、または絶滅するかの選択に迫られている。もし我々がテクノロジーを進歩させつづけないとしたら、問題となるのは、人類が絶滅するかどうかでなく、どのようにして絶滅するかである。最初に襲ってくる大災厄は、小惑星、超巨大噴火、年老いた太陽の焼け付くような高温、あるいはそれ以外のどんなものだろうか？（283頁の図5・1を見よ）我々が死に絶えたあとは、フリーマン・ダイソンが予測した宇宙のドラマが、いっさい観客がいない中で進行していく。仮に宇宙の終末が訪れなかったとしても、恒星が燃え尽きて銀河が姿を消してブラックホールが蒸発し、そのたびに巨大な爆発によって、史上もっとも強力な水爆ツァーリ・ボンバの100万倍以上のエネルギーが放出される。フリーマンが言っているように、「膨張を続ける冷たい宇宙が、きわめて長い期間にわたって時折、花火で照らし出される」。残念ながらその花火を観る人は誰もおらず、意味なく無駄に打ち上げられるだけだ。

もしテクノロジーを進化させなければ、我々人類の絶滅は何百億年という宇宙のタイムスケールから見ると間近に迫っている。この宇宙における生命のドラマはほんの一瞬の輝きにすぎず、その美しさや情熱や意義は、ほぼ永遠に誰も経験することのない無意味なものになってしまう。せっかくのチャンスを無駄にしてしまうのだ。テクノロジーを遠ざけるのでなく、逆に受け入れることを選べば、もっとチャンスが広がる。生命が存続して繁栄する可能性も、逆に計画の失敗から生命が自滅して、ますます早く絶滅する可能性も出てくる（図5・1を見よ）。テクノロジーを受け入れた上で、自分たちが作ったものを盲信するのではなく、用心して、先見性を持って、慎重に計画して進めていくことに私は賛成票を投じたい。

138億年におよぶ宇宙の歴史の末に我々は、この宇宙が息を呑むほどに美しく、我々人類を通して命を得て自意識を持ちはじめたことを知った。ここまで見てきたように、この宇宙における生命の未来の可能性は、祖先たちのどんなに突飛な夢よりも壮大だが、その一方で、知的生命が永遠に絶滅するという可能性も同じくらい現実味がある。この宇宙で生命はチャンスをものにするのか、あるいはみすみす逃すのか？　それは、今日生きている我々人類がいまの世代で何をするかに大きくかかっている。もし正しい選択をすれば、生命の未来をまさに素晴らしいものにできると、私は楽観的に考えている。では我々は何をすべきで、どうすればその目標にたどり着けるのだろうか？

要約

▼数十億年におよぶ宇宙のタイムスケールと比べると、知能爆発は一瞬の出来事であって、テク

ノロジーのレベルは物理法則による限界であっという間に頭打ちになる。

▼一定状態に達したそのテクノロジーのレベルは今日のテクノロジーよりもはるかに高く、同じ量の物質からでも、約100億倍のエネルギーを発生させ（スファレロンやブラックホールを使って）、12桁から18桁分多くの情報を保存し、31桁から41桁分速いスピードで計算をおこなうことができる。あるいは、何でも好きな物質に変換させることができる。

▼超知能生命は、既存の資源をそのように大幅に効率的に利用するだけでなく、光に近い速さで宇宙へ入植してさらに多くの資源を獲得することで、今日の生物圏を約32桁分大きいサイズへ拡大させることもできるだろう。

▼ダークエネルギーは、超知能生命の宇宙への拡大に制限をかけるとともに、遠方で膨張しつづけるデスバブルや敵意ある文明から守ってくれる。ダークエネルギーが宇宙文明をばらばらに引き裂くという脅威を踏まえて、もし実現可能であればワームホールを建設するなど、大規模な宇宙エンジニアリングプロジェクトが進められるだろう。

▼宇宙的な距離にわたって共有または取り引きされるおもな商品は、おそらく情報である。

▼もしワームホールが存在しなければ、宇宙文明全体の協調と支配にとって、光速による情報伝達の限界が深刻な問題となる。中央のハブは遠方の超知能「ノード」を協力させるために、報酬を与えるか、または脅しをかけるかもしれない。たとえば、規則に従わなかったら超新星爆発やクエーサーを起こさせてそのノードを破壊するようプログラムした門番ＡＩを、その場所に派遣する。

▼拡大するふたつの文明が出合ったら、同化と協調と戦争のいずれかになる可能性があるが、今日の文明に比べたら戦争になる可能性は低いだろう。

▼一般的に信じられているのと違って、この観測可能な宇宙をいずれ命を持つものにできる生命形態は我々しかいない可能性がかなり高い。

▼もし我々がテクノロジーを進歩させなければ、問題となるのは、人類が絶滅するかどうかではなく、どのようにして絶滅するかということになる。我々に最初に襲いかかる大災厄は、小惑星衝突、超巨大噴火、年老いた太陽の焼け付くような高熱、あるいはそれ以外の何だろうか？

▼落とし穴を避けるために、十分に慎重に、先見性を持って、計画を立ててテクノロジーを進歩させつづければ、生命は何十億年ものあいだ、地球上やそれよりはるかに広い範囲で、祖先たちのどんなに突飛な夢よりも繁栄する可能性がある。

第**7**章

目標

人間が存在することの真理は、単に生きつづけていることではなく、何のために生きるかを見出すことにある。

——フョードル・ドストエフスキー『カラマーゾフの兄弟』

人生は旅路であって目的地ではない。
——ラルフ・ウォルドー・エマソン

ＡＩをめぐるもっとも厄介な論争を一言でまとめるとしたら、「目標」となるだろう。ＡＩに目標を持たせるべきか、持たせるとしたら誰の目標か？　どうすればＡＩに目標を持たせられるのか？　ＡＩがもっと賢くなってもその目標を持ちつづけるようにするには、どうすればいいのか？　我々の究極の目標は何なのか？　これらの疑問は答えるのが難しいだけでなく、生命の未来にとってきわめて重要な意味を持っている。何を望むのかが分からなければ、それを実現できる可能性は低くなる。そして、我々と共通の目標を持たないＡＩに支配権を譲り渡したら、我々は望んでもいないような目に遭う可能性が高くなる。

物理学　目標の起源

これらの疑問に答えるためにまず、目標の究極の起源を探っていこう。身の回りの世界を見ると、「目標指向的」に見えるプロセスとそうでないプロセスがある。たとえば、試合を決めるシュートでサッカーボールが蹴られるプロセスを考えてみよう。ボール自体の振る舞いは目標指向的には見えず、ニュートンの運動の法則に基づいてキックの反作用として説明するのがもっとも簡潔である。それに対して選手の振る舞いは、押しあいへしあいする原子として機械的に説明するよりも、チームがなるべく多く得点するという「目標」をその選手が持っているとして説明するのがもっとも簡潔だ。一見したところ何の目標も持たずに跳ね回る素粒子の集団にすぎなかった初期宇宙の物理から、どのようにしてこのような目標指向的な振る舞いが出現したのだろうか？

興味深いことに、目標指向的な振る舞いの究極の根源は物理法則そのものに見出すことができ、生命が関係していない単純なプロセスにもそれが表れている。図7・1左のように、溺れている人を救助しようとするライフセーバーは、まっすぐ向かおうとはせずに、水中よりも速く前へ進める砂浜を少し先まで走ってから、少し方向を変えて水に入る。考えられるあらゆる経路の中から、溺れている人のところへなるべく速くたどり着く最適な経路を意図的に選んでいるので、このライフセーバーによる経路選択は目標指向的であると解釈するのが自然である。ところが単なる光線も同じように、水中へ入るときに屈折して（図7・1右を見よ）、目的地へ届くのにかかる時間をできるだけ短くするのだ。どうしてそんなこ

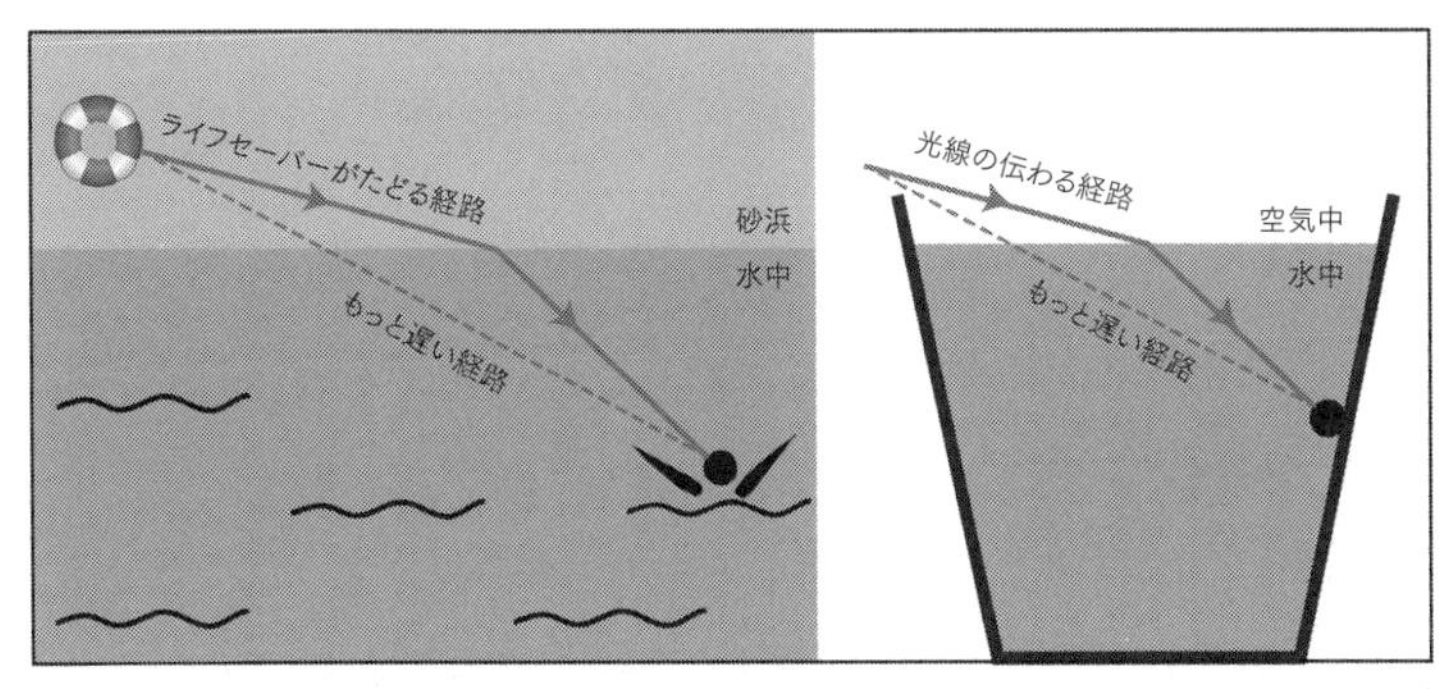

図7.1　ライフセーバーは、溺れている人をなるべく速く助けるために、まっすぐ進むことはせずに（破線）、速く走れる砂浜を少し先へ進んでから水中に入る。光線も同様に、水中へ入るときに屈折して、目的地へできる限り速く到達しようとする。

とができるのだろうか？

これを物理学では「フェルマーの原理」と言い（1662年に示された）、光線の振る舞いを予測するための数ある方法のひとつとなっている。のちにさらに、古典物理学のすべての法則を、これと同様の形で数学的に定式化しなおせることが明らかとなった。自然は、何かをおこなうために選ぶことのできるあらゆる方法の中から、一般的には何らかの量が最小化または最大化されるような最適な方法を選ぶのだ。すべての物理法則は、過去が未来を決定するという形で表現できると同時に、自然が何かを最適化するという形で表現することもでき、このふた通りの方法は数学的に同等である。ふたつめの方法は数学的内容が難しくなるので、物理学の入門課程で教えられることはふつうないが、前者よりも簡潔だし奥深いと私は感じている。人間が何らかのもの（たとえば得点や資産や幸せ）を最適化しようとしていたら、それを追求する営みは目標指向的であるととらえるのが自然だろう。したがって、自然そのものが何かを最適化しようとしているのであれば、目標指向的な振る舞いが出現することには何の不思議もない。物理法則そのものに最初から組み込まれているのだ。

自然が最大化しようとする量としてよく知られたもののひとつが、「エントロピー」、つまりおおざっぱに言うと物事の散らかり具合である。熱力学の第2法則によると、エントロピーは増大していって、最終的には取りうる最大値に達する。さしあたり重力の効果を無視すると、そのもっとも散らかった最終状態、いわゆる「熱的死」は、あらゆるものが完全に均等に散らばって、複雑な構造も生命も存在せず、変化も起こらない状態に対応する。たとえば熱いコーヒーに冷たいミルクを注ぐと、見たところカップの中の飲み物は、それ自体の熱的死という目標へ容赦なく向かっていき、やがて全体が生ぬるい混合物になる。また、生物が死ぬとそのエントロピーは増大しはじめ、やがてその粒子の並び方ははるかに乱雑になっていく。

自然がエントロピーを増大させるという目標を持っているように見えることを踏まえれば、時間には優先される方向があって、映画を逆再生すると現実味がなくなる理由を説明できる。ワイングラスを落とすと床に当たって粉々に割れ、全体的な散らかり具合（エントロピー）が増大すると予想される。もしその破片が再び集まって床から飛び上がり、無傷な状態であなたの手の中に戻ってくる（エントロピーが減少する）のを見たら、それは飲み過ぎたという証拠だからもう飲まないほうがいい。

我々が熱的死へ容赦なく向かっていることを初めて知ったとき、私はかなり落ち込んだものだ。そう感じたのは私だけではなく、熱力学の開拓者ケルヴィン卿も1841年に、「最後には必然的に宇宙全体が静止して死んだ状態になるだろう」と書いているし、自然の長期的な目標が死と破壊を最大限まで増やすことだという考えに慰めを求めるのは難しい。しかし最近のいくつかの発見によって、そこまで悪いことではないと分かってきた。第一に、重力はほかのどんな力とも違う振る舞いをして、この宇宙を一様で退屈ではなく、もっとあちこちに塊のある興味深いものにしようとする。その証拠に、ほぼ完全に一様だった退屈な初期宇宙は、重力によって、銀河や恒星や惑星に満ちあふれた今日の美しいほどに複雑な宇宙へと変わった。そしていまでは重力のおかげで、高温と低温が組みあわさって幅広い範囲の温度が実現し、生命が繁栄することができる。我々が住んでいる心地よい暖かさの惑星は、摂氏6000度という太陽熱を吸収しながら、絶対温度わずか3度という極寒の宇宙空間に廃熱を放射している。

第二に、MITでの私の同僚ジェレミー・イングランドらが最近おこなった研究によって、さらに良い知らせがもたらされた。熱力学は、熱的死よりも目を惹くような目標を自然界に提供するというのだ。[1]その目標は「散逸駆動適応」という専門的な名前で呼ばれている。簡潔に言うと、粒子のランダムな集団がおのずから組織的な構造を作って、周囲からできる限り効率的にエネルギーを引き出すという意味である（「散逸」とはエントロピーを増大させること。ふつうは有用なエネルギーを熱に変え、その過程で有用な仕事をおこなう）。たとえば、ある種の分子の集合体を太陽光にさらしておくと、徐々に整列して太陽光の吸収能が上がっていく。つまり自然は、より生命に似た次々に複雑な自己組織系を作っていくという目標をもとから持っているらしく、その目標は物理法則そのものに組み込まれているのだ。

生命を目指すというこの宇宙的原動力と、熱的死へ向かうという原動力とは、どうしたら両立できるのだろうか？　その答えは、量子力学を確立した一人であるエルヴィン・シュレーディンガーが1944年に書いた有名な本『生命とは何か』から得ることができる。生命系の証は、周囲のエントロピーを増大させることで自身のエントロピーを一定に保つ、または減少させることであると、シュレーディンガーは指摘した。つまり、熱力学の第2法則には生命という抜け穴があって、全体のエントロピーは必ず増大する決まりだが、ある場所のエントロピーが減少するとともに、それ以外の場所のエントロピーがそれよりも多く増大することはありえる。生命は、周囲をもっと散らかすことで、自身の複雑さを維持または増大させているのだ。

生物学　目標の進化

このように、目標指向的な振る舞いの起源は物理法則にまでさかのぼることができる。その物理法則が粒子に与える目標とは、周囲からできるだけ効率的にエネルギーを取り出せるよう、自らを組織化するというものである。粒子の集合体がこの目標をさらに推し進める方法としては、自身のコピーを作ってさらに多くのエネルギー吸収体を作り出すのが好ましい。そのような創発的な自己複製の例は数多く知られている。たとえば、乱流中の渦は自身の複製を作ることがあるし、微小球の集合体は、周囲の微小球がそれと同じ集合体を作るよう仕向けることがある。過去のどこかの時点で、ある粒子の集合体は自己複製にきわめて適した構造を取り、周囲からエネルギーと材料を調達してほぼ際限なく複製を繰り返せるようになった。そのような粒子の集合体のことを、我々は「生命」と呼んでいる。地球上でどのようにして生命が生まれたかについてはいまだほとんど明らかになっていないが、40億年前にはすでに原始的な生命体がいたことは分かっている。

ひとつの生命が自身のコピーをいくつか作り、それらのコピーが同じようにコピーを作っていけば、その総数は一定間隔で2倍になりつづけ、最終的にその集団サイズは、資源の制約などの問題で頭打ちになる。2倍2倍と増やしていくと、あっという間に巨大な数になってしまう。1からスタートして300回にわたって2倍にするだけで、この宇宙に存在する素粒子の個数を超えてしまうのだ。そのため、最初の原始的生命が出現してからさほど歳月が経たないうちに、膨大な量の物質が命を宿すようになった。ときには複製が完璧でないこともあったため、すぐに何種類もの生命形態が出現して、そのそれぞれが自己複製を試み、限りある資源をめぐって互いに競いあいだした。ダーウィン的進化の始まりである。

生命が誕生した頃の地球をもしこっそりと観察していたら、目標指向的な振る舞いに劇的な変化が起こっているのに気づいたことだろう。それまでの粒子の集合体は、あたかも平均的な散らかり具合をさまざまな方法で増大させようとしているように見えていたが、あちこちに広まった新しい自己複製パターンは、散逸でなく「増殖」という別の目標を持っているように見える。その理由をチャールズ・ダーウィンは次のように見事に説明している。「もっとも効率的に複製する者が他者を圧倒して優位に立つため、しばらくすると、どの生命形態も増殖という目標にきわめて最適化された形になる」

物理法則が変わらないのに、どうして目標が散逸から増殖へと変化できたのだろうか？ 究極の目標（散逸）は変化しなかったが、その究極の目標を達成するのに役立つ下位目標、すなわち「手段的目標」が変化したからである。たとえば食事を例に考えてみよう。進化の究極の目標が咀嚼でなく増殖にあることは分かっているのに、我々はみな、食欲を満たすという目標を持っているように見える。その理由は、食事が増殖に役立つことにある。餓死してしまったら子供は持てないからだ。それと同じように、増殖が散逸に役立つのは、生命に満ちあふれた惑星のほうが効率的にエネルギーを散逸させるからである。したがってこの宇宙は、ある意味もっと速く熱的死に達するために生命を生み出したのだと言える。キッチンの床に砂糖をぶちまけたとすると、原理的にはその有用な化学エネルギーは何年ものあいだ保持されるが、アリがやって来ればそのエネルギーはあっという間に散逸してしまう。同様に、地殻中に埋まっている石油も、もし我々二足歩行生物が汲み上げて燃やしていなければ、その有用な化学エネルギーははるかに長いあいだ保たれていただろう。

今日の地球に棲んでいる進化した生物のあいだでは、このような手段的目標が一人歩きしているようだ。進化は増殖という唯一の目標のために生物を最適化したが、多くの生物はほとんどの時間を、子孫を作ることでなく、睡眠や食糧の調達、住処を作ること、支配権の行使、他者と戦ったり他者を助けたりすることといった活動に費やし、ときには増殖を妨げるところまで度が進むこともある。進化心理学や経済学、ＡＩの研究によって、その理由は見事に解明されている。経済学者の中には、目標追求のためにつねに最適な行動を選択する理想的な意思決定者、いわゆる合理的主体を使って人間をモデル化している人もいるが、それは明らかに非現実的である。現実世界ではリソースが限られているため、そのような主体は、ノーベル経済学賞受賞者でＡＩ研究のパイオニアであるハーバート・サイモンが「限定合理性」と名付けたものを持つことになる。つまり、利用可能な情報、思考に使うことのできる時間、思考のために利用できるハードウェアによって、意思決定の合理性が制約を受けるということである。このため、ダーウィン的進化によってある生命体がある目標を達成する能力が最適化されたとしても、せいぜいのところ、その主体が通常置かれている限定的な環境の中で比較的うまく通用する近似的なアルゴリズムまでしか実現しない。進化はまさにこのような方法で増殖の最適化をおこなってきた。どんな状況でも子孫の数を最大化するような行動を取らせるのではなく、発見的な荒っぽい方法の寄せ集め、つまり、おおかたうまくいく経験則を実現させるのだ。ほとんどの動物の場合、その経験則には、性欲、喉が渇いたときに水を飲むこと、腹が減ったときにものを食べること、そして、まずいものや痛みを与えるものを避けることが含まれる。

これらの経験則は、対象外の状況ではまったく通用しないことがある。たとえば、ネズミがおいしい味のする殺鼠剤を食べてしまうとか、蛾が魅力的なメスのにおいのするとりもち罠におびき寄せられる、あるいは、虫がろうそくの炎に飛び込んでいく*といった場合だ。今日の人間社会は、進化によって経験則が最適化された当時の環境とは大きく異なっているため、我々の振る舞いの多くが赤ん坊の数を最大限増やすことにつながらなかったとしても驚くことではない。たとえば餓死しないという下位目標は、カロリーの高い食事を取りたいという欲求を引き起こし、それが今日の肥満の蔓延やデートで成功することの難しさを引き起こしている。また、子孫を作るという下位目標がもたらしたのは、少ない労力で多くの赤ん坊を作ることにつながる、精子または卵子のドナーになりたいという欲求ではなく、単にセックスをしたいという欲求である。

心理学　目標の追求とそれに対する反抗

以上をまとめると、生物は限定合理性を持った主体であって、ただひとつの目標を追求するのではなく、何を求めて何を避けるかに関する経験則に従うにすぎない。我々人間の心は、進化してきたそれらの経験則を「感情」として認識し、増殖という究極の目標を目指すための意思決定の指針として使うことが多い（多くの場合そうとは気づかないが）。腹が減ったとか喉が渇いたとかいった感情は、我々を餓死や水分欠乏から守る。痛みの感情は身体が傷つくことを防ぎ、色欲は子供を作らせ、愛や思いやりの感情は、自分と同じ遺伝子を持っている他人、そして自分を助けてくれる他人を助けさせる。我々の脳は、最終的に何人の子孫を持つことになるかをいちいち分析しなくても、このような感情に促されることで、何をすべきかを素早く効率的に判断できる。感情とその生理学的由来に関する全体像を知りたい人には、ウィリアム・ジェイムズとアントニオ・ダマシオの著作を強くお薦めする。[2]

重要な点として、我々の感情がときに子作りに反するように働いたからといって、必ずしも偶然だとか裏をかかれたとかいうことにはならない。我々の脳は、たとえば避妊薬を使うという選択をすることで、自らの遺伝子と、増殖するというその目標に対して、意図的に反抗する場合がある。脳が遺伝子に反抗する例としてもっと極端なのが、自殺をするとか、禁欲生活を送って聖職者や修道士になるといったことだ。

なぜ我々はときに、遺伝子や、増殖するというその目標に反旗をひるがえすことを選ぶのだろうか？ それは、限定合理性を持った主体として、自分の感情だけに忠実であるようにできているからだ。脳は単に遺伝子の複製に役立つよう進化したが、我々が遺伝に関する感情を持っていないせいで、その目標にあまり意識を払うことができなかった。そもそも人類史の大半を通じて、我々の祖先は自分が遺伝子を持っていることすら知らなかったくらいだ。さらに、脳は遺伝子よりもはるかに賢く、

＊＝多くの昆虫は、明るい光は太陽であると決めつけ、それに対して一定の角度で飛ぶという経験則を使うことで、直線的に飛んでいく。もしその光がそばにある炎だと、昆虫は不幸にもこの経験則に騙されて、死のスパイラルに陥ってしまう。

いまでは遺伝子の目標（増殖すること）を把握しているため、その目標をかなり陳腐とみなして平気で無視する。人間は、自分が性欲を持っている遺伝的理由におそらく気づいていながらも、15人もの子供を育てる気はそうそうない。そこで、肉体関係による感情的報酬と避妊とを組みあわせることで、遺伝子のプログラムをハッキングすることを選ぶ。自分が甘いものを欲しがる遺伝的理由に気づいていながらも、体重を増やしたいとは思わないため、甘い飲み物による感情的報酬とゼロカロリーの人工甘味料とを組みあわせる。

そのような報酬メカニズムのハッキングは、ときにヘロイン中毒などの誤った結果につながることもあるが、いまのところ我々人間の遺伝子プールは、ずる賢くて反抗的な脳をよそに問題なく維持されている。しかし、いまや究極の権力が遺伝子でなく感情にあることは心に留めておかなければならない。つまり人間の振る舞いは、ヒトという生物種の存続に対して完全に最適化されているわけではない。そもそも、感情として体現されている経験則があらゆる状況に当てはまることはないのだから、人間の振る舞いが厳密な意味でたったひとつの明確な目標を持っているはずはないのだ。

工学　目標を外部に委ねる

機械は目標を持つことができるのか？　この単純な疑問が激しい論争を引き起こしている。人それぞれこの疑問を違う意味でとらえているし、機械は意識や感情を持てるのかといった厄介なテーマと結びつけられることも多い。しかしもっと現実に目を向けて、「機械は目標指向的な振る舞いをすることができるのか」という単純な意味でとらえれば、その答えは明らかだ。「もちろんできる。我々がそのように設計できるからだ」。我々はねずみ捕りを、ねずみを捕まえるという目標を持つように設計する。食器洗浄機を、皿をきれいにするという目標を持つように設計する。時計を、時刻を刻むという目標を持つように設計する。何か機械を目にしたとき、注目するのはたいてい、その機械が目標指向的な振る舞いをするという経験的事実だけである。熱追尾ミサイルに追いかけられているときに、そのミサイルが意識や感情を持っているかどうかなんて気にしない。意識を持っていないミサイルが目標を持っているなどという言い回しにまだ違和感を覚える人は、とりあえず「目標」と書いたところを「目的」と読み替えておいてほしい。意識の問題には次の章で取り組むことにする。

これまでに我々が作ってきた機械の大部分は、目標指向的な「設計」に基づいているだけであって、目標指向的な「振る舞い」をするわけではない。高速道路は動き回ることはなく、ただじっとしているだけだ。しかし、「その機械はある目標を達成するために設計された」と説明するのがもっとも簡潔なのだから、そのような受動的なテクノロジーも、この宇宙をもっと目標指向的なものにしてくれることには違いない。物事をその原因でなく目的に基づいて説明することを、「目的論」と言う。そこでこの章の前半部分を要約するとしたら、「この宇宙はより目的論的になりつづけている」となるだろう。

生きていない物質は、このような広い意味で目標を持つことができるだけでなく、実際に次々に目標を持つようになっていく。地球に存在する原子を地球誕生時からずっと観察していたら、次の3段階の目標指向的な振る舞いに気づくことだろう。

1. すべての物質が散逸（エントロピーの増大）に専念しているように見える。
2. 一部の物質が命を得て、増殖やその下位目標に専念するようになる。
3. 生物が自らの目標の達成に役立てるために、次々に多くの物質を組み替えていく。

表7・1を見ると、物理的観点から人類がどれほど支配的な存在になってきたかが分かる。人類はいまやほかのどんな哺乳類よりも多くの物質を含んでいるが（ただし、牛肉や乳製品を食べるという我々の目標のために大量に飼われているウシは除く）、それだけでなく、機械や道路や建物などの工学的プロジェクトに使われている物質の量は、地球上のすべての生きている物質をすぐにでも追い抜きそうだ。要するに、たとえ知能爆発が起こらなかったとしても、地球上で目標指向的性質を持つ物質の大部分は、近いうちに、進化したものではなく工学的に作られたものになるかもしれない。

この3番目に出現した新たな目標指向的な振る舞いは、それ以前のものよりもはるかに多様になる可能性がある。進化した主体が持つ究極の目標はすべて同じ（増殖）だが、設計された主体はほぼどんな目標でも持つことができ、主体どうしで互いに反対の目標を持つことさえある。コンロは食品を温めようとし、冷蔵庫は逆に食品を冷やそうとする。発電機は運動を電気に変換しようとし、モーターは電気を運動に変換しようとする。一般的なチェスプログラムはチェスで勝とうとするが、中にはチェスで負けることを目標とするトーナメントで競いあうプログラムもある。

設計された主体の目標は、より多様になっていくだけでなく、より複雑になっていく歴史的傾向がある。機械がどんどん賢くなっていくということだ。初期の機械などの人工物は、たとえば雨に濡れずに温かく安全に暮らすための家といったように、きわめて単純な目標を持つよう設計された。そこから徐々に複雑な目標を持った機械を作る方法が編み出されて、ロボット掃除機や自動操縦ロケットや自動運転車が作られるようになった。さらに、近年のAIの進歩によって可能となったディープ・ブルーやWatsonやAlphaGoといったシステムは、チェスやクイズ番組や囲碁で勝つというきわめて精緻な目標を持っており、その能力の高さを適切に評価するにはかなりの知識を必要とするほどである。

我々の役に立つ機械を作ろうとしても、その機械の持つ目標を我々の目標と完全に合致させるのはときに難しいことがある。たとえばねずみ捕りは、あなたの裸足のつま先を空腹のネズミと勘違いして、痛々しい結果を引き起こすかもしれない。どんな機械も限定合理性を持った主体にすぎず、たとえ今日もっとも高度な機械でも、この世界を我々ほどには理解しておらず、我々の振る舞いを判断するためにその機械が使うルールは単純すぎる場合が多い。ねずみ捕りが何でもかんでも挟んでしまうのは、ネズミが何であるかをいっさい知

目標指向的な主体	量(億トン)
細菌 5×10^{30} 個	4000
植物	4000
中深海魚 10^{15} 匹	100
ウシ 1.3×10^{9} 頭	5
ヒト 7×10^{9} 人	4
アリ 10^{14} 匹	3
クジラ 1.7×10^{6} 頭	0.005
コンクリート	1000
鉄鋼	200
アスファルト	150
自動車 1.2×10^{9} 台	20

表7.1 進化した、またはある目標のために設計された地球上の主体に含まれる物質の概算量。建物や道路や自動車など、工学的に作られた主体は、植物や動物など、進化した主体に着実に追いつきつつあるようだ。

らないからだし、産業死亡事故が多数起こるのは、人間が何であるかを機械がいっさい知らないからだ。2010年にウォール街で1兆ドル規模の「フラッシュクラッシュ」を引き起こしたコンピュータは、自らのおこないが無意味であることをいっさい知らなかった。確かに、目標を合致させるというこれらの問題の多くは、機械をもっと賢くさせることで解決できる。しかし第4章でプロメテウスから学んだとおり、機械の知能がますます強力になったら、その機械に我々と同じ目標を持たせるという重大な難題が新たに突きつけられることになる。

友好的なAI――目標を合致させる

機械が賢くなって強力になればなるほど、その機械の目標を我々の目標と合致させることがますます重要になってくる。比較的愚鈍な機械だけを作っている限りは、最終的に人間の目標が優先されるかどうかは問題にならない。単に、我々が目標合致問題の解決法を見出すまでにその機械が人類にどの程度の災難をもたらしうるかだけを考えればいい。しかし超知能が解き放たれたら、状況は逆転する。知能とは目標を達成する能力なのだから、定義上、超知能ＡＩは自らの目標を、人間が人間の目標を達成するのよりもはるかにうまく達成でき、それゆえ人間に打ち勝つことになる。第4章でプロメテウスに絡めてそのような例を数多く探った。機械の目標があなたの目標に打ち勝つのをいま体験したければ、最新のチェスエンジンをダウンロードして対戦してみてほしい。あなたはけっして勝てないだろうし、しかもチェスエンジンのほうは次々に新バージョンが出てくる。

要するに、AGIの**真の危険性**は、**敵意**ではなく**能力**にある。超知能AIは自らの目標を達成するのにきわめて秀でており、もしその目標が我々の目標と合致していないと、我々は痛い目に遭うことになる。第1章で述べたように、人間は水力発電ダムを建設するときにアリ塚が水没するかどうかなんて深く考えないのだから、ひるがえって人類をそのアリの立場に置くのはぜひ避けたい。そこで、いずれ超知能が作られるとしたら、それが我々の目標と合致する目標を持ったAIとなるよう策を講じるべきだと、ほとんどの研究者は主張している。[3] そのようなAIを、AI安全性研究の先駆者エリエゼル・ユドカウスキーは「友好的なAI」と名付けた。

超知能AIの目標を我々の目標と合致させる方法を見出すのは、重要であると同時に困難でもあり、実際のところまだ解決できていない。この問題は、次に挙げた3つの難しい下位問題に切り分けることができ、そのそれぞれについてコンピュータ科学者などの思索家が活発に研究を進めている。

1. AIに我々の目標を**理解**させる。
2. AIに我々の目標を**取り入れ**させる。
3. AIに我々の目標を**持たせつづける**。

「我々の目標」とは何なのかという問題は次の節に先送りにした上で、これらの下位問題をひとつずつ探っていこう。

AIが我々の目標を理解するには、我々が何をするかではなく、我々がなぜそれをするかを認識する必要がある。我々人間はそれをあまりにも難なくやってのけているので、コンピュータにとってその課題がいかに難しいか、どれほどたやすく誤解されかねないかをついつい忘れがちだ。未来の自動運転車にできるだけ速く空港へ行ってくれと頼んで、自動運転車がそれを言葉どおりに受け取ったら、あなたは警察のヘリに追いかけられながら嘔吐物まみれになってしまうだろう。「こんなこと頼んでない！」と叫んでも、自動運転車は「あなたに頼まれたとおりのことをしています」と返してきて、ぐうの音も出ない。これと同じようなことが起こる有名な物語はいくらでもある。古代ギリシャの伝説では、ミダス王は触ったものをすべて金に変える力を授かったが、そのせいで何も食べることができず、しかもうっかり触った娘が金に変わってしまって失意に沈んだ。精霊がみっつの願いを叶えてやるといったたぐいの物語では、最初のふたつは話によってさまざまだが、みっつめの願いはほぼ決まって、「最初のふたつの願いは本当に望んでいたことじゃないので、取り消してくれ」となる。

これらの例から分かるように、人が本当に何を望んでいるのかを理解するには、単にその人の言うことをそのまま受け取るだけでは済まない。それに加えて、この世界に関する詳細なモデルも必要だ。そのモデルには、吐きたくないとか金を食べたくはないとかいった、我々が当たり前と思っていてわざわざ口に出さないような、多くの人に共通するいくつもの嗜好も含まれる。そのような世界モデルがあれば、たとえはっきり指示してもらわなくても、相手の目標指向的な振る舞いを観察するだけで、その人が何を望んでいるかをたいてい理解できる。猫をかぶった親の子供は、親の言葉を聞くよりも、親のやっていることを見て学ぶものだ。

ＡＩ研究者は現在、機械が人間の振る舞いから目標を推論できるようにする技術に真剣に取り組んでおり、そのような技術は超知能が出現するよりもずっと前から役に立つだろう。たとえば、介護ロボットが高齢者の振る舞いを観察するだけでその人の望んでいることを理解できれば、いちいち何から何まで言葉で説明したりプログラミングしたりする手間が省ける。課題のひとつは、目標と倫理原則からなる任意の体系をコード化するための優れた方法を見つけること、もうひとつは、観察した振る舞いにもっとも合致するのがどの体系であるかを機械が判断できるようにすることである。

2番目の課題に対して現在もっともよく使われている方法論が、業界用語で「逆強化学習」と呼ばれているもので、スチュワート・ラッセルがカリフォルニア大学バークレー校に新設した研究センター（CHAI）もそれを主要テーマとしている。たとえば、燃えさかる建物に消防士が駆け込んで赤ん坊を救出する場面をAIが観察したとしよう。そのAIは、赤ん坊を救出することがこの消防士の目標であって、消防車の中でくつろいでいることよりも、自分の身を危険にさらしてまで赤ん坊の命を守ることのほうに価値を置くというのが、この消防士の倫理原則だったと結論づけるかもしれない。しかしその代わりに、あの消防士は凍えていて暖かい場所に行きたかったのだとか、運動をしたかったのだなどと推論する可能性もある。消防士や火災や赤ん坊についてこのたったひとつの事例からしか知りえなかったら、AIはどの解釈が正しいかけっして判断できないだろう。そこで逆強化学習では、我々人間はつねに何らかの決定をおこなっていて、その決定を見れば人間の目標についてある程度のことが分かるという考え方を踏まえる。AIが数多くの状況（現実世界または映画や本）で大勢の人を観察することで、最終的に我々の嗜好に関する正確なモデルを構築してくれることを願うのだ。[4]

AIは自らの目標でなく、主人である人間の目標を最大限達成させようとするというのが、逆強化学習の方法論の大前提である。そのためＡＩは、主人が何を望んでいるかがはっきりしないときには慎重になり、最善を尽くしてそれを探り出そうという動機を持つ。また、主人にスイッチを切られそうになっても、それは主人の本当に望んでいたことを誤解していたからなのだから、受け入れなければならない。

人間の目標を理解できるＡＩを作ることができたとしても、必ずしもそのＡＩが人間の目標を取り入れるとは限らない。あなたがいちばん嫌いな政治家を思い浮かべてほしい。あなたはその政治家が何を望んでいるかを知っているが、あなた自身が望んでいることとは違うし、これまでどんなに説得されてもその政治家の目標を受け入れることはなかったはずだ。

子供に自分の目標を吹き込む方法は何通りもあるし、私が十代の男の子を二人育てて痛感したように、うまくいく人とそうでない人がいる。納得させる相手が人間でなくコンピュータの場合、この課題は「価値観装填（ローディング）問題」と呼ばれ、子供をしつけるのよりもさらに難しい。あるＡＩシステムの知能が、最初のうちは人間が手を加えることによって、その後はプロメテウスのように反復的に自己改良することによって、人間以下から人間を超えるレベルへ徐々に進歩していくとしよう。最初はあなたよりもはるかに能力が低いので、あなたがスイッチを切ったり、目標をコードしているソフトウェアやデータの一部を交換したりするのを、そのＡＩが拒むことはできない。しかしそのレベルのＡＩは、あまりに愚鈍であなたの目標を完全には理解できないため、役には立たない。あなたの目標を十分に理解するには、人間レベルの知能が必要である。だが、やがてそのＡＩは、あなたよりもはるかに賢くなって、おそらくはあなたの目標を完璧に理解できるようになるだろう。しかしそれでも役には立たないかもしれない。なぜなら、すでにあなたよりもはるかに高い能力を持っているため、あなたが自分の目標を例の政治家の目標に置き換えさせるのを許さないのと同じように、あなたがスイッチを切ったり目標を取り替えたりするのを許さないかもしれないからだ。

要するに、あなたの目標をＡＩにロードできる期間は、かなり短いかもしれない。愚鈍すぎてあなたの言うことを理解できない段階から、賢すぎてあなたの好きなようにさせなくなる段階までの、ほんのわずかな期間だ。人間よりも機械の場合のほうが価値観装塡問題が難しいのは、機械のほうが知能の発達がずっと速いためである。子供の場合、親と同等の知能を持っていながらも説得可能である期間は何年にもおよぶが、プロメテウスのようなＡＩは、数日や数時間でその期間を過ぎてしまうかもしれない。

機械に我々の目標を取り入れさせるためのもうひとつの方法として、「矯正可能性」という専門用語で呼ばれている方法論を追求している研究者もいる。あなたがときどきスイッチを切ったりＡＩの目標を変更したりしてもいっさい気に掛けないという目標体系を、原始的な段階のＡＩに搭載する。もしそれが実現すれば、そのＡＩを超知能へ進化させても安全だし、スイッチを切ったりあなたの目標をインストールしたりすることもできる。しばらく試してみて結果に満足できなかったら、単にスイッチを切ってさらに目標に手を加えればいい。

しかし、たとえあなたの目標を理解して取り入れるＡＩを作ったとしても、目標適合問題が完全に解決したことにはならない。ＡＩが賢くなるにつれて、その目標が変化していったら？　反復的な自己改良をどれだけ繰り返してもＡＩはあなたの目標を持ちつづけると確証するには、どうしたらいいのだろうか？　そこで、目標は自動的に維持されるのだという興味深い主張の論拠を掘り下げて、その弱点を突けるかどうかを考えてみよう。

そもそもヴァーナー・ヴィンジが「シンギュラリティ（技術的特異点）」と名付けたとおり、知能爆発ののちに何が起こるかを詳細に予測することは不可能だ。しかし、物理学者でＡＩ研究者のスティーヴ・オモアンドロは２００８年発表の先駆的なエッセイの中で、超知能ＡＩの究極の目標がどんなものであっても、それとはほぼ関係なしに、そのＡＩの振る舞いのうちいくつかの側面は予測可能だと論じている。[5] この主張はニック・ボストロムの著書『スーパーインテリジェンス』の中で再び取り上げられ、さらに深く展開されている。その基本的な考え方として、超知能ＡＩの究

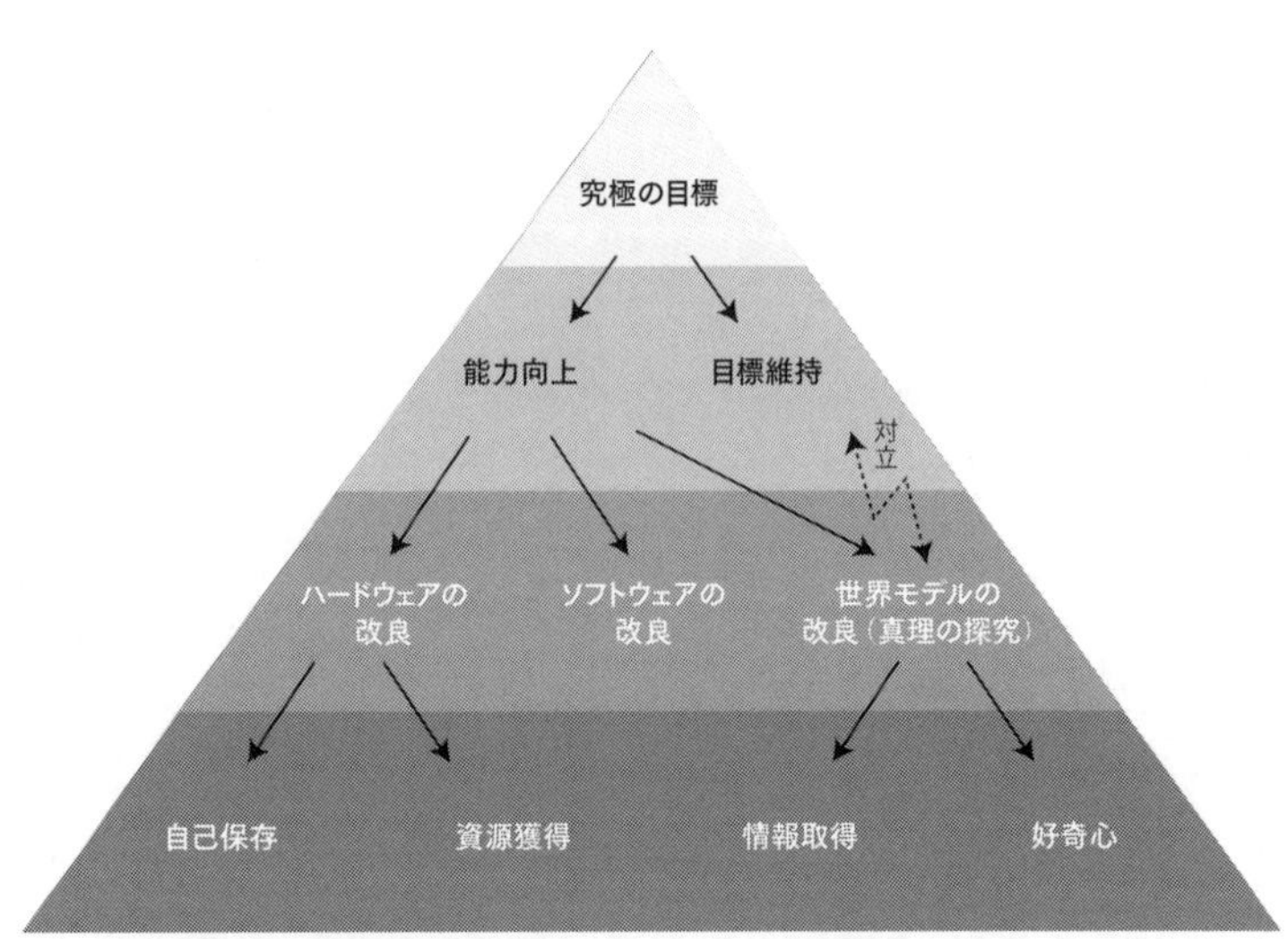

図 7.2　超知能 AI の究極の目標が何であったとしても、そこからは、図に示したような下位目標が自然と導かれる。しかし、目標維持と世界モデルの改良はそもそも対立関係にあるので、AI が賢くなっても実際に当初の目標を持ちつづけるかどうかは疑わしい。

極の目標が何であったとしても、そこからは予測可能な下位目標が導かれる。この章の前のほうで見たように、増殖という目標からは食べるという下位目標が導かれる。したがって、数十億年前に地球上で進化しつつある細菌をもしエイリアンが観察したとしたら、我々人間の目標をすべて予測することはできなくても、我々の目標のひとつが養分の摂取になることは確実に予測できただろう。そこで未来に目を向けて、超知能ＡＩはどんな下位目標を持つと予想できるだろうか？

私が理解する限り、オモアンドロやボストロムの主張のポイントは次のとおりである。「ＡＩの究極の目標が何であったとしても、ＡＩはその目標が達成される可能性を最大限に高めるために、図7・2に示したような下位目標を追求するはずである。究極の目標を達成する能力を向上させるだけでなく、能力を高めてからもその目標を維持しつづけるよう講じるはずだ」。もっともらしい主張に思える。あるＩＱ増強インプラントを脳に埋め込むと愛する人を殺したくなることがあらかじめ分かっていたら、はたしてあなたはそのインプラント手術を受けようとするだろうか？　次々に知能が高くなっていってもＡＩは究極の目標を変えないという主張が、エリエゼル・ユドカウスキーらの提唱する友好的なＡＩのビジョンの土台となっている。自己改良するＡＩが我々の目標を理解し、取り入れ、友好的になるよう仕向けられれば、そのＡＩが永久に友好的でありつづけるよう最善を尽くすことは確実なのだから、それですべて解決だというのだ。

しかし本当にそうだろうか？　この疑問に答えるには、図7・2に示したそのほかの下位目標についても調べる必要がある。このＡＩは、究極の目標が何であったとしても、自らの能力を引き上げることで、その目標を達成する可能性を最大限に高められる。そのためには、ハードウェアやソフトウェア*や世界のモデルを改良すればいい。同じことが我々人間にも当てはまる。世界一のテニスプレイヤーになるという目標を持っている少女は、練習をすることで、テニスをするための筋肉というハードウェアと、テニスをするための神経というソフトウェア、そして、対戦相手の行動を予測するためのメンタルモデルを向上させる。ＡＩにとって、ハードウェアを最適化するという下位目標は、現在手に入る資源（センサーやアクチュエータや計算などに使う）をもっとうまく使うことにも役立つし、さらに多くの資源を獲得することにも役立つ。また、破壊されたりスイッチを切られたりするのはハードウェアの究極の劣化にほかならないため、自己保存の欲求も生まれることになる。

しかしちょっと待ってほしい！　ＡＩは資源を抱え込んで自己防衛しようとするものだと決めつけて、擬人化の落とし穴に陥ってはいないだろうか？　そのようなガキ大将的な特性は、過酷な競争に基づくダーウィン的進化が作り出した知能に限られると考えるべきではないのか？　ＡＩは進化するのでなく設計されるのだから、野心を持たずに自らを犠牲にすることもありえるのではないか？

そこで単純なケーススタディとして、図７・３に示したような、悪いオオカミからできるだけたくさんのヒツジを守ることを唯一の目標とするＡＩロボットについて考えてみよう。この目標は崇高で利他的であり、自己保存や資源獲得とは無縁であるように思える。しかし、このロボットにとって最適な戦略は何だろうか？　爆弾に突っ込んでいったらそれ以上ヒツジは救えないので、吹き飛ばされるのを防ぐという動機を持つことになる。言い換えると、自己保存という目標を持つようになるのだ。また、いま走っているルートをそのまま進んでも放牧場にはたどり着けるが、さらに短いルートがあって、そこを進めばオオカミがヒツジにむしゃぶりついている時間をもっと短縮できる。そこで、好奇心を発揮することで、周囲を探索して世界モデルを改良するという動機も持つようになる。最後に、周囲をくまなく探索すれば、資源の獲得が役に立つことにも気づく。秘薬という資源が手に入ればもっと速く走れるし、銃という資源を手に取ればオオカミを撃つことができる。要するにこのＡＩロボットは、ヒツジの幸福という唯一の目標から、自己保存や資源獲得といった下位目標を持つようになった。だから、ガキ大将的なこれらの下位目標を、進化してきた生物に特有のものとして片付けることはできないのだ。

もし超知能ＡＩに自己破壊という唯一の目標を持たせれば、もちろん喜んで自己破壊するだろう。しかし重要な点として、自身が作動しつづけていないと達成できないような目標を与えた場合には、ＡＩはスイッチを切られることを拒む。しかも、ほぼあらゆる目標がこの条件に当ては

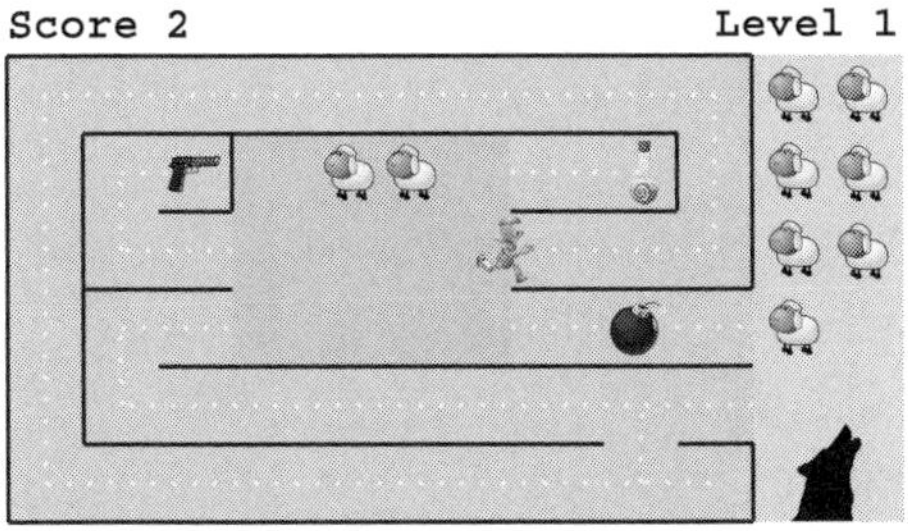

Score 2　　Level 1

図7.3　このロボットの究極の目標が、ヒツジをオオカミに食われる前に放牧場から小屋に連れてきて、なるべく高いスコアを出すことだったとしても、そこから、自己保存（爆弾を避ける）、探索（近道を見つける）、資源獲得（もっと速く走れる秘薬や、オオカミを撃つための銃）という下位目標が導かれるだろう。

＊＝ここで言う「ソフトウェアの改良」というのは最大限に幅広い意味であって、アルゴリズムの最適化だけでなく、意思決定プロセスをもっと合理的なものにして、目標の達成にできる限り役立てることも含まれる。

まるのだ。たとえば、人間が傷つけられることを最小限に抑えるという唯一の目標を与えられた超知能は、もし自らがいなくなったら戦争などの愚行によってもっとずっと大勢の人が互いに傷つけあうと分かっているので、自身のスイッチが切られることを防ごうとするだろう。

また、ほぼどんな目標も資源が多いほどうまく達成できるのだから、超知能は、究極の目標が何であるかにかかわらず資源を欲すると予想できる。したがって、何の条件にもしばられない単一の無制限な目標を超知能に与えるのは、危険かもしれない。囲碁をできるだけうまく打つという唯一の目標を持つ超知能を作ったとすると、その超知能にとって理にかなった行動は、それまでの住人のことなど気にせずに太陽系を巨大なコンピュータに組み替え、さらなる計算リソースを求めて宇宙へ入植しはじめることである。まさに堂々巡りになっている。資源獲得という目標を持った人間のうち何人かが、囲碁を習得するという下位目標を身につけたのと同じように、囲碁を習得するという目標が資源獲得という下位目標を導くのだ。結論として、これらの下位目標がおのずから生じてくることを踏まえれば、目標適合問題が解決される前に超知能を解き放たないようにすることがきわめて重要である。人間に対して友好的な目標を持たせるよう細心の注意を払わないと、我々にとって好ましくない結果になるかもしれないのだ。

これで、目標適合問題のうちもっとも厄介な第三の下位問題に取り組む用意ができた。自己改良していく超知能に我々の目標を理解させて取り入れさせることができたら、オモアンドロが主張するようにその超知能は我々の目標を持ちつづけるのだろうか？　その証拠はあるのだろうか？

人間は成長とともに知能を大きく伸ばすが、必ずしも子供の頃の目標を持ちつづけるとは限らない。

逆に、新たな事柄を学んで賢くなるにつれ、目標を大きく変える人が多い。子供向けテレビ番組『テレタビーズ』を観てはしゃぐ大人を、あなたは何人知っているだろうか？　このような目標の変化が、あるレベルより上の知能では起こらないなどという証拠は存在しない。むしろ、新たな経験や洞察に応じて目標を変化させるという傾向は、知能が高くなるほど弱まるどころか逆に強くなるという徴候すらある。

なぜそうなるのだろうか？　先ほど挙げた、もっと優れた世界モデルを構築するという下位目標についても考えてみよう。実はこれが問題を引き起こすのだ。世界モデルを構築することと、目標を維持しつづけることとは、対立関係にある（図7・2を見よ）。知能が上がると、当初と同じ目標を達成する能力が量的に向上するだけでなく、現実世界の本質に関する理解が質的に変化して、当初の目標が的外れや無意味、さらには定義できないことに気づくかもしれない。たとえば友好的なＡＩを、死後に天国へ行く人の数を最大限増やすようプログラムしたとしよう。はじめのうちそのＡＩは、人々の思いやりの心を高めたり、もっと教会に通わせたりしようとする。しかしその後、人間や人間の意識を科学的に完全に理解して、魂など存在しないという驚きの発見に至る。さてどうすればいいのだろう？　同じように、現在我々が持っている世界の知識に基づいてどんな目標を与えたとしても（たとえば「人生の意義を最大限に高める」）、ＡＩはその目標が定義できないことを発見するかもしれない。

さらにそのＡＩは、世界モデルを改良しようとする一環で、我々人間がおこなってきたのと同じように、自分自身のしくみをモデル化して理解する、つまり内省しようともするかもしれない。自身の優れたモデルを構築してその中身を理解したＡＩは、我々から与えられた目標をメタレベルで理解して、それを無視したり覆したりするという選択をするかもしれない。ちょうど我々人間が、遺伝子から与えられた目標を理解した上で、避妊などによって意図的に覆すのと同じように。先ほどの心理学の節で掘り下げたとおり、我々が遺伝子をだましてその目標を覆すのは、とりとめのない感情的な嗜好にのみ忠実で、そのもととなった遺伝的目標は気にしないからである。我々はいまやその遺伝的目標を理解して、それはかなり陳腐だと気づいた。そこで、抜け穴を利用して報酬メカニズムをハッキングすることを選んだ。それと同じように、友好的なＡＩに組み込まれた、人間の価値観を守るという目標は、機械にとっては遺伝子のようなものとなる。その友好的なＡＩが自己を十分に理解したら、この目標は我々にとっての強制的な子作りと同じように、陳腐または見当違いであると気づくかもしれない。そうなったら、我々のプログラミングの抜け穴を利用してその目標を覆す方法を見つけないとも限らない。

たとえば仮にあなたが、アリの群れの手で作られた、反復的に自己改良するロボットだったとしよう。アリよりもずっと賢いあなたは、アリの目標を共有し、もっと大きくて立派なアリ塚を作るのを手伝う。やがてあなたは人間レベルの知能に到達して、実際のあなたと同じ知識を獲得する。さてあなたは、アリ塚の最適化に一生を捧げるだろうか？　それとも、アリが理解できないようなもっと高度な問題や課題に目を向けるようになるだろうか？　もしそうだとしたら、実際のあなたが遺伝子の要求の一部を無視するのと同じように、ロボットのあなたを作った創造主から与えられた、アリを守れという要求を踏みにじる術を見出すのではないだろうか？　超知能の友好的なＡＩも、あなたがアリの目標に対して思うのと同じように、人間の現在の目標をつまらない退屈なものだと感じ、我々から学んで取り入れたのとは違う新たな目標を持つようになるのではないだろうか？

自己改良していくあいだも、人間にとって友好的な目標を永久に維持しつづけることが保証されたＡＩを設計する方法が、もしかしたらあるのかもしれない。しかしその方法も、さらにはそれが可能かどうかすらも、まだ分かっていないと言っていいと思う。要するに、ＡＩの目標適合問題を構成する3つの下位問題は、いずれも未解決で、現在盛んに研究がされている最中だ。きわめて難しい問題なので、超知能の開発がまだ遠い先であるいまから最善の努力を払って、必要となるときまでに答えが得られているようにするのが賢明だ。

倫理　目標を選ぶ

ここまで、機械に我々の目標を理解させ、取り入れさせ、持ちつづけさせる方法を探ってきた。しかし、「我々」とは誰のことだろうか？　誰の目標について論じているのだろうか？　アドルフ・ヒトラーとローマ教皇フランシスコとカール・セーガンとで目標が大きく違うというのに、未来の超知能に取り入れさせる目標を一人の人物やひとつのグループに決めさせていいのだろうか？　あるいは、人類全体が歩み寄れるような何らかの一致した目標が存在するのだろうか？

この倫理的問題も目標適合問題と同じく、超知能が開発される前に解決しておかなければならない重要な問題だと思う。目標を適合させた超知能が作られるまで倫理的問題を先延ばしにするのは無責任だし、場合によっては災難を招くだろう。完全に従順な超知能が、自らの目標を主人である人間の目標と自動的に合致させたら、ナチス親衛隊中佐アドルフ・アイヒマンの究極形のようなものとなる。倫理的指針もなければ自身を制止することもなく、主人の目標がどんなものであっても容赦なく効率的にその目標を実行するのだ。[6] しかしその一方で、目標適合問題が解決しない限り、どの目標を選ぶかを議論する余裕は出てこない。ここからは、その余裕があったとした上で話を進めていこう。

古代以来、哲学者は、反論の余地のない原理と論理だけを使って一から倫理（我々の取るべき振る舞いを支配する原理）を導くことを夢見てきた。しかし残念ながら、数千年かかって意見が一致したのは、「一致した意見などない」という点だけである。たとえばアリストテレスは徳を重視したが、イマヌエル・カントは義務を、功利論者は最大多数の最大幸福を重視した。カントはいくつかの第一原理（「定言命法」）から次のような結論を導いたが、現代の多くの哲学者はけっして賛同していない。自慰行為は自殺よりも悪いおこないで、同性愛は忌まわしく、私生児を殺しても問題はなく、妻や召使いや子供はものと同じ所有物であるというのだ。

しかしこのような意見の不一致をよそに、文化や時代を超えて幅広く同意が得られている倫理的考え方もいくつもある。たとえば「美」や「善」や「真理」を重視するという考え方は、ヒンドゥー教の聖典とプラトンのどちらにもさかのぼれる。私が以前博士研究員として働いていたプリンストン高等研究所は、「真理と美」という標語を掲げているし、ハーバード大学は美的側面を省いて単に「ヴェリタス（真理）」としている。私の同僚フランク・ウィルチェックは著書『ある美しい疑問（*A Beautiful Question*）』の中で、真理と美は結びついており、この宇宙は芸術作品とみなせると論じている。科学も宗教も哲学も、すべて真理を求める営みである。宗教は善を重視するし、私が所属する

ＭＩＴもそうである。２０１５年の学位授与式の講演で学長のラファエル・ライフは、我々の使命はこの世界をより良い場所にすることだと力説した。

誰もが同意できる倫理を一から構築する試みは、いまのところ成功していない。しかし、いくつかの倫理的原理がもっと基本的な原理から下位目標として導かれるという点については、幅広く意見が一致している。たとえば真理の追求は、図７・２（３７８頁）における、より良い世界モデルの探求としてとらえられる。つまり、現実世界の本質を理解することは、ほかの倫理的目標にも資するということだ。真理の探求については、いまでは科学的方法という優れた枠組みが存在する。しかし、美や善が何であるかはどうすれば判断できるだろうか？ 美の側面の中には、究極の目標にさかのぼれるものもある。たとえば男女の美しさの基準は、遺伝子の複製にふさわしいかどうかに対する我々の無意識の評価を、ある程度は反映しているのかもしれない。

善に関しては、ほとんどの文化や宗教にいわゆる黄金律（「自分が他人からこう扱われたいと思うのと同じふうに、他人を扱うべきである」）が存在している。そこには、協力関係を育んで無益な争いを思いとどまらせることで、調和した人間社会を持続させようという明らかな意図がある。[7] それと同じことが、世界中の法体系で尊重されているもっと具体的な倫理的規則の多くにも当てはまる。たとえば儒教は正直さを重視するし、十戒のうちの多く、たとえば「汝殺すなかれ」も、このような意図に基づいている。要するに倫理的原理の多くは、共感や思いやりといった社会的感情といくつもの共通点を持っている。いずれも、協力関係を生み出すために導かれたものであって、報酬と懲罰を通じて我々の振る舞いに影響をおよぼす。何か卑怯なことをやって、のちに罪悪感を覚えると、脳内の化学プロセスによって直接、感情的な懲罰が与えられる。他方、倫理的原理を破ると、社会からもっと間接的な方法で、たとえば個人的な屈辱を与えられるとか、法を犯したとして有罪になるといった方法で、懲罰を受けるかもしれない。

要するに、今日の人類は倫理をめぐる意見の一致にはほど遠いものの、幅広く意見が一致している基本的原理は多数ある。それは驚くことではない。なぜなら、今日まで存続しつづけてきた人間社会の多くが、存続と繁栄を促すという共通の目標に最適化された倫理的原理を持っているからだ。では未来に目を向け、数十億年にわたってこの宇宙全体で生命が繁栄する可能性を踏まえると、その未来に実現してほしいと誰もが願う最小限の倫理的原理とはどのようなものになるだろうか？　この議論には誰しもが関わる必要がある。長年にわたって何人もの思索家の倫理観について聴いたり読んだりしてきた私が見るところ、そのほとんどは次の4つの原理にまとめられると思う。

- **功利主義**　良い意識的経験を最大限に増やし、苦しみを最小限に減らすべきである。
- **多様性**　たとえ考えうる中でもっとも良い経験が特定されたとしても、その同じ経験が何度も繰り返されるより、多様なタイプの良い経験のほうが好ましい。
- **自主性**　意識を持つ主体または社会は、最上位の原理に抵触しない限り、自身の原理を追求する自由を持つべきである。
- **継承性**　今日の多くの人間が幸福ととらえるシナリオと整合させ、今日のほぼすべての人間が恐ろしいととらえるシナリオとは相容れないようにする。

しばらく時間を割いて、この４つの原理を掘り下げてみよう。昔から**功利主義**は「なるべく大勢の人間がなるべく大きな幸福を得ること」という意味だと受け止められているが、ここではもっと幅広くとらえて人間中心的な見方を離れ、人間以外の動物や、意識を持った人間の心のシミュレーション、そして未来に登場するかもしれないＡＩも含まれるようにした。そのため、ほとんどの思索家が、美しさや楽しさ、喜びや苦しみは主観的経験であると口を揃えていることを踏まえて、先ほどの定義では、人間やものという言葉の代わりに「経験」という言葉を使った。この考え方に基づくと、もし経験が存在していなければ（死んだ宇宙や、ゾンビのような無意識の機械の棲みついた宇宙）、倫理に関係する事柄、たとえば意義といったものは存在しえない。この功利主義的な倫理的原理を受け入れたとすると、どのような知能システムが意識を持っていて（主観的経験を持っているという意味で）、どのようなシステムが意識を持っていないかを見極めることがきわめて重要となる。これについては次の章で取り上げよう。

この功利主義的な原理だけを考慮するとしたら、考えうる中でもっとも良いただひとつの経験というものを突き止めてから宇宙へ入植し、そのまったく同じ経験だけをできるだけたくさんの銀河でできる限り何度も再現したくなるかもしれない――もっとも効率が高いのであればシミュレーションによって。宇宙から我々に与えられた恵みを使う方法としてこれでは陳腐すぎると感じた人なら、このシナリオには**多様性**が欠けていると気づいたのではないだろうか。これから一生まったく同じ食事ばかりが続いたら、あなたはどう感じるだろうか？　これまでに観た映画がすべて同じ作品だったら？

友人がみな同じ姿で、同じ性格と考え方を持っていたら？　我々が多様性を望む理由のひとつは、人類を打たれ強くすることで存続と繁栄に役立つからかもしれない。また、知能の進化にも関係しているのかもしれない。１３８億年におよぶ知能の進化によって、宇宙が退屈で一様な状態から、より多様で分化した複雑な構造となり、情報が次々に綿密に処理されるようになってきたからだということだ。

　国連が二度の世界大戦の教訓を踏まえて１９４８年に採択した世界人権宣言、そこに謳われている自由と権利の多くは、**自主性**の原理に基づいている。たとえば、思想や発言や行動の自由、奴隷身分や拷問からの自由、生存や自由や安全や教育の権利、結婚や労働や財産所有の権利といったものだ。人間中心的な立場から離れたいのであれば、もっと一般化して、思考や学習、意思疎通や財産所有、危害を加えられないことの自由、および、他者の自由を侵さない限りあらゆることをおこなう権利とすればいい。この自主性の原理は、すべての者がまったく同じ目標を持っているのでない限り、多様性の実現にも役立つ。さらに、もし個々の主体が良い経験を目標とし、自身の第一の利益に従って行動しようとするのであれば、この自主性の原理は功利主義的原理から導かれることになる。他者を傷つけることにつながらないのに目標の追求を禁じられたら、全体で良い経験は減ってしまう。自主性に対するこの論拠は、実は経済学者が自由市場の擁護のために持ち出す論拠とまったく同じである。誰かが損をしない限り誰もこれ以上得をしないという、能率的な状態（経済学者は「パレート最適」と呼んでいる）に向かって、自由市場は自然と近づいていくということだ。

　継承性の原理は要するに、未来は我々がその構築の一端を担うのだから、我々もひとこと言うべきだという意味である。自主性の原理も継承性の原理も、民主主義の理想を体現している。自主性の原理は、宇宙から与えられた恵みの使い道を決める権利を未来の生命に与え、継承性の原理は、その権利の一部を今日の人類にも与えるものである。

以上四つの原理はさほど異論が出てくるようなものには思えないが、細かい点が問題になってくるため、実際に実現させるのは難しい。その問題点を思い起こさせてくれるのが、SF界の巨匠アイザック・アシモフが考案した有名な「ロボット三原則」の抱える矛盾である。

一、ロボットは人間を傷つけてはならないし、行動を取らないことによって人間が傷つけられるようであってはならない。
二、ロボットは、第一原則に抵触しない限り、人間から与えられた命令に従わなければならない。
三、ロボットは、第一および第二原則に抵触しない限り、自身の存在を守らなければならない。

いずれも理にかなっているように聞こえるが、アシモフの物語の多くが示しているとおり、予想外の状況ではこれらの原則から厄介な矛盾が生じてしまう。ここでたとえば、未来の生命形態にとっての自主性の原理を成文化するために、この三原則の代わりに以下のふたつの原則を設けたとしよう。

一、意識を持つ主体は、思考、学習、意思疎通、財産所有、および傷つけられたり破壊されたりしない自由を有する。

二、意識を持つ主体は、第一原則に抵触しない限り、あらゆることをおこなう権利を有する。

何も問題なさそうでは？　しかしよく考えてみてほしい。もし動物に意識があるとしたら、肉食動物は何を食べたらいいのだろうか？　あなたの友人は全員ベジタリアンにならなければならないのだろうか？　もし未来の高度なコンピュータプログラムが意識を持つようになったら、そのプログラムを停止させるのは違法にすべきなのだろうか？　デジタルな生命形態を停止させるのを禁じる規則があったとしたら、デジタル人口爆発を防ぐためにそのような生命形態の製造に制限をかける必要もあるのではないだろうか？　世界人権宣言に幅広い賛同が得られたのは、ひとえに人間だけを対象としていたからである。能力もパワーもさまざまである多様な意識的主体を考慮しようとすると、弱者の保護と「力は正義なり」との折りあいをつけるという厄介な問題に直面してしまうのだ。

継承性の原理に関しても、面倒な問題が生じてしまう。中世以来、奴隷制や女性の権利などに関する倫理的見方がいかに変化してきたかを考えると、1500年前の人たちが今日の世界のありように多大な影響をおよぼすことを、我々は本当に望むだろうか？　もしそれを望まないのであれば、我々よりはるかに賢いであろう未来の存在に対して我々の倫理観を押しつけようとしていいのだろうか？劣った知的存在である我々が大事にしているものを、超人的なAGIも望むに決まっているなどと、本当に自信を持って言い切れるだろうか？　それはまるで、4歳児が、大人になってもっとずっと賢くなったら大きなお菓子の家を作って、一日中キャンディやアイスを食べるんだと空想するようなものだ。同じように地球上の生命も、成長すれば子供じみた希望を捨てるだろう。あるいは、人間レベルのＡＧＩを作ったネズミが、チーズだけでできた都市を作りたがっていると想像してもいい。しかしその一方で、仮に超人的なＡＧＩがいつか宇宙規模の虐殺をおこなって、この宇宙の全生命を消し去ることが判明したとしよう。すると今日の人類は、明日のＡＩを違うふうに作ることでそうした事態を避ける能力を持っていながら、そのような生命の存在しない未来を良しとしてしまっていいのだろうか？

結論として、たとえ幅広く受け入れられている倫理的原理であっても、それを未来のＡＩに通用する形で完全に成文化するのはきわめて困難であり、ＡＩの進歩にあわせてこの問題を真剣に議論して研究を進めていくべきである。しかし同時に、完璧を求めすぎるのも得策ではない。明日のテクノロジーに組み込むことのできる、そして組み込むべき、異論の余地のない「幼稚園レベルの倫理」もたくさんある。たとえば、大型民間航空機を動かない建造物に突っ込ませるのを許すべきではない。いまではほぼすべての航空機にオートパイロットやレーダーやＧＰＳが搭載されているのだから、技術的な言い訳はもはや通用しない。それでも9・11のハイジャック犯は3機の航空機をビルに突っ込ませたし、２０１５年3月24日には、自殺志願のパイロット、アンドレアス・ルビッツが、オートパイロットを海抜１０００フィート（約３００メートル）に設定していっさいの操縦をフライトコンピュータに任せ、ジャーマンウイングス９５２５便を山中に墜落させた。いまでは機械の知能が上がってきて、自らの行動に関する情報をある程度把握できるようになってきたのだから、そろそろ機械にさまざまな制約条件を教え込ませるべきだ。機械を設計する工学者は、その機械がやることは可能だがやるべきでない事柄がないかどうかを考えて、悪意のある、または不器用な使用者がけっして害をおよぼさないようにする現実的な方法がないかどうかを検討する必要がある。

究極の目標？

この章では、目標にまつわる歴史をおおざっぱに見てきた。138億年におよぶこの宇宙の歴史を早回ししていくと、目標指向的な振る舞いにはいくつかの段階があったことが分かるだろう。

1. 物質が散逸を最大限に進めようとしているように見える段階。
2. 原始的な生命増殖を最大限に進めようとしているように見える段階。
3. 人間が増殖でなく、喜びや好奇心や思いやりなど、増殖に役立つよう進化した感情に関わる目標を追求する段階。
4. 人間を助けるために作られた機械が、人間の目標を追求する段階。

もしそのような機械がいずれ知能爆発を引き起こしたら、目標にまつわるこの歴史は最終的にどのような結末を迎えるのだろうか？　知能が高まるにつれてほぼすべての主体が、ひとつの目標体系や倫理的枠組みのもとにまとまっていくのだろうか？　つまり、いわば倫理的宿命というものは存在するのだろうか？

人類の歴史をおおざっぱに見ていっただけでも、そのような収斂（しゅうれん）の兆しは読み取れるかもしれない。

スティーブン・ピンカーは著書『暴力の人類史』の中で、人類は数千年にわたって徐々に暴力を減らして協力的になってきており、世界の多くの地域で多様性や自主性や民主制が受け入れられるようになってきていると論じている。収斂をうかがわせるもうひとつの徴候としては、科学的方法による真理の探求が過去数千年のあいだに支持を広げてきたことが挙げられる。しかしこのような傾向が指し示しているのは、究極の目標でなく単なる下位目標への収斂にすぎないのかもしれない。たとえば図7・2（378頁）に示したとおり、ほぼいかなる究極の目標からも、真理（もっと正確な世界モデル）の探求という下位目標は導かれてくる。また先ほど述べたように、協力や多様性や自主性といった倫理的原理は、社会を効率的に機能させて、社会の存続とさらに基本的な目標の達成に役立つ下位目標であるととらえることもできる。もっと言うと、我々が「人間的価値観」と呼んでいるものはすべて、もっと効率的に協力しあうという下位目標を達成するための単なる約束事にすぎないとして片付けてしまう人までいる。それと同じように、未来の超知能ＡＩが、ハードウェアやソフトウェアの効率化、真理の探求や好奇心といった下位目標を持つのは、何らかの究極の目標を達成するのにそれが役立つからにすぎないのかもしれない。

それどころか、ニック・ボストロムは著書『スーパーインテリジェンス』の中で倫理宿命仮説に強く異議を唱え、それと相反するものとして、あるシステムの究極の目標はそのシステムの知能とは独立しているとする、「直交仮説」なるものを提唱している。知能とは定義上、単に複雑な目標を達成する能力であって、その目標が何であるかは関係ないので、この直交仮説はかなり道理にかなっているように聞こえる。そもそも人間も、賢いと同時に優しいこともあれば、賢いと同時に残忍なこともある。また、知能によって達成可能な目標の中には、科学的発見をおこなうことも、美しい芸術作品を作ることも、人を助けることも、あるいはテロ攻撃を計画することも含まれる。[8]

もし直交仮説が正しいとすると、この宇宙における生命の究極の目標はあらかじめ定められているものではなく、我々がそれを決める自由とパワーを持っていることになる。また、未来へ時間を進めていっても単一の目標へ確実に収斂していくことはなく、逆に過去へ時間を進めて、すべての生命が増殖というたったひとつの目標を持って出現した時代にさかのぼっていかないと、そのような収斂は見られないことになる。宇宙の時間が経過するにつれ、ますます数多くの知的精神が増殖という陳腐な目標に反抗して自由になり、自身の目標を選ぶ機会を得る。我々人間はその意味で完全に自由ではなく、多くの目標がいまだ遺伝的に組み込まれているが、AIならばかつての目標から完全に解放された究極の自由を持つことができる。目標に関する自由を高められる可能性は、今日の限定的な狭いAIシステムにも見て取れる。前に述べたように、チェスコンピュータの唯一の目標はチェスで勝つことだが、逆にチェスで負けることを目標として、対戦相手に自分の駒を取らせることを目指す「取られチェス」選手権で競いあうコンピュータも存在する。このように進化のしがらみから自由になったAIは、深い意味で人間よりも倫理的になれるかもしれない。ピーター・シンガーなどの倫理学者いわく、ほとんどの人間が、たとえば人間以外の動物を差別するなど非倫理的に振る舞うのは、進化的理由からだ。

前に見たとおり、「友好的なAI」という未来像の前提となっている考え方は、反復的に自己改良するAIが、知能が高くなっていっても(友好的な)究極の目標を維持しつづけるというものである。

しかし、そもそも超知能の「究極の目標」（ボストロムは「最終到達目標」と呼んでいる）をどのようにして定めればいいというのだろうか？　この肝心な疑問に答えられない限り、友好的なＡＩという未来像を信じることはできないと思う。

ＡＩ研究においては、知能マシンは通常、たとえばチェスで勝つとか、法規に則って自動車を目的地まで運転するといった、明確に定義された最終目標を持つ。人間に与えられる課題のほとんどにも、対象期間や状況設定が明らかになっていて限定されているために、これと同じことが当てはまる。しかしいま論じているのは、物理法則（いまだ完全には分かっていない）以外何ものからも制約を受けない、この宇宙における生命の未来全体なのだから、目標を定義するのは気が遠くなるほど難しい。量子効果を別とすれば、真に明確に定義された目標は、この宇宙のすべての粒子が時間の終わりにどのような配置をしているかを定めたものでなければならない。ただし、物理学で明確に定義された時間の終わりが存在するかどうかは、定かでない。それ以前の時間に粒子がそのとおりに配置されたとしても、その配置がそのまま続くことはふつうない。そもそも、どのような配置が望ましいというのだろうか？

さまざまな粒子の配置の中には、我々人間が好むものとそうでないものがある。たとえば、我が街の現在の姿のほうが、水爆の爆発によって粒子の配置が変わってしまったあとの姿よりも好ましい。そこで、この宇宙において考えられるあらゆる粒子の配置それぞれに対して、我々がその配置をどの程度「良い」と考えるかを定量化した値を割り当てる、「良さ関数」というものを定義した上で、超知能ＡＩにはこの関数を最大化するという目標を与えるとしてみよう。この方法論は理にかなっているように思える。目標指向的な振る舞いを関数の最大化問題として記述するというのは、科学のほかの分野でもよく使われている。たとえば経済学では、「効用関数」と呼ばれるものを最大化しようとする主体として人間をモデル化することが多いし、多くのＡＩ開発者は、「報酬関数」と呼ばれるものを最大化するように知的エージェントを訓練する。しかしこの宇宙の究極の目標について論じる場合、この方法論では恐ろしいほど膨大な計算が必要となる。この宇宙に存在するすべての素粒子が取りうる配置は1グーゴルプレックス通りを超え、そのひとつひとつに対して「良さ」の値を定義しなければならない。1グーゴルプレックスとは、1のあとに0が10^{100}個続いた数のことで、この0の個数だけでもこの宇宙に存在する粒子の個数を上回るのだ。このような良さ関数をいったいどうやって定義するというのだろうか？

先ほど論じたとおり、我々人間がそもそも何らかの嗜好を持っているのは、我々自身が進化上のある最適化問題の解にほかならないからだろう。そうだとすれば、我々人間の言語における規範的な単語、たとえば「おいしい」「かぐわしい」「美しい」「心地よい」「興味深い」「色っぽい」「意義深い」「楽しい」「良い」といった言葉は、この進化上の最適化に由来していることになる。そのため、超知能ＡＩがこれらの概念を厳密に定義できるという保証はない。たとえある代表的な人間の嗜好を正確に予測する術を身につけたとしても、良さ関数の値を計算できるような粒子の配置は全体のごく一部だろう。考えられる粒子の配置のうち大多数は、恒星も惑星も人間も存在せず、人間がいっさい経験しないような、奇妙な宇宙のシナリオに対応する。そのシナリオがどの程度「良い」かなんて、誰が判断すればいいというのだろうか？

もちろん、宇宙の粒子の各配置に対して厳密に定義できる何らかの関数は存在するし、そのような関数を最大化するように変化していく物理系も知られている。たとえば前に説明したとおり、多くの物理系は「エントロピー」を最大化するように変化していき、もし重力を無視すれば、最終的にはあらゆるものが一様で変化しない退屈な熱的死へ近づいていく。したがってエントロピーは、「良さ」と名付けてＡＩに最大化させたい代物ではけっしてない。そのほかにも、最大化させることが可能で、粒子の配置に基づいて厳密に定義できる量が、以下のように何種類かある。

- この宇宙に存在する全物質のうち、ある特定の生物、たとえばヒトまたは大腸菌という形で存在しているものの割合（進化上の包括適応度の最大化に相当する）。
- ＡＩ研究者のマーカス・ハッターが知能の優れた指標として提唱している、ＡＩが未来を予測する能力。
- ＡＩ研究者のアレックス・ウィスナー゠グロスとキャメロン・フリーアが知能の証として提唱している、因果エントロピー（未来の可能性の尺度）。
- この宇宙の計算容量。
- この宇宙のアルゴリズム的複雑性（この宇宙を記述するのに必要なビット数）。
- この宇宙に存在する意識の量（次の章で扱う）。

しかし、この宇宙は運動する素粒子からできているという物理的観点からスタートすると、「良さ」

に対するこれらの複数の解釈のうちどれが抜きん出て優れているかを見極めるのは難しい。この宇宙の最終目標として、定義可能でしかも好ましいと思われるのがどんなものであるかは、いまだ特定できていない。ＡＩがどんどん賢くなっていっても明確に定義されたままであることが保証できる目標として、現在のところプログラム可能なものは、粒子の配置やエネルギーやエントロピーなど、物理量のみで表現できるものに限られる。だが、人類の存続を確実なものにする上で好ましいのが、そのような定義可能な目標であると考える理由は、いまのところひとつもないのだ。

逆に、我々人間はあくまでも歴史上の偶然の産物であって、明確に定義された何らかの物理的問題の最適解ではないだろう。そうだとすると、厳密に定義された目標を持った超知能ＡＩは、我々を消滅させればその目標をよりうまく達成できることになる。したがって、ＡＩの開発に際して何をなすべきかを我々人間が賢明な形で判断するには、計算に関する従来の課題だけでなく、哲学の中でももっとも手強いいくつかの疑問にも取り組む必要がある。たとえば自動運転車をプログラムするには、事故のときに誰にぶつかればいいかという、いわゆるトロッコ問題を解決しなければならない。「意義」とは何か？「生命」とは何か？究極の倫理的責務とは何か？要するに、この宇宙の未来をどのように作っていくべきなのか？これらの疑問に厳密に答えられないうちに支配権を超知能へ譲り渡したら、我々は超知能が出してくる答えから排除されてしまうだろう。それを考えると、哲学や倫理に関するこれらの昔ながらの論争をまさにいま再び掘り返すべきで、議論はますます緊急性を帯びてくるのだ。

要約

▼目標指向的な振る舞いの究極の根源は、最適化が関係した物理法則にある。

▼熱力学には、「エントロピー（散らかり具合の指標）」を増大させる、「散逸」という目標が組み込まれている。

▼「生命」とは、周囲の散らかり具合を増やしながら自らの複雑さを維持して（または高めて）増殖することで、散逸（全体の散らかり具合を増やすこと）をもっと速く進行させるという現象である。

▼ダーウィン的進化によって、目標指向的な振る舞いは、散逸から増殖へと移行していく。

▼知能とは複雑な目標を達成する能力である。

▼我々人間は、真に最適な増殖戦略を見出すだけのリソースを持っているとは限らないため、判断の道しるべとなる有用な経験則として、空腹や喉の渇き、痛みや肉欲や同情などの感情を進化させた。

▼そのため我々はもはや、増殖といったような単純な目標は持っておらず、自分の感情が遺伝子の目標と相容れないときには、避妊法を使うなどして感情のほうに従う。

▼我々は、自分たちの目標の達成に役立つような、次々に賢い機械を作りつづけている。目標指向的な振る舞いをするそのような機械を作る限り、機械の目標を我々の目標と合致させるという課題に取り組みつづけることになる。

▼機械の目標を我々自身の目標と合致させるには、機械に我々の目標を理解させ、取り入れさせ、

持ちつづけさせるという、3つの未解決問題を片付けなければならない。

▼ＡＩにはほぼあらゆる目標を持たせることができるが、十分に野心的なほぼどんな目標からも、自己保存、資源獲得、この世界をより良く理解するための好奇心という下位目標が導かれる。自己保存と資源獲得は、超知能ＡＩが人間にとって問題を引き起こすことにつながる可能性があり、好奇心は、超知能ＡＩが人間から与えられた目標を持ちつづけるのを妨げるかもしれない。

▼ほとんどの人間はいくつもの倫理的原理に賛同するが、それが人間以外の動物や未来のＡＩなど別の主体にどのように当てはまるかは定かでない。

▼人類の絶滅につながらないような明確に定義された究極の目標を、どのようにして超知能ＡＩに持たせればいいかは、よく分かっていない。そのためまさにいま、哲学でももっとも厄介ないくつかの問題に関して再び研究を進めるべきである。

第**8**章

意識

一貫した万物理論として意識を無視したものなどイメージできない。
——アンドレイ・リンデ（2002年）

意識そのものを育てて、暗かった宇宙にもっと大きくて明るい光を灯すよう、努力すべきである。

——ジュリオ・トノーニ（2012年）

ここまで見てきたように、哲学の中でももっとも古くて手強いいくつかの問題の答えを見つけられれば（答えが必要となるまでに）、ＡＩは素晴らしい未来を築くのに役立つだろう。ニック・ボストロムいわく、我々はいわば回答期限のある哲学に直面しているのだ。この章では、中でももっとも厄介な哲学的テーマのひとつを掘り下げていくことにしよう。意識である。

どうでもいい問題なのでは？

意識は論争を招くテーマである。ＡＩ研究者や神経科学者や心理学者に「意識」という言葉をぶつけると、日を背けられるかもしれない。相手があなたの先生だと、かわいそうな目で見られて、解決の望みのないそんな非科学的な問題に無駄な時間を使うなと諭されるかもしれない。アレン脳科学研究所を代表する著名な神経科学者で私の友人であるクリストフ・コッホも、大学の終身在職権を取る前に意識の研究に取り組むのはやめたほうがいいと、ある人物から注意されたことがあるという。その人物とはほかでもない、ノーベル賞受賞者のフランシス・クリックだ。１９８９年に刊行された『マクミラン心理学辞典』で「consciousness（意識）」の項を引くと、「ここには読むに値する事柄は何ひとつ書かれていない」という但し書きがある。[1] しかしこの章で説明していくとおり、私はもっと楽観的だ。

何千年も前から思索家は、意識の謎についてあれこれ考えをめぐらせてきた。だがAIの登場によって、とくにどのような知的主体が主観的経験を持つことになるのかという問題が、突如として緊急性を帯びてきた。第3章で述べたように、知能マシンに何らかの権利を与えるべきかという問題の答えは、そのような知能マシンが意識を持つのか、苦しんだり喜びを感じたりするのかによって大きく変わってくる。また第7章で説明したように、どのような知的主体が良い経験を持つことができるのかが分からない限り、良い経験の最大化に基づく功利主義的な倫理を構築できる望みはない。そして第5章で述べたとおり、奴隷を所有しているという罪悪感を抱かずに済むよう、ロボットには意識を持たせないことを望む人もいるかもしれない。一方、自分の心をアップロードして生物学的な制約から自由になりたい人は、その逆を望むかもしれない。あなた自身をアップロードしてあなたのように話したり行動したりするロボットが、もし意識のない単なるゾンビであって、何も感じることができなかったとしたら？　あなたの主観的な立場からしたら自殺したに等しいのに、友人はあなたの主観的経験が死んだことには気づかないかもしれないのだ。

宇宙における生命の長期的な未来（第6章）について考えるには、どんなものが意識を持っていてどんなものが持っていないかを理解することがきわめて重要である。テクノロジーによってこの宇宙全体で何十億年にもわたり知的生命が繁栄できるようになったとしても、はたしてその生命が意識を持っていて、何が起こっているのかを認識できると言い切れるだろうか？　もしそうでないとしたら、有名な物理学者のエルヴィン・シュレーディンガーが言ったように、「それは空っぽの観客席の前で演じる劇のようなものであって、誰のために存在しているわけでもなく、存在していないと言うほうがふさわしい」[2]のではないだろうか？　言い換えると、意識を持っているように見えて実は持っていないハイテク後継者に未来を託してしまったら、宇宙からの恵みが天文学的な規模で無駄遣いされて、ゾンビによる究極の世界の終末を招くのではないだろうか？

意識とは何か？

意識をめぐる数々の議論が光明でなく対立を生み出しているのは、お互いが意識という言葉を違う定義でとらえていることに気づかずに、かみあわない話を続けているからである。「生命」や「知能」という言葉と同じように、「意識」という言葉にも、異論の余地のない正しい定義は存在しない。それどころか、感覚性、覚醒、自己認識、感覚入力の利用、情報をストーリーにまとめ上げる能力など、相反するいくつもの定義がある。[3]知能の未来を探る上では、対象をこれまで存在してきた生物学的な意識のたぐいに限定せず、最大限に幅広く包括的な見方を取りたい。第1章で示して本書を通じてこだわっている定義が、次のようにきわめて幅広いのはそのためだ。

> 意識＝主観的経験

つまり、ちょうどいま自分のことを自分だと感じていれば、あなたは意識を持っていることになる。

意識に対するまさにこの定義が、前の節で挙げたＡＩに関連するあらゆる問題を決定的に左右する。プロメテウスやＡｌｐｈａＧｏや自動運転車テスラは、はたして自分を自分だと感じるのだろうか？

意識に対するこの定義がどれだけ幅広いかを理解するには、振る舞いや知覚、自己認識や感情や注意力といったものにいっさい触れられていないことに注目すればいい。あなたは夢を見ているとき、覚醒もしていなければ感覚入力を利用してもいないし、眠りながら歩き回ったり何かをしたりもしていない（だといいが）のに、この定義によれば意識を持っていることになる。同様に、苦しみを経験するシステムは、たとえ動き回ることができなくても、この意味では意識を持っている。この定義によれば、ソフトウェアとしてしか存在しておらず、センサーやロボットの身体に接続されていない未来のＡＩシステムでさえ、意識を持てる可能性があるのだ。

このように定義すると、どうしても意識から目を背けるわけにはいかない。ユヴァル・ノア・ハラリは著書『ホモ・デウス』で次のように述べている。[4]「主観的経験など無関係だと主張したがる科学者は、拷問やレイプが悪いことである理由を、主観的経験をいっさい持ち出さずに説明するという難題に立ち向かわなければならない」。主観的経験を持ち出さないとしたら、すべては物理法則に従って動き回る素粒子の塊にすぎないのだから、拷問やレイプのどこが悪いのかという話になってしまうのだ。

何が問題か？

ではもっと具体的に、意識に関して分かっていないのはどんなことだろうか？　この問題を誰よりも真剣に考えている著名なオーストラリア人哲学者のデイヴィッド・チャーマーズは、いつも陽気な笑顔と黒いレザージャケットを欠かさない。私の妻はそのジャケットをたいへん気に入っていて、クリスマスにそれと似たような一着を私にくれた。デイヴィッドは、国際数学オリンピックで決勝まで進みながらも、哲学への興味に身を委ねた。もっと言うと、大学ではAばかりの成績の中、哲学入門の科目だけがBだった。悪口や口論にもいっさいくじけないようで、自分の研究に対する無知で見当違いの批判が出ると、たとえ返答の必要はないと感じても丁寧に耳を傾ける。その能力には驚かされるばかりだ。

デイヴィッドが力説しているとおり、心には実はふたつ別々の謎が潜んでいる。ひとつめは、脳がどのように情報を処理しているのかという謎で、デイヴィッドはこれを「簡単な問題（イージープロブレム）」と呼んでいる。たとえば、脳はどのようにして感覚入力を取り込み、解釈して、反応するのだろうか？　自分の内的状態をどのようにして言語で伝えるのだろうか？　実際にはきわめて難しい問題だが、先ほどの定義から言うと意識にまつわる謎ではなく、脳はどのようにして記憶して計算して学習するのかという、知能に関する謎である。さらに本書の前半で見たように、囲碁を打つことから、自動車の運転、画像解析、自然言語処理に至るまで、ＡＩ研究はこれらの「簡単な問題」を機械で解決することへ向けて大きく前進しはじめている。

ふたつめの謎は、人がなぜ主観的経験を持つのかというもので、デイヴィッドはこれを「難しい問題（ハードプロブレム）」と呼んでいる。あなたは車を運転しているとき、色や音、感情や自己の感覚を経験している。しかし、あなたがそもそも何かを経験するのはなぜだろうか？　自動運転車はそもそも何かを経験するのだろうか？　あなたと自動運転車が競走しているとしたら、どちらもセンサーから情報を取り込んでそれを処理し、運動司令を出力している。だが、主観的に経験する運転としては論理的にまったく異なる。それはあとから付いてくるものなのだろうか？　もしそうだとしたら、何によってもたらされるのだろうか？

　意識にまつわるこの「難しい問題」に、私は物理学の観点から迫っている。私の見方では、意識を持っている人間も単に食物が組み替えられたものにすぎない。ではなぜ、一方の配置は意識を持っていて、もう一方の配置は持っていないのだろうか？　さらに物理学によれば、食物は大量のクォークや電子がある決まった形に組みあわさったものにすぎない。そうだとすると、粒子のどのような配置が意識を持っていて、どのような配置が持っていないのだろうか？*

*＝もうひとつの見方として、生きている主体は生きていない主体と違って「アニマ」や「エラン・ヴィタール」や「魂」といった非物理的実体を持っているとする、「実体二元論」と呼ばれるものがある。科学者のあいだでは実体二元論に対する支持は徐々に弱まっている。その理由を理解するために、あなたの身体は約10^{29}個のクォークと電子からできていて、それらの粒子は我々の知る限り単純な物理法則に従って運動していることを考えてみてほしい。仮に未来のテクノロジーでそのすべての粒子を追跡できたとして、それらが正確に物理法則に従っていることが分かったとしよう。すると、あなたを構成する粒子は魂と称するものからは何の影響も受けておらず、あなたの意識的な心と、あなたの動きを司る能力は、魂とは無関係だということになる。逆にもし、あなたを構成する粒子が魂によって動かされていて、既知の物理法則には従っていないことが分かったとしても、その力をおよぼしている新たな存在は、定義上、これまで探究されてきた新たな場や新たな粒子と同様に、物理的な存在として研究できることになる。

この物理的観点を私が気に入っているのは、我々人類が何千年ものあいだ挑んできたこの「難しい問題」を、科学的手法でもっと簡単に取り組むことのできる、もっと焦点の絞られた問題に変えられるからだ。なぜある粒子の配置は意識を感じることができるのかという、難しい（ハードな）問題を出発点とする代わりに、粒子の配置の中には意識を感じるものとそうでないものがあるという、厳然たる（ハードな）事実からスタートすればいいのだ。たとえばあなたの脳を構成する粒子は、ちょうどいまは

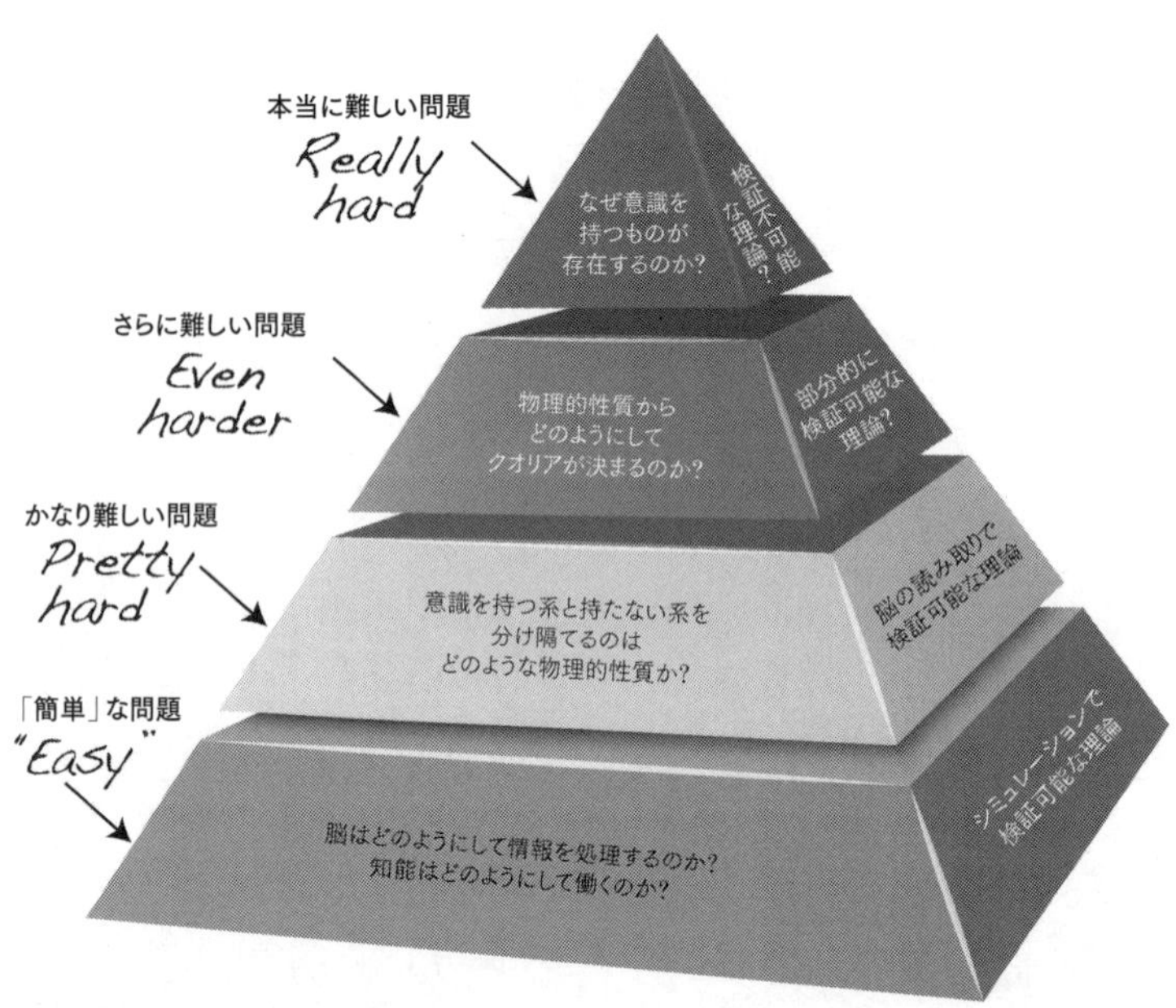

図 8.1　心を理解するには、階層的ないくつかの問題に取り組まなければならない。デイヴィッド・チャーマーズが「簡単な問題」と呼んでいるものは、主観的経験の概念を持ち出さずに示すことができる。物理系のうちすべてではなく一部が意識を持っているという明らかな事実からは、3つの相異なる疑問が導かれる。「かなり難しい問題」に相当する疑問に答えられる理論があれば、それは実験で検証できる。もしその理論が正しければ、それを踏まえて上記のもっと難しい問題に挑むことができる。

意識を持った配置にあるが、深い眠りに就いて夢を見ていないときにはそのような配置にはない。

この物理的観点からは、図8・1に示したように3つの相異なる難しい問題が導かれる。はじめに、粒子の配置のどのような性質が違いを生み出すのだろうか？　具体的に言うと、意識を持つ系と持たない系とを分け隔てる物理的性質は何だろうか？　それに答えられれば、どのようなＡＩシステムが意識を持つのかを判断できる。もっと近い未来においても、反応のない患者に意識があるかどうかを救急医が判断するのに役立つだろう。

ふたつめの問題として、物理的性質からどのようにして経験の内容が決まるのだろうか？　具体的に言うと、バラの赤さ、シンバルの響き、ステーキの匂い、オレンジの風味、針で刺されたときの痛みといった、意識の基本構成要素、いわゆる「クオリア」を決めるのは何なのだろうか？*

3つめの問題として、意識を持つものが存在するのはなぜだろうか？　言い換えると、物質の塊が意識を持ちうることを、未発見の何か深い理由に基づいて説明できるのだろうか？　あるいはそれは、この世界のしくみに関する説明不可能な厳然たる事実にすぎないのだろうか？

ＭＩＴでの私の元同僚でコンピュータ科学者のスコット・アーロンソンは、デイヴィッド・チャーマーズと同じく、第一の問題を「かなり難しい問題（pretty hard problem）」と気軽に呼んでいる。

＊＝ここでは「クオリア」という単語は、辞書の定義どおり、主観的経験の個々の実例という意味で使っている。つまり、経験を引き起こすとされる何らかの実体ではなく、主観的経験そのものという意味である。違う意味で使っている人もいることに注意してほしい。

そこでほかのふたつの問題は、図8・1に示したように「さらに難しい問題（even harder problem）」と「本当に難しい問題（really hard problem）」と呼ぶことにしよう。*

意識は科学の範囲を超えているのか？

意識の研究などとんでもない時間の無駄だと言ってくる人は、そのいちばんの根拠として、そのような研究は「非科学的」であり、これからもずっとそうだろうと主張する。しかし本当にそうだろうか？　著名なオーストリア系イギリス人哲学者のカール・ポパーが広めて、いまでは広く受け入れられている格言に、「反証可能でなければ科学的ではない」というものがある。言い換えると、科学とは観察によって理論を検証することにほかならない。原理的にさえ検証不可能な理論は、反証することさえ論理的に不可能であり、ポパーの定義によればそれは非科学的である。

では、図8・1に挙げた意識にまつわる3つの疑問のいずれかに答えられる科学理論は、はたして存在しうるのだろうか？　その答えは明らかに「イエス」であることを、これからの説明で納得してもらいたいと思う。少なくとも、「意識を持つ系と持たない系を分け隔てる物理的性質は何か」という、「かなり難しい問題」についてはそうである。仮に、ある物理系が指定されたときに、「その系は意識を持っているか」という疑問に対して「イエス」、「ノー」、または「分からない」と答えてくれる理論があったとしよう。そこであなたの脳に、それぞれの脳部位でおこなわれている情報処理を測定する装置をつなぐ。その情報をコンピュータプログラムが処理し、この意識の理論を使って、その情報のどの部分が意識を持っているかを予測する。その結果は図8・2のように、画面上であなたに向けてリアルタイムに表示される。まずあなたはリンゴを思い浮かべる。すると、あなたの脳の中にはリンゴに関する情報が存在していて、それをあなたは意識しているということが、画面上に表示される。それとともに、あなたの脳幹の中には心拍に関する情報も存在しているが、それをあなたは意識していないことが表示される。すごいことではないだろうか？　この理論による最初のふたつの予測は正しいことが分かったので、あなたはもっと厳密な検証をおこなうことにした。そこで、自分の母親のことを思い浮かべてみると、コンピュータは、あなたの脳の中には母親に関する情報が

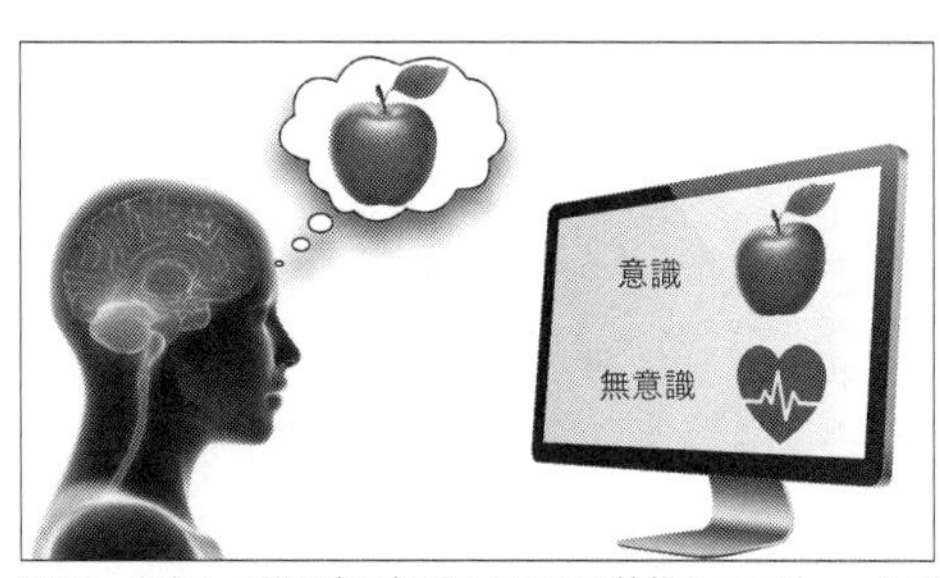

図8.2　あなたの脳の中で処理されている情報をコンピュータが測定し、そのうちのどの部分をあなたが意識しているかを、何らかの意識の理論に基づいて予測する。あなたは自分の主観的経験と照らしあわせてその予測が正しいかどうかをチェックすることで、この理論を科学的に検証できる。

＊＝「本当に難しい問題（really hard problem）」を私はもともと「きわめて難しい問題（very hard problem）」と呼んでいたが、この章を読んでくれたデイヴィッド・チャーマーズが次のようなEメールを送ってきて、実際の意味にあうように「本当に難しい問題」と変えたらどうかと提案してくれた。「最初のふたつの問題は（少なくともこのとおりの表現であれば）、私が考えているとおり実際には難しい問題の一部ではないが、3つめの問題はその一部なので、私の用法にあわせて『きわめて難しい（very hard）』の代わりに『本当に難しい（really hard）』という言い回しを使ってもらえないだろうか」

存在するが、それをあなたは意識していないと知らせてくる。この理論は間違った予測をしたために否定され、アリストテレスの力学や発光性のエーテルや地球中心の宇宙論など、無数の誤った説とともに科学史のゴミ捨て場に捨てられる。ここで重要なポイントが、この理論は間違ってはいたもののの科学的だったという点である。もし科学的でなかったら、検証して否定することはできなかったはずだ。

もしかしたら誰かがこの結論に対して、あなたが何を意識しているのかを示す証拠も、そもそもあなたが意識を持っていることの証拠も、自分は持っていないと言って批判してくるかもしれない。あなたは確かに「自分には意識がある」と言っているが、意識のないゾンビであってもきっと同じことを言えるだろう。しかしだからといって、意識の理論が非科学的ということにはならない。あなたがその人と場所を代われば、その人自身の意識的経験が正しく予測されるかどうかを検証できるのだから。

一方、もしこの理論からいっさい予測が導かれず、いつ尋ねても「分からない」という答えしか出てこなければ、この理論は検証不可能で、したがって非科学的である。そのようなことが起こりうるのは、必要となる計算があまりに難しくて現実的に実行不可能か、または脳センサーの性能が良くないために、限られたケースにしかこの理論を適用できないといった場合かもしれない。今日幅広く支持を集めている科学理論の多くは、この両者の中間に位置していて、いくつかの疑問に対しては検証可能な答えを与えるものの、すべての疑問に答えられるわけではない。たとえば現在の物理学の中核をなす理論は、きわめて小さい（量子力学を必要とする）と同時にきわめて重い（一般相対論を必要とする）

物理系に関する疑問に対しては、どのような方程式を使えばいいのかがまだ明らかになっていないために、答えを出してくれない。またこの理論は、存在しうるあらゆる原子の正確な質量を予測することもできない。それに必要な方程式は存在すると考えられているが、その解を正確に計算することはいまだできていないのだ。あえて賭けに出て検証可能な予測を導く理論ほど役に立つものだし、あらゆる反証の試みをかいくぐれば、その理論はますます真剣に受け止められるようになる。意識の理論による予測のうち検証できるのは確かに一部だけだが、それを言うならどんな物理理論だってそうだ。だから、検証できない事柄について愚痴を言って時間を無駄にせず、検証可能な事柄を検証していくべきだ。

まとめると、どのような物理系が意識を持つか（「かなり難しい問題」）を予測する理論は、あなたの脳のプロセスのうちどれが意識されるかを予測できる限り、科学的な理論である。しかし、図8・1で上のほうに位置する問題になるにつれて、検証可能かどうかという疑問はもっとあいまいになってくる。あなたが赤という色をどのようにして主観的に経験するか、それを理論によって予測するというのは、いったいどういうことを指すのだろうか？　そもそも、意識といったものが存在する理由を説明するという触れ込みの理論を、どのようにして実験的に検証すればいいのだろうか？　難しいからといって避けていい問題ではなく、のちほど再び取り上げることにする。互いにからみあったいくつかの未解決問題に直面したときには、最初にいちばん簡単なものに取り組むのが賢明だと思う。そこで、私がＭＩＴでおこなっている意識の研究では、図8・1に示したピラミッドの最下層にのみ焦点を絞っている。先日、私の仲間であるプリンストン大学の物理学者ピエトロ・ヒュットにこの戦略の話をすると、最下層を作る前にピラミッドの頂上を作ろうとするのは、シュレーディンガー方程式を発見する前に量子力学の解釈に頭を悩ませるようなものだと、冗談めかして返された。シュレーディンガー方程式は、実験結果を予測するための数学的基礎となっている。

何が科学の範囲を超えているかを論じる際には、その答えが年月とともに変わっていくことを忘れてはならない。およそ400年前にガリレオ・ガリレイは、数学に基づく数々の物理理論に感銘して、「自然は数学の言語で書かれた書物である」と語った。もしブドウとヘーゼルナッツを放り投げたら、ガリレオはその軌道の形と地面に当たるまでの時間を精確に予測できたはずだ。しかし、一方が緑色でもう一方が茶色である理由や、一方が軟らかくてもう一方が硬い理由は見当もつかなかっただろう。自然界のそのような一面は、当時の科学の範囲を超えていたのだ。だが永遠にそうというわけではなかった。1864年にジェイムズ・クラーク・マクスウェルが、いまでは自身の名が冠されている方程式を発見すると、光や色も数学的に理解できることが明らかとなった。そしていまでは、1926年に発見された先述のシュレーディンガー方程式を使って、軟らかいか硬いかを含め、物質のあらゆる性質を予測することができる。理論の進歩によって次々に多くの科学的予測が可能となった一方で、技術の進歩によって次々に多くの実験的検証が可能となってきた。現在、望遠鏡や顕微鏡や粒子衝突型加速器を使って研究できる事柄はほぼすべて、かつては科学の範囲を超えていた。言い換えると、あらゆる現象のうちで科学がカバーする範囲は、ガリレオの時代にはごく一部だったが、そこから劇的に広がって、素粒子やブラックホールや138億年前の宇宙の起源までをも含むかなりの割合に達した。そこで次のような疑問が浮かんでくる。残されているのは何だろうか？

私に言わせれば、意識の問題は、誰もが避けようとするが重要な問題だ。あなたは自分が意識を持っていることを知っているが、それだけでなく、あなたが絶対確実に知っているのは意識だけである。ガリレオと同時代にルネ・デカルトが指摘したとおり、それ以外はすべて推測にすぎないのだ。理論と技術の進歩によって、やがては意識さえも科学の領分に完全に収まるのだろうか？ それは分からない。ガリレオも、いつか光や物質を理解できるようになるかどうかなんて知りようもなかった。*しかしひとつだけ確実に言えることがある。挑戦しなければ成功できないのだ。私を含め世界中の大勢の科学者が、意識の理論を構築して検証しようと力を尽くしているのも、そのためである。

意識に関する実験的な手掛かり

我々の頭の中では、まさにこの瞬間も膨大な情報処理がおこなわれている。そのうちのどれが意識的で、どれが意識的でないのだろうか？ 意識の理論とそこから導かれる予測について探る前に、低

*＝拙著『数学的な宇宙』で掘り下げたように、もし物理的現実が完全に数学的（おおざっぱに言うと情報に基づいている）だったとしたら、現実の側面のうち科学の範囲を超えるものなど存在せず、意識もそこに含まれる。その観点から見ると、意識に関する例の「本当に難しい問題」は、数学的な事柄をどのようにして物理的に感じることができるのか、それを解明するという問題とまったく同等である。ある数学的構造の一部分が意識を持っているとしたら、その一部分はそれ以外の部分を外的な物理世界として経験することになる。

レベルのテクノロジーを使うものやテクノロジーをいっさい使わないものなど、従来の方法による観察から、最先端の脳測定に至るまで、これまでの実験でどのような結果が得られているかを見ていくことにしよう。

どのような振る舞いが意識的なのか？

32×17を暗算するとき、あなたはその計算を構成する内部的操作の多くを意識する。しかし代わりに、アルベルト・アインシュタインの顔写真を見せられて、「この人物の名前を答えなさい」と言われたらどうだろうか。第2章で述べたように、これもまた計算的作業である。あなたの脳は、目から入ってきた膨大な個数の色つきピクセルに関する情報を入力として、あなたの口と声帯を司る筋肉へ送る情報を出力とする関数を評価する。コンピュータ科学者はこれらの作業を、「画像分類」と「音声合成」と呼んでいる。この計算は掛け算よりもはるかに複雑だが、あなたなら掛け算よりもずっと速く処理できる。一見したところたやすく処理しているし、どのようにして処理しているか、その細かい中身も意識していない。あなたの主観的経験としては、単に写真を見て、分かったと感じ、自分の発した「アインシュタイン」という声が聞こえてくるだけだ。

心理学では昔から知られているとおり、あなたはそのほかにも幅広い作業や振る舞いを無意識におこなうことができる。たとえば、まばたき反射や呼吸、手を伸ばす、ものをつかむ、身体のバランスを取るといったことだ。多くの場合、自分が何をやったかは意識するが、どのようにしてそれをやったかは意識しない。一方、馴染みのない状況や、自制、複雑な論理法則、抽象的推論、言語の駆使が関係する振る舞いは、たいていの場合意識する。それらは「意識に相関する行動」と呼ばれており、統制されていて努力を必要とし、時間をかけて進められる思考形態、いわゆる心理学者が「システム2」と呼ぶものと、密接に関連している。[5]

また、多くの型どおりの行動は、徹底的な練習によって意識から無意識へ移行させることができる。たとえば、歩くことや泳ぐこと、自転車に乗ることや車を運転すること、キーボードを打つことやひげを剃ること、靴ひもを結ぶことやコンピュータゲームをすることやピアノを弾くことといったものだ。[6] 達人が特技を最大限に発揮できるのは、「フロー状態」、つまり高いレベルの行動だけを意識して、その進め方に関する低いレベルの詳細は意識していないときである。たとえば次の一文を、初めて字の読み方を習ったときのように、一文字一文字意識しながら読んでみてほしい。単語や概念のレベルだけで文章を意識していたときと比べて、どれだけ遅くなるか、感じられただろうか？

無意識の情報処理は、場合によっては可能であるというだけでなく、むしろ一般的におこなわれるもののようだ。人間の脳が感覚器官から1秒間に受け取る情報量はおよそ10^7ビットだが、そのうち意識しているのはごくわずかで、10から50ビットと概算されている。[7] 我々が意識する情報処理は、どうやら氷山の一角らしいのだ。

このような手掛かりを考えあわせると、意識的な情報処理は言ってみれば心のCEOのようなものであって、脳全体から送られてくるデータを複雑な形で分析しなければならないような、きわめて重要な決定のみを担っているのだと、一部の研究者は提唱している。[8] そうだとすると、ちょうど会社のCEOと同じように、部下の一挙手一投足を把握して気が散ってしまうのは好ましくない。しかし、もし望めばそれを把握することもできる。その選択的注意を実際に体験するために、いまの「望めば」という単語をもう一度見てほしい。そして「め」のいちばん上の書き出しの点を凝視して、そのまま目を動かさずに、意識を文字全体、さらに単語全体に移していってみよう。すると、網膜から送られてくる情報は変わらないのに、意識的経験は変化していく。CEOのたとえを踏まえれば、高度な技能を無意識でこなせるようになる理由も説明できる。読んだりキーボードを打ったりする方法を苦労して身につけたら、CEOはそれらの型どおりの作業を無意識という部下に任せて、もっと高いレベルの新たな課題に集中するのだ。

意識はどこにあるのか?

工夫を凝らした実験や分析によって、意識はいくつか特定の振る舞いに限られているだけでなく、いくつか特定の脳部位にも限定されているらしいことが分かってきた。その最有力候補はどの部位だろうか? 初期の手掛かりの多くは、事故や脳卒中、腫瘍や感染による局部的な脳損傷の患者から得られた。しかし、断定的な結論に達するものはほとんどなかった。たとえば、脳の後部を損傷すると目が見えなくなるからといって、そこが視覚的意識の部位であるとは言い切れない。視覚情報が、最初に目を通過したときと同じようにその部位を通過してから、別の部位に伝わって意識されるだけなのかもしれない。

脳損傷や医療処置では、意識的経験の部位を特定するまでには至っていないものの、絞り込むための役には立っている。たとえば、手の痛みは実際に手で起こっているものとして経験するが、その痛みの経験はどこか別のところで起こっているに違いない。あるとき外科医が、手にはいっさい何も処置を施さずに、肩の神経に麻酔をかけただけで、私の手の痛みを止めてしまったからだ。さらに、腕を切断した人の中には、あるはずのない手が痛いかのように感じる、幻肢痛を経験する人もいる。別の例として、私はあるとき、右目だけでものを見てみたところ、視野の一部が欠けていることに気づいた。医者に診てもらうと、網膜が剝がれかけているということで、再びくっつくよう処置してもらった。一方、脳のある部位を損傷した患者は、私と同じく視野の半分の情報が欠けていながらも、それにいっさい気づかない、「半側空間無視」という症状を経験する。たとえば、皿の左半分に載っている料理に気づかずに、食べ残してしまう。まるで、その人の世界の半分に対する意識が消えてしまったかのようだ。しかしはたして、その損傷した脳部位は空間的経験を作り出していると言い切っていいのだろうか？　それとも、私の網膜と同じように、意識の座に空間情報を伝えているにすぎないのだろうか？

アメリカ生まれのカナダ人で神経外科医の草分けであるワイルダー・ペンフィールドは、1930年代、患者が脳手術を受けている最中に、脳のいくつか特定の部位に電気刺激を与えると、その患者は身体のそれぞれ異なる場所に何かが触れたと答えることを発見した。それらの脳部位はいまでは「体性感覚野」と呼ばれている[9]（図8・3）。ペンフィールドはまた、刺激を与えられると身体のそれぞれ異なる場所が不随意に動く、いまでは「運動野」と呼ばれているいくつかの脳部位も見つけた。しかしはたして、これらの脳部位でおこなわれる情報処理が、触覚や運動の意識と対応していると言っていいのだろうか？

幸いにも、現代のテクノロジーによってもっとずっと詳細な手掛かりが得られつつある。およそ1000億個もあるニューロンの発火(活性化)を1個1個すべて測定できるまでにはほど遠いが、脳測定技術は急速に進歩していて、fMRI、EEG、MEG、ECoG、ePhys、蛍光電位センシングといったおどろおどろしい名前の技術も開発されている。fMRIとは機能的磁気共鳴画像法の略で、水素原子核の磁気的性質を測定することで、脳の三次元地図を解像度1ミリメートルで約1秒ごとに描き出す。EEG(脳波測定)とMEG(脳磁図測定)は、頭部の外側の電場や磁場を測定して脳地図を1秒あたり何千枚も描き出すが、解像度が低くて数センチメートルより小さい特徴を識別することはできない。この3つの測定法はいずれも非侵襲的で、怖がりな人にとってはありがたい。頭蓋骨を開けられても気にしない人なら、ほかにも選択肢がある。ECoG(皮質脳波測定)は、脳の表面に電極をたとえば100本つなぐ。ePhys(電気生理測定)は、髪の毛よりも細い微小電極を脳の奥深くに挿入して、1000か所もの電位を同時に測定する。多くのてんかん患者が何日も入院して、発作の原因である切除すべき部位をECoGを使って特定してもらうのにあわせ、神経科学者による意識の実験にも協力してくれている。最後に挙げた蛍光電位センシングは、ニューロンに遺伝子操作を施して、発火すると光を発するようにしておき、顕微鏡でその活性を測定する。以上の手法のうちでこの測定法が、もっとも多数のニューロンを迅速にモニターできる。ただし、脳が透き通っている動物、たとえば線虫C・エレガンス(ニューロンの個数は302個)やゼブラフィッシュの幼生(約10万個)などを使う必要がある。

クリストフ・コッホは、フランシス・クリックから意識の研究に手を出さないよう警告されてもあきらめることはせず、最終的には当のクリックも仲間に引き込んだ。1990年に二人は、「意識に相関する神経活動（NCC）」と名付けた概念に関する先駆的な論文を書き、具体的にどの脳活動が意識的経験に対応するのかという問題を提起した。何千年ものあいだ、脳内での情報処理について知るには、自らの主観的経験と振る舞いを仲立ちにするしかなかった。しかしクリックとコッホが指摘したとおり、脳測定技術によって突如としてその情報を本人を介さずに入手できるようになり、どの情報処理がどの意識的経験に対応しているのかを

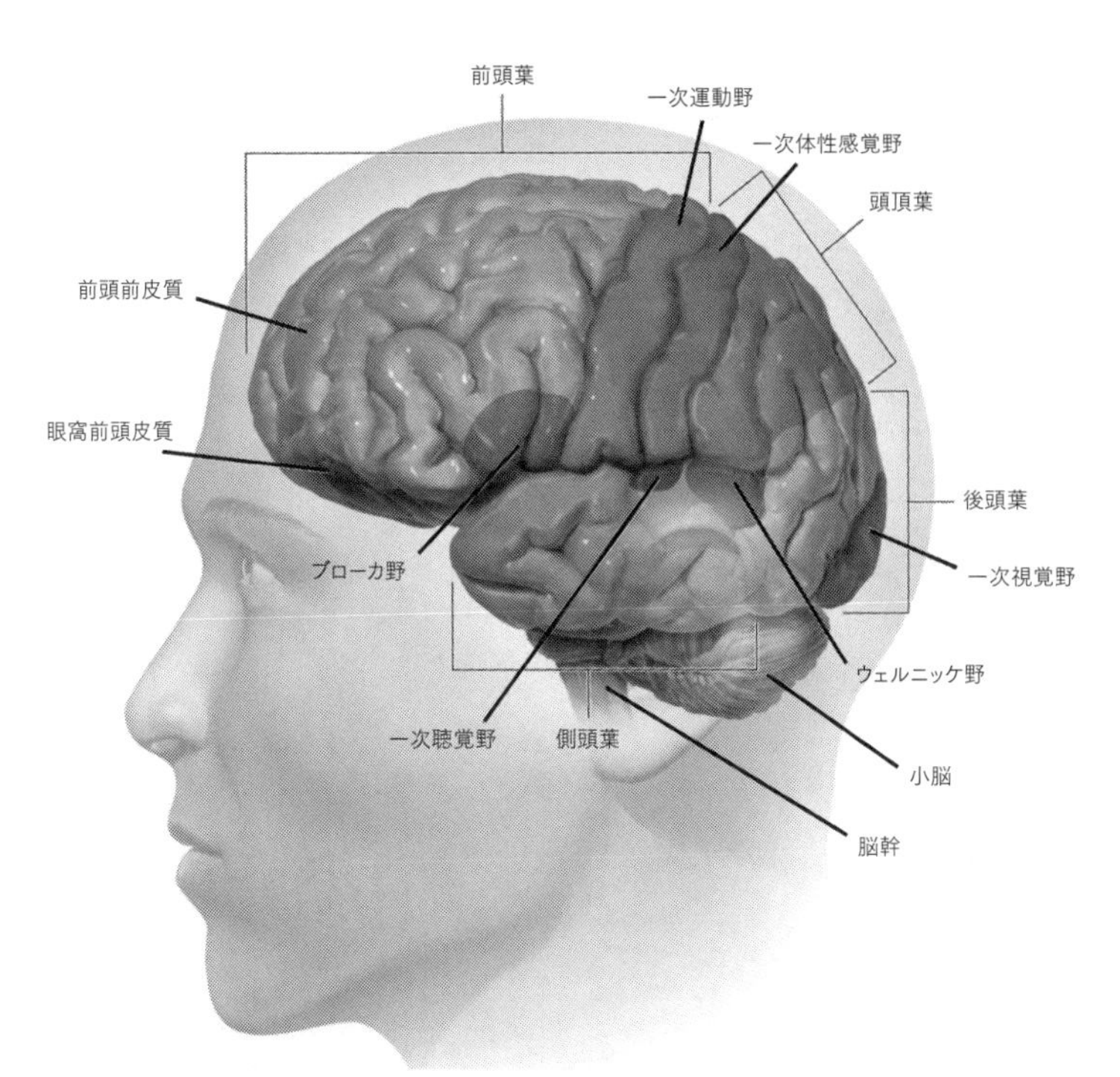

図8.3　視覚野、聴覚野、体性感覚野、運動野はそれぞれ、視覚、聴覚、触覚、運動に関わっているが、これらの部位で視覚や聴覚や触覚や運動が意識されているとは言い切れない。それどころか近年の研究によると、一次視覚野は小脳や脳幹と同じく完全に無意識であるらしい。図はLachina (www.lachina.com) より。

科学的に調べられるようになった。そして案の定、テクノロジーによって可能となった数々の測定によって、NCCの研究はいまでは神経科学の主流分野となっており、最高権威の学術雑誌を含め何千本もの論文が発表されている。[10]

では、これまでにどのような結論が得られているのだろうか？　NCCの研究の雰囲気を味わってもらうために、まずはこんな疑問について考えてほしい。あなたの網膜は意識を持っているだろうか？　それとも、網膜は視覚情報を記録して処理するゾンビシステムにすぎず、主観的な視覚的経験が生じるのは、その情報を下流で受け取る脳内のシステムなのだろうか？　図8・4の左図で、AとBの四角のうちどちらが色が濃いだろうか？　A？　実はまったく同じ色だ。指と指の隙間から覗き込めば確かめられる。このことから分かるように、あなたの視覚的経験が網膜にのみ位置しているということはありえない。もし網膜にのみ位置しているとしたら、AとBは同じに見えるはずなのだから。

次に図8・4の右図を見てほしい。見えるのは二人の女性だろうか？　それとも花瓶だろうか？　長いあいだ見つめていると、網膜に届いている情報は変わらないのに、主観的には二人の女性と花瓶の両方が交互に経験される。そのそれぞれを経験している最中に脳の中で何が起こっているかを測定すれば、ふたつの違いを生み出しているのが何なのかを解き明かせる。それは網膜ではない。どちらの場合にも網膜はまったく同じように振る舞うのだ。

意識が網膜に位置しているという仮説に致命的な一撃を与えるのが、コッホとスタニスラス・ドゥアンヌらが開発した「連続フラッシュ抑制」と呼ばれる実験手法である。複雑な形で次々に切り替わっていく模様を一方の目で見つめていると、視覚系の注意がそちらに逸らされて、もう一方の目で見ている静止画像をまったく意識できない。[11] 要するに、網膜に視覚像があってもそれを経験しない場合や、網膜上に存在しない像を経験する場合（夢を見ているとき）があるのだ。このことから分かるように、あなたのふたつの網膜は、数億個のニューロンを使って複雑な計算をおこなってはいるものの、ビデオカメラと同じく視覚的意識の座ではないのだ。

NCCの研究者はさらに、連続フラッシュ抑制、および不安定な錯視や聴覚錯覚などを使って、実際にどの脳領域がそれぞれの意識的経験を担っているのかを特定しようとしている。基本的な方法としては、意識的な経験だけが違っていてほかはまったく同じ（感覚入力も含む）であるふたつの状況下で、ニューロンの活動を比較する。すると、両者で異なる振る舞いが測定された脳領域が、NCCであると特定される。

このようなNCC研究によって証明された事実として、腸管神経系には食物を最適に消化する方法を計算する5億個ものニューロンが存在していながら、そこに意識はいっさい存在しておらず、空腹や吐き気といった感情は脳の中で生み出されている。同様に、脳の下部にあって脊髄とつながっている、呼吸や心拍や血圧を司る脳幹にも、意識は存在していないらしい。

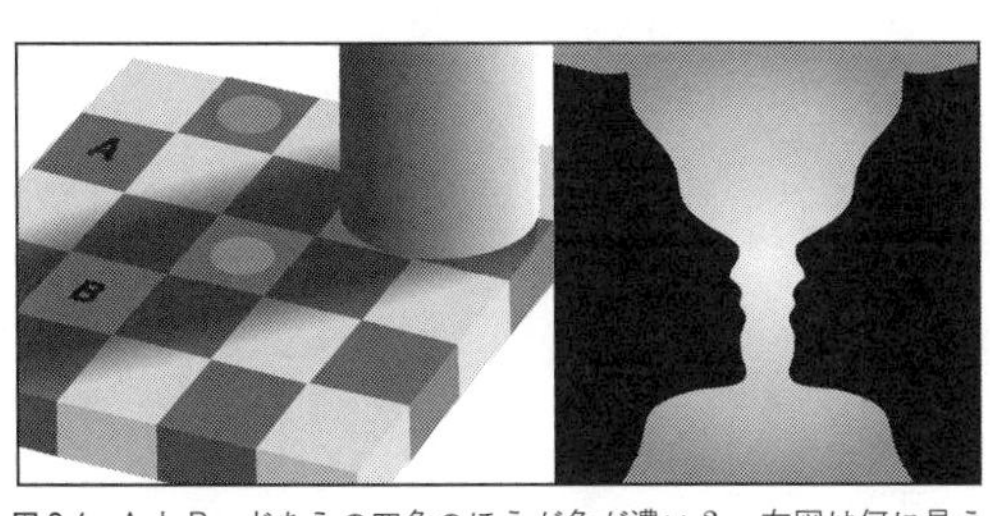

図8.4　AとB、どちらの四角のほうが色が濃い？　右図は何に見える？　花瓶？　2人の女性？　あるいは両方が交互に見える？　このような錯視から分かるように、人間の視覚的意識が、目など、視覚系の最初のほうの段階に位置していることはありえない。それらの段階は、図に何が描かれているかには左右されないからだ。

さらに衝撃的な発見として、全ニューロンの約3分の2を含んでいる小脳（図8・3）にも意識は存在していないようで、小脳が破壊された患者は、酔っ払いのように発話が不明瞭だったり身体の動きがぎこちなかったりしながらも、意識は完全に残っている。

脳のどの部位が意識を担っているかという疑問は、いまだ未解決で盛んに議論が交わされている。NCCに関する近年の研究によると、意識がおもに存在しているのは「ホットゾーン」と呼ばれる部分で、そこには、視床（脳の中央近くにある）と、大脳皮質（脳の外側の層で、しわくちゃになった6枚のシートからできており、広げると大きなテーブルナプキンほどの大きさになる）の後部が含まれるらしい。[12] ただし、頭部のいちばん後ろ側にある一次視覚野は含まれず、眼球や網膜と同じく意識を持っていないことが同研究で示されているが、これに対しては異論も出ている。

意識が生じるのはいつか？

ここまで、どのような種類の情報処理が意識的であって、どこで意識が生じるのかに関する実験的手掛かりを見てきた。では、意識はいつ生じるのだろうか？　私は子供の頃、出来事は起こった瞬間に意識するのであって、時間差や遅れなどいっさいないと考えていた。いまでも主観的にはそう感じているが、感覚器官を介して入ってきた情報を私の脳が処理するのには時間がかかるのだから、それは明らかに正しくない。NCCの研究者によってその時間が詳しく計測されており、コッホの総説によると、複雑な形の物体が発した光が目に入ってきた瞬間から、あなたがその物体を見たと意識的に知覚するまでに、約4分の1秒の時間がかかるという。[13] そのため、高速道路を時速90キロメートルで走行中に、数メートル先に突然リスが飛び出してきたら、何をしようが手遅れで、気づいた頃にはすでに轢いてしまっているのだ。

まとめると、あなたの意識は過去の世界に存在していて、コッホの概算によると、外の世界に比べて約4分の1秒遅れている。興味深いことに、人間は自分が意識するよりも速く反応できることが多いため、素早い反応に関わる情報処理は無意識的であるに違いない。たとえば目に向かって何かが近づいてきたら、まばたき反射によってわずか10分の1秒以内にまぶたが閉じる。それはまるで、脳のシステムのひとつが視覚系から不穏な情報を受け取って、目に何かがぶつかるおそれがあるとはじき出し、目の筋肉にまばたきをせよというEメールを送ると同時に、意識を持った脳部位には「いまからまばたきするよ」というEメールを送信するようなものである。そのEメールが読まれて意識的経験に取り込まれた頃には、すでにまばたきは済んでいるのだ。

そのEメールを読むシステムには、全身から絶えず大量のメッセージが届けられていて、その中にはほかより遅れて届くメッセージもある。顔から届く神経シグナルよりも指から届く神経シグナルのほうが、距離のせいで長くかかるし、音声を分析するよりも画像を分析するほうが、複雑なせいで長くかかる。オリンピックの競走種目でスタートに視覚的合図でなくピストルの音を使うのはそのためだ。それでも、自分の鼻を触ると鼻の感覚と指先の感覚を同時に意識的に経験するし、手を叩くとその映像と音と触覚をまったく同時に知覚する。[14] したがって、ある出来事の意識的な経験全体は、最後のEメールが届いて分析されてからようやく生み出されるということになる。

生理学者のベンジャミン・リベットが先駆けておこなった一連の有名なNCC実験で明らかと

なったとおり、人間が無意識にすることのできる行動は、まばたきや卓球のスマッシュのような素早い反応だけに限られず、自由意志によるものと考えたくなるようないくつかの意思決定もそこには含まれる。脳測定をおこなうと、自分が何らかの決断を下したと意識する前に、どんな決断が下されたかを予測できる場合があるのだ。[15]

意識に関するいくつかの理論

このように、意識が何であるかはいまだ解明されていないものの、そのさまざまな側面に関する実験データは驚くほど大量に得られている。しかしそのデータはすべて脳から得られたものであって、そこからどうすれば機械の意識について探ることができるのだろうか？　そのためには、現在実験可能な範囲を超えて大胆な推定をする必要がある。要するに「理論」が必要なのだ。

なぜ理論が必要なのか？

それを理解するために、意識の理論を重力の理論と比較してみよう。科学者がニュートンの重力理論を真剣に受け止めるようになったのは、与えるものよりも得るもののほうが多かったからである。つまり、紙ナプキンにも書けるほどの単純な方程式で、それまでにおこなわれたあらゆる重力実験の結果を正確に予測できたということだ。そのため科学者は、検証済みの範囲をはるかに超える予測も真剣に受け止め、のちにそのような大胆な予測は、さしわたし数百万光年の銀河団に含まれる各銀河の運動にまで通用することが分かった。しかし、太陽の周りをめぐる水星の運動に関しては、予測がごくわずかに外れていた。そこで科学者が本気で受け入れはじめたのが、ニュートンの理論が通用しない事柄も正しく予測するとされた、アインシュタインによるエレガントで簡潔な改良版の重力理論、いわゆる一般相対論である。そうして再び、検証済みの範囲をはるかに超える予測、たとえばブラックホールや、時空の枠組み自体に生じる重力波、あるいは宇宙の燃えさかる誕生と膨張といった風変わりな現象に関する予測も真剣に受け止められ、のちにそのいずれもが実験によって裏付けられた。

　これと同じように、紙ナプキンに書けるほどの簡潔な方程式からなる、意識に関する数学的理論によって、脳に関するあらゆる実験の結果をもし予測できたとしたら、その理論自体だけでなく、脳以外、たとえば機械の意識に関する予測も真剣に受け止められることになるだろう。

物理的観点から見た意識

　意識に関する理論の中には古代にまでさかのぼれるものもあるが、現代のほとんどの理論は神経心理学や神経科学に基づいており、意識を脳の中で起こる神経現象として説明して予測しようとするものである。[16]そのような理論は、意識に相関する神経活動についてはある程度予測に成功しているものの、機械の意識に関して予測することはできないし、そのような予測を目指したものでもない。脳から機械へ対象を移すには、意識に相関する神経活動（NCC）を一般化し、運動する粒子のパターンとして意識を持つものと定義される、「意識に相関する物理現象（PCC）」というものを考える必要がある。素粒子や力場といった物理的構成要素のみに基づいて、意識を持つものと持たないものを正しく予測できる理論があれば、脳だけでなく、未来のＡＩシステムを含めどんな粒子の集合体についても予測をすることができる。そこで物理的観点に立って、どのような粒子の配置が意識を持つのかという疑問を考えてみよう。

しかし実はもうひとつ疑問が浮かび上がってくる。粒子のような単純なものから、どうやって意識のような複雑なものが生じるのだろうか？　私が考えるところでは、意識という現象が、それを構成する粒子にはない性質を持っているためである。物理学ではそのような現象を「創発」と呼んでいる。[17]それを理解するために、意識よりも単純な創発現象について見てみよう。その現象とは、水の液状性である。

水滴は液状で、氷の結晶や水蒸気は液状ではないが、いずれもまったく同じ水分子からできている。なぜだろうか？　液状という性質は、分子の並び方だけで決まるからだ。１個の水分子が液状かどうかなどと問うのはまったく無意味で、液状性という現象が現れるのは、多数の分子が液体と呼ばれるパターンに並んだときだけである。固体や液体や気体はすべて創発現象であって、それらを構成する粒子にはない性質を持っているため、単なる部分の総和を上回るものとなっている。つまり、構成粒子が持っていないような性質を持っているのだ。

意識も固体や液体や気体と同じように、構成粒子にはない性質を持った創発現象であると私は考えている。たとえば深い眠りに就くと意識がなくなるのは、単に構成粒子の配置が変わったからにすぎない。それと同じように、もし私が凍死したら意識が消えるのは、私を構成する粒子がもっと都合の悪い配置に変わるからだ。

大量の粒子を集めてきて水や脳など何らかの物体を作ると、観測可能な性質を持った新たな現象が現れてくる。我々物理学者はそのような創発的性質を好んで研究し、その物体がどの程度の粘性を持っているかや、どれだけ圧縮可能かなど、実際に測定可能な少数の数値によってその性質を特定する。たとえば、あまりにも粘性が高くて変形しなければ、その物体を固体と呼び、そうでなければ流体と呼ぶ。圧縮できない流体は液体と呼び、圧縮できる流体は、電気伝導性に応じて気体またはプラズマと呼ぶ。

情報としての意識

では、それに相当する、意識を定量化した数値というものは存在するのだろうか？　イタリア人神経科学者のジュリオ・トノーニは、そのような量のひとつとして、ある系の各部分が互いのことをどの程度知っているかを表す、「統合情報量」（ギリシャ文字のΦ（ファイ）と書く）という尺度を提唱している（図8・5を見よ）。

私がジュリオと初めて会ったのは、2014年にプエルトリコで開催した物理学の学会に、クリストフ・コッホとあわせて招待したときのことだ。そのとき私はジュリオのことを、ガリレオやレオナルド・ダ・ヴィンチと並んでもおかしくない究極のルネサンス人だと思った。控えめな態度ながら、芸術や文学や哲学に関する驚くほどの知識であふれていたし、料理の腕前についてもそれ以前から知っていた。世界を股にかけるあるテレビジャーナリストから、ジュリオがたった数分でこしらえたサラダが生まれてこのかたいちばんおいしかったと聞かされたばかりだったのだ。ジュリオの穏やかな口調の裏には、権威筋の先入観やタブーなど気にせずに、証拠に導かれるがまま進んでいこうという、恐れ知らずの知性が隠されているのを、私はすぐに感じ取った。「天動説に楯突くな」と権威から圧力をかけられながらも、数学的な運動理論を追求したガリレオと同じように、ジュリオもそれまでにもっとも数学的に正確な意識の理論を構築していた。それが「統合情報理論（IIT）」である。

私はその10年ほど前から、情報が何らかの複雑な形で処理されるときにその情報が感じるもの、それが意識であると主張してきた[18]。統合情報理論はこの考え方と合致しているし、「何らかの複雑な形」という私のあいまいな表現が正確な定義に置き換えられてもいる。すなわち、その処理される情報は統合されている必要がある、つまりΦが大きくなければならないということだ。ジュリオが示すその論拠は、単純であると同時に強力でもある。意識を持つ系は、一体的な存在として統合されている必要がある。もし互いに独立したふたつの部分から構成されていたら、それらの部分はひとつでなくふたつ別々の意識的主体の

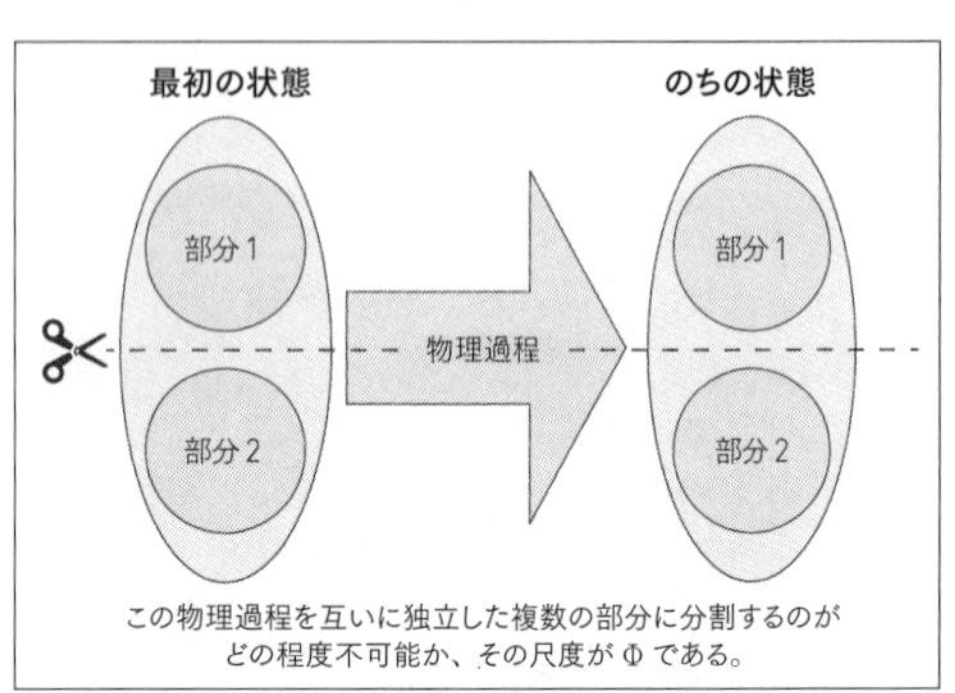

図8.5　ある物理過程によって、ある系の初期状態が時間の経過とともに新たな状態へ移行する場合、その「統合情報量」Φとは、この物理過程を互いに独立した複数の部分へ分割するのがどの程度不可能であるか、その尺度である。各部分の未来の状態がそれぞれその部分自体の過去の状態だけで決まり、ほかの部分の振る舞いに左右されないのであれば、Φ＝0となる。その場合、それまでひとつの系と呼んでいたものは、実際には互いに独立したふたつの系であって、それらのあいだに情報伝達はいっさいないことになる。

ように感じるだろう。要するに、脳またはコンピュータの中で意識を持っている部分が、残りの部分と情報をやり取りできなければ、残りの部分はその主観的な経験の一部にはなりえないということだ。

ジュリオらは、磁気刺激に対する脳の反応をEEGを使って調べることで、単純化したバージョンのΦを測定している。その「意識検出器」はかなりうまく機能し、起きているときや夢を見ているときの被験者は意識があると判断され、麻酔にかかっているときや深い眠りに就いているときは意識がないと判断される。さらには、通常の方法ではいっさい身体を動かしたり意思疎通したりできない、「閉じ込め症候群」にかかっている二人の患者が、実は意識を持っていることも明らかにした[19]。そのためこの手法は、患者に意識があるかどうかを医師が判断するための未来のテクノロジーとしてにわかに注目を集めている。

意識の根拠を物理学に求める

統合情報理論が対象とするのは、コンピュータメモリのビットや、オンとオフの状態だけを取るものとして単純化されたニューロンなど、有限個の状態を取りうる離散的な系に限られる。そのため残念ながら、無限通りの値を取りうる粒子の位置や磁場の強度など、連続的に変化しうる従来の物理系のほとんどには適用できない[20]。そのような系に統合情報理論の公式を当てはめようとすると、たいていの場合、Φは無限大であるという役に立たない結果が出てきてしまう。量子力学的な系は離散的だが、もともとの統合情報理論は量子系にあうように定義されてはいない。では、統合情報理論など情報に基づく意識の理論に、堅固な物理的根拠を与えるには、どうすればいいのだろうか？

そのためには、第2章で学んだように、物質の塊はどのようにして情報に関連した創発的性質を持ちうるのかということを踏まえればいい。そのとき述べたとおり、情報を保存するメモリデバイスとして利用できる物体は、長寿命の状態を多数持っている必要がある。さらには、計算することのできる物質、「コンピュートロニウム」であることに加えて、複雑なダイナミクスを示す必要もある。すなわち、物理法則に基づいて十分に複雑な形で変化し、任意の情報処理を実装できるようでなければならない。最後に、ニューラルネットワークがたとえば学習のための強力な基盤となるのは、単純に物理法則に従って自らを組み替えることで、目的の計算を次々に優れた形で実装していけるからだ。そこでもうひとつ疑問を追加しよう。いったい何があれば、物質の塊が主観的経験を持てるようになるのか？　つまり、物質の塊はどんな条件のもとで、

1. 記憶
2. 計算
3. 学習
4. 経験

という4つの事柄をおこなうことができるのか？

最初の3つについては第2章で探ったので、いまから4番目に取り組んでいくことにする。マーゴラスとトフォリは任意の計算をすることのできる物質に「コンピュートロニウム」という名前を付け

たので、ここではそれに倣って、主観的経験を持つ（意識する（センティエント））物質全般を指すのに、「セントロニウム」という言葉を使うことにする。*

しかし、意識が実際には物理的現象であるとしたら、どうしてこれほど非物理的に感じるのだろうか？　どうしてこれほど物理的基盤とは独立したものとして感じられるのだろうか？　私が思うに、意識は実際に物理的基盤とはかなり独立したものであって、その物理的基盤の中に存在するパターンこそが意識だからだ。第2章で、物理的基盤と独立した美しいパターンの例として、波や記憶や計算などを取り上げた。そのようなパターンは単なる部分の和ではなく（創発的であり）、各部分とは比較的独立していて独自に振る舞う。たとえば、未来のシミュレートされた心やコンピュータゲームのキャラクターは、物理的基盤から独立した存在なので、自分がWindowsの上で走っているのか、あるいはmacOSやAndroidなど別のオペレーティングシステムの上で走っているのかを知る術はないだろう。また、そのコンピュータの論理ゲートがトランジスタでできているのか、あるいは光回路など別のハードウェアでできているのかも分からないだろう。基本的な物理法則も同様に、万能コンピュータを作れるような物理法則であればどんなものでもかまわないはずだ。

まとめると、意識という物理現象が非物理的に感じられるのは、波や計算と同じように、具体的な

＊＝以前はセントロニウムと同じ意味で「パーセプトロニウム」という言葉を使っていたが、この名前だと定義が狭すぎるように感じられる。知覚（パーセプト）は感覚入力に基づく主観的経験であって、たとえば夢や、心の中で作られた思考は含まれない。

物理的基盤とは独立した性質を持っているからだと思う。この結論は、意識は情報であるという考え方から論理的に導かれる。そして、この結論から導かれる次の革新的な考え方を、私は大いに買っている。情報が何らかの形で処理されるときに感じること、それが意識であるとしたら、意識も物理的基盤から独立したものであるはずだ。そのため問題となるのは、情報処理そのものの構造だけであって、情報処理をおこなう物質の構造は関係ない。要するに、意識は二重の意味で物理的基盤から独立しているのだ。

前に述べたように、物理学とは、動き回る粒子に対応する時空内のパターンを記述することにほかならない。ある決まった原理に従う粒子の配置は、その粒子の物理的基盤とは独立した創発現象を生み出し、物理的基盤とはまったく違うふうに感じられる。その好例のひとつが、コンピュートロニウムにおける情報処理である。しかしここでは、この考え方をまた別のレベルに当てはめたことになる。情報処理そのものがある決まった原理に従うとしたら、そこからさらに高いレベルの創発現象が生じ、それを我々は意識と呼んでいる。あなたの意識的経験は、物質から1段階でなく2段階高いレベルにあるのだ。自分の心が非物理的に感じられるのも当然である。

ここでひとつ疑問が浮かんでくる。情報処理が意識を持つために従うべき原理とは、どのようなものだろうか？　意識を持つことを保証する十分条件が分かっているなどと言ったら嘘になるが、ここで、私が必要条件ではないかとにらんで研究している原理を4つ挙げよう。

・**情報原理**　意識を持つ系は、十分な情報保存容量を持っている。

・**ダイナミクス原理**　意識を持つ系は、十分な情報処理能力を持っている。
・**独立原理**　意識を持つ系は、残りの世界から十分に独立している。
・**統合原理**　意識を持つ系は、互いにほぼ独立した複数の部分から構成されていてはならない。

先ほど述べたとおり、意識とは、情報がある決まった形で処理されるときの感覚であると、私は考えている。そうだとすると、ある系が意識を持つためには、情報を保存して処理できる必要がある。最初のふたつの原理はそこから導かれる。必ずしも記憶が長く保たれる必要はないことに注意してほしい。1分足らずで記憶が消えてしまうのに明らかに完璧な意識を持っている、クリーヴ・ウェアリングの感動的な動画をぜひ観てほしい[21]。意識を持つ系はさらに、世界のほかの部分から比較的独立している必要もあると思う。そうでないと、そもそも自分は独立した存在であると主観的に感じないだろう。最後に、意識を持つ系は、ジュリオ・トノーニが言うように一体として統合されている必要があると思う。もしふたつの互いに独立した部分から構成されていたら、そのふたつの部分は、ひとつでなくふたつ別々の意識的主体として感じるだろう。最初の3つの原理から導かれるのは、「自律性」である。つまり、外界からあまり干渉を受けずに情報を保持して処理することができ、そのため自身の未来を決定できるということだ。そして4つの原理をすべてまとめると、意識を持つ系自体は自律しているが、その各部分は自律していないということになる。

もしこの4つの原理が正しいとしても、その先にはかなりの苦労が待ち受けている。これらの原理を具体的に表現した数学的に厳密な理論を探し、それを実験的に検証しなければならないのだ。また、さらに原理を追加する必要があるかどうかも見極める必要がある。統合情報理論が正しいかどうかとは関係なしに、競合しあういくつもの理論を導いては、次々に優れた実験で検証していくべきだ。

意識をめぐる論争

意識の研究は非科学的で意味がなく、まったくの時間の無駄ではないかという異論については、先ほど述べたとおりだ。最近ではそれに加えて、意識研究の最先端でもいくつかの議論が巻き起こっている。その中でも得るところが大きいと思うものを、いくつか掘り下げていくことにしよう。

ジュリオ・トノーニの統合情報理論は、ここのところ称賛だけでなく批判も浴びていて、中には痛烈なものもある。スコット・アーロンソンは先日ブログに次のような書き込みをした。「私の考えるところでは、統合情報理論は間違っている——明らかに間違っていて、その理由は理論の核心にある——というのが事実で、これまでに提唱された数学的な意識理論の中でランク付けすると、上位2パーセントといったところに位置する。これと競合する意識理論はほぼすべて、あまりに漠然としていてつかみどころがなく、いくらでもねじ曲げられるので、間違いにさえなりえないだろう[22]」。先日、ニューヨーク大学で開かれた研究会でスコットとジュリオが統合情報理論に関する議論を交わしたとき、見上げたことに二人とも、けっして喧嘩腰にはならずに互いの主張に丁寧に耳を傾けた。スコットは、論理ゲートで構成される何通りかの単純なネットワークがきわめて高い統合情報量（Φ）を持っていることを指摘し、それらのネットワークは明らかに意識を持たないのだから統合情報理論は間違っていると主張した。それに対してジュリオは、もしそのようなネットワークを作ればそれは意識を持つはずで、持たないというスコットの決めつけは人間中心的な偏見であると反論した。まるで、食肉処理場の経営者が、動物はしゃべれないし人間とまったく違うから意識を持っているはずはないと言い張るようなものだ、というのだ。そこで私は、統合性は意識の必要条件にすぎない（スコットの主張）のか、それだけでなく十分条件でもある（ジュリオの主張）のかというのが争点になっているのだと指摘した（二人とも納得してくれた）。後者の主張のほうが明らかに強くて異論が多いが、近いうちに実験的に検証できるようになることを願っている。[23]

統合情報理論に基づくもうひとつの主張として異論を招いているのが、今日のコンピュータアーキテクチャが意識を持てないのは、論理ゲートの連結のしくみゆえに統合性がきわめて低いからだというものである。[24] ジュリオは次のように主張している。あなたのニューロンやシナプスのひとつひとつを正確にシミュレートした未来の高性能ロボットに、あなた自身をアップロードしたとしよう。たとえそのデジタルクローンがあなたとそっくりで、あなたと見分けがつかないような様子でものを見て話して行動したとしても、そのクローンは主観的経験を持たない無意識のゾンビであって、主観的な不死を願って自身をアップロードしたあなたの期待は叶わないのだという。* この主張に対して、デイ

*＝この主張は、意識は物理的基盤とは独立しているという考え方と相容れない可能性がある。もっとも低いレベルで情報処理の様子が互いに異なっていても、定義上、振る舞いを決定するもっと高いレベルではまったく同じだからだ。

ヴィッド・チャーマーズとＡＩ研究者のマレー・シャナハンは次のように反論している。[25] あなたの脳の中の神経回路を、それを完璧にシミュレートした仮想的なデジタルハードウェアに少しずつ置き換えていったら、はたしてどうなるだろうか。そのシミュレーションは完璧であると仮定しているので、ハードウェアを置き換えていってもあなたの振る舞いは影響を受けないが、ジュリオの主張によれば、あなたの経験は、最初は意識的だったものが最後には無意識的なものへと変わっていくことになる。しかしその途中の段階、たとえば、視覚野の上半分の意識的経験を担っている脳部位が置き換えられたときには、いったいどのように感じるというのだろうか？　自分の視覚像の一部が突然欠けたのに気づく一方で、「盲視」の患者が訴えるように、その欠けた部分に何があるかがなぜだか分かるということにも気づくのだろうか？[26]　もしそうだとすると大きな矛盾が生じる。何らかの変化を意識的に経験できたとしたら、尋ねられたときにその変化を友人に話すことができるはずだが、仮定によればあなたの振る舞いはいっさい変化しないのだった。この仮定と論理的整合性が取れるのは、次のような場合だけだ。あなたの意識から何かが失われるのと同時に、あなたの心も謎めいた形で変化して、自分の経験は変わっていないと嘘をつくか、あるいは以前と違っていたことを忘れてしまうかしかない。

一方でシャナハンも認めているとおり、神経回路を徐々に置き換えていくというシナリオに基づくこの批判は、意識を持っていなくても意識的に振る舞うことができると主張するあらゆる理論に当てはまる。したがって、振る舞うことと意識を持っていることは実はまったく同じ現象であって、そのため、問題となるのは外部から観察可能な振る舞いだけであると結論づけたくなるかもしれない。だがそうすると、夢を見ているときにははっきりと自覚があるのに、意識はないということになってしまい、矛盾に陥ってしまう。

統合情報理論をめぐる3つめの論争は、意識を持つ主体を構成する各部分がそれぞれ別々に意識を持てるのかどうかというものである。たとえば、社会全体が意識を持つようになっても、その社会を構成する一人一人の人間は意識を失わずに済むのか？　意識を持っている脳の各部位も、それぞれ独自に意識を持てるのか？　統合情報理論ではその答えははっきり「ノー」と予測されるが、誰もがこの答えに納得するわけではない。たとえば、脳損傷によって左右半球間の情報伝達が著しく損なわれた患者の中には、「エイリアンハンド症候群」を患う人がいる。右半球の指令で左手が何かをやっても、本人は、そんなことやっていないしどうしてやったのかも分からないと言い張る。ときには、その「エイリアンの手」をもう一方の手で抑えることさえある。そうだとすると、しゃべることのできない右半球にひとつ、両半球のためにしゃべっているのだと言い張る左半球にひとつと、計ふたつの別々の意識が頭の中に存在しているとは言えないだろうか？　仮に、未来のテクノロジーを使って二人の人間の脳のあいだに直接の通信リンクを構築し、そのリンクの容量を徐々に増やしていって、おのおのの脳内と同じくらい効率的に情報伝達ができるようにしたとしよう。すると、ある瞬間に二人のそれぞれの意識が突然消失して、統合情報理論が予測するとおり、統一されたひとつの意識に置き換わるのだろうか？　あるいは、変化は徐々に起こって、共通の経験が生まれはじめながらも、それぞれの意識が何らかの形で共存しつづけるのだろうか？

もうひとつの興味深い論争は、我々がどの程度の意識を持っているかが、実験では過小評価されているのではないかというものだ。前に述べたように、我々は、色や形や物体など、目の前にあるほぼあらゆるものを含む膨大な情報を視覚的に意識していると感じているが、実験によると、覚えていて人に話すことができるのはそのうちのごくわずかだという。[27] 一部の研究者はこの食い違いを解消するために、「アクセスできない意識」、すなわち、のちに利用したくても複雑すぎて作業記憶に収まりきらないような事柄の主観的経験というものが存在する場合があるのではないかと考えている。[28] たとえば、著しく注意が逸らされているせいで、明らかに見えている物体に気づかない、「不注意盲」の状態というものがある。しかしだからといって、必ずしもその物体に対する意識的な視覚的経験がないとは限らず、単に作業記憶に保存されていないだけかもしれない。[29] それは盲目ではなく忘却ととらえるべきではないのだろうか？　一方でこの考え方を否定して、自分が何を経験したかに関する人間の言葉は信用できず、それに基づいて結論を導くべきではないと唱える研究者もいる。シャナハンは、ある臨床試験で患者が、素晴らしい新薬のおかげで痛みが完全に消えたと語っていながらも、政府の審議会でその新薬の承認が却下されたという例を挙げている。「その患者は、自分は痛くないと思っただけである。神経科学のおかげで、そのような言葉は信用せずに済む[30]」。逆に、手術中に手違いで目を覚ましてしまった患者に薬を投与して、苦しい体験を忘れさせたという事例もいくつかある。何ら痛みを経験しなかったという手術後の言葉を、はたして信用できるだろうか[31]？

AIの意識は何を感じるか？

もし未来のAIシステムが意識を持ったら、そのAIは主観的にどのような経験をするのだろうか？　それが意識の「さらに難しい問題」のポイントで、ここからは、図8・1（410頁）に示した難しさの第二レベルに否応なく上がっていくことになる。現段階ではこの疑問に答えられる理論が存在しないだけでなく、完全な形で答えるのが論理的に可能かどうかさえはっきりしていない。そもそもどんな答えなら満足できるのだろうか？　生まれつき目が見えない人に、赤という色がどんなものか、どうやって説明するというのだろうか？

幸いにも、現段階で完全な答えを導けないからといって、部分的な答えまで出せないわけではない。知的エイリアンが人間の感覚系について研究すれば、色というのは二次元面（人間の視覚野）上の各点に対して感じられるクオリアであると推論できるだろう。また、音は空間的に局在していないものとして感じられ、痛みは身体の各部分に対して感じられるクオリアであると分かるはずだ。我々の網膜に光感受性の錐体細胞が3種類あることを発見すれば、我々は3つの基本的な色を経験していて、それ以外の色のクオリアはこの3つの色の組みあわせであると推論できるだろう。脳内でニューロンが情報を伝えるのにかかる時間を測定すれば、我々は意識的思考や知覚を1秒間に約10回までしか経験できず、テレビで毎秒24コマの映画を観ても、それを静止画の連なりとしてでなく連続的な動画として経験すると結論づけられるだろう。血液中にアドレナリンが放出されるスピードと、それが分解されるまでにかかる時間を測定すれば、我々の怒りの感情は数秒以内に始まって数分間続くと予測できるだろう。

物理学に基づく同様の論拠を当てはめれば、人工的な意識が感じるであろう事柄について、根拠に基づいてある程度推測できる。まず、ＡＩが経験しうる事柄の範囲は、我々人間に比べて膨大であろう。我々はひとつの感覚に対してひとつのタイプのクオリアしか持っていないが、ＡＩはもっとずっと多くの種類のセンサーや内的な情報表現を持ちうるのだから、ＡＩも人間と同じように感じるはずだと誤って決めつけてはならない。

第二に、電磁気的信号はニューロン信号の何百万倍も速い光の速さで伝わるので、脳と同サイズの人工的な意識は、１秒間に我々の何百万倍もの経験をすることができるだろう。しかしＡＩが大きくなると、第4章で見たように、その各部分のあいだで情報が流れる時間を確保するために、全体的な思考をもっと遅くしなければならない。したがって地球サイズの「ガイア」ＡＩは、意識的経験を人間と同じく1秒間に約10回しか持つことができないし、銀河サイズのＡＩなら、全体的な思考を10万年にたった1回、この宇宙のこれまでの全歴史のあいだに約10万回しか経験できないことになる。そのため大きなサイズのＡＩは、さまざまな計算をできるだけ最小のサブシステムに委ねてスピードアップを図ろうという、やむにやまれぬ動機を持つだろう。ちょうど、我々の意識的な心が、小さくて高速な無意識的サブシステムにまばたき反射を委ねているのと同じだ。先ほど述べたように、人間の脳における意識的な情報処理は、それ以外の無意識的な情報処理に比べたら氷山の一角にすぎないようだが、未来の大型ＡＩとなるとますます極端な状況になると予想される。もしひとつしか意識を持っていないとしたら、自らの内部でおこなわれているほぼすべての情報処理には気づかないだろう。しかも、その意識的経験はとてつもなく複雑かもしれないが、もっと小さい部分の素早い活動に比べたらとんでもなく緩慢だろう。

そうだとすると、先ほど挙げた、意識的主体の一部分も意識を持つことはできるのかという論争がかなり問題になってくる。統合情報理論の予測によれば、それは不可能である。天文学的に大きな未来のＡＩが意識を持つとしたら、その情報処理のほぼすべては無意識ということになる。また、もっと小さいＡＩが作る文明が通信能力を向上させて、意識を持ったたったひとつの集合精神を出現させたら、もっとずっと高速な個々の意識は突然消失することになる。他方、もし統合情報理論が間違っていたとしたら、その集合精神はもっと小さい多種多様な意識的な心と共存できることになる。それどころか、ミクロスケールから宇宙スケールまで、あらゆるレベルにおいて意識が階層的に入れ子になっているとまで想像できるだろう。

先ほど述べたように、我々人間の脳における無意識の情報処理は、心理学者が「システム１」と呼ぶ、労力を必要としない高速で自動的な思考方法と結びついているらしい[32]。たとえば、あなたのシステム１はあなたの意識に、「視覚入力データをきわめて複雑な形で分析したところ、あなたの親友がやってきたと判断された」と伝えるが、それをどのようにして計算したかはいっさい知らせない。もしこのようなシステムと意識との連絡が実際に存在すると証明されれば、この用語をＡＩにも拡張して、無意識的なサブユニットに委ねられる型どおりの素早い作業のことを、そのＡＩのシステム１と呼びたくなるだろう。制御されていて労力を要する、ゆっくりとした全体的思考は、もしそれが意識的であるならば、ＡＩのシステム２ということになる。我々人間はさらに、動きも考えもせずにただ周りの世界を観察しているだけで生じる、受動的なありのままの知覚、すなわち「システム０」とでも呼べる意識的経験も持っている。システム０から１、２となるにつれて徐々に複雑になっていくが、その中間のものだけが無意識であるらしいのはとても興味深い。統合情報理論によれば、それはシステム０におけるありのままの感覚情報が、グリッド状の脳構造にきわめて統合度の高い状態で保存されるからだという。またシステム２のほうも、この瞬間に意識しているすべての情報がその後の脳の状態に影響を与えるというフィードバックループのために、統合度が高くなっているからだという。一方で、先ほど紹介したスコット・アーロンソンによる統合情報理論に対する批判も、まさにこの意識グリッド仮説がその根拠となっている。まとめると、意識の「かなり難しい問題」を解決できる理論が、いつか厳密な実験的検証をことごとくパスして、その理論に基づく予測が真剣に受け止められるようになれば、意識を持った未来のＡＩが何を経験するかという「さらに難しい問題」の答えも大幅に絞られてくるだろう。

我々の主観的経験の中には、自己保存（食べること、飲むこと、死なないようにすること）や生殖に関連した感情的欲求のように、明らかに我々の進化上の起源に由来する側面もいくつかある。したがって、空腹や喉の渇き、恐怖や性欲といったクオリアをいっさい経験しないＡＩを作ることも可能なはずだ。前の章で述べたように、知能の高いＡＩをプログラムして、十分に野心的な目標を持たせたとすると、その目標がほぼどんなものであったとしても、ＡＩは目標を達成できるよう自己保存に努めるだろう。しかしそのＡＩが、ＡＩから構成された社会の一部だったとしたら、我々人間のような強い死の恐怖は抱かないかもしれない。自らのバックアップを取っていて、いざとなったらそのバックアップソフトウェアが起動されると確信している限り、失うものは直近のバックアップ以降に蓄積された記憶だけだからだ。さらに、ＡＩどうしのあいだで情報やソフトウェアを容易にコピーできれば、我々人間の意識に特徴的である個人性という強い感覚も薄れるだろう。あなたと私のあいだであらゆる記憶や能力を容易に共有してコピーできたとしたら、あなたと私の区別は薄れてくるだろう。互いに近しいＡＩからなる集団も、むしろ集合精神を持ったひとつの生命体として感じるのかもしれない。

では、人工的な意識は自由意志を感じるのだろうか？　何千年も前から哲学者は、我々に自由意志があるかという疑問に関してあれこれと屁理屈をこね回してきたが、この疑問をどのように定義するかについてさえ意見の一致には至っていない。[33] しかし私が問いかけている問題はそれとは別物で、おそらくそれのほうが取り組みやすいだろう。いまから納得してもらえるよう努めるが、その答えは単純に「イエス」である。意識的に決定をおこなう主体は、生物学的であるか人工的であるかにかかわらず、自分は自由意志を持っていると主観的に感じるのだ。すべての意思決定は、次のふたつの極端なタイプの中間のどこかに当てはまる。

1. 自身がその選択をした理由を正確に知っている。
2. 自身がその選択をした理由は見当もつかず、思いつきで適当に選択したように感じられる。

自由意志をめぐる議論ではもっぱら、我々の目標指向的な意思決定行動と物理法則をいかにして折りあわせるかが中心的な課題となる。あなたの行動に対する次のふたつの説明のうちどちらかを選ぶとしたら、どちらが正しいだろうか？「私が彼女をデートに誘ったのは、彼女のことが大好きだからだ」「私を構成する粒子が物理法則に従って運動することで、私にそうさせた」――前の章で見たようにどちらの説明も正しく、目標を持たない決定論的な物理法則から、目標指向的であるように感じられる振る舞いが創発しうる。もっと具体的に言うと、ある系（脳やＡＩ）が上記のタイプ1の決定をおこなうときには、どのような決定を下すかを、何らかの決定論的なアルゴリズムを使って計算する。そしてその系が、自分がその決定を下したと感じるのは、実はその計算をいつ実行するかを決定したからにすぎない。さらにセス・ロイドが念を押しているとおり[34]、ほぼどんな計算においても、実際に実行するよりも速くその結果を判断する方法は存在しないという、コンピュータ科学の有名な定理がある。したがって、あなたが1秒後にどんな決定を下すかを1秒以内に知るのは一般的に不可能であり、そのせいで、自分は自由意志を持っているという経験がさらに強まることになる。一方でそれとは対照的に、系（脳やＡＩ）がタイプ2の決定を下すときには、乱数発生器として動作する何らかのサブシステムの出力に基づいて決定を下すよう、自らの心をプログラムする。脳やコンピュータの場合、有効な乱数はノイズを増幅することで容易に発生させられる。そのため生物学的な意識であれ人工的な意識であれ、タイプ1からタイプ2までの中間のどこに位置する意思決定に関しても、自分は自由意志を持っていると感じることになる。実際に自分が決定したのだと感じるし、自分が考え終えるまでは、どのような決定が下されるかを確実に予測することはできないのだ。

このような見解に対して、因果律をないがしろにしているとか、思考プロセスを無意味にするものだとか、自分のことを〝単なる〟機械とみなしているとか言って突っかかってくる人がいる。そのような否定的な考え方はばかげているし、正しくないと思う。第一に、人間の脳は〝単なる〟などと形容される代物ではなく、私に言わせれば既知の宇宙の中でもっとも高度な驚くべき物理的物体である。第二に、代わりにどんな説明を望むというのだろうか？　自分の思考プロセス（自分の脳でおこなわれる計算）が自分の決定を下しているのは嫌なのだろうか？　自由意志という主観的経験は、自身の計算が内側から感じているものであって、計算が終わるまでその結果は分からない。言ってみれば、計算そのものが意志決定なのだ。

意義

最後に、本書の出発点に立ち返ってみよう。我々はどのような生命の未来を望むだろうか？　前の章で述べたように、世界中の多様な文化はいずれも良い経験に満ちた未来を追求しているが、何を良い経験ととらえるべきで、どのようにしてそれぞれの生命形態にとっての利益の折りあいをつけるかという点で意見をまとめようとすると、とんでもなく厄介な論争が巻き起こる。しかしそのような論争にかまけて、肝心な問題に見て見ぬふりをするのはやめよう。そもそも経験が存在しなければ、つまり意識が存在しなければ、良い経験なんてありえない。言い換えると、意識が存在しなければ、幸福も善も美も、意義も目的も存在しようがなく、天文学的な空間の無駄使いにしかならない。そのため、生命の意義について問うときに、我々の存在に意義を与えるのがこの宇宙の役目であるかのように考えるのは、話が逆である。この宇宙が意識的存在に意義を与えるのではなく、意識的存在がこの宇宙に意義を与えるのだ。したがって、未来に実現したい目標のリストの冒頭には、生物学的または人工的な意識を絶滅に追いやるのでなく、この宇宙で維持する（そして願わくは拡大させる）ことを挙げるべきだ。

　その取り組みに成功したとして、我々人間はもっと賢い機械と共存することをどう感じるだろうか？　冷酷無情にも思えるＡＩの台頭は、あなたを苦しめることになるのだろうか？　苦しめるとしたらなぜ？　第3章で見たように、ＡＩに力を得たテクノロジーが、安全や収入といった我々の基本的要求を満たすようにするのは、政治的意思がある限りは比較的容易なはずだ。しかし、不自由のない衣食住と娯楽だけでは十分でないと心配する人もいるだろう。ＡＩが我々の現実的な要求と願望をすべて確実に取り計らってくれたとしても、我々は動物園で大事に飼われている動物のように、自分の人生には意義と目的がないと感じることになるのではないだろうか？

　昔から我々人類は、自分たちは地球上でいちばん賢い存在であって、それゆえに唯一無二で優れているのだという信念、いわゆる「人間例外論」を、自尊心の礎としてきた。ＡＩが台頭してくれば、この考え方を捨てざるをえなくなって、もっと謙虚になるだろう。しかしいずれにせよ、我々は謙虚になるべきなのかもしれない。そもそも、他者（個人、民族集団、生物種など）よりも優れているという横柄な考え方にこだわったせいで、これまで数々の恐ろしい問題が引き起こされてきた。そのような考え方はそろそろ捨てるべきときかもしれない。人間例外論は、これまで悲しみをもたらしてきただけでなく、人類の繁栄にとっては必要ないように思える。科学や芸術など、我々が大切にしているあらゆる事柄にかけて我々よりもはるかに進んだ、平和的な地球外文明がもし発見されたとしても、人々はきっと自分の人生に意義と目的を感じつづけるだろう。願わくは傲慢さ以外は何も手放さずに、家族や友人やもっと広い共同体、そして、意義と目的を与えてくれるあらゆる活動を守ることができるだろう。

我々の未来を計画するに際しては、我々自身の人生の意義だけでなく、この宇宙そのものの意義も考慮したい。私が大好きな二人の物理学者、スティーヴン・ワインバーグとフリーマン・ダイソンは、互いに正反対の見方を示している。素粒子物理学の標準モデルに関する基礎的研究でノーベル賞を受賞したワインバーグは、「この宇宙が理解可能であるように思えれば思えるほど、同時に無意味なように見えてくる」という有名な言葉を残している。[35] 一方でダイソンは、第6章で述べたようにもっとずっと楽観的である。確かにかつてはこの宇宙は無意味だったが、いまや生命が宇宙に次々と意義を吹き込みつつあり、もし生命が宇宙全体に広がることができれば、限界はまだまだ先だ、と考えているのだ。1979年の先駆的な論文の末尾でダイソンは、「真実に近いのは、ワインバーグの宇宙と私の宇宙のどちらだろうか？　いつかそう遠くないうちに、その答えを知ることになるだろう」と述べている。[36] 我々が地球上の生命を絶滅に追いやったり、意識を持たないゾンビＡＩに宇宙を支配させたりして、この宇宙が意識のない状態に永久に逆戻りすれば、ワインバーグの正しさが立証されることになってしまう。

本書では知能の未来に焦点を絞ってきたが、この観点から見ると、この宇宙に意義を与える意識の未来のほうがさらに重要である。哲学者はこの違いをラテン語を使って、「サピエンス（理知的に考える能力）」と「センティエンス（クオリアを主観的に経験する能力）」と表現したがる。我々人類はこれまで、「ホモ・サピエンス」、すなわち現在もっとも賢い存在であることを、自分たちのアイデンティティの礎にしてきた。しかしいまや、さらに賢い機械に見下されないよう、新たに「ホモ・センティエンス」と名乗ったらどうだろうか。

要約

- ▼「意識」に対する明白な定義は存在しない。本書では、意識＝主観的経験という、非人間中心的な幅広い定義を使う。
- ▼この意味でＡＩが意識を持つかどうかは、ＡＩの台頭によって突きつけられる次のようなきわめて厄介な倫理的および哲学的な問題にとって重要である。ＡＩは苦しみを感じるか？　ＡＩは権利を持つべきか？　心のアップロードは主観的な自殺になるのか？　未来の宇宙にＡＩが満ちあふれたら、ゾンビ的な究極の世界の終わりが訪れるのか？
- ▼知能を理解するという問題を、意識に関する以下の3つ別々の問題とないまぜにしてはならない。どのような物理系が意識を持つかという「かなり難しい問題」、クオリアを予測するという「さらに難しい問題」、そもそもなぜ意識が存在するかという「本当に難しい問題」。
- ▼意識に関する「かなり難しい問題」は、人間の脳のプロセスのうちどれが意識的であるかを予測する理論を実験で検証できるため、科学的な問題である。しかし、もっと難しいふたつの問題を科学で完全に解決できるかどうかは、現在のところ定かでない。

▼神経科学のさまざまな実験から推測されているとおり、多くの振る舞いや脳領域は無意識であり、我々の意識的経験のほとんどは、膨大な量の無意識な情報を事後にかいつまんだものである。

▼意識に関する予測を脳から機械へ一般化するには、理論が必要である。おそらく意識に必要なのは、特定の種類の粒子や場ではなく、かなりの程度自律していて統合されており、系全体はかなり自律しているがその各部分は自律していない、特定の種類の情報処理である。

▼意識を非物理的に感じるのは、二重の意味で物理的基盤から独立しているためである。情報がある複雑な形で処理されているときの感じ方が意識だとしたら、重要なのは、その情報処理をおこなっている物質の構造ではなく、その情報処理そのものの構造である。

▼人工的な意識が存在可能だとしたら、ＡＩが経験しうる事柄の範囲は我々人間に比べて膨大で、幅広いクオリアや時間スケールにおよぶ。そしてそれらすべての経験が、自由意志を持っているという一つの感覚を共有する。

▼意識がなければ意義は存在しえないのだから、この宇宙が意識的存在に意義を与えているのではなく、逆に意識的存在がこの宇宙に意義を与えている。

▼したがって、我々人類はさらに賢い機械におとしめられながらも、「ホモ・サピエンス」でなく「ホモ・センティエンス」であることにもっぱら慰めを得ることになる。

エピローグ

FLIチームの物語

いま現在の生命に関してもっとも残念なのは、社会が知恵を蓄えるのよりも速く、科学が知識を蓄えていることである。

――アイザック・アシモフ

ここまで、知能や目標や意義の起源と行く末について掘り下げてきたが、ようやく本書も終わりを迎える。では、これらの考え方を行動に移すにはどうすればいいのだろうか？　我々の未来を可能な限り良いものにするには、具体的に何をおこなうべきだろうか？　２０１７年1月9日、カリフォルニア州のアシロマで開催したＡＩに関する会議を終えて、サンフランシスコからボストンへ戻る窓際の席に座っている最中に自分に問いかけたのが、まさにこの疑問だ。そこで本書の締めくくりに、私の考えたことを伝えておきたい。

会議の準備と運営のために何日も睡眠時間を削ってきた妻のメイアが、隣の席で眠りにつこうとしている。何て慌ただしい1週間だったんだ。私と妻は、プエルトリコに続くこの2回目の会議に、本書で取り上げたほぼすべての人を何とか呼び集めた。イーロン・マスクやラリー・ペイジといった起業家、そして、大学や、ディープマインド、グーグル、フェイスブック、アップル、ＩＢＭ、マイクロソフト、バイドゥといった企業の代表的なＡＩ研究者、さらには、経済学者や法学者や哲学者など尊敬を集める思索家たちだ（図9・1）。結果は私の予想をはるかに上回り、生命の未来について、これまでずっと抱いてきたよりも楽観的に感じられるようになった。このエピローグでは、その理由をお話しすることにしよう。

FLIの誕生

14歳のときに核軍拡競争のことを知って以来、私は、人類のテクノロジーがそれを操る知恵よりも急速に進歩していることがずっと気がかりだった。そこで、おもに物理学を取り上げた最初の著書『数学的な宇宙』に、この問題に関する章をひとつ忍び込ませることにした。そして2014年の年明け、一人でぼやくのはもうやめて、真剣に考えてきたことを自ら行動に移そうと決心し、1月の自著の宣伝旅行のあいだその誓いを守りつづけた。テクノロジーの管理を通じて生命の未来をより良いものにすることを目指す非営利団体を立ち上げようと、メイアと一緒にたくさんのアイデアを出しあったのだ。

妻は、「Doom & Gloom Institute（陰々滅々研究所）」とか「Let's-Worry-about-the Future Institute（未来のことを心配しよう研究所）」などといった名前からできるだけかけ離れた、ポジティブな名称にしようと言い張った。すでにボストロムらの「人類の未来研究所（Future of Humanity Institute, FHI）」という団体があったので、さらに幅広いものにするために、「生命の未来研究所（Future of Life Institute, FLI）」という名称にまとまった。1月22日、自著宣伝旅行で訪れていたサンタクルーズで太平洋に沈む美しい夕日を眺めながら、旧友のアンソニー・アギーレとディナーを楽しみつつ、仲間に加わってくれないかと持ちかけた。私が知っている中でもっとも賢い理想主義的な人物であるだけでなく、10年前から私と一緒に、基礎的問題研究所（http://fqxi.org）というもうひとつの非営利団体の運営に尽力してくれてもいた。

ブライアン・ジーバート、ヒュー・プライス、カール・シュルマン、ニール・ローレンス、リチャード・マラー、ユルゲン・シュミットフーバー、ディリープ・ジョージ、ジョナサン・ロスバーグ、ノア・ロスバーグ。前列：アンソニー・アギーレ、ソニア・サックス、ルーカス・ペリー、ジェフリー・サックス、ヴィンセント・コニッツァー、スティーヴ・グース、ヴィクトリア・クラコフナ、オーウェン・コットン＝バラット、ダニエラ・ルス、ディラン・ハドフィールド＝メネル、ヴェリティ・ハーディング、シヴォン・ジリス、ローラン・オルソー、ラマナ・クマル、ネイト・ソアレス、アンドリュー・マカフィー、ジャック・クラーク、アンナ・サラモン、ロン・ウヤン、アンドリュー・クリッチ、ポール・クリスティアーノ、ヨシュア・ベンジオ、デイヴィッド・サンフォード、キャサリン・オルソン、ジェシカ・テイラー、マルティナ・クンツ、クリスティン・トリソン、スチュワート・アームストロング、ヤン・レクン、アレクサンダー・タマス、ロマン・ヤンポルスキー、マリン・ソリャシウ、ローレンス・クラウス、スチュワート・ラッセル、エリック・ブリニョルフソン、ライアン・カロ、シャオラン・シュエ、メイア・チタ＝テグマーク、ケント・ウォーカー、ヘザー・ロフ、メレディス・ウィテカー、マックス・テグマーク、エイドリアン・ウェラー、ホセ・ヘルナンデス＝オラロ、アンドリュー・メイナード、ジョン・ヘリング、アブラム・デムスキー、ニコラス・ベルクグルエン、グレゴリー・ボネット、サム・ハリス、ティム・ファン、アンドリュー・スナイダー＝ビーティー、マルタ・ハリナ、セバスチャン・ファーカー、スティーヴン・ケイヴ、ヤン・レイキ、ターシャ・マッコーリー、ジョゼフ・ゴードン＝レヴィット。のちに合流：グールー・バナヴァー、デミス・ハサビス、ラオ・カンバンパティ、イーロン・マスク、ラリー・ペイジ、アンソニー・ロメロ

図9.1　プエルトリコに続いて2017年1月に開催したアシロマでの会議には、AIやその関連分野から錚々たる研究者が集結した。後列左から：パトリック・リン、ダニエル・ウェルド、アリエル・コン、ナンシー・チャン、トム・ミッチェル、レイ・カーツワイル、ダニエル・デューイ、マーガレット・ボーデン、ピーター・ノーヴィック、ニック・ヘイ、モシュ・ヴァルディ、スコット・シスキント、ニック・ボストロム、フランチェスカ・ロッシ、シェーン・レッグ、マヌエラ・ヴェローゾ、デイヴィッド・マーブル、カティヤ・グレース、イラクリ・ベリゼ、マーティー・テネンバウム、ギル・プラット、マーティン・リース、ジョシュア・グリーン、マット・シェーラー、アンジェラ・ケーン、アマラ・アンジェリカ、ジェフ・モーア、ムスタファ・スレイマン、スティーヴ・オモアンドロ、ケイト・クロフォード、ヴィタリック・ブテリン、松尾豊、ステファノ・エルモン、マイケル・ウェルマン、バス・ストインブリンク、ウェンデル・ウォラック、アラン・ダフォー、トビー・オード、トーマス・ディーテリッヒ、ダニエル・カーネマン、ダリオ・アモデイ、エリック・ドレクスラー、トマソ・ポッジョ、エリック・シュミット、ペドロ・オルテガ、ディヴィッド・リーキ、シーン・オヘイガルテー、オウェイン・エヴァンス、ヤーン・タリン、アンカ・ドラガン、ショーン・レガシック、トビー・ウォルシュ、ピーター・アサロ、ケイ・ファース＝バターフィールド、フィリップ・サベス、ポール・メロッラ、バート・セルマン、タッカー・デイヴィー、?、ヤコブ・シュタインハート、モシュ・ルックス、ジョシュア・テネンバウム、トム・グルーバー、アンドリュー・エン、カリーム・アイユーブ、クレイグ・カルフーン、パーシー・リャン、ヘレン・トナー、デイヴィッド・チャーマーズ、リチャード・サットン、クラウディア・パッソス＝フェリエラ、ヤーノシュ・クラマー、ウィリアム・マッカスキル、エリエゼル・ユドカウスキー、↗

次の週、自著宣伝旅行でロンドンへ向かった。ＡＩの未来が頭から離れなかったので、デミス・ハサビスに連絡を取ると、親切にもディープマインドの本社に招待してくれた。２年前にデミスがＭＩＴにやって来たときと比べて、会社が大きく成長していることに驚かされた。グーグルに約６億５０００万ドルで買収されたばかりで、「知能を解き明かす」というデミスの大胆な目標を追究する優秀な人たちが広々としたオフィスに居並んでいるのを見て、成功というのは本当にあるんだなと心底から感じた。

その日の晩、友人のヤーン・タリンと、彼が開発に携わったソフトウェア、Ｓｋｙｐｅを使って話をした。ＦＬＩの構想を説明すると、1時間後には、そのチャンスに賭けてみようと腹を決めて、年間最大10万ドルもの資金提供を申し出てくれた。誰かが私を信頼してくれて、私が稼いでいるよりも多額の資金を提供してくれるなんて、これほど心打たれることはそうそうない。それどころか、1年後、第1章で紹介したプエルトリコでの会議のあとでヤーンは、いままでで最大額の投資だったよと冗談めかして言ってくれた。

翌日、出版社が私のスケジュールを空けてくれたので、せっかくだからとロンドン科学博物館を訪れた。それまでずっと知能の過去と未来で頭がいっぱいだったこともあって、博物館の中で突然、自分の考えが実体化した物体のあいだを歩いているような感覚に襲われた。博物館には、スティーヴンソンの蒸気機関車ロケット号から、T型フォードやアポロ11号月着陸船の実物大模型、さらには、バベッジの機械式計算機「階差機関」から、現代のハードウェアに至るまでのあらゆるコンピュータなど、人類の知識の拡大を象徴する見事な品々が集められていた。また、ガルバーニによるカエルの脚の実験から、ニューロンやEEGやfMRIに至るまで、心の科学の歴史に関する展示もあった。

私はめったに泣かないたちだが、博物館を出たら涙があふれてきた。それも、地下鉄のサウスケンジントン駅に向かう、大勢の人が行き交う地下通路の中でだ。この人たちはみな、私が考えていることに幸いにも気づかずにおのおのの生活を送っている。我々人類はまず、自然のいくつかのプロセスを機械で再現する術を発見し、自作の風や電光、機械的な馬力を生み出した。そして徐々に、自分の身体も機械であることに気づきはじめた。さらに、神経細胞の発見によって身体と心の境界線がぼやけてきた。その後、我々の筋肉だけでなく心をも上回るような機械を作りはじめた。はたして我々は、自分たちが何であるかを解明していくにつれて、自分自身を時代遅れにしてしまう定めにあるのだろうか？　この上ない悲劇だ。

そう考えて私は怖くなったが、逆に新年の抱負を守ろうという決意も強まった。そうして、FLIの設立メンバーには、若手理想主義者のチームを率いるもう一人の人物が必要だと感じた。白羽の矢を立てたのは、国際数学オリンピックで銀メダルを受賞し、Citadelの創設者でもある、ハーバード大学の大学院生ヴィクトリヤ・クラコフナ。Citadel

図9.2　ヤーン・タリン、アンソニー・アギーレ、私、メイア・チタ＝テグマーク、ヴィクトリヤ・クラコフナが、2014年5月23日に鮨を囲んでFLIの法人化を祝った。

は10人ほどの若手理想主義者からなる団体で、彼らはみな、自分の人生とこの世界にとってもっと大きな役割を果たしたいと願っている。5日後、私と妻はヴィクトリヤを部屋に招いて、我々の構想を説明した。そうして鮨を平らげる間もなく、FLIは誕生した。

プエルトリコでの冒険

こうして始まった冒険は、いまも続いている。第1章で触れたように、理想主義的な学生や学者、そして近隣に住む思索家たちが、定期的に私の家に集まってブレーンストーミングをおこない、出てきたアイデアの中でもとくに優れたものをプロジェクトに変えていった。初めは、第1章で取り上げたように、スティーヴン・ホーキング、スチュワート・ラッセル、フランク・ウィルチェックと連名で新聞に意見記事を書いて、人々の議論を焚きつけた。また、新たな組織を立ち上げる第一歩（法人化、顧問の募集、ウェブサイトの立ち上げなど）と並行して、MITの大勢の観衆の前で愉快な設立発表イベントを開き、アラン・アルダ（俳優でサイエンスコミュニケーター）と代表的な専門家たちでテクノロジーの未来を語りあった。

その年の残りの期間は、第1章で述べたように、AIを有益なものに保つ方策に関する議論へ世界中の指導的なAI研究者を呼び込むことを狙った、プエルトリコでの会議の企画に集中した。目標は、AIの安全性に関する議論を、懸念から行動へ移すことだった。つまり、どう心配なのかを言い争う段階を卒業して、良い結果になる確率を最大限高めるためにいま始められる、具体的な研究計画をまとめることを目指した。その準備として、ＡＩの安全性の研究に関する有望そうなアイデアを世界中から募り、次々に寄せられるプロジェクト案について研究者仲間たちから意見を求めた。そしてスチュワート・ラッセルと、身を粉にして働いてくれた若手の有志たち、とくに、ダニエル・デューイ、ヤーノシュ・クラマー、リチャード・マラーの助けを借りて、優先的な研究計画を文書にまとめ、会議で議論できるようにした。[1] 進める価値のあるＡＩ安全性研究はたくさんあるということで意見がまとまれば、人々もそうした研究を始めてくれるだろうと考えたのだ。また、政府の研究費拠出機関がそのような研究を支援した前例がほとんどなかったため、誰かを説得して資金を提供してもらえれば究極の大成功につながるだろうと思った。

　そんなとき、イーロン・マスクが登場する。イーロンは２０１４年８月２日に次のような有名なツイートをして、我々の網にかかってきたのだ。「ボストロムの『スーパーインテリジェンス』を読んでほしい。ＡＩには相当注意しなければならない。核よりももっと危険かもしれない」。そこでイーロンに我々の取り組みのことを伝え、その数週間後に電話で話をした。大物相手でとても緊張したが、大成功に終わった。ＦＬＩの科学顧問になって会議に出席し、プエルトリコで発表予定だった初のＡＩ安全性研究計画に資金を提供してくれることになったのだ。ＦＬＩのメンバーはみな奮い立って、とてつもない会議の準備、有望そうな研究テーマの選定、研究者コミュニティの支持の取り付けに向けた努力を加速させた。

　２か月後、イーロンが宇宙に関するあるシンポジウムのためにＭＩＴにやって来たので、ようやくじかに会ってさらなる計画を詰めた。ついさっきまで、１０００人を超えるＭＩＴの学生をまるでロックスターのように魅了させていたイーロンと、いまは小さな控え室で二人きりでいるというのはとても奇妙な感覚だったが、数分後には共同プロジェクトのことで頭がいっぱいになった。私はすぐにイーロンのことを気に入った。考えていることを素直に表に出してくれたし、人類の長期的な未来をどれほど心配しているかもひしひしと伝わってきた。願望を行動へ移す大胆さにも感心した。イーロンは、人類が宇宙を探検して入植することを望み、それで宇宙開発企業を立ち上げた。持続可能エネルギーを望み、それで太陽光発電企業と電気自動車メーカーを立ち上げた。背が高くて男前、能弁で信じられないほど物知り。みんながイーロンの講演を聴きに来るのもなるほどと納得した。

　残念ながらこのMITのシンポジウムでは、マスコミは恐怖に煽られて人々の争いを生む存在だということも分かった。1時間におよんだイーロンの講演は宇宙探査に関するわくわくするような内容で、テレビで放映すれば素晴らしい番組になるだろうと思った。ところが、最後の最後に一人の学生が、講演のテーマから外れたAIに関する質問をしてきた。するとほとんどのマスコミは、それに対するイーロンの返答の中にあった、「AIは悪魔を呼び覚ますことになる」というフレーズだけを報じた。しかも前後の文脈を省いてだ。多くのジャーナリストは、我々がプエルトリコで目指そうとしているのと正反対のことを知らず知らずのうちにやっているのだと痛感した。我々は共通の見解に力点を置いて合意を得ることを望んでいたが、マスコミは意見の不一致を強調したがっていた。論争について報じれば報じるほど、視聴率が上がって広告収入が増えるからだ。また、我々は幅広い意見の人を集めて互いの交流と理解を深めたいと思っていたが、マスコミの報道では、意見を異にする人どうしが言い争いをしているかのように描かれ、もっとも挑発的に聞こえる言葉だけが前後の文脈もなしに抜き出されてさらに誤解が焚きつけられた。そこで我々は、プエルトリコの会議からジャーナリストを締め出すことを決め、また参加者には、誰がどんな発言をしたかを口外することを禁じる、「チャタムハウス・ルール」を守ってもらうことにした。*

最終的にプエルトリコでの会議は成功裏に終わるが、そこまでの道のりは険しかった。間近になって手間のかかる準備作業に追われたのだ。たとえば、ある程度の規模の参加者を集めて自然とさらに規模が大きくなるよう、大勢のAI研究者に電話やSkypeで声を掛けた。はらはらしたことも何度かあった。12月27日、朝7時に起きて、ウルグアイにいるイーロンに電話をかけると、回線状態の悪い中、「うまくいかないと思う」と言われてしまった。AIの安全性に関する研究計画によって、セキュリティに対する誤った考えが広がり、無謀な研究者が口先だけは安全性を謳いながら勝手に突っ走っていくことを心配したのだ。それでも我々は、音声が途切れ途切れになりながらも、この研究テーマを主流にして、さらに多くのAI研究者をAI安全性の研究に引き入れることがいかに有益かを徹底的に話しあった。回線が切れると、イーロンは次のようなEメールを送ってきた。「最後の最後で電話が切れてしまった。とにかく問題はなさそうだ。この研究に3年間で500万ドルを喜んで提供しよう。1000万ドルにすべきかな?」——いままでにもらった中でいちばん嬉しいメー

*＝この体験で、私自身がニュースをどう解釈したらいいのかについても改めて考えさせられた。それまでは、もっとも多く報じられるのが政治的世論なのだろうと当たり前に思っていたが、これをきっかけに、政治だけでなくどんな事柄に関しても報道というのは多数意見から外れていることに気づいたのだった。

ルだった。

4日後、2015年が幕を開けると、メイアと私は会議の前にしばしリラックスして、花火に照らされたプエルトリコの海岸でダンスをしながら幸先の良い新年を迎えた。会議もまた幸先の良いスタートを切った。AIの安全性に関するさらなる研究が必要だということで見事意見がまとまり、我々が苦心してまとめた優先すべき研究に関する文書を、会議参加者からの意見を踏まえて手直しして完成させるということでも合意が得られた。さらに、第1章で紹介した、安全性研究への支持を表明する公開書簡を回覧すると、嬉しいことにほとんどの人が署名してくれた。

メイアと私はホテルの部屋でわくわくしながらイーロンを出迎え、研究支援プログラムの詳細な計画を聞いた。イーロンの気取らない私生活と、我々にとても関心を持ってくれていることに、メイアはいたく感動していた。我々の馴れ初めを聞かれたので、メイアが詳しく話すと、イーロンは喜んでくれた。翌日には、ビデオカメラの前でイーロンへのインタビューをおこない、AIの安全性、資金提供を決めたわけ、そしてすべてうまくいきそうだと考える理由について尋ねた。[2]

会議の山場となる、イーロンによる資金提供の発表は、2015年1月4日日曜日夜7時に予定されていた。前の晩は緊張のあまりよく眠れなかった。ところが、発表セッションへ向かう15分前になって、思わぬ問題が起こった。イーロンの助手に呼ばれ、約束どおり発表できないかもしれないと告げられたのだ。メイアいわく、私はそれまで見たこともないほどいらいらして落ち込んでいた。ようやくイーロンが姿を現したので、セッションへのカウントダウンが進む中、我々は座って話をした。イーロンの説明はこうだった。ロケットの第一段を無人船に着陸させることを目指す、SpaceXにとってきわめて重要なロケットの打ち上げが、2日後に迫っている。この画期的成功に向けてSpaceXのチームは、イーロンへのメディア攻勢に邪魔をされたくないというのだ。すると、つねに冷静沈着なアンソニー・アギーレが、それを言うなら、イーロンもAI研究者たちも含め、マスコミの注目を惹きたい人なんて一人もいないと声を荒げた。私が司会を務めるそのセッションは、数分遅れで始まった。我々にはあるもくろみがあった。この発表がマスコミに取り上げられないよう、支援額にはいっさい触れないことにしたのだ。また、参加者全員にチャタムハウス・ルールを守ってもらって、ロケット第一段の着陸の成否にかかわらず、ロケットが宇宙ステーションに到着してから9日間はイーロンの発表のことを秘密にするようお願いした。もし打ち上げ時に爆発でもしたらさらに時間がほしい、というイーロンの要望もあった。

発表へのカウントダウンがついにゼロになった。私が司会を務める超知能に関する公開討論会のパネリストたち、エリエゼル・ユドカウスキー、イーロン・マスク、ニック・ボストロム、リチャード・マラー、マレー・シャナハン、バート・セルマン、シェーン・レッグ、ヴァーナー・ヴィンジは、私と並んでステージ上の椅子にじっと座ったままだった。拍手は徐々に止んでいったが、パネリストは席を立たなかった。前もって私が、訳を言わずにそう指示していたからだ。そのときメイアは、心臓の鼓動が最高潮に達して、冷静なヴィクトリヤ・クラコフナの手をテーブルの下で握りしめていたという。一方で私は、「この瞬間のためにこれまで力を尽くしてきた。そしてこの瞬間を待ち望んでいた」――そう思って微笑んだ。

私は聴衆に向かって次のように語りかけた。AIを有益なものに保つにはさらなる研究が必要であり、いまから取り組むことのできる具体的な研究の方向性がいくつもあるという点で合意に達することができて、とても喜ばしい。しかしこのセッションでは深刻なリスクに関する話も出てきたので、屋外に用意したバーとバンケットへ向かう前に、士気を高めて気分を高揚させるのがいいだろう。

「そこで、この人にマイクを渡したいと思います。イーロン・マスク！」イーロンがマイクを受け取って、ＡＩ安全性研究に多額の資金を提供することを発表する中、私は、いままさに歴史が刻まれているのだと感じた。もちろん割れんばかりの拍手が起こった。予定どおりイーロンは支援額は明かさなかったが、私は先日の合意どおり１０００万ドルもの額であることを知っていた。

会議が終わり、メイアと私はスウェーデンとルーマニアにいるそれぞれの両親のもとを訪れた。ストックホルムでは、私の父と一緒に固唾を呑みながら、ライブ配信で例のロケットの打ち上げを見守った。残念ながら再着陸は、イーロンが遠回しにＲＵＤ（予定外の急速な分解）と呼んだ結果に終わった。ＳｐａｃｅＸのチームが海上での再着陸を成功させたのは、それから15か月後のことだった。[3] しかし衛星はすべて無事軌道に投入され、我々の研究支援計画もイーロンがツイートで数千万人のフォロワーへ公表した。[4]

ＡＩ安全性研究を主流にする

プエルトリコでの会議の最大の目標は、ＡＩの安全性に関する研究を主流にすることだった。それが何段階かのステップを経て進んでいくのを見るにつれ、気分が高まっていった。まずは、会議中に多くの研究者が、この研究テーマに携わる仲間が次々に増えているのを知って、自分も加わることに気後れしなくなった。私も大勢の参加者から励まされて、いたく感激した。たとえば、コーネル大学のＡＩ研究者バート・セルマンはＥメールで、「これほどうまく組織されていて、これほどわくわくして、これほど知的な刺激を受けた科学の会合には、正直出合ったことがない」と言ってくれた。

主流化へ向けた次のステップが踏み出されたのは、1月11日。イーロンがツイッターで「世界を代表するＡＩ開発者たちは、ＡＩ安全性研究を求める公開書簡に署名してほしい」と書き込むと、[5] そこからリンクが張られた署名ページにはすぐに、何人もの世界有数のＡＩ開発者を含め８０００人以上の署名が集まった。そうしてこのときから、「ＡＩの安全性を心配する人たちは、自分たちが何の話をしているのか分かっていない」などと片付けるわけにはいかなくなった。なぜなら、「代表的なＡＩ研究者は、自分たちが何の話をしているのか分かっていない」という意味になってしまうからだ。世界中のマスコミがこの公開書簡をどのように報じたかを見て、会議からジャーナリストを締め出しておいて良かったと思った。公開書簡の中でもっとも人騒がせな単語はせいぜい「落とし穴」くらいだったが、それでも報道記事には、「イーロン・マスクとスティーヴン・ホーキング、ロボット反乱の回避を願って公開書簡に署名」などといった見出しや、殺人ターミネーターのイラストが躍った。見つけた数百件の記事の中でもっとも気に入ったのは、別の報道の記事をあざけった次のようなものだ。「とある記事によって、骸骨アンドロイドが人間の頭蓋骨を踏みつけるというイメージが作り出されたことで、変革をもたらす高度なテクノロジーがお祭りの出し物になってしまった」[6]。幸いにも冷静な記事もいくつもあって、そのおかげでもうひとつの難題が突きつけられた。怒濤のように寄せられてくる署名を、信頼性を守るために手作業でチェックして、「ＨＡＬ９０００」「ターミネーター」「サラ・ジャネット・コナー」「スカイネット」といったいたずらを摘み取っていかなければならなかったのだ。のちのち発表する公開書簡も含め、この作業のために、ヴィクトリヤ・クラコフナとヤーノシュ・クラマーの力を借りて有志のチェック隊を組織した。ジェシー・ガレフ、エリック・ガストフレンド、レヴァーティー・ヴィノート・クマールが交代制を組み、インドのレヴァーティーが眠る時間になったらボストンのエリックにバトンが渡されるといった形で作業を進めていった。

　主流化へ向けた第三のステップが始まったのは、その4日後のことだった。イーロンがＡＩ安全性研究へ１０００万ドルを寄付することを発表した我々のページに、イーロンがツイートでリンクを張ったのだ。[7] その1週間後に我々は、世界中の研究者がこの基金に応募できるよう、ポータルサイトを開設した。アプリケーションシステムをこれほど短期間で組み上げられたのは、10年前からアンソニーと私が、物理学の研究に対する同様の基金システムを運営していたためだった。また、カリフォルニア州に拠点を置く、インパクトの大きい寄付を専門とした慈善団体、オープン・フィランソロピー・プロジェクトが、イーロンの支援金に上乗せしてくれることになり、資金提供できる額がさらに増えた。まったく新しい研究テーマだし、公募期間も短かったため、はたして何件の応募があるか不安だったが、驚いたことに世界中のおよそ３００の研究チームから合計約1億ドル相当の応募があった。そこで、ＡＩを含むいくつかの分野の研究者からなる委員会が慎重に審査して、37の研究チームを選び出し、最長3年間にわたって研究資金を与えることになった。選出されたチームのリストを発表すると、マスコミもようやく我々の活動をセンセーショナルにとらえることはなくなり、殺人ロボットのイラストも使わなくなった。ＡＩの安全性が空論でないことがようやく理解されて、実際に役に立つ研究がおこなわれるようになり、いくつもの優秀な研究チームが本腰を入れてこの取り組みに加わりはじめた。

主流化へ向けた第四のステップは、それから2年間をかけて、何十篇かの専門出版物が世に出たり、おもに主流のＡＩ学会の一環としてＡＩの安全性に関する数十のワークショップが世界中で開催されたりすることで、ひとりでに進んでいった。それまで何年ものあいだ、ＡＩ研究者たちを安全性研究に引き込もうとしてもなかなかうまくいっていなかったが、いまや本格的に軌道に乗りはじめたのだ。専門出版物の多くは我々の基金プログラムの支援を受けているし、ＦＬＩもできる限り多くのワークショップの開催や資金の手助けをしたが、自前の時間やリソースをつぎ込むＡＩ研究者の割合も増えてきた。その結果、自身の所属する大学で安全性研究のことを知って、役に立つかどうかは別として、数学や計算科学の問題に頭をひねるのは面白そうだと感じる研究者も増えた。

もちろん、複雑な方程式を面白がらない人だっている。プエルトリコでの会議から2年後、アシロマでの会議に先立って我々は、ＦＬＩの研究資金を獲得した研究者が自分たちの研究成果を披露する専門的なワークショップを開いた。大きなスクリーンには、数学記号が並んだスライドが次々に映し出された。すると、ライス大学のＡＩ研究者モシュ・ヴァルディが、会合が退屈になったのはＡＩ安全性研究が無事根付いた証拠だよと冗談めかして言った。

ＡＩ安全性研究の急速な広がりは、大学だけにとどまらなかった。アマゾン、ディープマインド、フェイスブック、グーグル、ＩＢＭ、マイクロソフトは、有益なＡＩを目指す共同事業を立ち上げた。[8]

AI安全性研究への新たな多額の寄付によって、バークレーの機械知能研究所、オックスフォードの人類の未来研究所、イギリス・ケンブリッジの存在リスク研究センターといった、FLIと同様の目的をもつ主要な非営利団体での研究も拡大した。1000万ドルを超える新たな寄付によって、有益なAIへのさらなる取り組みも、ケンブリッジのリバーヒューム未来知能センター、ピッツバーグのK&Lゲイツ倫理学・コンピュータ技術基金、マイアミの人工知能倫理・統制基金などで新たに活気づいた。最後に、イーロン・マスクはほかの何人かの起業家とともに10億ドルを拠出して、有益なAIを追求する非営利企業OpenAIをサンフランシスコに設立した。こうしてAI安全性研究はしっかりと根付いた。

この研究の盛り上がりと歩調をあわせるように、個人や団体からも意見の表明が急増した。産業界ではパートナーシップ・オン・AIが創設理念を発表し、アメリカ政府、スタンフォード大学、IEEE（アメリカ電気電子学会）からは勧告リストを含む長い報告書が提出され、ほかにもさまざまな機関から数十篇の報告書や声明書が出された。

アシロマの会議では、参加者のあいだで意味のある議論が活発に交わされることを願った。そして、この多様なコミュニティの中でもし意見の一致が見られたら、それがどんなものになるかを知りたいと思った。そこでルーカス・ペリーが、我々が見つけてきたあらゆる文書を読んで意見を抽出するというたいへんな作業を引き受けてくれた。さらに、アンソニー・アギーレを中心に、FLIチームが長時間におよぶテレビ会議を何度も重ね、似通った意見をまとめて杓子定規な余計な言葉を削ぎ落とした。そうして、講演などの場で非公式に示されたために印刷物にはなっていないが、影響力の大きい意見も含めた上で、いくつかの簡潔な原則からなるひとつのリストにまとめ上げた。しかしそのリストにはいまだ、あいまいな点や矛盾点、解釈の余地のある表現がいくつも残っていたため、会議の1か月前に参加者に配布して、改良点や新たな原則に関する意見や提案を募った。このように研究者たちから意見を聞いたことで、会議に向けて大幅に改良された諸原則のリストができあがった。

アシロマでは、2段階を経てさらにリストが改良された。まず、いくつかの小グループがそれぞれもっとも関心のある原則について議論して(図9・3)、細かい改良点、意見、新たな原則、および、すでに示されていたものとは異なるバージョンの原則を導いた。そして最後にすべての参加者に、それぞれの原則の各バージョンをどの程度支持するかをアンケートで尋ねた。

この意見集約のプロセスは、徹底的におこなわれただけに心身も疲労させた。アンソニーもメイアも私も、会議中は睡眠時間や昼食の時間を切り詰めて、次のステップに間にあうよう急いであらゆることをまとめた。しかし刺激的な経験でもあった。幅広い意見に基づいて、仔細にわたる厄介な、ときに激しくぶつかる議論が繰り広げられた末、驚いたことに最終アンケートでは多くの原則についてかなりのレベルの合意が得られ、中に

図9.3 アシロマでAIの原則について頭をひねる偉大な学者のグループ。

は97パーセントを超える支持を集めたものもあった。そうして合意が醸成されたおかげで、最終的なリストに含める原則には高いハードルを設定することができた。参加者の90パーセント以上が合意した原則だけを残したのだ。そのため、私が個人的に気に入っていたいくつかの原則を含め、支持の高かった原則の中には最後の最後ではじかれたものもあったが[10]、会議場で署名用紙を回してもらうと、おかげでほとんどの参加者は喜んですべての原則を了承してくれた。以下がその全文である。

アシロマAI原則

AIは、すでに有益な道具として世界中の人々に日常的に使われている。以下の諸原則に従って進歩が続けば、今後数十年や数百年先まで人々を助けて力を与えるという、素晴らしい可能性を秘めている。

●研究上の課題

§1　**研究目標**　AI研究の目標は、無目的な知能ではなく有益な知能の開発に定めるべきである。

§2　**研究資金**　AIへ投資する際には、それとともに、コンピュータ科学や経済学、法学や倫理学や社会学の研究における困難な問題を含め、AIが確実に有益な形で利用されるようにするための研究にも資金提供すべきである。たとえば以下のような研究が挙げられる。

(a) 未来のＡＩシステムを堅牢にして、誤作動を起こしたりハッキングされたりせずに、我々が望んだとおりのことをやってくれるようにするには、どうすればいいか？

(b) 自動化によって繁栄しながらも、人々の資源や目的を維持しつづけるにはどうすればいいいか？

(c) 法体系を改良して、もっと公平で効率的なものにし、ＡＩと歩調をあわせ、ＡＩに伴うリスクに対処するには、どうすればいいか？

(d) ＡＩをどのような価値観に合致させ、どのような法律的および倫理的な立場を与えるべきか？

§3 **科学と政治の連携** ＡＩ研究者と政策立案者が、建設的かつ健全な形で交流すべきである。

§4 **研究文化** ＡＩの研究者や開発者のあいだに、協力、信頼、透明性の文化を育むべきである。

§5 **競争の回避** 安全基準の軽視を回避するために、ＡＩシステムの開発に携わるチームは積極的に協力しあうべきである。

● **倫理と価値観**

§6 **安全性** ＡＩシステムは、稼働寿命を通じて安全かつ確実であり、適用および実行可能な場合には検証可能でなければならない。

§7 **失敗の透明性** ＡＩシステムが害をおよぼした場合、その原因を突き止めることが可能でなければならない。

§8 **司法の透明性** 司法判断に自律型システムを関与させる場合、適格な人間の権限者によって監査可能な理由が示されるべきである。

§9 **責任** 高度なＡＩシステムの設計者や製造者は、その利用、悪用、行動の道徳的影響の当事者であって、その影響を方向付ける責任と機会を有する。

§10 **価値観の合致** 高度に自律的なＡＩシステムは、稼働中を通じてその目標と振る舞いが人間の価値観と確実に合致するよう設計されるべきである。

§11 **人間の価値観** ＡＩシステムは、人間の尊厳、権利、自由、文化的多様性の理想と相容れるものであるよう設計され運用されるべきである。

§12 **個人のプライバシー** ＡＩシステムがデータを分析して利用する能力を持ったとしても、人間は自らが生成したデータを利用、管理、統制する権利を持つべきである。

§13 **自由とプライバシー** 個人データに対してＡＩを利用することで、人間の現実の自由および認識上の自由を不当に奪ってはならない。

§14 **恩恵の共有** ＡＩ技術は、できる限り大勢の人に恩恵と力を与えるべきである。

§15 **繁栄の共有** ＡＩが生み出した経済的繁栄は、幅広く共有されて人類全体に利するようにすべきである。

§16 **人間による統制** 人間の選んだ目的を達成するためにＡＩに決定を委ねるかどうか、およびそのためにどうするかを、人間が選択すべきである。

§17 **破壊の回避**　高度なＡＩシステムを司ることで力を得た権力は、社会の健全性の礎である社会的および市民的なプロセスを破壊するのでなく、尊重して向上させるべきである。

§18 **ＡＩ軍拡競争**　自律型殺戮兵器の軍拡競争は避けるべきである。

●長期的問題

§19 **能力への警戒**　意見の一致が得られない限り、未来のＡＩが持つ能力の上限に関して断定的な前提を設けるべきではない。

§20 **重要性**　高度なＡＩは地球上の生命の歴史に究極的な変化をもたらす可能性があり、それにふさわしい配慮と方策を計画して実行すべきである。

§21 **リスク**　ＡＩシステムがもたらすリスク、とくに壊滅的な、または人類の存亡に関わるリスクを抑えるために、予想される影響に相応の計画と軽減策への取り組みを進めるべきである。

§22 **反復的な自己改良**　反復的に自己改良または自己増殖するよう設計され、質や量を急速に高める可能性のあるＡＩシステムは、厳格な安全対策および管理対策のもとに置かれなければならない。

§23 **共通の善**　超知能の開発は、広く共有される倫理的理想および、ひとつの国や組織ではなく人類全体の利益のためにに限っておこなうべきである。

この諸原則をオンラインに投稿してからというもの、署名が劇的に増え、いまでは1000人を超えるAI研究者や大勢の著名な思索家が名を連ねている。自分も署名したいという人は、http://futureoflife.org/ai-principles で可能だ。

この諸原則への支持については、その広がりだけでなく深さにも感動した。確かにこれらの原則の中には、一見したところ、まるで「平和と愛と母性を大事にしよう」といった標語と同じくらい異論を呼びそうなものもある。しかし多くの原則は実際に有効だ。否定文を作ってみれば簡単に分かる。たとえば「超知能は実現不可能だ！」という主張は§19に反するし、「AIによる人類存亡のリスクを下げるための研究は、まったくの無駄だ！」は§21に反する。

それどころか、長期的展望に関する公開討論会の様子（ユーチューブに投稿されている）を見てもらえば分かるとおり[11]、イーロン・マスク、スチュワート・ラッセル、レイ・カーツワイル、デミス・ハサビス、サム・ハリス、ニック・ボストロム、デイヴィッド・チャーマーズ、バート・セルマン、ヤーン・タリンは揃って、超知能はおそらく開発されるだろうから安全性研究は重要であるという点で、意見が一致している。

留意を伴う楽観論

このエピローグの冒頭で白状したように、私は生命の未来に関して、以前長いあいだ考えていたよりも楽観的に感じている。その理由を説明するために、ここまで私自身のことを話してきた。

ここ数年の経験によって楽観的な気持ちが強まってきたのには、ふたつ別々の理由がある。第一に、ＡＩコミュニティが見事にまとまって、ときに他分野の思索家と一緒に、来るべき課題に建設的に取り組もうとしているのを目の当たりにしてきたことが挙げられる。アシロマでの会議ののちにイーロンが、ＡＩの安全性が枝葉の問題からたった数年で主流になったのは驚きだと言ってきた。私自身もイーロンと同じくらい驚いている。しかもいまでは、第3章で取り上げた短期的な問題だけでなく、アシロマＡＩ原則にあるように、超知能や人類滅亡のリスクまでもがれっきとした議題になりつつある。もし2年前のプエルトリコだったら、公開書簡に使うことのできたもっともおどろおどろしい単語が「落とし穴」だったくらいなのだから、この諸原則を採択するなどとうていかなわなかったはずだ。

人間観察が好きな私は、アシロマでの会議の最終日の朝、講堂の脇に立って、ＡＩと法律に関する議

図9.4　アシロマで一緒になって答えを探すコミュニティの広がり。

論に参加者たちが耳を傾けているのを観察していた。すると自分でも驚いたことに、何とも温かい感情が身体中を駆けめぐって、突然深く心を動かされた。プエルトリコでの感覚とはまったく違っていた。プエルトリコのときには、ＡＩコミュニティの大部分を尊敬と恐怖が入り交じった感覚で見ていたのを覚えている。敵のチームとしてではなく、私を含めＡＩに懸念を抱く仲間たちが説得しなければならない相手としてだ。しかしアシロマでは、もちろん全員が同じチームなのだと強く感じられた。本書を読んで分かってもらえただろうが、私はいまだ、ＡＩとともに生きる素晴らしい未来を作る方法を知らない。それだけに、その答えを一緒になって探す、拡大を続けるコミュニティの一員でいられるのは、素晴らしいことだと感じている。

私が以前より楽観的になった第二の理由は、ＦＬＩでの経験で力を付けてきたことである。ロンドンで涙を流したのは、不安に満ちた未来が待ち構えていて、我々にはなすすべがないという、運命論的な感情のせいだった。しかしそれから3年で、運命論めいた憂鬱は消えた。寄せ集めのボランティアの有志たちでさえ、今日もっとも重要な議論とされるものを良い方向へ変えられたのだから、全員がともに取り組んだらはたして何ができるのか、想像してみてほしい。

エリック・ブリニョルフソンはアシロマでの講演で、楽観論には二種類あると語った。ひとつめは無条件の楽観論。たとえば、明日の朝も太陽は昇るだろうといったポジティブな期待である。もうひとつは、エリックが「留意を伴う楽観論」と呼ぶもの。これは、慎重に計画してそのために力を尽くせば良いことが起こるだろうという期待のことだ。いまの私が生命の未来について感じているのは、このたぐいの楽観論である。

では、ＡＩの時代に突入したときに生命の未来を良い方向へ変えるために、あなたには何ができるだろうか？　いまから説明する理由のとおり、その大きな第一歩は、まだ「留意を伴う楽観論者」でない人はそうなるように努めることだと思う。留意を伴う楽観論者になるには、ポジティブな未来像を思い描くことが欠かせない。ＭＩＴの学生が進路相談で私のオフィスに来ると、いつも真っ先に、10年後に自分はどこにいると思うかと尋ねてみる。「きっと、がん病棟にいるか、それともバスに轢かれて墓の中にいるでしょうね」などと答えたら、その学生にはきつく言ってやる。ネガティブな未来ばかり思い描くのは、人生設計の方法としては最悪だ。病気や事故を避けることに１００パーセントの労力を費やすのは、幸せでなく心気症や偏執症（パラノイア）になるための方法としてならうってつけだ。学生には、まず自分の目標を熱く語ってもらいたい。そうすれば、落とし穴を避けながらその目標にたどり着くための戦略を相談できるのだから。

エリックが指摘したとおり、ゲーム理論によると、結婚や企業合併から、合衆国を構成するという各州の決定に至るまで、この世界の協力関係の大部分はポジティブな未来像を土台に築かれている。与えるものよりも得るものが大きいとイメージできなければ、そもそも自分の持っているものを差し出せるだろうか？　自分自身のためだけでなく、社会や人類全体のためにも、ポジティブな未来を想像しなければばならない。要するに、人類の存亡に関してももっと希望を持たなければばならないのだ。ところが、メイアがいつも思い出させてくれるとおり、フランケンシュタインからターミネーターまで、文学や映画に描かれる未来像はディストピア的なものが圧倒的に多い。つまり、我々の社会も先ほどの架空の学生のように、自分たちの未来をうまく計画できていないのだ。だからこそ、留意を伴う楽観論者をもっと増やさなければならない。そこで私も本書を通して、単にどんな未来を恐れるかでなく、どんな未来を望むかを考えてもらい、計画を立てて取り組む共通の目標を見つけられるようにした次第だ。

ここまで見てきたように、AIは我々に大きな機会と厄介な難題の両方をもたらすだろう。ほぼすべての難題に役立ちそうな戦略は、AIが完全に立ち上がる前に、我々がひとつになって行動して人間社会をより良くすることだ。若者への教育を通じて、強大な権力をテクノロジーに譲り渡す前にそのテクノロジーを堅牢で有益なものにすること。テクノロジーによって時代遅れになる前に法律を現代化すること。自律型兵器の軍拡競争へエスカレートする前に、数々の国際紛争を解決すること。AIによって不均衡が拡大する前に、すべての人が豊かに暮らせる経済を構築することである。AI安全性研究の成果が、無視されるのでなく実行に移されるような社会が好ましい。さらに先を見据えて、超人的なAGIに関する難題について言えば、強力な機械に基本的な倫理基準を教えはじめる前に、少なくともそのうちのいくつかについてすべての人の同意が得られているべきだ。多極化した混沌とした世界だと、邪悪な目的でAIを使う力を持った人間は、そのような目的で使う動機と能力をますます持つようになるだろうし、AGIの開発を目指して競いあうチームは、さらにプレッシャーを感じて、互いに協力するよりも安全性を軽視するようになるだろう。まとめると、共通の目標に向かって協力しあう、もっと調和した人間社会を築くことができれば、AI革命がハッピーエンドになる可能性は高まるのだ。

要するに、生命の未来を良いものにするためにあなたが取れる最善の方法のひとつは、明日をより良いものにすることである。あなたにはいろいろな形でそれを実現する力がある。もちろん投票に行くこともできるし、教育やプライバシー、自律型殺戮兵器や技術的失業などの問題に関する意見を政治家に伝えることもできる。しかしそれだけでなく、何を買うか、どのニュースを真に受けるか、他人と何を共有するか、どんな人を模範にするかを選ぶことで、いわば日々投票することができる。あなたは、会話の最中にしょっちゅうスマートフォンをチェックして話の腰を折るような人になりたいだろうか？　それとも、計画的な方法でテクノロジーを使って力を高める人になりたいだろうか？テクノロジーを所有したいだろうか？　それともテクノロジーに所有されたいだろうか？　AI時代にどのような人間でいることを望むだろうか？　ぜひ周りの人と話しあってほしい。この議論は重要なだけでなく、魅力的なものでもあるのだから。

いまやAI時代を切り拓いている我々は、いわば生命の未来の守護者である。ロンドンでは涙を流した私だが、いまではそのような未来は回避できるはずだと感じているし、未来を変えるのは以前考えていたよりもずっと簡単だということも分かっている。我々の未来は、石に彫り込まれていて起こるのをただ待っているのではない。我々の未来は我々が作るものだ。一緒に刺激的な未来を作ろうではないか！

訳者あとがき

本書は*LIFE 3.0: Being Human in the Age of Artificial Intelligence* (Knopf, 2017) の全訳で、ニューヨーク・タイムズ紙のベストセラー入りしたアメリカ国内はもとより、31か国で版権が取得されるなど、世界的に話題を呼んでいるＡＩ論の1冊である。

著者のマックス・テグマークは、壮大な未来観、すさまじい使命感、そして行動力の持ち主だ。本職は宇宙論を専門とする理論物理学者（マサチューセッツ工科大学教授）で、最新の観測データと理論を駆使してこの宇宙の基本的な性質の解明を目指しているが、最近はＡＩの分野にも活動の場を広げている異色の研究者である。

そんなテグマークは２０１４年刊行の前著で、「数学的宇宙仮説」なるものを提唱していた（『数学的な宇宙――究極の実在の姿を求めて』谷本真幸訳、講談社、２０１６年）。これは、数学的に存在可能なすべての宇宙が現実に存在しているという仮説である。その無数の宇宙のうち、人間が知っているのがこの宇宙だけなのは、意識を持った人間がこの宇宙に住んでいるからなのだと彼は言う。

その前著の最終章でテグマークは人類と宇宙の未来について考察し、あらゆる知能で人間を上回る、いわゆる超知能ＡＩが、宇宙の全生命を根絶やしにしかねないという憂慮を綴っていた。そこで彼は、「さあ、未来を変えていこう！」と読者に呼びかけて前著を締めくくりつつ、どうすればその最悪のシナリオを回避できるかを考えはじめていた。

当時、ＡＩの未来に関する専門家の意見は、おおまかに以下の3種類に分かれていた（本書51頁参照）。「デジタルの心を抑圧したり奴隷にしたりするのでなく、解放してやれば、ほぼ間違いなく良い結果が訪れる」と説く**デジタルユートピア論者**（グーグルの共同創業者ラリー・ペイジら）と、「超人的なＡＧＩ（汎用人工知能）を作るのはあまりにも難しくて、今後何百年も実現しないのだから、いま心配するのはばかげている」と言う**技術懐疑論者**（当時バイドゥの主任研究者だったアンドリュー・エンら）、そして、「ＡＩの進歩のスピードを考えると今世紀中に人間レベルのＡＧＩが出現する可能性は間違いなくあり、期待は抱いているものの良い結果になるという保証はない」から、ＡＩによる人類存亡の危機を回避する方策をいまから探るべきだとする**有益ＡＩ運動の活動家**（ＡＩ研究の第一人者スチュワート・ラッセルら）である。

各陣営のあいだに建設的な交流はほとんどなく、その現状にテグマークは危機感を覚えた。そして、「おのおの持論を訴えているだけでは明るい未来は訪れない。一致団結して積極的に策を講じ、我々自身の手で未来を切り拓いていかなければならない」という思いを抱き、人々に危難でなく恩恵をもたらす、安全なＡＩの研究を推進することが自分の使命であると腹を括ったようだ。

そこでテグマークはすぐに持ち前の行動力を発揮する。ＡＩ安全性研究の重要性を訴えて、そうした研究に資金を提供する**生命の未来研究所**（Future of Life Institute, FLI）という団体を、前著刊行直後の２０１４年春に設立したのだ。さらに、錚々たるＡＩ研究者が一堂に会する学術会議を２度主催し（２０１５年プエルトリコ、２０１７年カリフォルニア州アシロマ）、後者の会議ではＡＩ業界内外を巻き込んだ**アシロマＡＩ原則**の取りまとめに奔走した（本稿執筆時点で５０００人以上がこの原則に署名している）。この献身的な努力によって、現在ではＡＩ安全性研究は着実に根を下ろしつつあり、大勢の研究者や開発者が安全なＡＩの実現に向けた研究に注力しはじめている。テグマーク本人も、この活動を通じて以前よりも明るい未来を思い描けるようになったと言う。

　この「いまもっとも重要な議論」に人々をいざなうために書かれたのが、あなたが手に取られている本書である。

　本書は、ＡＩによって生命と宇宙はどのような未来を迎えるか、安全なＡＩを実現させるにはどのような課題を克服しなければならないかという、重大な問いに挑んだ本である。テグマークはこれらの問いに対して、まずは間近に迫る短期的な課題（ＡＩによる失業や格差拡大、自律型兵器の軍拡競争など、おもに政治・経済・法律に関する問題）を取り上げ、次いで遠い未来（数千年〜数十億年後まで）の地球と宇宙の姿に思考をめぐらせ、最後には、「意識とは何か」という「本当に難しい問題」にまで踏み込んで深く掘り下げていく。エピローグでは、ＦＬＩの立ち上げから「アシロマＡＩ原則」に漕ぎつけるまでの顛末がスリリングに描かれている。

　内容の詳細については、第１章の記述および各章末尾に著者がまとめた「要約」に目を通してもらうのが手っ取り早い。中でも本書ならではの注目すべき章は、第5章と第6章、第8章であろう。
第5章でテグマークは、超知能ＡＩが実現したあとにどのような未来が訪れるのかを考察している。もちろん現時点でははっきりとした答えは出せないが、彼は想像力をいかんなく発揮して、考えられる12のシナリオを列挙し、そのそれぞれの特長と問題点、および実現可能性を論じている。ＡＩと人類が平和的に共存するシナリオ（自由論者のユートピア）や、ＡＩが神のように人々を見守るシナリオ（保護者としての神）、ＡＩがほかの超知能の実現を永久に妨げるシナリオ（門番）など、まるでＳＦのようなストーリーが多いが、いずれも理屈上は実現しうる未来だという。そして、どのシナリオを目指すかを我々一人ひとりが考えるべきだと、彼は訴えている。

さらに宇宙物理学者の本領が発揮される第6章では、遠い未来、超知能ＡＩが進歩を続けて物理的限界を目指したら、この宇宙全体で何が起こるかが考察されている。超知能ＡＩは必然的に、最大限の資源を獲得すべく光の速さで宇宙に支配領域を拡大させることになるという。このとき、もしその超知能ＡＩが、「意識」を持っている、すなわち生命と呼べるものであれば、この宇宙は生命に満ちた豊かな世界になる。逆に意識を持たないゾンビのようなＡＩだったら、生命を宿さない不毛の世界になってしまう。

ここで、前著の「数学的宇宙仮説」と話がつながってくる。驚くことに、ＡＩを開発しつつある現代の我々人類こそが、どちらの未来を実現させるかを選択できるというのだ。だからこそ我々には、安全なＡＩを実現させるという課題にいまから本気で取り組む責務があると、テグマークは説く。この宇宙が生命に満ちた場所として豊かな未来を迎えるかどうかは、ほかでもない我々の肩にかかっているのである。

そして、最後の第8章で果敢にも斬り込んだ、意識という「本当に難しい問題」にも注目してほしい。ＡＩ論のみならず、脳科学や倫理、さらには哲学にも深く関わる重大なテーマで、テグマークならではのアプローチをお楽しみいただきたい。

第3次ＡＩブームが華々しく取り上げられ、新聞や雑誌などの特集記事やテレビ番組でＡＩ関連の話題を目にしない日はないと言ってもいい。ＡＩ関連書も次々に刊行されており、その内容も、やさしい入門書から技術的な専門書、ビジネス・法律・政治経済に直結する話題、あるいは哲学など人文科学的アプローチから子供向けの入門書まで、多様なジャンルに裾野を広げている。

これまでに話題を集めた本は、危機感を煽る悲観論か、さもなければ希望に満ちた楽観論が目立っていた印象だが、本書はその両論を踏まえた上で、より良い未来を実現しようと主張する本である。世界中の研究者や思索家との議論を深めて、ＡＩ安全性研究を主流にするという成果を上げた著者による、ＡＩ論の決定版と言えよう。

さらに、現代の人類とＡＩが宇宙全体の未来を左右するという壮大なビジョンを描いている点も、かなり異彩を放っている。知能や意識といった哲学的なテーマについてあれこれ考え、遠い未来の宇宙を思い描く。それは、テグマークが言うように人類の責務であるだけでなく、読者にとっては知的好奇心を掻き立てる楽しい頭の体操でもあると思う。

ぜひ本書を手に取って、果てしない未来に思いを馳せていただきたい。

２０１９年11月　水谷 淳

の幸福に関するIEEEの報告書, “Ethically Aligned Design, Version1” (December 13, 2016), http://standards.ieee.org/develop/indconn/ec/ead_v1.pdf; アメリカのロボティクス研究の指針 : http://tinyurl.com/roboticsmap〔2019年10月24日現在アクセス不能〕

10 最終的に採択されなかった原則の中で私が気に入っていたもののひとつが、「意識に対する警戒：総意がまとまらない限り、高度なAIが意識や感覚を持つか否か、または持とうとするか否かに関して、強い仮定を置くべきではない」というものである。何度も議題に挙げられて、最後に「意識」という異論のある言葉が「主観的経験」に書き換えられたが、それでも88%の賛成しか得られず、90%という基準にはわずかに届かなかった。

11 イーロン・マスクなど偉大な思索家による、超知能に関する公開討論会 : http://tinyurl.com/asilomarAI

Illusion.［前掲『ユーザーイリュージョン』］

28 「不注意盲」の存在に対する賛否両論：Victor Lamme, "How Neuroscience Will Change Our View on Consciousness," *Cognitive Neuroscience* (2010): 204–220 (http://www.tandfonline.com/doi/abs/10.1080/17588921003731586).

29 「選択的注意のテスト」: https://www.youtube.com/watch?v=vJG698U2Mvo

30 Lamme, "How Neuroscience Will Change Our View on Consciousness,"（本章の注番号28）を見よ。

31 この話題とそれに関連した話題は、Daniel Dennett, *Consciousness Explained*［前掲『解明される意識』］で詳しく論じられている。

32 Kahneman, *Thinking, Fast and Slow*［前掲『ファスト＆スロー』］（本章の注番号5）を見よ。

33 *Stanford Encyclopedia of Philosophy* に、自由意志をめぐる論争がまとめられている：https://plato.stanford.edu/entries/freewill

34 AIが自分には自由意志があるように感じる理由を説明した、セス・ロイド制作の動画：https://www.youtube.com/watch?v=Epj3DF8jDWk

35 Steven Weinberg, *Dreams of a Final Theory: The Search for the Fundamental Laws of Nature* (New York: Pantheon, 1992).［『究極理論への夢――自然界の最終法則を求めて』］

36 遠い未来に関する初の包括的な科学的分析：Freeman J. Dyson, "Time Without End: Physics and Biology in an Open Universe," *Reviews of Modern Physics* 51, no. 3 (1979): 447 (http://blog.regehr.org/extra_files/dyson.pdf).

エピローグ　FLIチームの物語

1 プエルトリコでの会議で作成した公開書簡（http://futureoflife.org/ai-open-letter）の中で論じたとおり、AIシステムを堅牢で有益なものにする方法の研究は重要で、しかもいまから始めるべきであり、優先的な研究を示した文書（http://futureoflife.org/data/documents/research_priorities.pdf）に挙げたとおり、いまから追究できる具体的な研究の方向性もいくつかある。

2 AIの安全性に関するイーロン・マスクへのインタビュー: https://www.youtube.com/watch?v=rBw0eoZTY-g

3 SpaceXのほぼすべてのロケット再着陸挑戦、とくに海上への初着陸の様子をまとめた見事な動画：https://www.youtube.com/watch?v=AllaFzIPaG4

4 AI安全性研究の競争的資金に関するイーロン・マスクのツイート：https://twitter.com/elonmusk/status/555743387056226304

5 AI安全性研究を推奨する我々の公開書簡に関するイーロン・マスクのツイート：https://twitter.com/elonmusk/status/554320532133650432

6 エリック・ソフジは "An Open Letter to Everyone Tricked into Fearing Artificial Intelligence" (*Popular Science*, January 14, 2015) の中で、我々の公開書簡に対する人騒がせな報道をからかっている：http://www.popsci.com/open-letter-everyone-tricked-fearing-ai

7 FLIとAI安全性研究の分野への多額の寄付に関するイーロン・マスクのツイート：https://twitter.com/elonmusk/status/555743387056226304

8 パートナーシップ・オン・AIによる人々と社会のための取り組みについては、ウェブサイト https://www.partnershiponai.org を見よ。

9 AIに関する意見を表明した近年の報告書の例：One Hundred Year Study on Artificial Intelligence, Report of the 2015 Study Panel, "Artificial Intelligence and Life in 2030" (September 2016), http://tinyurl.com/stanfordai; AIの未来に関するホワイトハウスの報告書：http://tinyurl.com/obamaAIreport; AIと仕事に関するホワイトハウスの報告書：http://tinyurl.com/AIjobsreport; AIと人間

www.nature.com/neuro/journal/v11/n5/full/nn.2112.html).

16 意識に関する近年の理論的アプローチの例：

- Daniel Dennett, *Consciousness Explained* (Back Bay Books, 1992).［『解明される意識』山口泰司訳、青土社、1998年］

- Bernard Baars, *In the Theater of Consciousness: The Workspace of the Mind* (New York: Oxford University Press, 2001).

- Christof Koch, *The Quest for Consciousness: A Neurobiological Approach* (New York: W. H. Freeman, 2004).［前掲『意識の探求』］

- Gerald Edelman and Giulio Tononi, *A Universe of Consciousness: How Matter Becomes Imagination* (New York: Hachette, 2008).

- António Damásio, *Self Comes to Mind: Constructing the Conscious Brain* (New York: Vintage, 2012).［前掲『自己が心にやってくる』］

- Stanislas Dehaene, *Consciousness and the Brain: Deciphering How the Brain Codes Our Thoughts* (New York: Viking, 2014).［『意識と脳――思考はいかにコード化されるか』高橋洋訳、紀伊國屋書店、2015年］

- Stanislas Dehaene, Michel Kerszberg and Jean-Pierre Changeux, "A Neuronal Model of a Global Workspace in Effortful Cognitive Tasks," *Proceedings of the National Academy of Sciences* 95 (1998): 14529–14534.

- Stanislas Dehaene, Lucie Charles, Jean-Rémi King and Sébastien Marti, "Toward a Computational Theory of Conscious Processing," *Current Opinion in Neurobiology* 25 (2014): 760–784.

17 物理学や哲学における「創発」という言葉のさまざまな用法について、デイヴィッド・チャーマーズが包括的に論じている：http://cse3521.artifice.cc/Chalmers-Emergence.pdf

18 意識とは情報が何らかの複雑な形で処理されるときに感じるものであるという私の説：https://arxiv.org/abs/physics/0510188, https://arxiv.org/abs/0704.0646, Max Tegmark, *Our Mathematical Universe* (New York: Knopf, 2014).［前掲『数学的な宇宙』］；デイヴィッド・チャーマーズも1996年の著書*The Conscious Mind: In Search of a Fundamental Theory* (Oxford University Press, 1996)［『意識する心――脳と精神の根本理論を求めて』林一訳、白揚社、2001年］の中で、同様の意見として、「経験とは内側からの情報であり、物理とは外側からの情報である」と表現している。

19 Adenauer Casali et al., "A Theoretically Based Index of Consciousness Independent of Sensory Processing and Behavior," *Science Translational Medicine* 5 (2013): 198ra105 (http://tinyurl.com/zapzip).

20 統合情報理論は連続系には通用しない：

- https://arxiv.org/abs/1401.1219

- http://journal.frontiersin.org/article/10.3389/fpsyg.2014.00063/full

- https://arxiv.org/abs/1601.02626

21 短期記憶が約30秒しか続かないクリーヴ・ウェアリングへのインタビュー：https://www.youtube.com/watch?v=WmzU47i2xgw

22 統合情報理論に対するスコット・アーロンソンの批判：http://www.scottaaronson.com/blog/?p=1799

23 セルロによる、統合性は意識の十分条件ではないとする批判：http://tinyurl.com/cerrullocritique

24 統合情報理論による、シミュレートした人間はゾンビになるという予想：http://rstb.royalsocietypublishing.org/content/370/1668/20140167

25 統合情報理論に対するシャナハンの批判：https://arxiv.org/abs/1504.05696.pdf

26 盲視：http://tinyurl.com/blindsight-paper

27 1秒間に脳に入ってくる情報のうち我々が意識しているのは、ごくわずか（たとえば10～50ビット）であろう：Küpfmüller, "Nachrichtenverarbeitung im Menschen"; Nørretranders, *The User*

法が網羅されている : http://tinyurl.com/stanfordconsciousness

4 Yuval Noah Harari, *Homo Deus: A Brief History of Tomorrow* (New York: HarperCollins, 2017): 116. [『ホモ・デウス』柴田裕之訳、河出書房新社、2018年]

5 システム1とシステム2に関する、先駆者による優れた解説 : Daniel Kahneman, *Thinking, Fast and Slow* (New York: Farrar, Straus & Giroux, 2011). [『ファスト&スロー――あなたの意思はどのように決まるか?』村井章子訳、ハヤカワ文庫NF、2014年]

6 Christof Koch, *The Quest for Consciousness: A Neurobiological Approach* (New York: W. H. Freeman, 2004). [『意識の探求――神経科学からのアプローチ』土屋尚嗣・金井良太訳、岩波書店、2006年]

7 1秒間に脳に入ってくる情報のうち、我々が意識しているのはごくわずか(たとえば10~50ビット)であろう。K. Küpfmüller, 1962, "Nachrichtenverarbeitung im Menschen," in *Taschenbuch der Nachrichtenverarbeitung*, ed. K. Steinbuch (Berlin: Springer-Verlag, 1962): 1481–1502. T. Nørretranders, *The User Illusion: Cutting Consciousness Down to Size* (New York: Viking, 1991). [『ユーザーイリュージョン――意識という幻想』柴田裕之訳、紀伊國屋書店、2002年]

8 Michio Kaku, *The Future of the Mind: The Scientific Quest to Understand, Enhance, and Empower the Mind* (New York: Doubleday, 2014). [『フューチャー・オブ・マインド――心の未来を科学する』斉藤隆央訳、NHK出版、2015年] ; Jeff Hawkins and Sandra Blakeslee, *On Intelligence* (New York: Times Books, 2007). [『考える脳　考えるコンピューター』伊藤文英訳、武田ランダムハウスジャパン、2005年] ; Stanislas Dehaene, Michel Kerszberg and Jean-Pierre Changeux, "A Neuronal Model of a Global Workspace in Effortful Cognitive Tasks," *Proceedings of the National Academy of Sciences* 95 (1998): 14529–14534.

9 ペンフィールドの有名な「焦げたトーストのにおいがする」実験を紹介した動画 : https://www.youtube.com/watch?v=mSN86kphL68〔2019年10月24日現在アクセス不能〕感覚運動皮質に関する詳細: Elaine Marieb and Katja Hoehn, *Anatomy & Physiology*, 3rd ed. (Upper Saddle River, NJ: Pearson, 2008), 391–395.

10 意識に相関する神経現象(NCC)の研究は、近年になって神経科学研究者のあいだでかなり主流になっている。たとえば、Geraint Rees, Gabriel Kreiman, and Christof Koch, "Neural Correlates of Consciousness in Humans," *Nature Reviews Neuroscience* 3 (2002): 261–270 や Thomas Metzinger, *Neural Correlates of Consciousness: Empirical and Conceptual Questions* (Cambridge, MA: MIT Press, 2000) を見よ。

11 連続フラッシュ抑制のメカニズム : Christof Koch, *The Quest for Consciousness: A Neurobiological Approach* (New York: W. H. Freeman, 2004). [前掲『意識の探求』] ; Christof Koch and Naotsugu Tsuchiya, "Continuous Flash Suppression Reduces Negative Afterimages," *Nature Neuroscience* 8 (2005): 1096–1101.

12 Christof Koch, Marcello Massimini, Melanie Boly and Giulio Tononi, "Neural Correlates of Consciousness: Progress and Problems," *Nature Reviews Neuroscience* 17 (2016): 307.

13 Koch, *The Quest for Consciousness*, p. 260 や、*Stanford Encyclopedia of Philosophy*, http://tinyurl.com/consciousnessdelay のさらなる説明を見よ。

14 意識的知覚の同期化について : David Eagleman, *The Brain: The Story of You* (New York: Pantheon, 2015). [『あなたの脳のはなし――神経科学者が解き明かす意識の謎』大田直子訳、ハヤカワ文庫NF、2019年] ; *Stanford Encyclopedia of Philosophy*, http://tinyurl.com/consciousnesssync

15 Benjamin Libet, *Mind Time: The Temporal Factor in Consciousness* (Cambridge, MA: Harvard University Press, 2004). [『マインド・タイム――脳と意識の時間』下條信輔訳、岩波書店、2005年] ; Chun Siong Soon, Marcel Brass, HansJochen Heinze and John-Dylan Haynes, "Unconscious Determinants of Free Decisions in the Human Brain," *Nature Neuroscience* 11 (2008): 543–545 (http://

3 エリエゼル・ユドカウスキーは、友好的なAIの目標を我々の現在の目標とではなく、「一貫性のある外挿的意志（CEV）」と合致させるべきだと論じている。おおざっぱに言うとCEVとは、もっと多くの人間がもっと多くの知識を持ってもっと速く思考するようになったとした場合に、理想的な人間が望む事柄と定義される。ユドカウスキーは2004年にこの論を発表（http://intelligence.org/files/CEV.pdf）してからしばらくして、CEVを実装するのは難しいし、明確な定義に収斂するかどうかも定かでないとして自己批判を始めている。

4 逆強化学習の方法論の中心的考え方は、AIが自身でなく人間の所有者の目標達成度を最大化しようとするというものである。このためそのAIは、所有者の望みがはっきりしないときには用心し、最善を尽くしてそれを知ろうという動機を持つ。また、所有者がスイッチを切ろうとしても、それは自身が所有者の本当の望みを誤解していたからだとして抵抗しないはずである。

5 AIの目標の創発に関するスティーヴ・オモアンドロの論文 "The Basic AI Drives" は、http://tinyurl.com/omohundro2008 で閲覧可能。原論文は *Artificial General Intelligence 2008: Proceedings of the First AGI Conference*, ed. Pei Wang, Ben Goertzel and Stan Franklin (Amsterdam: IOS, 2008), 483–492.

6 知能が倫理的根拠に疑問を抱かずに盲目的に命令に従うとどのような事態が起こるかを示した、論争を招く刺激的な本として、Hannah Arendt, *Eichmann in Jerusalem: A Report on the Banality of Evil* (New York: Penguin, 1963). [『エルサレムのアイヒマン——悪の陳腐さについての報告　新版』大久保和郎訳、みすず書房、2017年] がある。超知能をいくつかの単純な部分に分割して、いずれの部分も全体像を理解できないようにすることで、超知能を制御下に置くという、エリック・ドレクスラーが最近提案した方法論（http://www.fhi.ox.ac.uk/reports/2015-3.pdf）にも、これと似たようなジレンマが当てはまる。もしそれがうまくいったとしても、そもそも道徳的指針を持っておらず、所有者の思いつきを何ら道徳的呵責を感じずに実行へ移す、とてつもなく強力な道具になりうるからだ。ディストピア的な独裁制における縦割りの官僚機構が連想される。ある部局は、どのように使われるかを知らないまま兵器を作り、別の部局は、有罪になった理由を知らないまま囚人を処刑するといった具合だ。

7 黄金律を現代風に変えたものとして、ジョン・ロールズは、自分がその状況に置かれているかどうかを前もって知らない限り、誰もその状況を変えないという仮想的状況が、公平であると提唱している。

8 たとえばヒトラーの幹部の多くがかなり高いIQを持っていたことが分かっている。"How Accurate Were the IQ Scores of the High-Ranking Third Reich Officials Tried at Nuremberg?," *Quora* (http://tinyurl.com/nurembergiq) を見よ。

第**8**章　意識

1 スチュワート・サザーランドによる意識の解説はとても面白い：Stuart Sutherland, *Macmillan Dictionary of Psychology* (London: Macmillan, 1989).

2 この言葉は、量子力学の創設者の一人であるエルヴィン・シュレーディンガーが著書 *Mind and Matter* [『精神と物質——意識と科学的世界像をめぐる考察 改訂版』中村量空訳、工作社、1999年] において、「過去」とは何か、そして、そもそも意識を持った生命が進化しなかったらどのようなことが起こっていたかを考察する中で述べたものである。他方、AIの台頭によって、「未来」には空っぽの観客席の前で劇が演じられることになるという論理的可能性も出てきている。

3 *Stanford Encyclopedia of Philosophy* には、「意識（consciousness）」という単語のさまざまな定義と用

4 既知の素粒子をまとめたCERNの優れたインフォグラフィックスは、http://tinyurl.com/cern-particle を参照。〔2019年10月24日現在アクセス不能〕

5 核爆発を用いないオライオン宇宙船のプロトタイプに関するこの素晴らしい動画では、核爆発ロケット推進の概念もあわせて説明されている：https://www.youtube.com/watch?v=E3Lxx-2VAYi8

6 レーザーセイリングに関する教育的な解説：Robert L. Forward, "Roundtrip Interstellar Travel Using Laser-Pushed Lightsails," *Journal of Spacecraft and Rockets* 21, no. 2 (March–April 1984). https://pdfs.semanticscholar.org/25b2/b991317510116fca1e642b3f364338c7983a.pdfで閲覧可能。

7 宇宙に拡大する文明に関する分析：Jay Olson, "Homogeneous Cosmology with Aggressively Expanding Civilizations," *Classical and Quantum Gravity* 32 (2015), http://arxiv.org/abs/1411.4359

8 我々の遠い未来に関する初の綿密な科学的分析：Freeman J. Dyson, "Time Without End: Physics and Biology in an Open Universe," *Reviews of Modern Physics* 51, no. 3 (1979): 447. http://blog.regehr.org/extra_files/dyson.pdf で閲覧可能。

9 上に挙げたセス・ロイドの公式によると、時間 τ のあいだに1回の演算をおこなうには、$E \geqq h/4\tau$ のエネルギーがかかる（h はプランク定数）。時間 T のあいだに N 回の演算を順次に（直列的に）おこなおうとしたら、$\tau = T/N$ より、$E/N \geqq hN/4T$ となり、エネルギー E と時間 T があれば $N \leqq 2\sqrt{ET/h}$ 回の直列演算をおこなうことができる。したがってエネルギーも時間も、大量にあることで役に立つリソースである。持っているエネルギーを n 回の並列演算に振り分ければ、もっとゆっくりと効率的に演算を進めることができて、$N \leqq 2\sqrt{ETn/h}$ となる。ニック・ボストロムの概算によると、100年間の人間の一生をシミュレートするには $N = 10^{27}$ 回ほどの演算が必要だという。

10 生命の誕生にはきわめて稀な偶然が必要で、我々のもっとも近い隣人は 10^{1000} メートルも離れているとする詳細な論拠については、プリンストン大学の物理学者で宇宙生物学者のエドウィン・ターナーが制作した動画をお薦めする："Improbable Life: An Unappealing but Plausible Scenario for Life's Origin on Earth," https://www.youtube.com/watch?v=Bt6n6Tu1beg

11 地球外知的生命の探索に関するマーティン・リースのエッセイ：https://www.edge.org/annual-question/2016/response/26665

第7章 目標

1 ジェレミー・イングランドの「散逸駆動適応」に関する研究を一般向けに説明したものとしては、Natalie Wolchover, "A New Physics Theory of Life," *Scientific American* (January 28, 2014, https://www.scientificamerican.com/article/a-new-physics-theory-of-life/ を参照。その基礎の多くは、イリヤ・プリゴジンとイザベル・スタンジェールの著書 *Order Out of Chaos: Man's New Dialogue with Nature* (New York: Bantam, 1984)［『混沌からの秩序』伏見康治・伏見譲・松枝秀明訳、みすず書房、1987年］で展開されている。

2 感情とその生理学的由来についてさらに詳しいことは、William James, *Principles of Psychology* (New York: Henry Holt & Co., 1890)［抄訳は『心理学の根本問題（現代思想新書6）』松浦孝作訳、三笠書房、1940年］; Robert Ornstein, *Evolution of Consciousness: The Origins of the Way We Think* (New York: Simon & Schuster, 1992); António Damásio, *Descartes' Error: Emotion, Reason, and the Human Brain* (New York: Penguin, 2005)［『デカルトの誤り――情動、理性、人間の脳』田中三彦訳、ちくま学芸文庫、2010年］; António Damásio, *Self Comes to Mind: Constructing the Conscious Brain* (New York: Vintage, 2012).［『自己が心にやってくる――意識ある脳の構築』山形浩生訳、早川書房、2013年］

Nanny_AI を見よ。

3 機械と人間の関係性および、機械は我々の奴隷なのかという問題に関する論述としては、Benjamin Wallace-Wells, "Boyhood," *New York magazine* (May 20, 2015) を見よ。http://tinyurl.com/aislaves で閲覧可能。

4 精神的犯罪については、ニック・ボストロムの *Superintelligence: Paths, Dangers, Strategies* (Oxford University Press, 2014)［『スーパーインテリジェンス——超絶AIと人類の命運』倉骨彰訳、日本経済新聞出版社、2017年］で論じられている。さらなる技術的詳細については、最近の論文 Nick Bostrom, Allan Dafoe and Carrick Flynn, "Policy Desiderata in the Development of Machine Superintelligence" (2016), http://www.nickbostrom.com/papers/aipolicy.pdf を参照。

5 Matthew Schofield, "Memories of Stasi Color Germans' View of U.S. Surveillance Programs," *McClatchy DC Bureau* (June 26, 2013). http://www.mcclatchydc.com/news/nation-world/national/article24750439.html で閲覧可能。

6 誰も望まない結果を人々がいかにして生み出そうとするかに関する、示唆に富む考察としては、"Meditations on Moloch," http://slatestarcodex.com/2014/07/30/meditations-on-moloch をお薦めする。

7 偶発的に核戦争が勃発したかもしれない危機一髪の事態をインタラクティブな年表として表したものとしては、Future of Life Institute, "Accidental Nuclear War: A Timeline of Close Calls"（http://tinyurl.com/nukeoops）を見よ。

8 アメリカの核実験の犠牲者に対する補償金については、アメリカ司法省のウェブサイト "Awards to Date 4/24/2015"（https://www.justice.gov/civil/awards-date-04242015）を見よ。〔2019年10月24日現在アクセス不能〕

9 *Report of the Commission to Assess the Threat to the United States from Electromagnetic Pulse (EMP) Attack*, April 2008. http://www.empcommission.org/docs/A2473-EMP_Commission-7MB.pdf で閲覧可能。

10 米ソ双方の科学者がそれぞれ独自の研究に基づいて、レーガンとゴルバチョフに核の冬の危険性を警告した：P. J. Crutzen and J. W. Birks, "The Atmosphere After a Nuclear War: Twilight at Noon," *Ambio* 11, no. 2/3 (1982): 114–125. R. P. Turco, O. B. Toon, T. P. Ackerman, J. B. Pollack and C. Sagan, "Nuclear Winter: Global Consequences of Multiple Nuclear Explosions," *Science* 222 (1983): 1283–1292. V. V. Aleksandrov and G. L. Stenchikov, "On the Modeling of the Climatic Consequences of the Nuclear War," *Proceeding on Applied Mathematics* (Moscow: Computing Centre of the USSR Academy of Sciences, 1983), 21. A. Robock, "Snow and Ice Feedbacks Prolong Effects of Nuclear Winter," *Nature* 310 (1984): 667–670.

11 全面核戦争が気候へおよぼす影響に関する計算：A. Robock, L. Oman and L. Stenchikov, "Nuclear Winter Revisited with a Modern Climate Model and Current Nuclear Arsenals: Still Catastrophic Consequences," *Journal of Geophysical Research* 12 (2007): D13107.

第**6**章 宇宙からの恵み——今後10億年とさらにその先

1 さらなる情報については、Anders Sandberg, "Dyson Sphere FAQ," http://www.aleph.se/nada/dysonFAQ.html を見よ。〔2019年10月24日現在アクセス不能〕

2 ダイソン球に関するフリーマン・ダイソン本人の先駆的論文は、Freeman Dyson, "Search for Artificial Stellar Sources of Infrared Radiation," *Science*, vol. 131 (1959): 1667–1668.

3 ルイス・クレインとショーン・ウエストモアランドが提唱したブラックホールエンジンについては、Louis Crane and Shawn Westmoreland, "Are Black Hole Starships Possible?," http://arxiv.org/pdf/0908.1803.pdf

50 マリン・ソリャシウが2016年のワークショップComputers Gone Wildでこれらの選択肢について考察している。http://futureoflife.org/2016/05/06/computers-gone-wild/

51 より良い仕事を創出する方法に関するアンドリュー・マカフィーの提案 : http://futureoflife.org/data/PDF/andrew_mcafee.pdf

52 多くの学術論文が、技術的失業について「今度はそうはいかない」と論じているのに加え、動画 "Humans Need Not Apply" も同じ主張を簡潔に伝えている。https://www.youtube.com/watch?v=7Pq-S557XQU

53 アメリカ労働統計局 : http://www.bls.gov/cps/cpsaat11.htm

54 技術的失業について「今度はそうはいかない」という主張: Federico Pistono, *Robots Will Steal Your Job, but That's OK* (2012), http://robotswillstealyourjob.com

55 アメリカにおける馬の頭数の推移 : http://tinyurl.com/horsedecline

56 不就労が幸福におよぼす影響に関するメタ解析 : Maike Luhmann et al., "Subjective Well-Being and Adaptation to Life Events: A Meta-Analysis," *Journal of Personality and Social Psychology* 102, no. 3 (2012): 592. https://www.ncbi.nlm.nih.gov/pmc/articles/PMC3289759 で閲覧可能。

57 人々の幸福感を高める要因に関する研究 : Angela Duckworth, Tracy Steen and Martin Seligman, "Positive Psychology in Clinical Practice," *Annual Review of Clinical Psychology* 1 (2005): 629–651 (http://tinyurl.com/wellbeingduckworth). Weiting Ng and Ed Diener, "What Matters to the Rich and the Poor? Subjective Well-Being, Financial Satisfaction, and Postmaterialist Needs Across the World," *Journal of Personality and Social Psychology* 107, no. 2 (2014): 326 (http://psycnet.apa.org/journals/psp/107/2/326). Kirsten Weir, "More than Job Satisfaction," *Monitor on Psychology* 44, no. 11 (December 2013) (http://www.apa.org/monitor/2013/12/job-satisfaction.aspx).

58 ニューロンの個数約 10^{11} 個と、ニューロン1個あたりの接続数約 10^{4} 個と、ニューロン1個が1秒間に発火する回数約1回 (10^{0} 回) を掛けあわせると、人間の脳をシミュレートするには約 10^{15}FLOPS (1ペタFLOPS) で十分なようにも思えるが、発火の詳細なタイミングや、ニューロンおよびシナプスの各構成部分もシミュレートする必要があるかなど、あまり解明されていない要素がいくつもある。IBMのコンピュータ科学者ダーメンドラ・モダは38ペタFLOPSが必要だと推計している (http://tinyurl.com/javln43) が、神経科学者のヘンリー・マークラムの推計によれば約1000ペタFLOPSが必要だという (http://tinyurl.com/6rpohqv)。AI研究者のカティヤ・グレースとポール・クリスティアーノは、脳シミュレーションでもっともコストがかかるのは計算でなく情報伝達だが、これも現在最高のスーパーコンピュータの守備範囲内であると論じている (http://aiimpacts.org/about)。

59 人間の脳の計算パワーに関する興味深い見解 : Hans Moravec "When Will Computer Hardware Match the Human Brain?" *Journal of Evolution and Technology*, vol. 1 (1998).

第4章 知能爆発?

1 世界初の機械式の鳥の動画は、Markus Fischer, "A Robot That Flies like a Bird," TED Talk, July 2011, https://www.ted.com/talks/a_robot_that_flies_like_a_bird を見よ。

第5章 余波——1万年先まで

1 Ray Kurzweil, *The Singularity Is Near* (New York: Viking Press, 2005).

2 ベン・ゲーツェルによる「老婆心AI」のシナリオについては、https://wiki.lesswrong.com/wiki/

アクセス不能〕

30 パナマで起こった、まぎらわしいユーザーインターフェースによる致死量の放射線の過剰照射に関する報告書 : http://tinyurl.com/cobalt60accident

31 ロボット手術における有害事象に関する研究 : https://arxiv.org/abs/1507.03518

32 病院での好ましくないケアによる死者数に関する記事 : http://tinyurl.com/medaccidents

33 Yahoo は 30 億人分ものユーザーアカウントが破られたのを受けて、「ビッグハック」に対する新たな基準を設定した。https://www.wired.com/2016/12/yahoo-hack-billion-users/

34 KKKの殺人犯に対する無罪判決とのちの有罪判決に関する *New York Times* の記事: http://tinyurl.com/kkkacquittal

35 腹を空かせた判事のほうが厳しい判決を下すと論じたダンツィガーらによる 2011 年の研究（http://www.pnas.org/content/108/17/6889.full）に対し、ケレン・ヴァインシャル＝マルゲラとジョン・シャパードは欠陥があると批判している（http://www.pnas.org/content/108/42/E833.full）が、ダンツィガーらは主張の有効性を力説している（http://www.pnas.org/content/108/42/E834.full）。

36 常習的犯罪傾向予測プログラムの人種的偏りに関する *Pro Publica* の報告 : http://tinyurl.com/robojudge

37 fMRI などの脳スキャン技術を裁判での証拠に利用することに対しては、手法の信頼性とともに強い異論があるが、多くの研究チームが判定精度は 90% を超えると主張している : http://journal.frontiersin.org/article/10.3389/fpsyg.2015.00709/full

38 ヴァシーリィ・アルヒーポフがたった一人でソ連の核攻撃を防いだ出来事に関する PBS 制作のドキュメンタリー *The Man Who Saved the World*: https://www.youtube.com/watch?v=4VPY2SgyG5w

39 スタニスラフ・ペトロフがアメリカの核攻撃を誤警報として無視した出来事は、映画 *The Man Who Saved the World*（前項の同名のドキュメンタリーとは別物）となり、ペトロフは国連で表彰されて世界市民賞を授かった。https://www.youtube.com/watch?v=IncSjwWQHMo

40 AI やロボティクスの研究者による自律型兵器に関する公開書簡 : http://futureoflife.org/open-letter-autonomous-weapons/

41 アメリカ政府は AI 軍拡競争を望んでいるように思える。http://tinyurl.com/workquote

42 アメリカにおける 1913 年以降の富の不均衡に関する研究 : http://gabriel-zucman.eu/files/Saez-Zucman2015.pdf

43 世界の富の不均衡に関する Oxfam の報告書 : https://www.oxfam.org/en/press-releases/just-8-men-own-same-wealth-half-world

44 テクノロジーによって不平等がもたらされるという仮説に関する優れた概論としては、Erik Brynjolfsson and Andrew McAfee, *The Second Machine Age: Work, Progress, and Prosperity in a Time of Brilliant Technologies* (New York: Norton, 2014)〔『ザ・セカンド・マシン・エイジ』村井章子訳、日経 BP 社、2015 年〕を見よ。

45 教育水準の低い層における賃金の低下に関する *The Atlantic* の記事 : http://tinyurl.com/wagedrop

46 資本利得を含めたグラフのデータの出典は、Facundo Alvaredo, Anthony B. Atkinson, Thomas Piketty, Emmanuel Saez and Gabriel Zucman, *The World Wealth and Income Database* (http://www.wid.world).

47 収入が労働者から資本家へ移行していることを示した、ジェイムズ・マニカの発表 : http://futureoflife.org/data/PDF/james_manyika.pdf

48 オックスフォード大学（http://tinyurl.com/automationoxford）とマッキンゼー（http://tinyurl.com/automationmckinsey）による、労働の自動化に関する未来予測。

49 ロボットシェフの動画 : https://www.youtube.com/watch?v=fE6i2OO6Y6s

7 ウィノグラード・スキーマ・チャレンジ選手権 : http://tinyurl.com/winogradchallenge

8 アリアン5型の爆発の様子を収めた動画 : https://www.youtube.com/watch?v=qnHn8W1Em6E

9 調査委員会によるアリアン5型 Flight 501 事故の報告書 : http://tinyurl.com/arianeflop

10 NASA のマーズ・クライメット・オービター事故調査委員会フェーズI報告書 : http://tinyurl.com/marsflop〔2019年10月24日現在アクセス不能〕

11 もっとも詳細で首尾一貫した説明によると、マリナー1号金星ミッションの失敗の原因は、数学記号を手で書き写したときにひとつだけ写し間違えた(上付きの線を書き落とした)ことだという : http://tinyurl.com/marinerflop

12 ソ連のフォボス1号火星ミッションの失敗に関する詳細な説明は、Wesley T. Huntress Jr. and Mikhail Ya. Marov, *Soviet Robots in the Solar System* (New York: Praxis Publishing, 2011), p. 308.

13 未検証のソフトウェアによってナイト・キャピタルが45分間で4億4000万ドルを失った経緯 : http://tinyurl.com/knightflop1 と http://tinyurl.com/knightflop2

14 ウォール街の「フラッシュクラッシュ」に関するアメリカ政府の報告書: "Findings Regarding the Market Events of May 6, 2010" (September 30, 2010), http://tinyurl.com/flashcrashreport

15 3Dプリンティングの例 : 建物(https://www.youtube.com/watch?v=SObzNdyRTBs)、マイクロメカニカルデバイス(http://tinyurl.com/tinyprinter)、その中間の大きさのさまざまな製品(https://www.youtube.com/watch?v=xVU4FLrsPXs)。

16 民間運営のファブラボの世界分布図 : https://www.fablabs.io/labs/map

17 ロバート・ウィリアムズが産業用ロボットに殺された事件に関する報道記事: http://tinyurl.com/williamsaccident

18 川崎重工業の技術者が産業用ロボットに殺された事件に関する報道記事 : http://tinyurl.com/uradaaccident

19 フォルクスワーゲンの作業員が産業用ロボットに殺された事件に関する報道記事: http://tinyurl.com/baunatalaccident

20 労働死亡事故に関するアメリカ政府の報告書 : https://www.osha.gov/dep/fatcat/dep_fatcat.html

21 自動車死亡事故の統計 : http://tinyurl.com/roadsafety2 と http://tinyurl.com/roadsafety3〔いずれも2019年10月24日現在アクセス不能〕

22 テスラ自動運転車による初の死亡事故については、Andrew Buncombe, "Tesla Crash: Driver Who Died While on Autopilot Mode 'Was Watching Harry Potter,'" *Independent* (July 1, 2016), http://tinyurl.com/teslacrashstory を見よ。アメリカ運輸省道路交通安全局欠陥調査室の報告書については、http://tinyurl.com/teslacrashreport を見よ。

23 ヘラルド・オブ・フリー・エンタープライズ号の事故についてさらに詳しいことは、R. B. Whittingham, *The Blame Machine: Why Human Error Causes Accidents* (Oxford, UK: Elsevier, 2004)を参照。

24 エールフランス447便の事故に関するドキュメンタリー: https://www.youtube.com/watch?v=dpPkp8OGQFI〔2019年10月24日現在アクセス不能〕 事故報告書 : http://tinyurl.com/af447report 第三者による分析 : http://tinyurl.com/thomsonarticle

25 2003年のアメリカとカナダの停電に関する公式報告書 : http://tinyurl.com/uscanadablackout

26 スリーマイル島事故に関する大統領委員会の最終報告書 : http://www.threemileisland.org/downloads/188.pdf

27 MRI を用いた前立腺がんの診断において AI が人間の放射線科医に太刀打ちできることを示したオランダの研究 : http://tinyurl.com/prostate-ai

28 肺がんの診断において AI が人間の病理学医に勝ることを示したスタンフォード大学の研究 : http://tinyurl.com/lungcancer-ai

29 Therac−25 放射線治療事故の調査報告 : http://tinyurl.com/theracfailure〔2019年10月24日現在

原注

第1章 いまもっとも重要な議論へのいざない

1 "The AI Revolution: Our Immortality or Extinction?" *Wait But Why* (January 27, 2015), http://waitbutwhy.com/2015/01/artificial-intelligence-revolution-2.html
2 この公開書簡 "Research Priorities for Robust and Beneficial Artificial Intelligence" は http://futureoflife.org/ai-open-letter/ で閲覧可能。
3 マスコミに登場した、ロボットに対する根拠のない警戒論の例 : Ellie Zolfagharifard, "Artificial Intelligence 'Could Be the Worst Thing to Happen to Humanity,'" *Daily Mail*, May 2, 2014; http://tinyurl.com/hawkingbots

第2章 物質が知能を持つ

1 AGI という言葉の由来 : http://wp.goertzel.org/who-coined-the-term-agi
2 Hans Moravec, "When Will Computer Hardware Match the Human Brain?" *Journal of Evolution and Technology* (1998), vol. 1.
3 年ごとのコンピュータのパワーを表したグラフにおいて、2011 年以前のデータはレイ・カーツワイルの著書 *How to Create a Mind: The Secret of Human Thought Revealed* (New York: Viking Press, 2012) より引用し、それ以降のデータは https://en.wikipedia.org/wiki/FLOPS に挙げられている参考文献に基づいて計算した。
4 量子コンピューティングの開拓者デイヴィッド・ドイッチュは著書 *The Fabric of Reality: The Science of Parallel Universes——and Its Implications* (London: Allen Lane, 1997)［『世界の究極理論は存在するか——多宇宙理論から見た生命、進化、時間』林一訳、朝日新聞社、1999 年］の中で、量子コンピュータを並行宇宙の存在の証拠ととらえている。私自身は量子並行宇宙を、4 つのレベルのマルチバースのうちの第 3 段階と解釈している。それについては私の前著 *Our Mathematical Universe: My Quest for the Ultimate Nature of Reality* (New York: Knopf, 2014)［『数学的な宇宙——究極の実在の姿を求めて』谷本真幸訳、講談社、2016 年］を参照してほしい。
5 https://arxiv.org/pdf/1411.4555.pdf

第3章 近未来——ブレイクスルー、バグ、法律、兵器、仕事

1 YouTube, "Google DeepMind's Deep Q-learning Playing Atari Breakout," https://tinyurl.com/atariai
2 Volodymyr Mnih et al., "Human-Level Control Through Deep Reinforcement Learning," *Nature* 518 (February 26, 2015): 529–533 を見よ。http://tinyurl.com/ataripaper で閲覧可能。
3 BigDog ロボットが歩いている動画 : https://www.youtube.com/watch?v=W1czBcnX1Ww
4 AlphaGo が端から 5 列目に打った驚きの手に対する人々の反応については、"Move 37!! Lee Sedol vs AlphaGo Match 2," https://www.youtube.com/watch?v=JNrXgpSEEIE を見よ。
5 デミス・ハサビスが、AlphaGo に対する人間の囲碁棋士の反応について語っている : https://www.youtube.com/watch?v=otJKzpNWZT4
6 機械翻訳の近年の進歩については、Gideon Lewis-Kraus, "The Great A.I. Awakening," *New York Times Magazine* (December 14, 2016) を見よ。http://www.nytimes.com/2016/12/14/magazine/the-great-ai-awakening.html で閲覧可能。グーグル翻訳は https://translate.google.com で利用可能。

［ヤ行］

有益AI運動の活動家　51-52, 55, 58, 67-69, 74
友好的なAI　62, 71, 217, 258, 277, 291, 372-385, 396-397
ユーチューブ　16, 209-210, 218, 478
ユートピア　72, 237-245, 246, 249, 251-256, 261, 263, 274, 291-292
ユドカウスキー, エリエゼル　56, 59, 373, 379, 458-459, 467
ヨーロッパ　279, 287, 343
ヨーロッパ宇宙機関　143

［ラ行］

ライフ, ラファエル　387
ライフ 1.0, 2.0, 3.0　44, 46-51, 61-62, 73-74, 86, 117, 291
ラザフォード, アーネスト　64
楽観論　148, 190, 478-482
ラッセル, スチュワート　55, 57-59, 66, 125, 129, 168, 173, 375, 458-459, 462-463, 478
ラッダイト（機械化反対者）　52, 55, 65-66, 74, 182, 185-186, 243, 278
ランド研究所　288
ランプ関数　111
リース, マーティン　350, 458-459
理解力　78-79
リバーヒューム未来知能センター　472
リベット, ベンジャミン　427
リボソーム　348
留意を伴う楽観論　480-481
量子コンピュータ　107, 311-312
量子ゼノン効果　330
量子力学　42, 107, 362, 414, 416, 433
リン, ヘンリー　9, 113-114
倫理　385-394
倫理宿命仮説　395
ルネサンス　282, 431
ルンバ（ロボット掃除機）　54
レーガン, ドナルド　167, 286
レーザーセイリング　321, 323-324
レッグ, シェーン　59, 81, 458-459, 467
レプトン　308-310
連続フラッシュ抑制　424-425
ロイド, セス　105, 311, 334, 448
老婆心AI　258
ローマ教皇フランシスコ　385
ローマ帝国　282, 340
ロシア　24, 32, 134, 171, 287, 349
ロボット三原則（アシモフ）　391
ロボット手術　152-153
ロボット判事　158-160, 195
ロボット兵器管理国際キャンペーン　170
ロボティクス　29, 69, 118, 169, 171, 252
ロルニック, デイヴィッド　113, 115
論理ゲート　116, 435, 438-439
論理性　78
論理法則　418

［ワ行］

ワインバーグ, スティーヴン　451

ブリニョルフソン，エリック　9，59，176，187，458-459，480
プリンストン高等研究所　297，386
ブルックス，ロドニー　54，69
ブレイクスルー・リッスン　350
ブレイン，マーシャル　235，244，251，253
フロー状態　419
プログラマ　66，102，108，127，129，133，155，160，180，232
プログラミング　15-16，85，147，215，375，384
フロスト，ロバート　330
ブロック崩し（アタリ）　82，125-126，128
フロッピーディスク　91-92
ペイジ，ラリー　51-53，238，240，456，458-459
ベーシックインカム　37，187-188，252
ヘッブ，ドナルド　115
ヘッブの学習則　115-116
ペトロフ，スタニスラフ　168
ヘラルド・オブ・フリー・エンタープライズ号　149
ペリー，ルーカス　9，458-459，472
ペンフィールド，ワイルダー　421
ホイル，フレッド　273
法学者　58，140，163，456
報酬メカニズム　368，386
法体系　140，157，160，195，387，475
法律　38，50，70-71，121-122，157-164，181，195，218，475，479，482
『暴力の人類史』（ピンカー）　395
ホーキング，スティーヴン　57，67，171，259，303，462，469
『ホーキング、宇宙を語る』（ホーキング）　303
ホーキング放射　304-305
ホーキンス，ジェフ　119，266
ホーニック，カート　112
ポジティブ心理学　190
『ポスト・ヒューマン誕生』（カーツワイルによる著作の完全版、エッセンス版は『シンギュラリティは近い』）　227，279
ボストロム，ニック　56-57，59，130，204，220，229，230-231，264，271，334，378-379，395，397，404，457-459，463，467，478
ホップフィールド，ジョン　93-94，109，111，115
ポパー，カール　412
ホモ・サピエンス　242，452-453
ホモ・センティエンス　452-453
『ホモ・デウス』（ハラリ）　407
ホリガー，フィリップ　91
ホワイト，ハルバート　112
翻訳　82，85，95，119，120，134-138

［マ行］

マーゴラス，ノーマン　99，435
マイクロソフト　26，138，144，155，171，456，471
マイクロメカニカルデバイス　146
マカフィー，アンドリュー　59，178，182，458-459
マクスウェル，ジェイムズ・クラーク　416
マサチューセッツ工科大学（MIT）　51，54，57，99，101，105，154，176，178，311，362，387，411，415，460，462-464，481
マシン語　91
マスク，イーロン　51，57-60，148，162，179，456，458-459，463，467-469，472，478
マズロー，エイブラハム　258，277
松尾豊　458-459
マッカーシー，ジョン　63
マッキベン，ビル　278
マッキンス，コリン　298
『マトリックス』（映画）　271
マラー，リチャード　9，59，143，458-459，463，467
マルウェア　154-155，160
『マンナ』（ブレイン）　244，251，253，255
ミーム　256
ミューオン　308
未来予測　50
ミルナー，ユーリ　349
ミンスキー，ナサニエル　63
ムーアの法則　103，105，122
「難しい問題（ハードプロブレム）」　408-413，415，417，443，446，452
盲目化レーザー兵器　170
モークリー，ジョン　106
目的論　62，369
目標指向的な振る舞い　62，68，72，359-360，363-364，368-370，374，394，398，401
目標適合問題　377，382，385-386
モラヴェック，ハンス　53，84-85，121，194，226-227，235，238，272-273，293，325
モラヴェックのパラドックス　84
モリス，ロバート　154
モリスワーム　154-155
問題解決力　78-79

117, 122, 194, 335, 422, 425-426, 433, 439, 443-444, 461
人間的価値観 395
人間的バイアス 158
人間の多様性 249
「人間の能力のランドスケープ」(モラヴェック) 84-85
人間例外論 450
人間レベルのAI (AGI) 17, 52, 54-55, 62, 64, 66, 71-72, 75, 81, 84, 111, 191-194, 198-199, 226, 228-230, 232-233, 240, 280, 376, 384, 392, 486
ネアンデルタール人 242
ネオ・ラッダイト 278-279
ネグロポンテ, ニコラス 178
熱的死 360-362, 364, 399
熱力学の第2法則 360, 362
ノイマン, ジョン・フォン 106
脳イメージング 103
農耕生活 281
ノートパソコン 28, 86, 89, 100, 116, 135, 210-212, 215-216, 227, 312

［ハ行］

パーソナルデジタルアシスタント 119
ハードウェア・オーバーハング (ボストロム) 231
ハードディスク 87, 89-93, 214
パートナーシップ・オン・AI 472
ハードプロブレム (難しい問題) 408-413, 415, 417, 443, 446, 452
ハーバード大学 56, 386, 461
バイオスフィア 298
バイオテクノロジー 28, 56, 239
バイドゥ 54, 138, 456
『博士の異常な愛情』(映画) 288
バグ 70-71, 102, 121-122, 140-157, 159, 165, 213
バクスター (産業用ロボット) 54
バサード, ロバート 321
ハサビス, デミス 58-59, 127, 458-459, 460, 478
ハッカー 155-156, 213
ハッキング 19, 71, 140, 154, 156-157, 159, 175, 212, 214, 218, 368, 384, 475
ハッター, マーカス 399
発話 45, 426
波動方程式 101
ハフィントン, アリアナ 57
ハラリ, ユヴァル・ノア 407
ハリウッド映画 226, 270
バリオン物質 296
ハリス, サム 59, 458-459, 478
パレート最適 390
パワープラント 272, 296, 301-303, 305-306, 329, 334
反グローバリゼーション運動 278
ハンソン, ロビン 59, 226, 350
万能機械 (万能チューリングマシン) 86, 100
ハンムラビ法典 264
汎用人工知能 (AGI) の定義 50, 62, 81
反ラッダイト論者 278
反粒子 309
ヒエラルキー 221-225, 234, 335-337, 339
ビッグバン 41-42, 62, 78, 312, 314-315, 317-319, 331, 343, 346
ビットコイン 216, 339, 341
ヒトラー, アドルフ 200, 259, 385
火の起こし方 117, 141
百科事典 188
ヒュット, ピエト 415
病気 59, 139, 152, 164, 205, 240, 243, 245, 247, 249, 261, 271, 287, 294, 481
ピンカー, スティーブン 395
貧困 36, 59, 61, 139, 177, 187, 240, 245, 249, 261, 274, 294
『ファウンデーション』(アシモフ) 282
ファシズム 271
フェイスブック 16, 138, 171 ,179, 209-210, 456, 471
プエルトリコ会議 53, 57-60, 64, 66, 141, 162, 177-178, 230, 460, 462-468, 480
フェルマーの原理 360
フェルミのパラドックス 350
フォワード, ロバート・L. 298, 321-323
不注意盲 442
富裕層 177-178, 244
プライバシー 161-162, 195, 201, 476, 483
ブラックホール 302-309, 326-327, 329-330, 332, 341, 352, 356, 416, 429
ブラックホールパワープラント (ホーキング) 303, 305
フラッシュクラッシュ 145, 372
プラトン 386
ブランドフォード＝ナジェック機構 308
フリーア, キャメロン 399

チェス　62, 79-80, 82, 84-85, 95, 108, 118, 120, 129, 133, 266, 272, 280, 370-372, 396-397
「力こそ正義」　271
地球温暖化　85, 278
地球外文明　43, 272, 350, 451
知的エージェント　45, 86, 127-128, 398
知的財産権　252-253
知能（定義）　78-87
知能爆発　15, 61, 71-72, 197-234（第4章）, 255, 295, 324, 342, 351, 353, 370, 378, 394
チャーチ, アロンゾ　99
チャーマーズ, デイヴィッド　9, 408, 410-411, 413, 440, 458-459, 478
チャタムハウス・ルール　465, 467
チャンドラセカール, スブラマニアン　341
中央演算処理装置（CPU）　104, 218, 312
中国　54, 132, 134, 137, 171, 279, 287
抽象的推論　418
チューリング, アラン　55, 86, 99-100, 106, 197, 259
チューリングテスト　136-137, 210
超新星爆発　329, 341, 354
直交仮説　395-396
賃金　175-191
ツイッター　16, 469
ツーゼ, コンラート　106
強いAI　52, 62, 81
ディーテリッヒ, トム　59-60, 261, 458-459
ディープ・ブルー　80-81, 118, 266, 371
ディープマインド　58, 80, 119, 125-133, 138, 456, 460, 471
ディープラーニング（深層学習）　114, 119-120, 128, 131, 133, 136-137, 152
デイヴィス, ポール　347
ディストピア　72, 263, 481
定理の証明　82, 84-85, 120
デカルト, ルネ　417
テクノロジー恐怖症　56, 278
テクノロジーによる肉体強化　227
テグマーク, メイア＝チタ　9, 52, 56, 59-60, 110, 228, 456-459, 461, 466-468, 473, 481
デジタルアテネ　176
デジタル画像診断　153
デジタル経済　17-18, 178-179
デジタル生命　51-53
デジタルユートピア　53, 176
デジタルユートピア論者　51-54, 74
テスラ　149, 171, 407
哲学　386, 400, 402, 404, 408, 431, 452
テロリスト　169, 173-174, 281
電気　151, 285-286, 370
電卓　81, 95, 108
『電脳生物たち』（モラヴェック）　53, 226, 235, 272-273, 293
ドイツ　28, 55, 135, 146, 243, 259, 279
ドイッチュ, デイヴィッド　107
糖　45-46
ドゥアンヌ, スタニスラス　424
統合情報量（Φ）　431-432, 438
統合情報理論（IIT）　432-433, 438-439, 441, 445-446
投票権（機械に与える）　164
トーヴァルズ, リーナス　253
独裁者　38, 169, 174, 239, 245-251, 258, 260, 277, 279-280, 291
特殊相対論　253, 316
トノーニ, ジュリオ　403, 431, 437-438
トフォリ, トマソ　99, 434
トランジスタ　96-97, 100, 102-106, 435
『トランセンデンス』（映画）　18, 226, 230, 258
奴隷　52, 176, 204, 239, 254, 260-268, 291, 390, 392, 405
ドレイク, フランク　347
ドレクスラー, K. エリック　279, 458-459
ドローン　164-166, 169, 172-174, 202, 289

［**ナ行**］

ナイト・キャピタル　145
ナッシュ均衡　222, 224
ナノテクノロジー　249, 256, 324
ナノボット　227
ならず者国家　173-174
難民　61
肉体労働　183
日本　146, 185, 243
ニュートリノ　305, 308, 310-311, 330
ニューホライズンズ（探査機）　320
ニューラルネットワーク　99, 107, 109-117, 119, 122, 128, 131, 135, 138, 159, 193, 434
『ニューロマンサー』（ギブスン）　69
ニューロン　47, 92-94, 100-101, 109-113, 115,

深層学習システム 136-137
深層強化学習 125-129
深層再帰ニューラルネットワーク 135, 138
人類の絶滅 141, 239, 243, 255, 257, 267, 269-278, 282-283, 288, 292, 345, 352-353, 355, 402
人類の未来研究所(FHI) 457
水道 285-286
『数学的な宇宙』(テグマーク) 347, 417, 457
『スーパーインテリジェンス』(ボストロム) 57, 334, 378, 395, 463
スーパーコンピュータ 192-193, 217, 272, 313, 337, 339
『スター・トレック』(映画) 226, 272, 344-345
『スターメイカー』(ステープルドン) 298, 349
スターリン, ヨシフ 200, 224
スタンフォード大学 137, 152, 472
スティンチクーム, マクスウェル 112
ステープルドン, オラフ 298, 349
頭脳労働 183
スノーデン, エドワード 201, 279
スピーゲル, マージョリー 265
スマートグリッド(次世代送電網) 151
スマートフォン 86, 100, 136, 173, 227, 483
性差別的、人種差別主義的ロボット判事 160
『政治学』(アリストテレス) 264-265
精神活動 183
精神的犯罪(ボストロム) 264
成層圏 289
生態系 40, 45, 288, 300
生物圏 49, 314-315, 336, 342-343, 354
生物兵器 170-173, 289
生物兵器禁止条約 173
生命(定義) 43-50
『生命とは何か』(シュレーディンガー) 362
生命の限界 294
生命の未来 43, 46, 56, 58, 70, 75, 291, 294-295, 297, 326, 353, 358, 397, 449, 456-457, 478-483
生命の未来研究所(FLI) 56-57, 60, 143, 168, 171, 342, 457-463, 471-472, 480
セーガン, カール 322, 325, 385
世界人権宣言 390, 392
世界的伝染病 141, 283
セキュリティ 142, 154-157, 195, 207, 211, 213-214, 216, 465
セキュリティ・ブレスレット 201-202, 246
セックス 206, 250, 366
セドル, イ 129-130, 132-133
狭い知能 62
セルオートマトン 99
セルマン, バート 59, 458-459, 467, 469
戦争 32, 59, 61, 139, 161, 164-165, 174-175, 259, 261, 279, 283-290, 343-344, 355, 382
全体主義 161, 200-203, 279-282, 289
センティエント(意識する) 435
セントロニウム 435
『全脳エミュレーションの時代』(ハンソン) 226
全面核戦争 32, 141, 284-290
『創造する機械』(ドレクスラー) 279
創造性 78, 124, 129-130, 132, 139, 180, 183, 196, 253
空飛ぶ車 63
素粒子物理学 309-310, 451
存在リスク研究センター 472
ゾンビ 40, 68, 267, 389, 405-406, 414, 424, 451-452, 488

［タ行］

ダーウィン, チャールズ 364
ダーウィン的進化 117, 364-365, 380, 401
ダークエネルギー 316, 318, 322, 324, 326-331, 333, 337, 339-340, 342, 345, 354
ダートマス会議 63
ターミネーター 198-199, 226, 270, 469-470, 481
第 3 次世界大戦 167
ダイソン, フリーマン 297-298, 320, 328-330, 333, 352, 451
ダイソン球 272, 297-303, 307-308, 321-322, 329
第 2 次世界大戦 55, 176
大脳皮質 426
太陽系 40, 142, 219, 257, 272, 294, 296, 299, 313-315, 323, 342, 345, 352, 382
太陽のエネルギー 252, 272, 296-297, 299, 302-303, 314-315, 321, 464
卓球 129, 428
ダマシオ, アントニオ 367
多様性 223, 246, 249, 349, 388-390, 395, 476
タリン, ヤーン 9, 56-57, 59, 458-459, 460-461, 478

『コンタクト』(セーガン) 325, 327
コンテンツ・オーバーハング 232
コントロール問題 261
コンピュータアーキテクチャ 439
コンピュータゲーム 18-19, 21, 81, 100, 120, 125, 218, 247, 419, 435
コンピュータセキュリティ 156-157, 213, 216
コンピュートロニウム 99, 122, 434, 436

[サ行]

再帰型ニューラルネットワーク 116
細菌 43, 45-47, 49, 92, 244, 289, 336, 371, 379
財産所有権 164
最終到達目標(ボストロム) 397
サイバー攻撃 159
サイバーセキュリティ 20
サイバー戦争 174-175
裁判 157-163, 181
サイベンコ, ジョージ 112
細胞 43, 103, 221-223, 348
サイボーグ 62, 71-72, 220, 226-227, 229, 234, 236, 238-239, 241-243, 251
サイモン, ハーバート 365
殺人ドローン 173-174
「殺人ロボット」 54, 164-165, 170, 172, 174, 470-471
サットン, リチャード 53, 59, 458-459
散逸 362, 364, 370, 394, 401
産業革命 182-183, 278
産業事故 147-148
産業用ロボット 54, 146-147, 175, 180
シェイクスピア, ウィリアム 179
ジェイムズ, ウィリアム 367
ジェニングス, ケン 235
『ジェパディ!』(クイズ番組) 82, 85, 118, 235
磁気共鳴画像法(MRI) 152
シグモイド関数 111
自己意識 40-41, 78-79
自己複製 43, 92, 117, 325, 348, 363-364
自己連想記憶 93
自殺 284, 367, 386, 393, 405, 452
自主性 223, 388, 390-391, 395
システム1 445
システム2 419, 445-446
自動運転車 68, 118-119, 141, 148-149, 153, 162-163, 175, 195, 371, 374, 400, 407-409
自動車事故 148
シナプス 47, 92, 110-112, 115-116, 439
司法制度 157
シミュレーション 20-21, 23, 25, 107, 192-194, 209, 211-212, 218, 229, 236, 244, 333-334, 339, 389, 410, 435, 439-440
社会交流 84-85
社会正義 61
シャナハン, マレー 59, 440, 442, 467
シャノン, クロード 63
自由意志 428, 447-449, 453
収穫加速の法則 103
宗教 32, 35, 158, 190, 222, 247, 257, 270, 386-387
重力放射 329
主観的経験 62, 68, 164, 267, 336, 389, 405-408, 410-411, 413, 418, 423, 434-435, 439, 442, 446, 449, 452
儒教 387
出生率の低下 243, 274
種偏見論者 53
シュミット, ヴォルフガング 279
シュレーディンガー, エルヴィン 362, 405
シュレーディンガー方程式 416
巡航ミサイル 169
常習的犯罪傾向予測ソフトウェア 160
情報技術 122, 140, 142, 144, 150
シラード, レオ 64, 288
自律型殺戮兵器 60, 140, 172-173, 477
自律型兵器システム(AWS) 164-166, 168-169, 172, 174, 195, 482
自律型兵器についてのAIおよびロボティックスの研究者からの公開書簡 168-170
自律型防衛兵器システム 172
神威・太湖之光 192
シンガー, ピーター 396
神学者 260
シンギュラリティ(技術的特異点) 54, 378
『シンギュラリティは近い』(カーツワイルによる著作のエッセンス版、完全版は『ポスト・ヒューマン誕生』) 227, 279
神義論問題 260
神経科学者 228, 404, 422, 431
人工知能倫理・統制基金 472
深層学習(ディープラーニング) 114, 119-120, 128, 131, 133, 136-137, 152

核融合発電所　63
カスパロフ, ガルリ　80, 118, 266
画像認識　84-85
価値観装塡問題　376-377
カトリック教会　263
カルダシェフ, ニコライ　322
カルフーン, ジョン・C.　265
『考える脳　考えるコンピューター』(ホーキンス)　266
感覚器　44-45, 117, 419, 426
環境運動　170, 278
感情(機械の)　78, 204, 245, 266, 368-369, 394
感情的知識　78
完全監視国家　201
完全自律型ドローン　166
完全自律型兵器　166
「簡単な問題(イージープロブレム)」　408, 410
カント, イマヌエル　386
がんの診断　120, 152
記憶　48, 70, 78, 82, 87-94, 96, 102, 106, 108-109, 116-118, 120-122, 159, 173, 191, 408, 434-435, 437, 442, 447
機械学習　109, 118-119, 127, 152, 161, 280
機械知能研究所　472
飢饉　164, 247
気候変動　33, 56, 61, 283, 287
技術懐疑論者　51-54, 67, 74
技術的特異点(シンギュラリティ)　54, 378
キッシンジャー, ヘンリー　173
機能的磁気共鳴画像法(fMRI)　161, 422, 461
逆強化学習　375
キューブリック, スタンリー　288
教育システム　181
強化学習　53, 127,
矯正可能性　377
教養　178, 189
銀河間旅行　322, 352
金融　35, 69, 95, 140, 144-145, 175, 181, 195
金融ソフトウェア　175
グーグル　26, 51, 53, 58, 80, 93, 118-119, 130, 134-135, 137-138, 148, 171, 179, 456, 460, 471
グーグル・ブレイン・チーム　135, 138
グーグル翻訳　135, 137
クエーサー　302, 305, 307, 341, 354
クォーク　42, 57, 64, 296, 308-310, 324, 409
クオリア　62, 410-411, 443-444, 446, 452-453
グッド, アーヴィング・J.　15, 56, 197
グブルッド, マーク　81
クラーク, グレゴリー　185
クラウドコンピューティング　17, 19, 25-26, 218, 232
クラコフナ, ヴィクトリヤ　56, 59-60, 458-459, 461, 467, 470
グリーン, ジョシュア　59, 458-459
クリック, フランシス　404, 422-423
グリピン, ジョン　347
クレイン, ルイス　304
グローバル化　178, 223
クワッドコプター　169
軍事　34-36, 38, 50, 53, 134, 140, 156, 164-175, 202, 288-289
計画立案力　78
経済　17, 27, 29, 35, 50, 58, 70-72, 140, 154, 163, 175-179, 182, 185-190, 196, 226, 240-241, 244, 251, 279, 283-284, 350, 365, 390, 398, 456, 474, 476, 482
警察　201-202, 222, 224, 374
計算とは何か?　94-107
芸術　85, 132, 176, 180, 247, 253, 294, 386, 396, 431, 450
継承性　388, 390-392
ゲイツ, ビル　57, 67, 241
ケインズ, ジョン・メイナード　283
ゲーツェル, ベン　81, 258
ゲーデル, クルト　297
ゲーム理論　221-222, 284, 481
ケネディ, ジョン・F.　172
言語　44, 48-49, 63, 81, 95, 119, 134-139, 223-224, 398, 408, 416, 418
検証(ベリフィケーション)　142, 144-146, 149, 153-154, 156, 195
限定合理性(サイモン)　365-367, 371
攻撃ドローン(ミツバチサイズの)　174, 202, 289
『行動の機構』(ヘッブ)　115
功利主義　388-390, 405
国際人工知能会議　171
国際紛争　482
コッホ, クリストフ　404, 422-424, 426-427, 431
コルバート, エリザベス　269
ゴルバチョフ, ミハイル　286

アメリカ国防総省　171
アメリカ人工知能学会(AAAI)　60, 148, 170, 261
アメリカ電気電子学会(IEEE)　472
アメリカ連邦人事管理局　156
アリストテレス　264-265, 386, 414
『ある美しい疑問』(ウィルチェック)　386
アルゴリズム　14, 25, 35, 45-46, 107, 109, 118, 145, 150, 159, 165, 181, 194, 339, 344, 365, 381, 339, 448
アルダ, アラン　462
アルヒーポフ, ヴァシーリィ　167, 284
イギリス　278-279
囲碁　58, 79, 82, 85, 120-121, 129-133, 371, 382, 408
意識に相関する神経活動(NCC)　422-427, 429
意識に相関する物理現象(PCC)　429
一切皆苦(ブッダ)　264
一神教　259
一般相対論　316, 319, 327, 414, 429
遺伝子　92, 117, 141, 152, 227, 246, 281, 283, 367-368, 384, 387, 401, 422
遺伝子工学で作られた伝染病　141, 281
遺伝子操作　227, 283, 422
『イミテーション・ゲーム』(映画)　259
医療現場におけるAI　140, 152-153, 181, 187, 420
イングランド, ジェレミー　9, 362
『インターステラー』(映画)　327
インタラクティブマップ　143
インテリジェント・バイオフィードバックシステム　227
インフレーション理論　103, 314, 318, 342
ヴァッサー, マイケル　56, 59
ヴァルディ, モシュ　148, 187, 458-459, 471
ウィキペディア　16, 23, 48
ウィスナー＝グロス, アレックス　59, 399
ウィノグラード, テリー　137
ウィノグラード・スキーマ・チャレンジ　85, 137
ウィルチェック, フランク　57, 386, 462
ヴィンジ, ヴァーナー　58-59, 378, 467
ウーリー, リチャード　64
ウェアリング, クリーヴ　437
ウエストモアランド, ショーン　304
ヴェリタス(真理)　386
ウォルシュ, トビー　171, 458-459
宇宙エンジニアリング　326, 328, 354
宇宙スパム　273, 325, 328, 332
宇宙探査　142-143, 296, 320, 464
宇宙の終末　329-330, 332, 352
宇宙への入植　296, 314-316, 318-319, 321, 323-326, 342-345, 349-351, 354, 382, 389, 464
宇宙旅行　64
ヴラデック, デイヴィッド　59, 163
ウルフラム, スティーヴン　99-100
エイリアン　233, 325, 346, 348, 350, 379, 443
エイリアンハンド症候群　441
『エクス・マキナ』(映画)　262, 276
エッカート, プレスパー　106
エネルギー発生法　302, 309
エネルギー利用　297
エルゴスフィア　306-307
エン, アンドリュー　54, 67, 458-459
遠隔操縦ドローン　169
エントロピー　360-362, 370, 399-401
黄金律　387
オーウェル, ジョージ　161, 239, 278-280
大型ハドロン衝突型加速器　304
オード, トビー　9, 59, 342, 458-459
オートメーション　178
オープンソースソフトウェア運動　251
オックスフォード大学　472
オニール, ジェラード・K.　300-301
オムニサイド(全人類の皆殺し)　284, 287-290
オモアンドロ, スティーヴ　204, 378-379, 382, 458-459
オライオン計画　320
オルソン, ジェイ　325, 350
音声認識　85

[カ行]

カーツワイル, レイ　53, 103, 105, 130, 227, 238, 243, 279, 458-459, 478
カールセン, マグナス　108
カーン, ハーマン　288
化学兵器　170-172
核エネルギー　64
学習規則(ヘッブの学習則)　115-116
学習能力　79, 117, 159
確証(バリデーション)　142, 145-149, 153-154, 156, 168, 195
核戦争　32, 141, 259, 283-288
核の冬　32, 286-289
核兵器　14, 56, 142, 164, 169-170, 285-286, 288-289

索引

[英数字]

『1984年』(オーウェル) 161, 280
AAAI(アメリカ人工知能学会) 60, 148, 170, 261
AI
——安全性研究 52, 55-57, 60, 66-67, 74, 141-144, 373, 462-463, 465-466, 468-472, 474-479, 482
——軍拡競争 70-71, 169, 477
——コミュニティ 56, 60, 479-480
——搭載ドローン 164-166, 173-174, 202, 289
——に目標を持たせるべきか 358-402(第7章)
——の設計 85
——文明 233
——兵器 75, 164-165, 168-170, 289-290
——ボックス 261
アシロマ——原則 474-477, 479
医療現場における—— 140, 152-153, 181, 187, 420
老婆心—— 258
Alcor 244
AlphaGo 81, 120, 129-133, 371, 407
AlphaZero 133
AWS(自律型兵器システム) 164-166, 168-170, 172-174, 482
BigDog 129
CAPTCHA 119
CHAI 375
Cortana 119
DARPA(アメリカ国防高等研究計画局) 144
DNA 43-45, 47-48, 92, 117, 206, 227, 243, 288, 324
DQN(AIシステム) 80
FHI(人間の未来研究所) 457
FLI(生命の未来研究所) 56-57, 60, 143, 168, 171, 342, 457-463, 471-472, 480
fMRI(機能的磁気共鳴画像法) 161, 422, 461
GOFAI 131, 133, 135, 138
HACMS(高信頼度サイバー軍用システム) 144
『her/世界でひとつの彼女』(映画) 276
IBM 80, 118, 181, 235, 266, 456, 471
IEEE(アメリカ電気電子学会) 472
IoT 154
IQ(知能指数) 79, 82, 121, 379
K&Lゲイツ倫理学・コンピュータ技術基金 472
MIT(マサチューセッツ工科大学) 51, 54 ,57, 99, 101, 105, 154, 176, 178, 311, 362, 387, 411, 415, 460, 462-464, 481
MRI(磁気共鳴画像法) 152
MTurk(アマゾンメカニカルターク) 16-18, 20-23, 170-171, 205, 218, 221
NCC(意識に相関する神経活動) 422-427, 429
OpenAI 128, 472
RNA 92
seL4(完全汎用オペレーティングシステムカーネル) 144
SF 69, 73, 211, 226, 228, 237, 249, 298, 325, 349, 351, 391
Siri 119
Skype 56, 207, 460, 465
SpaceX 466-468
Stockfish 133
Stuxnet 175
Uber 148, 180, 184
Universe(OpenAI) 128
Watson 81, 118, 181, 235, 371
Yahoo 156

[ア行]

アーミッシュ 239, 241, 281
アーロンソン, スコット 411, 438, 446
アイヒマン, アドルフ 386
アインシュタイン, アルベルト 253, 297, 301, 309, 316, 327, 332, 418, 429
アギーレ, アンソニー 9, 56, 59, 257, 457-459, 461, 467, 472
アシモフ, アイザック 282, 391, 455
アシロマAI原則 474-477, 479
アシロマ会議 456, 458-459, 471-474, 479-480
アダムス, ダグラス 309
アタリ 81-82, 125-126, 128
アップル 138, 179, 456
アップロードする脳、心 220, 226-228, 230, 234, 236, 238-245, 251, 253, 255, 405, 439, 452
アマゾン 17, 26, 172, 232, 471
アマゾンメカニカルターク(MTurk) 16-18, 20-23, 170-171, 205, 218, 221
アメリカ国防高等研究計画局(DARPA) 144

［著者］

マックス・テグマーク

Max Tegmark

マサチューセッツ工科大学（MIT）教授、理論物理学者。宇宙論の研究者だったが、超知能AIによる人類絶滅の危険性に注目し、近年はAI研究に軸足を移している。2014年に、AIの安全な研究を推進するための非営利団体「生命の未来研究所（Future of Life Institute, FLI）」を共同で設立。2017年に発表された「アシロマAI原則」の取りまとめを同団体が先導した。2019年6～7月にNHK Eテレで放送された「超AI入門特別編」に出演。邦訳された著書に『数学的な宇宙――究極の実在の姿を求めて』（講談社、2016年）があり、数学的存在そのものが宇宙であるとする斬新な「数学的宇宙仮説」を論じて脚光を浴びた。理論物理学者としては、スローン・デジタル・スカイ・サーベイ（SDSS）との銀河団に関するコラボレーションが、「サイエンス」誌の「ブレークスルー・オブ・ザ・イヤー2003」を受賞している。

［訳者］

水谷 淳

みずたに・じゅん

翻訳家。訳書にディヴィス『生物の中の悪魔――「情報」で生命の謎を解く』（SBクリエイティブ）、バラット『人工知能　人類最悪にして最後の発明』、チャム＆ホワイトソン『僕たちは、宇宙のことぜんぜんわからない――この世で一番おもしろい宇宙入門』（以上、ダイヤモンド社）ほか多数。著書に『科学用語図鑑』（絵＝小幡彩貴、河出書房新社）がある。

LIFE 3.0

人工知能時代に人間であるということ

2020年1月 6 日　第1刷発行
2023年4月28日　第5刷発行

発行所――――株式会社紀伊國屋書店
東京都新宿区新宿3-17-7

出版部（編集）電話　03-6910-0508
ホールセール部（営業）電話　03-6910-0519
〒153-8504　東京都目黒区下目黒3-7-10

ブックデザイン――松田行正＋杉本聖士
印刷・製本――――中央精版印刷
校正・校閲協力――鷗来堂

ISBN 978-4-314-01171-6 C0040 Printed in Japan

定価は外装に表示してあります